Segunda Edição

Cozinha Geek

Ciência de Verdade, Grandes Cozinheiros e Boa Comida

Jeff Potter

ALTA BOOKS
EDITORA
Rio de Janeiro, 2017

Cozinha Geek — Ciência de verdade, grandes cozinheiros e boa comida
Copyright © 2017 da Starlin Alta Editora e Consultoria Eireli. ISBN: 978-85-508-0046-2

Translated from original Cooking for Geeks. Copyright © 2016 by Jeff Potter. ISBN 978-1-491-92805-9. This translation is published and sold by permission of O'Reilly Media, Inc, the owner of all rights to publish and sell the same. PORTUGUESE language edition published by Starlin Alta Editora e Consultoria Eireli, Copyright © 2016 by Starlin Alta Editora e Consultoria Eireli.

Todos os direitos estão reservados e protegidos por Lei. Nenhuma parte deste livro, sem autorização prévia por escrito da editora, poderá ser reproduzida ou transmitida. A violação dos Direitos Autorais é crime estabelecido na Lei nº 9.610/98 e com punição de acordo com o artigo 184 do Código Penal.

A editora não se responsabiliza pelo conteúdo da obra, formulada exclusivamente pelo(s) autor(es).

Marcas Registradas: Todos os termos mencionados e reconhecidos como Marca Registrada e/ou Comercial são de responsabilidade de seus proprietários. A editora informa não estar associada a nenhum produto e/ou fornecedor apresentado no livro.

Impresso no Brasil — 2ª Edição, 2017 - Edição revisada conforme o Acordo Ortográfico da Língua Portuguesa de 2009.

Obra disponível para venda corporativa e/ou personalizada. Para mais informações, fale com projetos@altabooks.com.br

Produção Editorial	**Gerência Editorial**	**Marketing Editorial**	**Gerência de Captação e Contratação de Obras**	**Vendas Atacado e Varejo**
Editora Alta Books	Anderson Vieira	Silas Amaro		Daniele Fonseca
Produtor Editorial	**Supervisão de Qualidade Editorial**	marketing@altabooks.com.br	autoria@altabooks.com.br	Viviane Paiva
Claudia Braga				comercial@altabooks.com.br
Thiê Alves	Sergio de Souza			**Ouvidoria**
Produtor Editorial (Design)	**Assistente Editorial**			ouvidoria@altabooks.com.br
Aurélio Corrêa	Christian Danniel			

Equipe Editorial	Bianca Teodoro	Illysabelle Trajano	Juliana de Oliveira	Renan Castro
Tradução	**Copidesque**	**Revisão Gramatical**	**Revisão Técnica**	**DTP**
Fátima Pinho	Wendy Campos	Carolina Gaio	Gabriela Malheiros	Luisa Gomes
			Nutricionista e Chef de Cozinha	

Erratas e arquivos de apoio: No site da editora relatamos, com a devida correção, qualquer erro encontrado em nossos livros, bem como disponibilizamos arquivos de apoio se aplicáveis à obra em questão.
Acesse o site www.altabooks.com.br e procure pelo título do livro desejado para ter acesso às erratas, aos arquivos de apoio e/ou a outros conteúdos aplicáveis à obra.

Suporte Técnico: A obra é comercializada na forma em que está, sem direito a suporte técnico ou orientação pessoal/exclusiva ao leitor.

Dados Internacionais de Catalogação na Publicação (CIP)
Vagner Rodolfo CRB-8/9410

P866c Potter, Jeff
    Cozinha geek: ciência de verdade, grandes cozinheiros e boa comida / Jeff Potter ; traduzido por Fátima Pinho. - 2. ed. - Rio de Janeiro : Alta Books, 2017.
    480 p. : il. ; 17cm x 24cm.

    Inclui índice.
    Tradução de: Cooking for geeks - 2º nd
    ISBN: 978-85-508-0046-2

    1. Gastronomia. 2. Cozinheiros. 3. Cozinha. I. Pinho, Fátima. II. Título.
    CDD 641.5
    CDU 641.5

Rua Viúva Cláudio, 291 - Bairro Industrial do Jacaré
CEP: 20.970-031 - Rio de Janeiro (RJ)
Tels.: (21) 3278-8069 / 3278-8419
www.altabooks.com.br — altabooks@altabooks.com.br
www.facebook.com/altabooks — www.instagram.com/altabooks

Conteúdo

Índice de Receitas v

Lista de Laboratórios viii

Lista de Entrevistas ix

Introdução 1

1. **Olá, Cozinha!** 5

2. **Gosto, Cheiro e Sabor** 55

3. **Tempo e Temperatura** 135

4. **Ar e Água** 235

5. **Diversão com Equipamentos** 305

6. **Brincando com Química** 375

   Como Ser um Geek Mais Esperto 441

   Cozinhando Cercado por Alergias 445

   Índice 451

Índice de Receitas

Café da Manhã

Aveia de Grãos Longos 12

Batatas de Frigideira 216

Bolinhos do Tim. 288

Crepes 1-2-3 do Papai 251

Fritatta de Claras de Ovos com Aveia e Frutas 13

Ovos de Forno 194

Ovos Mexidos em Fogo Brando 194

Panquecas Americanas. 278

Panqueca Média da Internet 10

Popover no Vapor 239

Waffles de Levedura. 267

Pães

Crackers com Sementes e Pitas Fáceis de Fazer 253

Massa de Pizza — Método sem Sova. 271

Massa de Pizza sem Fermento. 286

Massa Lêveda Inicial 272

Pão — Método Tradicional 264

Pão sem Sova 261

Aperitivos e Acompanhamentos

Azeitonas Verdes Assadas 31

Bife Tártaro com Ovos Pochê 174

Bruschetta de Lula 199

Cenouras Refogadas com Cebola Roxa. 230

Ceviche de Vieiras. 176

Chips Crocantes de Couve ao Forno 353

Gravlax de Salmão 385

Mexilhões Selados com Manteiga e Cebolinhas-brancas. 67

Pão de Alho Fabuloso 217

Purê de Batatas com Alecrim 212
Quadrados ou Torcidos de Massa Folhada. 31
Queijo de Cabra Assado com Amêndoas e Mel 31
Verduras Refogadas com Sementes de Gergelim 209
Vieiras Seladas 220

Saladas

Salada de Chicória com Ovos Pochê e Bacon 75
Salada de Erva-doce, Cogumelos Portobello e Parmesão 114
Salada de Tomate, Muçarela e Manjericão Fresco 114
Salada de Verão de Melancia e Queijo Feta. 85

Sopas

Congee 22
Gaspacho para o Verão 117
Sopa de Inverno de Feijão-branco e Alho 116
Sopa de Lentilha e Limão. 19
Sopa de Minestrone. 106
Sopa de Outono de Abóbora 118
Sopa de Primavera de Alface 116
Sopa Francesa de Cebola de Uma Hora 38

Pratos Principais

Almôndegas Belgas. 185
Atum Selado com Cominho e Sal 169
Bife Selado. 140
Carne de Porco Desfiada na Pressão 312
Confit de Pato com Massa 202
Costela ou Acém de 48 Horas. 336
Costelas Assadas ao Molho Barbecue 405
Costela de Porco Recheada com Cheddar e Pimentão Poblano 66
Costelinhas Cozidas em Fogo Brando 203
Fraldinha Marinada no Leitelho. 167
Frango à Borboleta, Grelhado e Assado 218
Frango com Grão-de-bico, Páprica e Coentro 28

Cozinha Geek

Mac 'n' Cheese (Macarrão com Queijo) 105
Moong Dal Khichdi (Arroz com Lentilhas) 311
Peixe Assado no Sal com Limão e Ervas 147
Penne alla Vodca 107
Quinoa ao Limão e Aspargos com Camarão Frito 53
Saboroso Seitan Assado com Vagens Picantes 257
Salmão Refogado em Azeite de Oliva 168
Tacos de Peixe com Picles e Chutney de Morango 129

Sobremesas
Baklava de Chocolate e Pistache 256
Biscoitos Amanteigados 224
Biscoitos de Açúcar 224
Biscoitos de Canela 224
Biscoitos de Gengibre 279
Bolo de Abóbora com Canela e Passas 287
Bolo de Chocolate ao Porto 295
Bolo de Chocolate de 30 Segundos 316
Bolo de Chocolate de Uma Tigela 280
Cestinhas de Açúcar para Sorvete 342
Chocolates Mentolados 81
Cookie com Gotas de Chocolate Violador de Patente 284
Crème Brûlée do Quinn 368
Creme Inglês 192
Marshmallows 381
Massa de Torta 259
Mousse de Chocolate 301
Peras Pochê ao Vinho Tinto 210
Pudim de Pão 192
Receita de Donut de Forno 345
Sorvete de Chocolate e Goldschläger 364
Sorvete Recheado 405
Suflê de Frutas 299

Índice de Receitas

Tiramisù 19
Torta de Baunilha... 192
Torta de Merengue de Limão 411
Torta Falsa de Maçã 96
Zabaglione 298

Ingredientes e Componentes

Carne-seca 5³ 354
Coalhada Caseira (Sour Cream) 155

Conserva de Limão.. 387
Extrato de Baunilha 400
Iogurte Caseiro 73
Maionese... 431
Marmelada Cítrica 396
Óleos Infundidos e Manteigas com Ervas 401
Picles Instantâneos Pão com Manteiga............................. 388

Lista de Laboratórios

Um Jeito Legal de Calibrar Seu Forno 36
Você Diz Batata, Eu Digo Maçã..................................... 57
Diferenças Genéticas de Paladar 82
Você Conhece Bem os Seus Sabores? 130
Experimento com Colágeno.. 204
Taxas de Reações Saborosas — Encontre o Seu Biscoito Perfeito 226
Calibre Seu Freezer com Água Salgada............................ 244

Faça Seu Glúten... 254
Chegando à Segunda Base com o Bicarbonato de Sódio............. 276
Separação Através da Cristalização (Palitinhos de Açúcar) 356
Fazendo Sorvete com Sal e Gelo 394
Como Fazer Fumaça Líquida....................................... 406
Faça Sua Pectina 420

Lista de Entrevistas

Adam Savage: Testes Científicos 16
Jacques Pépin: Culinária 24
Deborah Madison: Comer Sozinho 29
Buck Raper: Facas 40
Adam Ried: Equipamentos de Cozinha 51
Linda Bartoshuk: Paladar e Prazer 86
Brian Wansink: Expectativas, Sabor e Alimentação 101
Lydia Walshin: Ingredientes Incomuns 110
Tim Wiechmann e Linda Anctil: Inspiração Sazonal 121
Gail Vance Civille: Sabor e Aroma 132
Doug Powell: Segurança de Alimentos 178
Bridget Lancaster: Mitos Culinários 231
Jim Lahey: Panificação 260
Jeff Varasano: Pizza 269
David Lebovitz: Culinária Francesa e Americana 302
Douglas Baldwin: Culinária Sous Vide 327
Dave Arnold: Equipamentos Industriais 358
Nathan Myhrvold: Culinária Modernista 372
Carolyn Jung: Limões em Conserva 387
Hervé This: Gastronomia Molecular 390
Ann Barrett: Textura 412
Benjamin Wolfe: Fungos e Queijos 434
Harold McGee: Como Resolver os Mistérios da Culinária 438

Introdução

PODE SER QUE VOCÊ SEJA UM GEEK E NEM TENHA SE DADO CONTA. Você tem curiosidade em saber como o mundo funciona e gosta de descobrir por que algo acontece? Se a resposta é sim, você provavelmente é um geek, o tipo de pessoa que prefere receber uma caixa cheia de ferramentas, coisas de cozinha ou peças de bicicleta e que, principalmente, o deixem à vontade para brincar em vez de dizerem a você o que fazer. Os geeks podem ser encontrados em todas as áreas, da política ao esporte e, sim, também na tecnologia. Mesmo se você não se identifica com a minha definição de geek — *inteligente e curioso* —, levar essas qualidades para a cozinha permite que você descubra coisas novas e fascinantes.

A cozinha pode ser um lugar divertido, interessante e, às vezes, desafiador. Minhas primeiras memórias culinárias são com meu pai, um físico, ensinando-me como fazer panquecas. Durante minha infância, minha família usava a comida como uma forma de reunião, grelhando hambúrgueres para o futebol de domingo e preparando o peru durante o feriado de Ação de Graças. Quando saí de casa para cursar a faculdade, descobri o quão pouco eu sabia. (E acho que sei ainda menos agora!) Meus pais tinham passado algum tempo comigo cozinhando e nós comíamos juntos, mas nunca havia aprendido como preparar um frango ou vegetais sauté.

Meu primeiro desafio verdadeiro para aprender a cozinhar foi fazer um bom jantar caseiro como aqueles da minha infância. Eu era um geek novato na cozinha e não tinha certeza por onde começar, mas era curioso e tinha a mente aberta. Com o tempo tive sucesso e agora me considero um bom cozinheiro, mas poderia ter chegado lá com menos pratos esquisitos em meu processo de aprendizagem. (Massa salpicada com salmão? Peito de frango cozido com vinho tinto?) Muito do meu aprendizado foi na base da tentativa e erro. Nunca gostei de seguir receitas tradicionais e na época não havia nenhum livro de culinária que ensinasse a cozinhar por intuição utilizando explicações científicas. Enquanto escrevia esse livro, pensava em meu aprendizado na cozinha — alguém que busca diversão e ideias interessantes para experimentar,

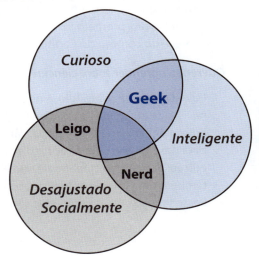

mas não uma receita estrita que tivesse de ser seguida. O que eu teria gostado de ler quando embarquei em minhas primeiras aventuras culinárias?

Poucos anos depois de me formar na faculdade e depois de adquirir confiança na preparação de um jantar, comecei a cozinhar para os amigos, dando festas e convidando pessoas para se juntarem a mim à mesa de jantar. O ato de cozinhar trouxe uma comunidade, e minha comunidade, sendo repleta de geeks que estudavam ciências na escola, trouxe questões como: "Por quê?" e "Como?" Este é o tipo de questão que não se responde facilmente por tentativa e erro, e isso me levou a conversas e procuras online sobre frigideiras, especiarias, nutrição e uma centena de outros tópicos. Estas eram as questões mais profundas e mais geeks, revelando conhecimentos científicos sobre ingredientes e técnicas, e inspirando aventuras fora das receitas em novas direções.

E então algo engraçado aconteceu. Depois de ter dado uma palestra sobre o método sous vide (veja a página 320), alguém me perguntou se eu estaria interessado em escrever um livro sobre culinária. "Claro" — eu disse — "o quão difícil isso poderia ser?" (Pessoas que disseram "não" sabem mais do que eu sabia naquela época — e como eu disse, acho que sei ainda menos hoje!) O que você está lendo é o resultado de uma quantidade inimaginável de tempo gasto reunindo o que considero conhecimento divertido, útil e interessante sobre culinária, com a intenção de inspirar tanto novatos em culinária quanto profissionais.

Não importa o tipo de geek que você é, contanto que encare a cozinha com curiosidade, vai se sair muito bem. *Por favor, não se sinta obrigado a começar pelo primeiro capítulo.* Receitas e experiências estão espalhadas por todo o texto, junto com entrevistas com cientistas, pesquisadores e chefs. Folheie e comece onde quer que sua curiosidade o leve! Aqui está um breve guia para que você possa começar.

Novo na cozinha?

Aconchegue-se com um copo de sua `$bebida _ favorita` (gracinha de programação; prometo inserir algumas para os geeks de software de plantão), comece do começo do Capítulo 1 e dê tempo ao tempo para encontrar seu rumo.

Querendo aprender sobre ciência?

Pule direto para o Capítulo 2, ou se quiser colocar a mão na massa, dê uma olhada na lista de atividades da página viii para ter algumas ideias. (Depois que a primeira edição desse livro foi publicada, vários professores e pais me pediram atividades para desenvolver com os aprendizes. Coloquei algumas delas na segunda edição, tomando o cuidado de que elas fossem também interessantes de ler.) Há também uma lista de entrevistas com pesquisadores e cientistas na página ix. Pessoalmente, essas entrevistas são minha parte predileta do livro.

Querendo apenas cozinhar?

Veja o índice de receitas na página v e pule direto para a página da receita que escolher. Todas as receitas deste livro foram selecionadas para ligar alguns conceitos científicos com sua aplicação no mundo real. A maioria é deliciosa por si só. As porções geralmente servem de duas a quatro pessoas, mas você vai precisar fazer o ajuste e o planejamento caso o número seja maior. Essas receitas têm o intuito de ser blocos de construção, e não receitas tradicionais, completas e independentes, e por isso, pretendemos que você as adapte e modifique.

Independente de onde começar, sugiro que você faça anotações nas margens ou em um bloco de notas colocado em meio às páginas. Rabisque lembretes sobre o que faria diferente na próxima vez que usar uma receita. Circule as coisas que deseja refazer. Escreva perguntas sobre os tópicos que o surpreenderam ou trouxeram novas ideias. Eu aprendo e me divirto mais quando me ponho a cozinhar com uma atitude de cientista, explorando com ousadia, inventando ideias e testando-as. Você deve fazer o mesmo. Experimente!

Meu primeiro livro de culinária, por volta de 1984.

Para se comunicar comigo, envie uma mensagem no site http://www.jeffpotter.org (conteúdo em inglês). Eu gosto de ouvir os leitores e suas perguntas também me ajudam a aprender.

> A Editora Alta Books informa que eventualmente optamos por manter a nomenclatura original de alguns ingredientes, devendo assim o leitor considerar na obtenção do mesmo no mercado brasileiro.

Introdução 3

Conteúdo do Capítulo

Pense Como um Geek 6

Conheça Seu Estilo na Cozinha 8

Como Ler uma Receita 11

O Medo na Cozinha 14

Uma Breve História das Receitas 18

Nem Sempre Siga a Receita 21

Um Lugar para Cada Coisa
e Cada Coisa em Seu Lugar 26

Jantar para Um 28

O Poder de um Jantar 30

Apresentação e Decoração dos Pratos 32

ABC dos Equipamentos de Cozinha 34

Facas 37

Tábuas de Corte 44

Panelas e Caçarolas 45

Equipamentos Essenciais 48

Receitas

Panqueca Média da Internet, 10

Frittata de Claras de Ovos com Aveia
e Frutas, 13

Congee, 22

Frango com Grão-de-bico, Páprica e
Coentro, 28

Sopa Francesa de Cebola de Uma Hora, 38

Quinoa ao Limão e Aspargos com
Camarão Frito, 53

Laboratório

Um Jeito Legal de Calibrar Seu Forno, 36

Entrevistas

Adam Savage:
Testes Científicos, 16

Jacques Pépin:
Culinária, 24

Deborah Madison:
Comer Sozinho, 29

Buck Raper:
Facas, 40

Adam Ried:
Equipamentos de Cozinha, 51

1
Olá, Cozinha!

NÓS, GEEKS, SOMOS FASCINADOS POR SABER COMO AS COISAS FUNCIONAM E A MAIORIA DE NÓS SE ALIMENTA, TAMBÉM.

Aprender a cozinhar pode ser um dos empreendimentos mais gratificantes da sua vida. Cozinhar — e comer — é um quebra-cabeça fascinante com diversas camadas, de onde, assim como em uma cebola, você retira uma camada e logo aparece uma nova. Ninguém nunca poderá dizer que o aprendizado chegou ao fim.

Para o iniciante, cozinhar tem muitas regras ocultas. Conhecê-las não é simplesmente uma rotina de memorização, mas implica em curiosidade, e isso é algo que os geeks têm de sobra. Com o tempo, as regras ocultas da cozinha se revelam em uma combinação de arte e ciência e dão a você as chaves para esse reino. É uma busca que vale a pena. Com boa comida, você pode cuidar melhor de você e da sua saúde. Conhecendo a cozinha, pode cozinhar para si mesmo e para os outros, construir amizades e um grupo social.

Este capítulo fala sobre as regras básicas do jogo de aprender a cozinhar — ou a camada mais externa da cebola, se achar melhor. Ele fala sobre como abordar a cozinha. O que significa pensar como um geek? Que tipo de cozinheiro você é? De onde vêm as receitas e como interpretá-las com sucesso? Que ferramentas você precisa ter na cozinha? O que mais pode ser importante para cozinhar? Para responder esse tipo de questão, você precisa começar a pensar como um geek.

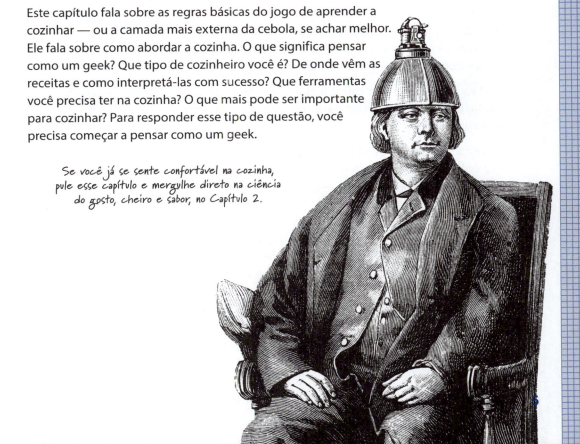

Se você já se sente confortável na cozinha, pule esse capítulo e mergulhe direto na ciência do gosto, cheiro e sabor, no Capítulo 2.

Pense Como um Geek

O que significa pensar como um geek na cozinha?

Em geral, trata-se de técnica e ferramentas. Abrir massas em uma espessura uniforme pode ser difícil, mas prenda alguns elásticos em cada ponta do rolo e você terá um rolo nivelador instantâneo. Precisa grelhar algo, mas não tem um grill? O grill do seu forno é bastante parecido, porém o calor vem de cima e não de baixo. Precisa untar formas com óleo em spray? Abra a lava-louça, coloque a forma na porta aberta e pulverize — nada de bancadas sujas e a porta ficará limpinha no próximo ciclo.

Outras vezes, pensar como um geek é entender por que aqueles ingredientes estão sendo usados. Está seguindo uma receita que usa vinagre branco, mas não tem em casa? Suco de limão pode servir — se a receita estiver usando-o como um acidulante e o gosto não interferir. Preparando um prato que usa orégano, mas ele acabou e só tem tomilho? As duas ervas compartilham os mesmos componentes de odor e, dessa forma, são boas substitutas. Pensando se pode substituir fermento em pó por bicarbonato de sódio? Basta adicionar a quantidade certa de um ingrediente ácido para reagir com ele.

Às vezes, pensar como um geek significa ser inventivo na maneira de resolver um problema — um truque inteligente para substituir algo que está quebrado ou buscar maneiras mais fáceis de fazer alguma coisa. Conheço uma pessoa que postou no Twitter: "Meu micro-ondas não tem o número 3, mas posso ajustá-lo para 2min60s". Esperto! Uma amiga usa uma caneca como suporte para o saco de confeiteiro — em vez de enfiar colheradas dentro do saco enquanto o segura, ela o coloca em uma caneca e dobra as bordas para fora. Aprender a pensar como um geek é ver os porquês por trás da técnica e do ingrediente, e resolver as questões de modo prático.

Aqui vai um experimento difícil: imagine que te deem uma vela, uma caixa de fósforos e uma de tachinhas, e peçam para que prenda a vela à parede. Sem incendiar a casa, como você faria?

Essa experiência é chamada de "O Problema da Vela de Duncker", em homenagem ao psicólogo alemão Karl Duncker, que estudou o viés cognitivo que empregamos na solução de problemas. Coisas como o papelão da caixa de fósforos têm uma "função fixa" de proteger os palitos. Normalmente não pensamos na caixa como um pedaço de papelão grosso que foi dobrado; só a vemos funcionando como

---

Se você estivesse preso em uma ilha tropical, como você faria fogo com uma lata de refrigerante e uma barra de chocolate? Pense como um geek e veja além da fixação funcional!
Use a embalagem do chocolate para polir o fundo da lata e conseguir uma superfície espelhada. Use esse fundo como um refletor, direcionando a luz do sol para um galho seco.

Cozinha Geek

protetora dos fósforos. Como resultado, outros usos do papelão se tornam invisíveis para nós.

Somos ofuscados pela fixação funcional em todo canto. Reconhecer que um objeto é capaz de servir a outros propósitos requer uma reestruturação mental, seja colocando um elástico em um rolo ou utilizando suco de limão como um acidulante alternativo. Vemos as peneiras de metal como utensílios para escorrer massas, mas se as invertermos em cima de uma frigideira, elas servem de proteção contra respingos. As torradeiras funcionam perfeitamente para fazer muito mais que torradas: elas aquecem o ar até 180°C. Então por que não escalfar o peixe em uma se seu forno já estiver ocupado?

Liberdade funcional: *use uma peneira de metal como proteção contra respingos.*

As saídas óbvias para "O Problema da Vela de Duncker" — enfiar tachinhas na vela ou derreter a lateral de forma que grude na parede — vão rachá-la ao meio ou colocar fogo na parede. A solução, pelo menos a que Duncker esperava, envolve a percepção de que você tem em mãos uma caixa: a que está guardando as tachinhas. Pregue-a na parede, coloque a vela dentro dela e acenda a vela.

É preciso banir a fixação funcional na cozinha. Ao aprender a cozinhar, você vai descobrir os porquês por trás de cada passo em uma receita, explorando diferentes respostas possíveis. Mesmo que erre, você aprenderá o que funciona ou não e, nesse processo, irá aos poucos construir uma nova visão "sem fixação funcional" da cozinha.

O Problema da Vela De Duncker: *como você pregaria uma vela na parede se recebesse uma caixa de tachinhas e uma de fósforos?*

Conheça Seu Estilo na Cozinha

Parte de aprender a pensar como um geek é entender seu temperamento e estilo dentro da cozinha. A maioria de nós imagina que existam dois tipos de chefs: cozinheiros e confeiteiros. (Pessoalmente, acho que existem dois tipos de pessoas: as que dividem as pessoas em dois tipos e as que não.) Os cozinheiros têm a reputação de possuir uma abordagem intuitiva do tipo "jogue na panela", de juntar quaisquer ingredientes que os inspirem e ajeitar as coisas durante o processo. Os confeiteiros são tipicamente descritos como precisos, exatos nas medidas, organizados e metódicos. Até mesmo escolas de culinária como a *Le Cordon Bleu* dividem seus cursos entre cozinha (*cuisine*) e confeitaria (*patisserie*), devido às diferenças na técnica e na execução. A cozinha profissional requer um trabalho de preparação e uma parte "sob demanda", à medida que os pedidos são feitos. A confeitaria quase sempre tem o estilo de produção, com outro grupo de técnicas, e seu produto final fica pronto antes de os pedidos chegarem. Para a maioria de nós, contudo, cozinhar não é uma profissão, por isso dividir os tipos de culinária em dois não é prático.

A forma mais eficaz de pensar nos tipos de cozinha que encontrei foi a pesquisa feita por Brian Wansink, diretor do Laboratório de Alimentos e Marcas da Cornell University e autor de *Por que Comemos Tanto?* (Editora Campus). Seu trabalho é fascinante; ele encontrou todos os padrões dos comportamentos alimentares, que podem ser usados para criar hábitos mais saudáveis.

Baseado em uma pesquisa que envolveu cerca de mil chefs domésticos da América do Norte, Brian encontrou cinco tipos diferentes de cozinheiros. Com a permissão dele, estou reproduzindo aqui o pequeno teste feito por ele. É engraçado ver que qualquer programa de TV ou revista de culinária em que eu possa pensar sempre se encaixa em uma das cinco categorias. Em sua pesquisa, Brian descobriu que a maioria das pessoas estava, *grosso modo*, dividida igualmente entre esses cinco tipos, que descrevem de 80% a 85% de nós. Os outros 15% a 20% acabam sendo combinações de dois ou três tipos, então não se apavore se fizer o teste e não se enquadrar em uma categoria. O que descobri ao conversar com alguns grupos mais geeks — cheios de cientistas e engenheiros de software — foi uma enorme tendência ao tipo inovador de cozinheiro. Existe claramente uma inclinação de personalidade para esse campo!

Quando for cozinhar para os outros, tenha em mente as combinações de diferentes tipos de cozinheiros dentre aqueles que irão comer. Imagine que você é uma pessoa que se alimenta de maneira saudável, recebendo comida de alguém que gosta de expressar afeto através dela. Aquele prato de brownies é a maneira de dizer: "Eu me importo com você!" Então deguste um, ou ao menos dê uma mordida, e agradeça. Quando perguntei a Brian sobre os conflitos entre hábitos alimentares de pessoas que moram juntas, ele sugeriu uma divisão de responsabilidades: alternar-se na preparação da comida, dando ao cozinheiro costumeiro pelo menos uma noite de folga na semana.

Que Tipo de Cozinheiro Você É?

Quando preparo uma refeição, eu normalmente:

1. Preparo pratos clássicos dos quais minha família sempre gostou.
2. Faço substituições mais saudáveis.
3. Sigo uma receita passo a passo.
4. Raramente uso receitas e gosto de fazer experiências.
5. Fujo completamente do roteiro e tento impressionar meus convidados.

Alguns dos meus ingredientes favoritos são:

1. Muito pão, farinha e carne vermelha.
2. Peixe e vegetais.
3. Carne de boi e de frango.
4. Vegetais, especiarias e ingredientes incomuns.
5. Um ingrediente da moda que vi na TV.

Em meu tempo livre, eu gosto de:

1. Visitar os amigos e a família.
2. Fazer exercícios.
3. Organizar a casa.
4. Participar de atividades criativas ou artísticas.
5. Ser espontâneo e procurar aventuras.

O que mais gosto de cozinhar é:

1. Comida caseira.
2. Comidas com ingredientes frescos e ervas.
3. Ensopados.
4. Comidas étnicas e orientais.

5. Qualquer coisa que me permita acender a churrasqueira.

Os outros me descrevem como:

1. Muito simpático.
2. Preocupado com a saúde.
3. Diligente e metódico.
4. Curioso.
5. Intenso.

Poderá haver sobreposição nas suas respostas, mas existe algum número que você escolheu com mais frequência? Aqui está o que suas respostas dizem sobre seu estilo na cozinha:

1. **Dedicado:** Simpáticos, admirados e entusiastas; os cozinheiros dedicados raramente fazem experiências. Amam fazer assados e gostam de servir os pratos testados e aprovados favoritos da família, embora isso às vezes signifique servir refeições menos saudáveis.
2. **Saudável:** Otimistas, amantes de livros, entusiastas da natureza; cozinheiros saudáveis fazem experiências com peixes, produtos frescos e ervas. A saúde vem em primeiro lugar, mesmo que isso signifique sacrificar o sabor algumas vezes. Os cozinheiros saudáveis também são os que têm maior probabilidade de ter uma horta.
3. **Metódico:** Cozinheiros talentosos que confiam cegamente nas receitas, os metódicos têm gosto e maneiras refinados. Suas criações se parecem muito com as fotografias dos livros de culinária.
4. **Inovador:** Criativos e lançadores de modas, os cozinheiros inovadores pouco usam receitas e gostam de fazer experiências com ingredientes, estilos e métodos de cozinhar. Cozinheiros desse tipo tendem a ser criativos em outras áreas de suas vidas.
5. **Competitivo:** Os "Master Chef" da vizinhança, os cozinheiros competitivos têm personalidades dominantes e são perfeccionistas que amam impressionar os convidados.

Conheça Seu Estilo na Cozinha

Panqueca Média da Internet

Ninguém nunca está errado na internet, portanto a média de um montão de coisas certas deve estar mais certa ainda, não é? As quantidades apresentadas aqui são baseadas na média de oito diferentes receitas de panqueca obtidas em uma busca online.

Em uma vasilha, meça e misture:

- **1 ½ xícara (chá) de farinha de trigo (210g)**
- **2 colheres (sopa) de açúcar (25g)**
- **2 colheres (chá) de fermento em pó (10g)**
- **½ colher (sopa) de sal (3g)**

Em uma vasilha que possa ser levada ao micro-ondas, derreta:

- **2 colheres (sopa) de manteiga (30g)**

Junte à manteiga e mexa até obter uma mistura homogênea:

- **1 ¼ de xícara (chá) de leite (300ml)**
- **2 ovos pequenos ou 1 ovo jumbo (80g) (1 ovo grande funciona muito bem — mas não é a média da internet!)**

Junte os ingredientes sólidos e os líquidos e misture bem com um batedor ou uma colher até que estejam incorporados. Tudo bem se restarem pequenas bolsas de farinha, mas evite bater demais a massa para diminuir a quantidade de glúten formada (veja a página 246 para mais informações sobre o glúten).

Coloque uma frigideira não aderente em fogo médio–alto e espere até que fique quente. O teste comum é pingar algumas gotas de água na frigideira e ver se elas chiam; se você tiver um termômetro infravermelho para verificar a temperatura da superfície, veja se ela está por volta de 200°C. Use uma concha, um copo de medida ou uma colher de sorvete e coloque meia xícara de massa na frigideira. À medida que o primeiro lado cozinha, você verá bolhas se formando na superfície da panqueca. Vire-a depois que as bolhas começarem a se formar, mas antes que estourem (mais ou menos dois minutos).

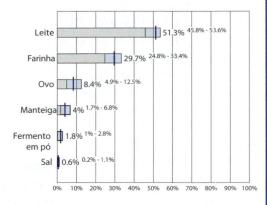

Proporções médias para panquecas.

Notas

- A ordem dos ingredientes normalmente é a ordem em que se deve adicioná-los à tigela. Nem sempre isso importa, mas nesse caso você deve adicionar o leite antes dos ovos para evitar que cozinhem na manteiga quente.

- Se você usar uma frigideira antiaderente, não a unte antes. Se estiver usando uma comum, unte-a e depois retire o excesso com uma toalha de papel. Muita manteiga na superfície da frigideira fará com que a panqueca doure de maneira irregular, porque partes da panqueca não vão cozinhar com a mesma temperatura.

Esta foi a primeira receita que meus pais me ensinaram. E, sim, ela diz que as panquecas "devem ser colocadas na panela desse jeito", com um desenho da cabeça do Mickey Mouse.

10 Cozinha Geek

Como Ler uma Receita

É fácil: comece pelo começo e termine no fim. Ah! Se fosse assim. As receitas são um registro do que funciona para seus autores. Ao analisar uma receita, perceba que ela não só é uma sugestão de um chef para outro, mas uma sugestão abreviada. Dê a mesma receita a uma dúzia de chefs e você terá uma dúzia de diferentes variações.

Na primeira vez em que sigo uma receita, eu me prendo a ela. Aprendo muitas coisas assim — descobri que é possível tirar a pele dos pimentões vermelhos (ela tem um gosto herbáceo e amargo de mato). Para uma receita nova de bolo, posso pensar que a massa está muito mole (precisa de mais farinha?) ou espessa (adiciono mais óleo?), mas vou segui-la. Depois que a tiver feito uma vez, porém, tudo pode acontecer. Da próxima vez, vou ajustá-la com base nas anotações e lembranças da primeira vez.

Se você é novo na cozinha, comece com o café da manhã. É uma refeição provável de fazermos em casa e as receitas são fáceis de aprender. Além disso, essas refeições são de preparo rápido e os ingredientes são baratos. (Um amigo me contou sobre aprender a desossar carne na escola de culinária. Resumia-se basicamente a: "Repita cem vezes e, quando terminar, você saberá como fazê-lo". Não é de admirar que escolas de culinária sejam tão caras!)

> **Precisa converter as medidas dos ingredientes?**
>
> Procure um site de conversão de medidas online, como o http://www.gostoepronto.com/2014/06/tabela-de-equivalencia-culinaria-medidas/.

- Entenda o "porquê" por trás de cada etapa da receita. Já vi químicos — especialistas treinados em seguir instruções — ignorarem a etapa que diz "desligue o fogo" para derreter chocolate em banho-maria. "Desligar o fogo? Mas derreter exige calor!" A receita utilizava o calor residual da água para derreter o chocolate e evitar queimas.

- Pratique o *mise en place* — em francês, "coloque em ordem". Separe os ingredientes antes de começar a preparar o prato. Leia toda a receita e pegue tudo que precisa, para não ter que sair caçando no meio do caminho e descobrir que falta algum ingrediente importante. Está fazendo refogados? Fatie os vegetais em uma tigela e reserve antes de começar a cozinhar.

  Sempre leia toda a receita, do começo ao fim, antes de começar.

- Siga a ordem das instruções. "Picar 3 colheres (sopa) de chocolate amargo" não é a mesma coisa que "3 colheres (sopa) de chocolate amargo picado". A primeira pede 3 colheres (sopa) de chocolate que então será picado (cujo volume será maior do que o de 3 colheres [sopa]), enquanto a última se refere a uma medida de chocolate que já foi picada com antecedência.

- Quando uma receita pedir algum ingrediente "a gosto", adicione uma pitada, prove, e continue adicionando até achar um equilíbrio, harmonizar sabores depende da especificidade do que você tem à mão. E, também, equilíbrio é uma questão de fundo cultural e preferência pessoal, principalmente quando se usa temperos como sal, pimenta, suco de limão, vinagre e molhos picantes.

Aveia de Grãos Longos

A aveia de grãos longos é a versão menos processada da aveia que a maioria dos americanos conhece como aveia de cozimento rápido e os europeus e brasileiros chamam de aveia em flocos. Os flocos de aveia são grãos inteiros de aveia cozidos no vapor e esmagados com rolos pesados, e muitas vezes torrados. Quando cozidos rapidamente em água quente, os flocos de aveia têm uma textura pastosa que nada têm a ver com a original. (No entanto, são perfeitos para bolos!)

A aveia de grãos longos, também chamada de aveia brava, é menos processada e mais interessante. São grãos de aveia cortados com lâminas de aço, daí o nome em inglês — *steel-cut oats*. Ao cortar o grão, expõe-se o *endosperma* — o interior pastoso do grão —, o que acelera o cozimento e permite que alguns grãos se misturem à água do cozimento, resultando em uma comida mais encorpada. Mesmo cortados, os grãos longos demoram a cozinhar. Mas o sabor de nozes e a textura leve valem a espera.

Cozinhar aveia de grão longo do jeito tradicional é simples: use uma parte de aveia para 3 ou 4 partes de água, cozinhe por 20 ou 30 minutos e então adicione uma pitada ou duas de sal para dar sabor. (A lata de aveia que tenho na cozinha diz para cozinhar por cinco minutos e deixar descansar durante a noite no refrigerador, o que provavelmente é melhor, mas nunca me lembro de fazê-lo na noite anterior.) Para variar, tente substituir parte da água por leite, começando com uma proporção de 1:1 e vá ajustando de acordo com seu gosto.

Aveia de grão longo (crua)
Grãos de aveia cortados grosseiramente.

Aveia em flocos regulares
Grãos de aveia inteiros que são cozidos a vapor, prensados e às vezes torrados.

Flocos de aveia
Grãos de aveia cortados, cozidos a vapor e prensados. (Pegue alguns grãos de aveia picada cozida e amasse com as costas de uma colher — eles de repente vão parecer familiares.)

Tradicionalmente servido no norte da Europa com leite ou creme, o mingau de aveia é mais comumente apresentado em uma tigela para cereais e coberto com alimentos para dar sabor: **açúcar mascavo**, **canela**, **nozes**, **passas** e **leite**, ou **frutas vermelhas**, **iogurte** e **mel**.

A palavra *cereal* vem do nome da deusa romana da agricultura Ceres, e descreve qualquer grão comestível. O hábito de comer cereais começou nos Estados Unidos, em 1876, quando a maioria das pessoas comia comidas gordurosas e sobras no café da manhã. A *Granula*, o primeiro cereal manufaturado, foi criada pelo dr. James Jackson, um vegetariano que pensava em oferecer refeições matinais saudáveis. Um ano depois, o dr. John Kellogg — sim, *aquele* Kellogg — lançou seu próprio cereal, que decolou devido ao marketing que associava o alimento a um profissional de saúde.

Infelizmente, as ambições deles pela saúde fracassaram. Os cereais matinais atuais são sobremesas embelezadas! Uma análise feita em 2011 pelo Environmental Working Group (Grupo de Trabalho Ambiental) concluiu que dois terços dos cereais matinais infantis não estão adequados às regras federais dos Estados Unidos quanto ao açúcar (26% ou menos do peso).

Frittata de Claras de Ovos com Aveia e Frutas

Uma frittata é como uma omelete, mas os ingredientes são misturados e batidos com os ovos. Minha versão — baseada em uma que comi no sul da Califórnia, uma região com um estilo de vida saudável — utiliza apenas as claras dos ovos para fazer uma refeição matinal saborosa e fácil de fim de semana. (Não deixe que o "estilo de vida saudável" diminua suas expectativas quanto ao sabor — ela é incrivelmente saborosa.)

Você vai precisar de **uma porção de aveia de grãos longos**, já cozida — consulte a página anterior para saber como preparará-la, se não estiver acostumado. Cada frittata serve uma pessoa, então calcule de acordo com o número de pessoas.

Preaqueça o forno e ajuste para o modo grill. Posicione a prateleira superior a mais ou menos 15cm de distância do grill.

Em uma vasilha, separe **três claras** e guarde as gemas para algum outro prato, como, por exemplo, um *crème brûlée* (veja a página 368). Se você nunca separou ovos antes, o método "fácil" é quebrá-los dentro da vasilha e depois, usando todos os dedos, pegar cuidadosamente as gemas. Não se preocupe se ficar um pouquinho da gema misturada às claras, mas tente mantê-las separadas. Adicione **1 xícara (chá) de aveia de grãos longos cozida (150g)** e **uma pitada generosa de sal**. Usando um batedor, agite a mistura até uma consistência de picos flexíveis.

As claras ficarão grudadas no batedor, formando picos ainda moles.

Veja a p. 292 para saber mais sobre claras de ovos.

Coloque uma frigideira em fogo médio. Adicione **1 ou 2 colheres (sopa) de óleo de canola (15 a 30g)** ou **manteiga**. Aqueça a frigideira por 3 ou 4 minutos e espere até que o óleo ou manteiga estejam aquecidos.

Coloque as claras de ovo e a mistura de aveia na frigideira, espalhando bem para que fique com uma espessura homogênea.

Depois de três minutos, veja se o lado de baixo está corando. Continue checando a cada minuto até que o fundo fique com uma cor dourada clara.

Uma vez que o lado de baixo estiver dourado, coloque a frigideira sob o grill, tomando o cuidado de posicionar o cabo de modo que não cozinhe junto. Cozinhe até que a parte de cima esteja dourada.

Se não tiver um forno com grill, você pode tentar virar a frittata com uma espátula ou uma sacudida cuidadosa na frigideira. Mas, se quebrar, não se preocupe! Mexa-a parcialmente cozida e, em vez de servi-la como uma frittata, chame-a de "mexido de claras e aveia" e sirva em uma tigela.

Para servir, passe a frittata para um prato e cubra com:

- **¼ de xícara (chá) de morangos fatiados (40g) (de 4 a 6 morangos)**
- **¼ de xícara (chá) de queijo cottage (60g)**
- **¼ de xícara (chá) de purê de maçã (60g)**

Salpique ½ **colher (chá) de canela (1g)**; ou adicione um pouco de **xarope de bordo**.

Você já notou que as refeições matinais são, na maioria, ricas em proteínas — ovos, omeletes, e assim por diante — ou ricas em carboidratos? (Sim, estou falando de você, panqueca média da internet, sua deliciosa.) Essa frittata é minha resposta para a questão "carboidratos e proteínas meio a meio".

O Medo na Cozinha

"O único verdadeiro obstáculo é o medo do fracasso. Na cozinha você tem de ter uma atitude de e por que não?"

— Julia Child

Hierarquia das Necessidades de Maslow com áreas relacionadas à comida e culinária.

Esse é o meu encorajamento para leitores que têm medo da cozinha. Para alguns, a ideia de entrar na cozinha leva a ataques de pânico quando as partes primitivas do cérebro assumem. (Se ajudar, você pode colocar a culpa no *locus coeruleus* do seu cérebro. Não é culpa sua; respire fundo algumas vezes para relaxar.)

O medo na cozinha pode vir de muitas fontes, mas, invariavelmente, remete ao medo de rejeição e fracasso. Por que alguém tem medo de alguma coisa depende de que necessidades estão em jogo. Abraham Maslow, um psicólogo americano, em 1943, pesquisava o que motivava o comportamento humano quando criou sua *hierarquia das necessidades*, colocando o que considerava como necessidades primordiais humanas na base da pirâmide. Embora sua classificação não tenha sido posta à prova, as próprias necessidades são uma boa base para analisar os medos na cozinha. Os mais comuns que vi envolvem necessidades sociais e autoestima.

Para começar, as necessidades sociais. Cozinhar para os outros é uma maneira poderosa de construir um grupo social, e juntar pessoas ao redor de uma boa refeição é imensamente compensador. Mas também há turbulências: o que acontece se você arruinar completamente a comida que está preparando? Para vencer esse medo, comece por definir um plano B. E daí se você estragar o jantar? Claro, há necessidades psicológicas (uma solução: peça um delivery) e um impacto financeiro. Mas se o seu medo é baseado em necessidades sociais, a comida na verdade não importa. Contanto que você esteja reunindo pessoas e tratando-as bem, você vai alcançar seus objetivos — e os delas. (O humor é um aliado para fugir do medo — "Você se lembra daquela vez em que servimos cereais no jantar e de como rimos disso depois?") É mais provável que as pessoas lembrem-se de como se sentiram do que da refeição. O importante é quem está sentado à mesa, e não o que está dentro do prato.

E então temos a autoestima. A baixa autoestima vem de se comparar com os outros e de se preocupar muito com o que vão pensar. Somos bombardeados com capas de revistas exaltando a refeição perfeita para as festas de fim de ano ("tão simples, tão elegante!") e publicações online mostrando maravilhosas criações culinárias. Mas quando vamos tentar a receita "fácil" com a fotografia maravilhosa, esperamos o mesmo resultado. Estas comparações não são válidas. As revistas inspiradoras — e, infelizmente, muitos jornais científicos — publicam os melhores resultados obtidos e não sua média. Você pode imaginar uma revista de culinária com todas as fotografias das comidas perfeitas substituídas por algumas que retratam uma versão caseira?! Para desafios de autoestima, em vez de fazer comparações impossíveis, aceite-se como você é e aceite o que quer que tenha feito. (A menos, é claro, que esteja completamente queimado, caso em que você deve reler o parágrafo anterior.)

O encanto de Julia Child reside em suas habilidades medianas e na aura humilde de "nada de especial" (além de baldes de tenacidade). Tente fazer as coisas com aquela atitude de "e por que não?" dela. Tenha em mente que você vai derrubar o frango no chão eventualmente. Brinque com ingredientes e técnicas. Invente projetos para experimentar. (*Hummm, pizza matinal de bacon com ovos*.) E o que importa se queimar o jantar? Se estiver se divertindo, faz diferença? Como brincou o famoso psicólogo Albert Ellis: "Só você pode fazer com que se sinta culpado!"

Como seria melhor se falássemos sobre "sucesso no aprendizado" em vez de "fracasso na cozinha"! Não há muito para aprender quando as coisas funcionam. Mas quando elas dão errado, você tem a chance de entender onde as condições limítrofes estão e a oportunidade de aprender como fazer alguma coisa melhor da próxima vez. O filósofo Alain de Botton deu uma palestra fantástica sobre a definição de sucesso na Conferência da TED de 2009. Acesse https://www.ted.com/talks/ alain_de_botton_a_kinder_gentler_philosophy_of_ success?language=pt-br para assistir à palestra: "A kinder, gentler philosophy of success" ("Uma filosofia de sucesso mais bondosa e delicada").

> Se você fica nervoso cozinhando para os outros — um encontro romântico? —, teste um dia antes o prato escolhido, só para você e um amigo próximo. Isso vai tornar a rotina de preparo mais familiar e reduzir o medo. É totalmente aceitável arruinar tudo e jogar no lixo; não é diferente de um experimento científico que não deu certo.

Dê tempo ao aprendizado. Haverá dias em que você vai sentir que não aprendeu, mas o resultado acumulado leva ao conhecimento. Se uma receita não funciona como gostaria, tente descobrir por quê. Ela pode ser muito avançada ou até mal redigida. Se você não está feliz com os resultados, tente uma fonte de receitas diferente.

O segredo para vencer o medo da cozinha é entender que necessidades você está tentando alcançar e não permitir que a ansiedade que elas criam surja. Trate o ato de cozinhar como uma experiência e acrescente a ele aquela curiosidade geek. Encare tudo como um quebra-cabeça divertido em que você tem que juntar as peças.

O Medo na Cozinha

Adam Savage: Testes Científicos

Adam Savage é um dos apresentadores do "Caçadores de Mitos", um programa popular sobre ciência que examina lendas, mitos e sabedoria popular, colocando-os "à prova" com uma abordagem científica.

Como você faz um teste científico?

Uma das primeiras coisas que percebemos no programa é que você sempre tem que ter alguma coisa para servir de comparação. Nós tentaríamos dar uma resposta do tipo: "Esse cara está morto? Esse carro está destruído? Isso é uma lesão?" E tentaríamos comparar isso com um valor absoluto, como, por exemplo, uma queda de X metros resulta em morte. O problema é que o mundo é muito maleável e pouco uniforme, e tentar estabelecer um valor dessa forma pode ser muito difícil. Então sempre acabamos fazendo testes relativos. Acabamos fazendo um controle sob circunstâncias idênticas e comparamos as duas coisas. E, dessa comparação, obtemos os resultados.

Fizemos um experimento em que estávamos testando se você poderia ou não amaciar carnes com explosivos. Tivemos que descobrir o que era maciez. O problema é que você pode dar a duas pessoas um pedaço de carne do mesmo corte comparado a um pedaço de carne de um outro corte, e elas podem vir com duas avaliações diferentes sobre qual deles é mais macio. Na verdade, fizemos um dia inteiro de testes que acabou não sendo filmado porque percebemos que estávamos usando os parâmetros errados para a avaliação da maciez da carne. O USDA (United States Department of Agriculture — Departamento de Agricultura dos Estados Unidos) na verdade tem uma máquina para testar a maciez da carne que mede quanta força é necessária para fazer um furo nela. Nós reproduzimos essa máquina e, para nossa grande surpresa, ela funcionou exatamente como deveria. Criar algo com US$50 que se equipara ao equipamento de teste do USDA: isso foi empolgante!

De que forma testar um mito pode levar a um aprendizado na culinária?

Mudar uma variável é provavelmente a coisa mais difícil de as pessoas compreenderem. Mude apenas uma variável. É diferente de mudar apenas um pequeno número de variáveis; é mudar uma única variável por vez, porque só então vai saber o que causou a mudança entre o primeiro teste e o segundo. Você adquire muito mais clareza do processo dessa forma.

Sou um cozinheiro ávido. Minha esposa e eu preparamos um monte de pratos elaborados, e realmente gostamos de ficar brincando com variáveis únicas, mudando coisas e aprendendo como funcionam. Estávamos lendo Thomas Keller, e ele falava que o sal era um realçador de sabor e mencionava que o vinagre faz uma coisa similar. Não conferem um gosto diferente, mas quase sempre despertam o sabor que está lá. Minha esposa estava fazendo uma sopa de couve-flor, e estava meio insossa. Eu não queria colocar mais sal porque estava vendo que poderia ter o efeito contrário. Então colocamos um pouquinho de vinagre e tudo despertou. Foi fascinante! Adoro isso.

Você já desvendou outros mitos relacionados à comida?

Já, sim — com certeza um montão de mitos sobre bebidas. Fizemos um teste com pãezinhos com sementes de papoula para ver se comê-las faria você testar positivo para heroína, o que é absolutamente verdadeiro. De fato, pessoas em liberdade condicional são totalmente proibidas de comer pães com sementes de papoula. Elas são avisadas de que se testarem positivo para drogas, a polícia não vai tentar imaginar o motivo. Você vai voltar para a cadeia, então facilite: não coma sementes de papoula.

Tivemos um episódio inteiro chamado "O gourmet surreal", que terminou com amaciar carne com dinamite, mas tinha várias outras coisas como fazer peixe escalfado em um conversor catalítico ou ovos cozidos na lavadora de pratos. Jamie (coapresentador) adora a ideia de amaciar carne na secadora. E também a ideia de "é seguro comer animais recém-atropelados?". Achamos isso hilário e grotesco.

O lado de resolução de problemas do programa é realmente fascinante. Você tem algum conselho sobre como chegar ao seu objetivo quando um problema surge?

A primeira coisa que você deve perceber é que não vai chegar onde pretende. O mundo é mais esperto que você. Um artesão não é uma pessoa que nunca errou. O artesão erra tanto quanto você. Só que ele pode prever o que vai acontecer e fazer ajustes; é um processo permanente. O forno de todo mundo aquece de forma diferente. Você o abre para checar o alimento, a temperatura cai. Há todo tipo de variável. Talvez esteja úmido; talvez, não. A umidade estava afetando todas as receitas de cookies da minha mulher. As pessoas tendem a focar demais no produto final, quando devem estar atentas ao processo. Então resolver um problema não significa fazer o que for preciso para chegar ao resultado final; significa seguir um caminho. Você provavelmente vai mudar sua definição do resultado antes de tê-lo alcançado.

Quanto melhor você se tornar, mais as coisas começam a sair como planejado. Quando minha esposa começou a fazer coisas no forno, eu não conseguia acreditar na diferença que fazia ter os ingredientes em temperatura ambiente, em termos de emulsificação e reações químicas — deixando a massa folhada, por exemplo. O simples fato de retirar os ingredientes do refrigerador com uma hora de antecedência tem um efeito enorme sobre o produto final. Ou coisas como certas frutas vermelhas em certas massas; a acidez das frutas significa ter de acrescentar mais bicarbonato de sódio. Amo isso. Você tem que aprender enquanto pratica.

O que você gosta de cozinhar?

O que mais gosto de usar na cozinha são os ovos. Depois de anos de prática, sou quase um mestre em virar a omelete na frigideira sem usar espátula. Na verdade, já fiz brunches para 15 pessoas em que o tema era "venha e eu farei ovos para você do jeito que quiser". Meus dois filhos estão entrando no jogo agora. Eles acordam (são gêmeos, com 10 anos) e cada um deles gosta de preparar seus ovos de um jeito específico. Meu filho Addison prefere o ovo *hobo*, em que você escava um buraco no pão e frita o ovo naquele buraco, e meu filho Riley gosta de ovos mexidos. Ele gosta que eles fiquem um pouco mais duros, mas estou tentando ensiná-lo a não cozinhá-los demais.

Essa parece ser uma aflição comum, cozinhar demais e obter ovos mexidos muito secos.

Mais úmidos ainda vai, mas quando você começa a prepará-los da forma correta, descobre que há essa pequena faixa na qual eles ficam inacreditavelmente bons. E é por isso que amo ovos. Eles são meio inesquecíveis de algumas formas e isso é bastante excitante.

Uma das coisas legais sobre cozinhar é que, a menos que você esteja fazendo algo muito imperdoável, a maioria das receitas é impressionantemente bastante maleável. Essa é uma parte que eu adoro mesmo. Você pode mudar todo o tipo de variáveis e ainda assim vai ficar muito bom. É uma grande plataforma de testes.

Como você aprende com as coisas que não dão certo?

Eu bati meu primeiro chantili a mão, seis ou sete anos atrás. Bati, e a primeira coisa que fiz assim que estava no ponto foi continuar batendo de propósito. Pensei: "Sei que está perfeito, mas quero saber até onde posso ir", e continuei batendo até que virou manteiga. Foi surpreendentemente rápido e me ensinou de maneira muito clara até onde exatamente você pode bater o chantili.

Chantili tem um gosto muito bom. Aromatizá-lo e adoçá-lo é muito comum. Se você for bom, pode batê-lo a mão quase tão rápido quanto tira as tigelas e a batedeira do armário. É uma coisa adorável sentar-se e conversar com os convidados enquanto bate o chantili.

Veja a p. 300 para saber mais sobre chantili.

Uma Breve História das Receitas

Escrevemos sobre comida desde que começamos a escrever. As tabuletas mais antigas conhecidas, do início da civilização escrita, mostram glifos de cerveja, peixe e comidas em geral. As receitas mais antigas conhecidas datam do quarto milênio e descrevem um ritual para fabricação de cerveja. Assim como seu primo, o pão, a cerveja era um alimento necessário. Era mais seguro bebê-la do que a água potencialmente poluída, então ritualizar e registrar seu processo de preparação criou uma receita de sobrevivência.

Os antigos romanos fizeram a expansão das receitas necessárias para as de puro deleite (flamingo assado, alguém?). Apesar de mais complicadas, as receitas deles ainda se parecem mais com pequenas notas do que com protocolos descritivos precisos.

Bolo Dourado de Milho

¾ de xícara (chá) de farinha de milho
1 ¼ de xícara (chá) de farinha de trigo
¼ de xícara (chá) de açúcar
4 colheres (sopa) de fermento em pó

½ colher (chá) de sal
1 xícara (chá) de leite
1 ovo
1 colher (sopa) de manteiga derretida

Misture e peneire os ingredientes secos; adicione o leite, os ovos bem batidos e a manteiga; asse em forma rasa untada em forno quente por 20 minutos.

Só nos anos 1800 os livros de receita começaram a dar medidas exatas, com o *The Boston Cooking-School Cook Book*, de Fannie Farmer (Little, Brown & Company, 1896), um vanguardista nos Estados Unidos. Ele ainda é muito bom atualmente. Aqui está sua receita para o chamado pão de milho (embora ache o nome original, Bolo Dourado de Milho, mais atraente).

O livro de Farmer vendeu 4 milhões de cópias, mudou o modo de cozinhar e preparou o cenário para o clássico da culinária de Irma Rombauer, *Joy of Cooking* (1931), que vendeu 18 milhões de cópias. Ironicamente, ambas as autoras tiveram dificuldade com as tiragens iniciais, pagando a primeira impressão. Mudar as coisas nunca foi fácil.

A inovação do *Joy* foi a "conversa casual", que entremeava a lista de ingredientes com instruções. Foi um dos primeiros livros a caminhar com o aspirante a cozinheiro durante o processo de cocção, servindo como guia culinário e como fonte de notas. (Quando era adolescente, lembro-me de ter lido na edição de 1975 de minha mãe "Como tirar a pele de um esquilo", o que me deixou impressionado sobre culinária. Além do mais, eca! A edição mais recente compreensivelmente retirou esse capítulo.)

Mesmo as receitas modernas, que herdaram as medidas precisas do livro de Farmer e a narrativa entrelaçada do *Joy*, deveriam ainda ser vistas como notas de um cozinheiro para outro. Há simplesmente variabilidade demais em ingredientes e preferências. Uma colher (chá) do orégano que você tem em sua gaveta pode não ter necessariamente o mesmo poder de uma do orégano da minha, devido à idade, à quebra dos elementos químicos (o carvacrol, nesse caso) e a variações em produção e processamento. E as preferências são muito variadas — simplesmente não existe um cookie com gotas de chocolate "perfeito"; cada um de nós tem a sua própria versão.

Como será o futuro das receitas? Embora eu não acredite — ou prefira não acreditar! — que os livros de receita impressos irão desaparecer, estamos claramente na era digital. Os livros não precisam mais ser autoritários ou exaustivos, mas devem ser divertidos e inspiradores. Com o acesso universal à internet, você encontra uma boa receita de tagine de frango ou mexido de tofu de forma mais rápida online do que folheando o índice no final desse livro. Farmer e Rombauer ficariam maravilhadas.

Quando iremos ver um livro de receitas gerado dinamicamente com receitas na medida de nossos gostos individuais — enfatizando alimentação lenta, refeições saudáveis, ou receitas com pouco açúcar? Ou geradores de receitas que nos permitam escolher nossos próprios parâmetros? "Computador, altere a receita para fazer com que os cookies fiquem mais crocantes!" Existem tentativas nessa área, mas ainda não houve sucesso. Em parte, formatos de livro digital não têm essa capacidade, e instalar aplicativos ainda é uma barreira maior do que a maioria dos criadores imagina.

Atingimos também um ponto de simplicidade: cozinhar por prazer é um passatempo. Achamos prazeroso ter um desafio recompensado com sucesso. Chamo isso de gratificação do preparador: a recompensa emocional e o sentimento de realização que alguém adquire ao fazer algo com algum grau de dificuldade. Bons brownies são gratificantes de fazer e comer. A indústria da comida entende isso muito bem. As misturas instantâneas para brownies poderiam ser formuladas para não precisar de ovos, óleo e água, mas dessa forma não dariam ao preparador nenhum retorno. Que gratificação você sentiria ao colocar no forno uma massa pronta e ligá-lo? Provavelmente não muita.

Independente da fonte e do formato de uma receita — seja uma breve nota, um tratado de culinária, um fluxograma ou o que quer que seja —, leia-a pensando na intenção do autor, adaptando-a quando necessário para chegar aonde você quer.

> Receitas condensadas, como as que Maureen Evans posta no *Twitter* (@cookbook), são fáceis de seguir para cozinheiros experientes:
>
> **Sopa de lentilha e limão:** cebola picada&aipo&cenoura&alho; cubra@ baixo7min+3colhsp óleo. Cozinhe40min+4xic caldo/xíc lentilha/tomilho&louro&sucolimão. Pure+sucolimao/s+p.

> Receitas visuais, como o tiramisú de Michael Chu (http://www.cookingforengineers.com — conteúdo em inglês), mostram quantidades e etapas com um mínimo de expensa, usando uma tabela de tempo e atividade:

Tiramisù simples:

Aprox. 20 biscoitos champanhe				
2 doses de expresso preparado (60ml) ½ xícara (chá) de café preparado (120ml)	misture e reserve	mergulhe		
1 xícara (chá) de creme de leite fresco (240ml)	bata até formar picos		faça camadas e espalhe o creme duas vezes	cubra
455g de queijo mascarpone	misture	incorpore		
½ xícara (chá) de açúcar refinado (100g)				
3 colheres (sopa) de rum ou conhaque (44ml)				
Chocolate em pó				
Raspas de chocolate amargo				

Uma Breve História das Receitas

Preparando Receitas Medievais

Se você ama História, dê uma olhada nos antigos livros de receita para se inspirar. Se houve um tempo em que você definitivamente não deveria seguir a receita, foi nesses tempos muito antigos. Pegue a receita de *Parma Torte* do *Maistre Chiquart* no livro *Du fait de cuisine* (1420 d.C.). Traduzida para o português moderno, ela começa assim: "pegue 3 ou 4 porcos, e se o evento for maior do que consigo conceber, adicione outro, e arranque suas cabeças e coxas". Ele continua por quatro páginas, adicionando 300 pombos e 200 galetos (ou — "se o evento for em época em que não se possa encontrar galetos, adicione 100 capões" — galos castrados). Ele pede também que se adicione tanto temperos familiares, como sálvia, salsinha e manjerona, quanto ingredientes pouco familiares, como hissopo e "grãos do paraíso". As instruções finais dizem para colocar uma versão do brasão da casa feito de massa em cima da torta e decorá-la com "um quadriculado de folhas de ouro".

As receitas de Chiquart eram compreensivelmente complicadas, já que foram criadas para banquetes reais. Mas mesmo as receitas medievais simples podem ser desafiadoras: a linguagem, os ingredientes e as ferramentas culinárias mudaram completamente. E muito. Considere essa receita de torta de maçã do livro *The Forme of Cury*, publicado perto de 1390:

"Pegar maçãs boas, bons temperos, figos, passas e peras e quando estiverem bem amassados, colorir bem com açafrão e colocar em um caixão e levar para assar". (O caixão — uma pequena cesta — é o ancestral culinário da massa de torta dos dias de hoje, mas não era comestível devido à forma como era assado.) Ler receitas como essa pode ser um ponto de partida para experiências. Isso me deu a ideia de misturar um purê de maçãs e peras com algumas frutas secas, temperos e açafrão para um molho de maçã festivo para uma refeição de fim de ano.

Muitos outros textos antigos estão acessíveis no Internet Archive (http://www.archive.org — conteúdo em inglês), no Project Gutemberg (http://www.gutenberg.org — conteúdo em inglês) e no Google Books (http://books.google.com). Quanto à Parma Torte, coloquei em prática minha própria adaptação em menor escala e modifiquei as quantidades para o evento muito menor de um jantar. Tempos depois encontrei uma adaptação no *Early French Cookery: Sources, History, Original Recipes e Modern Adaptations* de Eleanor e Terence Scully (Imprensa da Universidade do Michigan, 1996); acesse http://cookingforgeeks.com/book/parmatorte/ (conteúdo em inglês).

Nem Sempre Siga a Receita

As receitas não devem ser seguidas às cegas, por muitas razões:

- As receitas não podem ser escritas com medidas exatas. Há muita variabilidade nos ingredientes e nas técnicas: misturar 3 xícaras (chá) de farinha e 1 de água não vai produzir o mesmo resultado todas as vezes e para todos os cozinheiros. Os padeiros profissionais sabem variar as quantidades de água de acordo com o clima (que altera a umidade da farinha) e de fermento conforme a época do ano (no inverno, ele age de forma mais lenta). Adquira experiência prestando atenção na aparência e consistência dos pratos, e ajuste as quantidades para equilibrar os resultados.

- Algumas receitas são apenas conceitos. Sopa de pedra? Salada de pia de cozinha? Congee? Eu posso contar o que fiz, de acordo com o que encontrei em meu mercado, mas você vai precisar adaptar. A receita do congee, como você verá na próxima página, não é uma receita, mas, ainda assim, é escrita com medidas e instruções. Você vai lê-la uma vez; depois disso, terá compreendido a ideia e nunca mais precisará dela.

- Deixe de lado a receita! Talvez você não goste do sabor de um dos ingredientes sugeridos e queira substituí-lo por outro. Talvez tenha lido algumas receitas de um prato e queira misturar os temperos e os vegetais. As receitas não são escritas na pedra. (Bem, a não ser aquela receita de cerveja dos antigos egípcios que mencionei antes.)

Experimento A/B para caçadores de mito: faça uma receita duas vezes, mudando apenas uma coisa (cookies: derreter a manteiga ou não?) e veja o que muda (ou se muda). Se não tem certeza de como fazer algo, tente dos dois jeitos e veja o que acontece. Você *com certeza* vai aprender alguma coisa — provavelmente algo que nem mesmo quem escreveu a receita entende.

E, finalmente, seguir as receitas destrói a criatividade. Eu sempre mudo para cozinhas de diferentes culturas, prestando atenção às "famílias de sabores" delas, ou aos ingredientes regionais complementares. Limão, estragão e vinho — uma combinação comum nos pratos franceses — são agradáveis quando usados em conjunto. Em todos os outros lugares, usa-se limão, alho e alecrim. Há toneladas de livros de receitas regionais — escolha um que cubra a região de seu interesse. Livros em que duas ou mais culturas se misturam (Marrocos, Israel, Vietnã) são os que mais provocam o pensamento. A maneira como as técnicas e os ingredientes são combinados e misturados é fascinante.

Para ingredientes e inspiração fora dos livros de receita, explore supermercados étnicos e lojinhas da região. Estas tendem a ser lojinhas de família com cheiros novos de produtos e temperos não familiares e estão tipicamente localizadas em bairros étnicos à moda antiga. Pergunte por aí para saber onde estão escondidas. Elas podem ser descobertas inacreditáveis e apresentá-lo a ingredientes que vão mudar a forma como cozinha pelo resto de sua vida — o que não vai acontecer se ficar atrelado às receitas que tem.

Congee

Todos temos que comer, e cada cultura tem um prato habitual, de acordo com os grãos que crescem no local. Diferentes regiões do mundo cultivam plantações diferentes: aveia e trigo nos Estados Unidos, aveia em partes da Europa e arroz na maior parte da Ásia. Todos eles vêm da mesma família de plantas (*Poaceae* — também conhecidas como gramíneas), então não é nenhuma surpresa que estes grãos possam ser cozidos em água, ou às vezes leite, com um resultado parecido. O trigo se transforma em creme de trigo; a aveia, em mingau e o arroz, em congee.

É pouco provável que você encontre congee nos cardápios de muitos restaurantes ou apresentado nos livros de receita, pelo mesmo motivo pelo qual as refeições à base de aveia e os mingaus não aparecem com muita frequência: é um alimento básico caseiro e não um prato vistoso que se coma fora. Isso não significa que o congee não seja delicioso e nutritivo — um bilhão de pessoas o comem todos os dias! Para alguns, o congee é o equivalente da canja de galinha: algo nutritivo para tomar quando se está doente ou procurando por conforto.

O congee pode ser subdividido em várias versões diferentes, dependendo da cultura. Os chineses o chamam de *jook* ou *zhou*: um mingau mole de arroz que às vezes é acompanhado de ovos, pasta de peixe, cebolinha, tofu e molho se soja. Na Índia, é chamado de *ganji* — sopa de arroz — e tem especiarias como leite de coco, curry, gengibre e cominho adicionadas a ele. Quando cozido com leite condensado e cardamomo e coberto com pistache ou amêndoas, temos a versão de sobremesa, comum nos restaurantes indianos.

Preparar congee é também uma grande oportunidade para fugir da receita, porque não existe uma! Explore. Misture ingredientes e condimentos. Tente outros grãos, também. Por que não experimentar aveia de grãos longos com os acompanhamentos tradicionais do congee: aveia de grão longo temperada com cebolinha, alho frito e ovos moles? Parece delicioso. Criações culinárias maravilhosas aparecem quando duas culturas diferentes se misturam, como no Mediterrâneo (norte da África + sul da Europa), no sudeste da Ásia (Asiática + Europeia), e na cultura caribenha (Africana + Europa Ocidental). Os mercados israelenses têm ingredientes das regiões ocidentais vizinhas do norte da África (principalmente do Marrocos) e da Europa Oriental; a cozinha israelense é influenciada pelas tradições de ambas as áreas. A comida vietnamita moderna sofre um grande impacto da ocupação francesa no século XIX. Os Estados Unidos, com tantas culturas diferentes misturadas, são talvez o exemplo mais recente do que é conhecido como *fusion cooking* (fusão culinária): observe as influências dos africanos, espanhóis e indígenas americanos na cozinha do sul dos Estados Unidos; os cenários da Europa Ocidental e da África se combinando na comida crioula da Louisiana; e a infusão da cozinha mexicana no Tex-Mex. O congee é um lugar bem simples para começar a explorar a fusão culinária. Pense em como o arroz, a aveia, o creme de semolina ou o farelo de milho podem ser utilizados. Experimente!

Qual a diferença entre o arroz de grão curto, médio e longo? E o que deixa o arroz empapado?

Resumindo, o amido. Todos já ouvimos falar em amido, mas o que é isso? Amido é um tipo de carboidrato — "carbo" para carbono e "hidrato" para água (veja a página 205 para mais informações) — que é composto de duas ou três moléculas diferentes: amilopectina e amilose. A amilopectina pode absorver mais água do que a amilose, e a proporção entre amilopectina e amilose varia entre os diferentes grãos de cereais. O tamanho dos grânulos do amido também varia, afetando a rapidez com que absorvem água e, por consequência, o tempo que diferentes variedades levam para cozinhar. Os tipos de arroz de grão longo — "longo" referindo-se à proporção entre diâmetro e comprimento — geralmente possuem uma proporção menor de amilopectina em relação à amilose e, como resultado, absorvem menos água, tornando-se menos grudentos quando os cozinhamos.

Cozinha Geek

Cozinhe por algumas horas, pelo menos, em uma panela elétrica ajustada para cozinhar em modo lento ou em uma panela em fogo bem brando:

- 4 xícaras (chá) de água ou caldo (1l)
- ½ xícara (chá) de arroz tipo curto ou médio (100g) (não precisa lavar — o amido extra vai ajudar no congee)
- ½ colher (chá) de sal (3g)

Quando você estiver pronto para comer, aqueça o arroz quase até ferver para terminar de cozinhar. O cozimento lento em fogo baixo vai ter quebrado as moléculas de amido; ferver o líquido vai fazer com que elas virem gelatina e endureçam rapidamente. Tenho uma panela de pressão que tem um modo de cozimento lento, então passo do modo lento para o modo arroz, que é mais quente e fará com que ele quase ferva. Se você está usando uma panela no fogão, coloque-a para cozinhar em fogo médio, mexendo de vez em quando e observando enquanto trabalha no resto das instruções, para não queimar no fundo.

Enquanto o arroz cozinha, prepare os acompanhamentos. Não há uma lista fixa de ingredientes — milhares de cozinheiros não podem estar entendendo errado todo dia.

Aqui está uma combinação que gosto:

- Tofu cortado em pequenos cubos e dourado de todos os lados
- Cebolinha picada em pedaços pequenos
- Alho em fatias finas tostadas para fazer "flocos de alho"
- Molho apimentado, como molho *sriracha*
- Molho de soja
- Fatias tostadas de amêndoas

Algumas sugestões adicionais:

Para um congee saboroso, tente várias combinações de peixe defumado, rousong (um tipo de carne-seca que é um acompanhamento tradicional para congee), frango em pedaços, furikake (um condimento japonês usado como acompanhamento de arroz, que consiste em peixe moído defumado, pó de algas marinhas e sementes de gergelim), sementes de gergelim torradas, pepino em conserva, glúten frito, pasta de missô, amendoim, coentro, cebolinhas-brancas ou cebolas comuns fritas e manteiga.

Para um congee mais adocicado, pense nos acompanhamentos tradicionais para aveia (açúcar, mel, canela, leite, frutas) e então imagine os parentes desses ingredientes em outras cozinhas (leite de coco, coco ralado, *moti*, *anko* — pasta de feijão-azuqui —, tâmaras, amendoim doce).

Você pode servi-lo no estilo familiar, com os acompanhamentos em pequenas tigelas em que seus convidados podem se servir, ou pode oferecer os acompanhamentos de uma maneira mais formal: uma ou duas colheres (sopa) de tofu, algumas colheres (chá) de cebolinha, uma salpicada de flocos de alho, e uma pitada de molho sriracha e molho de soja. A quantidade não é particularmente importante, mas vá com calma nos molhos apimentados e salgados.

Notas

- *Para tostar o alho, use uma faca afiada para fatiar alguns dentes (ou mais, se você é um alhófilo) em discos. Coloque uma frigideira em um queimador ajustado para temperatura média–alta, mas não adicione óleo. Arrume as fatias em uma camada fina e única. Toste de um lado até que estejam dourados, por mais ou menos 2 ou 3 minutos e depois vire, usando pegadores, para tostar o outro lado.*

- *Tente quebrar um ovo dentro do congee no final da cocção, seja na panela (e então misture) ou em vasilhas individuais (você vai precisar colocar o congee no micro-ondas por um minuto se ele não estiver quente o suficiente para cozinhar completamente o ovo. Adicionar o ovo vai alterar a textura e dar ao prato um sabor muito mais rico.*

Nem Sempre Siga a Receita

Jacques Pépin: Culinária

Jacques Pépin é um renomado chef e educador que escreveu mais de vinte livros, incluindo o Jacques Pépin's New Complete Techniques (Black Dog & Leventhal Publishers, 2012). Ele já apresentou diversos programas sobre culinária na PBS, inclusive Julia e Jacques Cozinham em Casa, ganhador de um Emmy. Ganhou várias vezes o Prêmio James Beard, incluindo o Lifetime Achievement (um prêmio pelo conjunto da obra).

Como foi o seu primeiro contato com a cozinha?

Bem, eu nasci na cozinha, no sentido de que meus pais tinham um restaurante. Meu irmão e eu ajudávamos na limpeza, lavando pratos e descascando uma coisa ou outra. Ou eu seria um marceneiro como meu pai ou ia para a cozinha como minha mãe. Então foi uma escolha que fiz com muito gosto. Eu achava a cozinha fascinante, com seus barulhos, cheiros e tudo o mais.

Você foi criado na França e, em 1959, mudou-se para os Estados Unidos. Por quê?

Eu estava indo muito bem na França. Trabalhei nos melhores lugares — Plaza Athenée, Fouquet, Maxim — e fui até o chef do presidente. Estou dizendo que não tinha nenhum incentivo real para vir para os Estados Unidos exceto o profundo desejo de fazer o que as pessoas jovens faziam. Achei que ficaria por alguns anos e depois voltaria. Mas no momento em que pisei em Nova York, me apaixonei e nunca mais voltei.

E aí você acabou trabalhando no Howard Johnson logo depois de se mudar para cá, sendo contratado diretamente pelo sr. Johnson, em 1961. Você escreveu no New York Times que foi seu aprendizado mais importante. Como foi isso?

Meu aprendizado americano mais valioso, certamente. Fui convidado para ir à Casa Branca e, para dizer a verdade, eu não tinha ideia do potencial da publicidade. O cozinheiro fica na cozinha e é isso. Quando estive com o presidente na França, nunca me pediram para ir à sala de jantar nem recebia nenhuma visita. Se alguém viesse até a cozinha, era por que alguma coisa estava errada! Quando me pediram para ir à Casa Branca por causa da experiência que tinha na França, eu não quis ir, e Howard Johnson representava um mundo completamente diferente, um mundo do qual eu não sabia nada: um mundo de produção em massa, de hábitos alimentares americanos.

Você esteve envolvido com a comida americana por meio século e, antes disso, com a cozinha francesa por décadas. Para onde você acha que vai o nosso relacionamento com a comida no futuro?

Eu não sei, mas os Estados Unidos são únicos no sentido de que, na França, 99% das pessoas preparam cozinha francesa porque nasceram e cresceram com ela. A comida é boa e isso basta. Na Itália, 99% das pessoas preparam comida italiana. O mesmo acontece na Espanha, em Portugal, na Alemanha. Nos Estados Unidos é muito diferente. As pessoas preparam comida turca em um dia e então vão de um restaurante Suaíli para um do lucatá, depois a um francês, um italiano e assim por diante. Essa situação foi criada nos últimos vinte anos na América; é o país mais emocionante do mundo por causa dessa diversidade.

Há 50 anos, quando cheguei aqui, o cozinheiro estava na base da escala social. Qualquer boa mãe gostaria que seu filho fosse arquiteto ou advogado, mas certamente não um cozinheiro. Agora somos gênios. Há 400 programas de televisão sobre culinária, me disseram, então é absolutamente incrível. Para onde vamos? Eu não sei, mas nunca mais voltará a ser como antes. Toda a indústria da comida nesse país é enorme e as pessoas estão ficando muito, muito entendidas.

O que você diria às pessoas que estão apenas começando a aprender a pensar sobre comida e a cozinhar?

Eu digo às pessoas: se você não sabe por onde começar, mas sabe que quer entrar para o mundo da comida, comece pela cozinha, porque é o coração dele. E quer se torne um crítico ou um fotógrafo de culinária, o que quer que tenha aprendido lá será útil. Isso não é necessariamente verdade se começar em outra área do mundo da comida. A comida penetrou em todas as áreas, das academias aos bistrôs mais simples, passando pelos food trucks.

Você mencionou que é uma coisa boa que tenhamos que dedicar algum tempo todos os dias ao prazer de comer. Deve haver também, é claro, o prazer de cozinhar.

Eu uso o supermercado como uma cozinha preliminar, o que é viável agora e não era tempos atrás. Tenho uma panela antiaderente, compro peito de frango sem pele e desossado, cogumelos fatiados, espinafre já lavado e, com um esforço mínimo, preparo um prato em 10 ou 15 minutos. Você pode ter prazer em cozinhar, se divertir e ter algo bom e fresco para comer.

É uma observação muito boa que os supermercados modernos se tornaram o subchef para a cozinha doméstica. Você acha que nossa compreensão de como os ingredientes funcionam e da química das coisas mudou ao longo das últimas décadas?

Houve alguma mudança. Saber por que o molho holandês desanda e tudo o mais, mas um chef aprende de maneira diferente. A maneira como afia uma faca, bate claras em neve, desossa um frango ou faz uma omelete é a mesma hoje e cinquenta anos atrás. Eu posso passar pelo forno e dizer a você que o frango está pronto porque, como costumamos dizer, o frango "canta". Ele canta no ponto em que todo o sumo já evaporou e a gordura que se acumulou na panela frita ou "canta". É como quando você toca um pedaço de carne na grelha. Ele

está malpassado ou ao ponto, do jeito que preferir, e você o tira.

Tenho estado com pessoas que são bastante entendidas sobre a química da comida e sobre como as coisas funcionam e você acaba comendo uma refeição horrível. E aí vai até a mamma italiana que não tem a menor ideia de como a química funciona quando está cozinhando um prato, mas come a melhor comida de sua vida.

É bem diferente quando se cozinha para criar receitas em vez de cozinhar apenas instintivamente pelo prazer de fazê-lo. Eu anoto o que estou fazendo quando cozinho um prato. Então tenho aquele conjunto de instruções que anotei. Não posso garantir que será do mesmo jeito com você. A receita é puramente um momento no tempo em que eu relato o que aconteceu naquele dia em particular, naquela temperatura específica.

Quando lhe dou uma receita, você fica frente a frente com uma página escrita que tem de seguir à risca, o que é o oposto da liberdade que tive quando criei a receita. Contudo, eu digo às pessoas, quando você faz uma receita, tem de fazer exatamente como a receita diz, para fazer justiça a quem quer que a tenha criado. Se funcionar, você provavelmente vai fazer outra vez, mas na segunda vai dar uma olhada mais rápida. Na terceira ou na quarta vez, vai melhorá-la e adaptá-la ao seu gosto pessoal. A receita não é estática, ela se movimenta. Nunca temos exatamente o mesmo frango, com a mesma quantidade de gordura.

Eu ensino algumas turmas na Universidade de Boston. Todo mundo quer ser "diferente". Isso é um paradoxo. Você não pode fazer a mesma coisa que a pessoa ao seu lado porque você não é aquela pessoa. Esse é um dos paradoxos.

Faço um frango assado, batatas amanteigadas e uma salada. Então eles todos vão para o fogão com uma hora e meia para refazer o prato. Digo a eles: "Não tentem me impressionar fazendo algo diferente. Vocês não precisam, porque tenho aqui 15 alunos e vou terminar com 15 frangos diferentes hoje. Você não consegue ser igual à pessoa a seu lado. Então não se torture tentando ser diferente. Apenas cozinhe com paixão e será diferente".

Você apareceu no *Top Chef*, onde mencionou que sua última refeição ideal seria um galeto assado e ervilhas frescas. Fiquei curioso em saber, por que esse prato?

Bem, sabe, ervilhas frescas e tenras direto da horta com minialface, cebolinhas-brancas, manteiga e uma pitada de açúcar e sal — ervilhas à francesa — são um prato extraordinário. E adoro um galeto assado da forma correta.

Para dizer a verdade: "Qual seria a última refeição de sua vida?" É, na verdade, uma questão estúpida, porque se você sabe que vai morrer, provavelmente não terá muito apetite! Eu respondi: "O melhor pão e a melhor manteiga em que posso pensar — é difícil ganhar de pão com manteiga". Então, é claro, quando disse isso, eles disseram: "Bem, isso é muito bom, mas não é o suficiente". Então, aí, tudo bem: "Galeto com Ervilhas". (Para a receita do chef Pépin, acesse http://cookingforgeeks.com/book/peas/ — conteúdo em inglês.)

Muito bom! Um bom pão e uma boa manteiga.

Um pão extraordinário e uma manteiga extraordinária. Sim, é difícil de bater.

Nem Sempre Siga a Receita

Um Lugar para Cada Coisa e Cada Coisa em Seu Lugar

Nem todo mundo é o tipo organizado de pessoa, mas se existe um lugar em que você deve tentar manter as coisas em ordem, esse lugar é a cozinha. Julia Child levou o adágio "um lugar para cada coisa e cada coisa em seu lugar" a sério: as panelas foram penduradas em painéis que tinham os contornos desenhados ao redor de cada item para garantir que seriam sempre retornadas ao mesmo lugar. As facas foram guardadas sobre os balcões em barras magnéticas que ela poderia facilmente alcançar e pegá-las. Itens comuns de cozinha — colheres, batedores, óleo, vermute — foram colocados próximos ao fogão. A cozinha foi organizada em torno do que os franceses chamam de "à mão", com instrumentos comuns e ingredientes mantidos próximos de onde eles normalmente seriam usados.

Você deveria fazer o mesmo em sua cozinha. Todos os itens devem ter um lugar certo, a ponto de que você possa hipoteticamente pegar um utensílio em particular de olhos fechados. (Isso não é hipotético para os deficientes visuais.) Guarde os equipamentos perto dos alimentos com os quais eles são usados: colheres de medida perto dos condimentos, espremedor de alho junto a ele e xícaras de medida com os ingredientes secos. E por falar em ingredientes secos, certifique-se de etiquetar qualquer ingrediente a granel tanto com o nome quanto com a data de compra, para evitar surpresas potencialmente desagradáveis meses (anos?) depois.

Mantenha as coisas usadas com frequência em um lugar onde possam ser alcançadas com rapidez. Toda cozinha deveria ter um recipiente para talheres e espátulas perto do fogão e uma boa lixeira com pedal perto da bancada. Uma boa lixeira parece uma sugestão estranha, mas é muito mais fácil do que ter de abrir o armário enquanto suas mãos estão cheias de cascas de cebola e outras coisas mais. Considere também remover as portas dos armários — ter pratos e tigelas onde você possa alcançar e pegar acelera o processo. Esses ajustes são pequenos individualmente, mas você vai ficar impressionado com quanto tempo ganha com isso.

O espaço da bancada é precioso, então coloque os utensílios raramente usados dentro dos armários. Qualquer coisa em seus armários que não tenha sido usada por mais de um ano deve ser colocada em outros armários. Se não quiser se separar de alguma engenhoca ("mas esse é o cortador de manga da nossa lua de mel!"), encontre outro lugar para ela, fora da cozinha. Se achar que a ideia de uma maratona de remoção de supérfluos é cansativa, tente cuidar de um armário por semana. Ainda muito cansativo? Retire uma coisa por dia, não importa quão pequena ela seja, até que você alcance um estado zen de tranquilidade. Manter a cozinha funcional é muito mais fácil com um hábito permanente do que com um ritual anual.

Cozinha Geek

A Regra do 3x4 na Bancada

A regra é simples: ter três bancadas diferentes, cada uma com pelo menos 1,2m de comprimento, provê espaço suficiente para tornar mais fácil a cocção. Os efeitos são profundos: sem espaço suficiente, a preparação da comida pode passar por uma interrupção brusca enquanto você tenta encontrar um lugar para empilhar aquela panela suja bem na hora em que alguma outra coisa começa a passar do ponto.

A regra do 3x4 é útil porque, com espaço suficiente na bancada, você consegue mudar as coisas de lugar. Você pode usar uma bancada para ingredientes crus, outra para alimentos já cozidos e pratos de servir, e uma terceira para os pratos sujos. Isso não quer dizer que as três bancadas serão usadas sempre para essas mesmas três funções, mas, em regra, ter três superfícies de trabalho com comprimento (e profundidade) suficiente, torna a culinária mais fácil.

Se a disposição atual da sua cozinha não passa na regra do 3x4, encontre um jeito inteligente de aumentar a bancada ou criar outra superfície de trabalho.

Se você tem espaço de sobra: A opção mais fácil é comprar uma "ilha de cozinha" sobre rodas, que você poderá mover para lá e para cá quando necessário e também usar para armazenar utensílios comuns. Procure uma com tampo de madeira. Essa pode ser uma excelente solução para cozinhas com bancadas que estão de acordo com a regra mas que estão muito longe (sim, é possível ter espaço demais).

Se você tem pouco espaço: Veja se há um canto em que pode montar uma tábua de corte temporária. Você deve ter uma parede bem posicionada na qual pode pregar uma tábua de corte com dobradiças — uma peça de 1,25cm de madeira funciona para períodos mais longos —, de forma que você possa desmontá-la e tirá-la do caminho quando não estiver cozinhando. Ou amplie uma bancada em um espaço não ocupado.

Finalmente, se você algum dia puder se dar ao luxo (ou à maldição?) de projetar seu próprio espaço, dê uma olhada no livro *A Pattern Language: Towns, Buildings, Construction*, de Christopher Alexander (Oxford University Press, 1977), do qual esta regra foi tirada (veja "Cooking Layout", na página 853 do livro).

Jantar para Um

Deveríamos comemorar as oportunidades que temos de comer sozinhos. A forma como cozinhamos e comemos quando ninguém está olhando é fascinante: uma tigela de cereais, pão e queijo, fiambre frito (!), quentinha. Não há mais ninguém para agradar ou julgar. Permita-se!

Não precisa ser demorado se você está ocupado. Procure a sobremesa enquanto está comendo o jantar. Coma e leia ao mesmo tempo. Aproveite a oportunidade para pensar no que faz você feliz. Coloque um jogo americano. Sirva-se de uma bebida. Para os pais ocupados ou para o profissional que está trabalhando, comer sozinho pode ser uma terapia: um tempo para se cuidar.

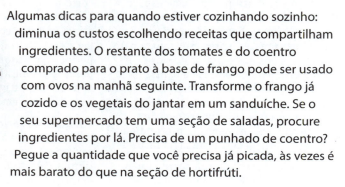

Algumas dicas para quando estiver cozinhando sozinho: diminua os custos escolhendo receitas que compartilham ingredientes. O restante dos tomates e do coentro comprado para o prato à base de frango pode ser usado com ovos na manhã seguinte. Transforme o frango já cozido e os vegetais do jantar em um sanduíche. Se o seu supermercado tem uma seção de saladas, procure ingredientes por lá. Precisa de um punhado de coentro? Pegue a quantidade que você precisa já picada, às vezes é mais barato do que na seção de hortifrúti.

Frango com Grão-de-bico, Páprica e Coentro

Essa receita, baseada em uma originalmente impressa na revista Bon Appétit, *foi recentemente apresentada a mim e se tornou um prato rotineiro. É fácil de preparar e rende excelentes sobras. E ainda impressiona quando você está cozinhando para os outros!*

Preaqueça o forno a 230°C. Em uma vasilha grande, misture:

- **4 colheres (sopa) de azeite de oliva (60ml)**
- **4 dentes de alho amassados ou fatiados**
- **1 colher (sopa) de páprica doce (não apimentada!) ou pimenta-de-caiena (7g)**
- **1 colher (chá) de cominho moído (2g)**
- **½ colher (chá) de flocos de pimenta calabresa (0,5g)**

Em uma vasilha pequena, meça **¼ de xícara (chá) de iogurte natural (60g)**. Transfira **1 colher (chá) da mistura apimentada** da vasilha grande para a pequena e misture para homogeneizar. Use como acompanhamento.

Na vasilha grande, adicione e misture:

- **4 filés de peito de frango ligeiramente salgados (500g)** — ou dois peitos de frango pequenos, sem pele e sem osso, abertos ao meio para ficarem mais finos
- **2 ½ xícaras (chá) de grãos-de-bico escorridos (425g)**
- **300g de tomates cereja**

Forre uma assadeira com papel-manteiga (menos sujeira!), transfira os ingredientes e espalhe formando uma camada fina. Asse por 20 a 25 minutos. Salpique **½ xícara (chá) de coentro picado (30g)** ou **salsinha** por cima.

Deborah Madison: Comer Sozinho

Deborah foi a chef fundadora do Restaurante Greens, em São Francisco, Califórnia, e é autora de vários livros sobre cozinha vegetariana. Em 2009, ela escreveu o livro What We Eat When We Eat Alone (O que Comemos Quando Estamos Sozinhos) (Gibbs Smith) em parceria com o marido, o artista Patrick McFarlin.

O que você descobriu sobre como as pessoas cozinham quando estão sozinhas?

Nós entrevistamos muita gente e vimos que as pessoas podem ser distribuídas em categorias. Uma mulher que tem filhos pequenos e marido e se vê sozinha em casa pode preparar uma tigela de cereais e comer na banheira enquanto ouve música. É muito diferente de alguém que come sozinho todos os dias e prepara algo saudável e delicioso e isso funciona. Existe uma diferença entre pessoas mais velhas, viúvas e viúvos, quando comparadas a alguém que estuda e está cansado de sanduíches. Depois há as pessoas que valorizam a boa comida e o prazer de cozinhar. Elas têm um pensamento completamente diferente sobre cozinhar para si mesmos. Os homens são diferentes das mulheres muitas vezes. Homens tendem a preparar uma grande quantidade e comê-la durante toda a semana. Falamos com um barman que preparou um rocambole de fraldinha com queijo e bacon. Ele estava muito orgulhoso por isso e nos deu a receita. A receita dava para um monte de gente e aquela era a refeição individual dele, então quando a fez, a comeu a semana toda.

Eu tenho que dizer que manteiga de amendoim foi o alimento para comer sozinho citado com mais frequência. Manteiga de amendoim de todas as formas, muitas delas bizarras. Um sanduíche de manteiga de amendoim com maionese, cebolas fritas e batatas chips — sabe, só coisas malucas. Mas as pessoas encontraram seu gosto próprio. Uma mulher fez um prato delicioso de aspargos com croutons, um bom azeite de oliva e vinagre branco. É uma receita que já usei bastante e gosto de verdade.

Algumas pessoas se tornam realmente criativas quando ninguém está olhando.

As pessoas inventam o que gostam de comer sozinhas. Acho que algumas ficam muito orgulhosas por isso, mesmo com as coisas bizarras, e funciona para elas. Elas estão sendo alimentadas. Outras se sentem culpadas por não fazerem mais. As pessoas têm valores muito diferentes sobre cozinhar para si mesmas. Um homem falou sobre entrar na cozinha e fazer almoço: "Procuro por vegetais e sempre uso os mais velhos e murchos primeiro", porque ficava triste por estarem assim. Ele pega esses vegetais velhos e murchos e mais alguma coisa e faz um sanduíche. Essa era a rotina dele e não parece que variava muito, mas funcionava para ele. Ele estava satisfeito. Queria usar aqueles vegetais. Aquilo era importante para ele.

O que a surpreendeu nas pessoas que cozinham sozinhas?

O que realmente me encantou foram alguns dos jovens com quem conversamos. Eles falavam sobre cozinhar com seriedade e começaram a fazê-lo por vários motivos. Um estudante de medicina disse que já não conseguia mais olhar para um sanduíche de almôndegas do Subway. Ele começou a ter aulas de culinária com a mãe todos os domingos. E então ficou fascinado porque tinha a capacidade de dar um jantar, e não se pode fazer isso com um sanduíche do Subway. Ele disse: "Sabe, é bem parecido com trabalhar em um laboratório. Você precisa prestar atenção em várias coisas ao mesmo tempo", então ele se divertia muito. Ele adorava poder cozinhar para os amigos.

Outro jovem com quem conversamos começou a cozinhar porque não gostava do jeito como os pais cozinhavam. Ele queria assumir o controle. Quando começou a cozinhar, descobriu que poderia fazer escolhas, o que achei muito legal e divertido, e também eficaz porque ele aprendeu a cozinhar.

Uma mulher disse que quando os filhos eram adolescentes, mas antes que ficassem muito ocupados, ela os fazia preparar a refeição uma vez por semana. Eles tinham que fazer tudo. Ela deixava que cometessem erros como, por exemplo, não começar a fazer o arroz até 15 minutos antes do jantar, e aí as coisas não ficavam prontas ao mesmo tempo. Mas ela disse que eles aprenderam muito daquela forma, e para ela era formidável chegar em casa ao final de um longo dia de trabalho e sentir o cheiro de comida. Ela disse que foi uma experiência fantástica, e que quando eles finalmente cresceram e saíram de casa, tinham alguma habilidade de sobrevivência. Já sabiam cozinhar alguma coisa.

O Poder de um Jantar

Cozinhar e receber convidados tem o notável poder de juntar pessoas. Como anfitrião, você cria uma experiência exatamente do jeito que planeja, desde a disposição da mesa até a música. Não tenha medo de cozinhar para os outros, seja um jantar, um almoço ou qualquer outra refeição. Como mencionei quando falamos sobre os medos na cozinha, o objetivo dos jantares não é a perfeição da comida, mas reunir as pessoas para travar uma conversa animada e estimular a convivência social.

Aqui estão algumas dicas se você é novo em dar jantares ou almoços:

- Reúna as pessoas com um propósito, pensando em quem está convidando e em como vão interagir. Ao fazer um convite, seja claro se ele se estende a outros e estabeleça suas expectativas (os convidados devem chegar às sete em ponto, por volta das sete ou a qualquer hora? Você vai servir comida ou apenas lanches?)

- Há um protocolo não oficial ao aceitar convites para festas e jantares. Ele varia conforme a ocasião e o tipo de relacionamento, mas quando não tiver certeza, siga esses passos: os convidados devem se oferecer para levar alguma coisa ("O que posso levar?"), os anfitriões devem recusar ("Só você!"), e os convidados devem aparecer com alguma coisa mesmo assim (uma garrafa de qualquer coisa para o anfitrião apreciar naquela noite ou em outra ocasião).

Dê uma olhada na p. 445 para informações sobre alergias alimentares e substituições comuns.

- Pergunte sobre alergias com antecedência. Se está cozinhando para alguém com alguma alergia alimentar, tome precauções extras. Da mesma forma, se você mesmo tem alergias e for convidado, é seu dever dizer ao anfitrião; você pode se oferecer para levar uma porção individual de alguma coisa para você, para não sobrecarregar o anfitrião em satisfazer as suas necessidades.

- Alguns convidados podem seguir dietas restritivas ou limitar certos tipos ou classes de alimentos. Também existem as limitações religiosas. Apesar de tudo, se estiver disposto a encarar as restrições culinárias, converse com os convidados para chegar a um ponto comum com as necessidades deles.

- Escolha receitas que permitam que tenha tempo para os convidados. Eles estão lá para vê-lo! Isso não significa que precisa deixar tudo pronto antes que cheguem. Passar o tempo com eles enquanto finaliza uma refeição pode ser um começo adorável para uma noite, contanto que esteja de acordo com o esperado.

- Tenha aperitivos para os convidados petiscarem antes de servir a refeição. Coisas simples como pão, queijo, homus, frutas frescas e vegetais com molhos são rápidas, fáceis e úteis para aplacar a fome antes que a comida esteja pronta.

Aperitivos Favoritos para um Jantar

Aperitivo, tira-gosto, *amuse-bouches*, *hors d'oeuvres*: seja lá como você os chame, eles são pequenas porções de sabor intenso em deliciosas combinações para instigar os convidados para a refeição por vir — ou defender algum estômago roncando.

Na maioria das vezes eles são simples: frios e uma fatia de um belo pão estão incluídos em meu livro. Um amigo às vezes serve uma pequena caneca de sopa (couve-flor com purê de raiz de aipo, da última vez), e embora alguns possam não estar acostumados a iniciar uma refeição desse modo, ele tem história. O primeiro *restaurante*, pelo menos como afirma a história ocidental, foi inaugurado na França, em 1765, e servia sopas e caldos "revigorantes", afirmando que eles restabeleciam a força das pessoas. O proprietário pendurou uma placa do lado de fora que dizia, usando a palavra em francês para revigorante: restaurant.

A maioria dos aperitivos é simples: azeitonas ou pão com patês como húmus ou tapenade (azeitonas picadas, alcaparras e anchovas), ou talvez uma pequena seleção de carnes curadas fatiadas (*charcuterie*) compradas em uma *delicatessen* ou no açougue. Pão e queijo são comuns, mas podem se tornar o próprio jantar se você não tomar cuidado. (Comer queijo no final da refeição faz mais sentido, em alguns aspectos.) Que tal alguns aperitivos que precisam de pouco tempo para serem preparados mas ainda assim são rápidos e deliciosos?

Aqui estão alguns dos meus aperitivos favoritos — de fazer e comer.

Azeitonas verdes assadas. Ficam muito boas com azeitonas verdes grandes em salmoura, como as Castelvetrano. Se a sua variedade não fica boa aquecida, saboreie-a fria mesmo. Utilize o fogão e uma frigideira ou o grill de seu forno com um refratário, aqueça as azeitonas em uma camada fina de azeite em temperatura média–alta, sacudindo de vez em quando para virá-las. Depois de alguns minutos elas ficarão levemente douradas em algumas áreas e vão adquirir um aroma quase floral. Tente refogá-las com tomates cereja e adicionar ervas frescas depois que estiverem prontas.

Queijo de cabra assado com amêndoas e mel. Coloque um pedaço redondo de queijo de cabra no centro de um prato refratário, cubra com uma boa colherada de mel e leve ao micro-ondas por 30 a 60 segundos, até que esteja quente e parcialmente derretido. Salpique um punhado de amêndoas Marcona (elas são diferentes das amêndoas comuns — sem aquela casca que parece papel e menos amargas) — ou uma camada de ervas frescas picadas. Sirva com torradas ou pão.

Quadrados ou torcidos de massa folhada. Compre uma caixa de massa folhada. Para aperitivos, ela pode ser cortada em pedacinhos quadrados e assada com qualquer tipo de coisa deliciosa e saborosa por cima: queijo e uma fatia de tomate, por exemplo. Ou faça enroladinhos de alho: pincele uma folha de massa com azeite, salpique alho picado (ou espremido) e pimenta moída na hora, e depois corte em tiras de 1cm de largura. Torça as tiras, coloque-as em uma forma e depois asse a 200°C por 10 ou 15 minutos, até que estejam bem douradas.

Apresentação e Decoração dos Pratos

"Parece delicioso!" é uma frase aparentemente impossível. Como podemos saber que sabor uma coisa vai ter? A apresentação e o *plating* — a disposição da comida no prato — estabelecem uma expectativa e, quando estamos cozinhando para os outros, podem ser um sinal poderoso que vai muito além do sabor e do cheiro.

A apresentação da comida é uma forma de sinalização, que pode ser compreendida com mais facilidade se olharmos para o que os biólogos chamam de teoria da sinalização. Em biologia, os animais usam sinais para comunicar várias intenções. Uma coloração vermelha brilhante nos sapos sinaliza "veneno!", e repele os predadores. Com o tempo, outros animais mimetizam os sinais — sapos não venenosos que por acaso são vermelhos —, o que leva a uma corrida entre sinalizadores verdadeiros e falsos. É por isso que sinais difíceis de imitar substituem os mais antigos e copiáveis. Algumas gazelas se livram dos predadores saltando bem alto para demonstrar que elas podem correr rápido. O guepardo que vê uma gazela saltar logo entende que ela não vale a perseguição, o que poupa ambos de uma corrida com grande perda de energia. As gazelas mais fracas não conseguem imitar o sinal e padecem.

Nós também usamos sinais. Carros esportivos caros não são práticos, mas sinalizam o status econômico de uma pessoa. (Aliás, é por isso que carros esportivos de última geração têm apenas dois lugares e pouco espaço para bagagem: se eles fossem destinados a tarefas diárias, não seriam um bom sinalizador de riqueza.) Gastar algum tempo preparando uma refeição para os outros é um sinal de que você os valoriza. Convidar pessoas e preparar comida para elas é um sinal enorme. A teoria da sinalização explica parcialmente por que coisas como misturas instantâneas para

Brownie na Laranja

A apresentação não precisa ser sofisticada nem complicada para sinalizar "especial!", mas precisa ser pensada e diferente do que você faz normalmente para comunicar esse sentimento. Vejamos os brownies: mesmo se você prepará-los usando uma mistura pronta (prazer com culpa!), assá-los em uma laranja muda a apresentação e mostra sentimento. Lembre-se, a apresentação depende da situação, portanto, fazer brownies na laranja será especial em alguns contextos (a pessoa que nunca cozinhou tentando se esforçar), mas sem classe em outros.

Corte a parte de cima da laranja e retire o miolo.

Encha a laranja com a massa de brownie.

Asse até que um palito espetado na massa saia limpo. Polvilhe açúcar de confeiteiro.

brownies pedem ovos e leite: além da gratificação de quem está preparando de que falei no início do capítulo, o trabalho de ter de adicionar esses ingredientes é suficiente para que o cozinheiro sinalize que se importa com o convidado.

Situações diferentes requerem diferentes sinais para comunicar uma mensagem, e isso faz com que escrever uma lista universal de "como servir a comida" seja complicado. Para entender a apresentação, precisamos entender a mensagem que estamos tentando comunicar e então escolher o sinal apropriado para ela. Se você está preparando uma refeição diária, não vai fazer uma apresentação sofisticada. (Utilizar uma apresentação refinada e especial em situações rotineiras seria um sinal próprio, talvez para suavizar o impacto de notícias ruins iminentes.) Se é uma noite especial, colocar guardanapos de tecido e dedicar algum tempo à maneira como a comida é servida sinalizam que aquela é uma ocasião singular. E, com bons amigos, criar um ambiente de acordo com as expectativas de seu círculo social comunica que você compreende as normas do grupo. Seguir o estilo de um restaurante de renome pode ter seu charme ou parecer um exagero, dependendo dos seus companheiros.

Aqui estão algumas dicas básicas de apresentação se quiser servir a comida utilizando a aparência típica de um jantar ocidental refinado.

Combine a cor e o tamanho do prato com a comida. Fiquei surpreso com a diferença que um prato grande faz; é como uma moldura ao redor de um quadro. Algum espaço vazio no prato é bom! A cor também pode ser de boa ajuda. Descobri que ter dois jogos de pratos — tenho brancos e cinza-escuro — torna mais fácil escolher um que contraste bem com a comida. Você pode dar cor a um prato com a comida: folhas de ervas por cima de uma tigela de sopa, pimenta-do-reino moída sobre o peito de frango, ou açúcar de confeiteiro sobre uma sobremesa de chocolate vão aumentar o interesse visual dos pratos antes monocromáticos.

Faça a comida parecer diferente da comida caseira tradicional. Se está servindo uma refeição que tem vegetais, grãos e um componente proteico, tradicionalmente os três itens serão colocados um ao lado o outro, como fatias de um círculo. Tente colocar os grãos no centro do prato e espalhá-los em uma camada fina, adicione os vegetais por cima dos grãos e a proteína por cima dos vegetais. (Se quiser dar uma altura radical, use uma lata grande com as partes de cima e de baixo removidas, coloque a comida dentro dela, e depois deslize-a para cima.)

Pense no tamanho e na disposição da comida. Todas as regras de composição visual ensinadas nas aulas de artes (inclusive da pré-escola!) se aplicam na hora de servir a comida. A "regra das probabilidades" é uma das mais fáceis: ver 3 ou 5 bolinhos de carne em cima de uma tigela de massa é geralmente considerado mais interessante do ponto de vista visual do que 4 ou 6. Contrastes no tamanho e no formato também ajudam.

ABC dos Equipamentos de Cozinha

Descobrir que utensílios ter na cozinha pode ser uma tarefa desencorajadora. Com tantos produtos no mercado, o número de opções disponíveis pode ser desgastante, principalmente para perfeccionistas extremamente analíticos (você sabe em que categoria se encaixa). Que tipo de faca devo comprar? Que panela é a melhor para mim? Devo comprar aquele descaroçador de cereja?

Respire fundo e relaxe. Para um iniciante, os utensílios de cozinha provavelmente parecem ser o segredo para o sucesso, mas com toda a honestidade, não são tão importantes. Uma faca afiada, uma panela, uma tábua de corte e uma colher, e você já pode fazer 80% das receitas que estão por aí e ter mais utensílios do que 90% da população mundial. Caramba, em algumas partes do mundo as pessoas só têm uma panela e uma espátula afiada de um lado para servir também como faca.

Ter bons utensílios realmente torna a cozinha mais agradável. A resposta correta para que modelo de equipamento comprar é: o que quer que funcione para você, que seja confortável e seguro. As próximas páginas mostrarão minhas aquisições em equipamentos de cozinha, mas você decide se quer experimentar. Modifique minhas sugestões conforme suas necessidades.

> Use as mãos quando estiver cozinhando! Elas são o melhor instrumento da cozinha. Depois de uma boa esfregada com sabão, elas estarão tão limpas quanto qualquer outra coisa e serão infinitamente mais habilidosas. Vai cortar folhas de alface? Espremer um limão? Colocar a entrada em um prato? Use as mãos.
>
> E, também, aprenda o que as várias temperaturas significam: coloque a mão sobre uma panela quente, e perceba por quanto tempo você pode permanecer "sentindo" o calor. Coloque a mão dentro do forno ajustado para a temperatura média, lembre-se dessa sensação, e então compare-a com quando estiver trabalhando com um forno quente. Quanto aos líquidos, você geralmente pode colocar a mão em água a 55°C por um segundo ou dois, mas a 60°C, a reação será bastante involuntária: "Ai!"

A melhor dica sobre equipamentos de cozinha que posso oferecer é essa: procure uma loja de suprimentos para restaurantes. Essas lojas têm um estoque de corredores e mais corredores de todos os produtos concebíveis para cozinha, serviço e salas de jantar, até a placa de "Por favor, aguarde para ser conduzido à mesa". Se você não consegue encontrar uma dessas lojas, a internet, como dizem, "é sua amiga": você pode comprar qualquer coisa online.

Duas Coisas que Você Deve Fazer pelo Seu Forno AGORA

Um dos equipamentos que você provavelmente não sabe usar muito bem é o seu forno. O que torna um forno "bom" é a capacidade que ele tem de medir e regular a temperatura com precisão. Já que uma boa parte da culinária diz respeito a controlar a taxa de reações químicas usando o calor, um forno que mantém uma temperatura constante pode fazer uma enorme diferença nos seus cozidos e assados. Há duas coisas a fazer para ter certeza de que você obterá os melhores resultados com o que tem:

Calibre seu forno. Pegue um termômetro de testes digital e verifique se ao ajustar o forno para 180°C a temperatura realmente bate com a do termômetro, colocando-o no mesmo local dentro do forno em que seus pratos serão colocados. Se a temperatura estiver muito diferente, verifique se o forno tem uma chave de ajuste ou uma configuração de desvio de calibragem. Do contrário, tenha em mente o desvio quando ajustar a temperatura. Seu forno funcionará um pouco acima ou abaixo da temperatura desejada — ele vai ultrapassar a temperatura estipulada, e então desligar, esfriar, religar e assim por diante. É possível que seu forno possa estar corretamente calibrado, mas com medições muito altas ou muito baixas, por isso verifique várias vezes em intervalos de dez minutos.

Melhore o tempo de recuperação de seu forno e equilibre a temperatura: sempre deixe uma pedra de assar pizza dentro do forno. Digamos que está assando cookies: o forno está ajustado para 190°C, os cookies estão na forma e prontos para assar. Em um forno vazio, as únicas coisas quentes são o ar e as paredes, e ao abrir a porta para colocar os cookies você fica apenas com as paredes quentes. Você obterá resultados bem melhores se mantiver uma pedra para assados ou para pizza na prateleira de baixo do seu forno. (Não coloque a forma de cookies diretamente sobre a pedra de pizza!)

A pedra de pizza faz duas coisas. Primeiro, ela age com uma massa térmica, o que significa que recupera mais rápido o ar quente perdido quando você abre a porta para colocar os cookies. Segundo, se tem um forno elétrico, a pedra serve como um difusor entre o elemento aquecedor e o fundo da bandeja de assados. O elemento aquecedor emite uma grande quantidade de radiação térmica, que normalmente atinge o lado de baixo do que quer que tenha colocado no forno. Ao ser colocada entre o elemento aquecedor e a assadeira, a pedra bloqueia a radiação térmica direta e nivela a temperatura, permitindo um calor mais uniforme. Compre a pedra mais grossa e pesada que puder. Assim como toda massa térmica, uma pedra retardará o aquecimento do forno (e o resfriamento — e esse é o ponto!), portanto, certifique-se de dar mais tempo a seu forno para que ele preaqueça.

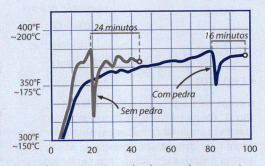

Um forno com uma pedra de assar demora mais para esquentar, mas permanece quente quando a comida é colocada dentro dele e a assa mais rápido.

Laboratório: Um Jeito Legal de Calibrar Seu Forno

E se você não tiver um termômetro digital e precisar verificar o forno? É uma prática comum calibrar termômetros com água gelada e água fervendo, porque eles têm temperaturas de acordo com as propriedades físicas da água. Porém, a água não é a única substância na cozinha com esse tipo de propriedade: você também pode calibrar o termômetro do seu forno usando açúcar!

A humanidade tem cultivado o açúcar por milênios, mas só nos últimos séculos ele começou a ser industrializado. É mais provável que o açúcar que você compra venha ou da cana-de-açúcar ou da beterraba, que é mergulhada em água quente para dissolvê-lo e transformá-lo em um xarope, que então é cristalizado. O açúcar branco de mesa com o qual você está familiarizado é 99% sacarose — uma substância pura ($C_{12}H_{22}O_{11}$). O resto é água e uma pequena porcentagem de coisas como minerais e cinzas que pegaram carona.

Primeiro, pegue esse material:

- Folha de alumínio
- Açúcar
- Um timer
- Um prato (para amostras quentes de açúcar)
- E, obviamente, um forno!

Preparo:

A sacarose no açúcar refinado derrete a 186°C. Ele se transforma da substância branca granulada familiar em algo que lembra o vidro. (A sacarose passa por uma quebra química em baixas temperaturas; veja a página 221.) Um forno devidamente calibrado não vai derreter o açúcar quando ajustado para 180°C, mas irá em 190°C.

Vamos colocar no forno duas amostras de açúcar em temperaturas diferentes, esperando que uma esteja abaixo e a outra acima do ponto de fusão do açúcar, para verificar a temperatura de seu forno.

1. Preaqueça o forno a 180°C.
2. Faça dois "recipientes de amostra" de folha de alumínio:
    a) Corte a folha de alumínio em quadrados de 12cmx12cm.
    b) Dobre as pontas de cada pedaço para cima, fazendo uma forma em miniatura que terá cerca de 10cm de lado e 1cm de altura.
3. Adicione uma colherada de açúcar em cada recipiente de amostra.
4. Ponha o primeiro recipiente no forno preaquecido. Ajuste o timer para 20 minutos e aguarde.
5. Depois de 20 minutos, remova a primeira amostra e transfira para o prato. Lembre-se: o açúcar está quente, mesmo que não pareça estar!
6. Ajuste o forno para 190°C e espere 10 minutos para que ele se ajuste.
7. Coloque o segundo recipiente de amostra no forno. Ajuste o timer para 20 minutos e aguarde.
8. Depois de 20 minutos, remova a segunda amostra e transfira para o prato.

Hora da investigação!

Que diferença você vê entre as duas amostras? Por que acha que isso aconteceu? Compare a amostra de 177°C com um pouco de açúcar não aquecido; o que você nota? Por que isso deve ter acontecido? E a melhor parte da investigação: depois que as amostras tiverem esfriado, experimente-as! O que lembra a amostra dos 190°C?

Açúcar a 350°F/177°C. *Açúcar a 375°F/190°C.*

Facas

As facas são os instrumentos mais antigos e importantes da humanidade, e por uma boa razão: elas tornam possível cozinhar e comer. Cozinhar — preparar o alimento, em seu sentido mais básico — foi o que criou a sociedade, e através dos tempos, facas melhores aumentaram nossa capacidade de cocção. Lâminas de metal substituíram as de lascas e afins, e a habilidade de trabalhá-las definiu a fronteira entre a Idade da Pedra e os primórdios dos tempos históricos.

O aço substituiu outros metais — bronze, ferro — há cerca de quatro mil anos, e pouco depois as facas ganharam propósitos culinários. As modernas lâminas de inox são agora fabricadas de dois modos: forjamento ou estampagem. Lâminas forjadas são mais pesadas e deslizam com mais facilidade devido à sua composição. As estampadas são mais leves e baratas devido à sua produção. Que tipo de faca é melhor é uma questão altamente subjetiva. Pessoalmente, fico completamente feliz com facas estampadas mais baratas. Certifique-se de sentir a faca em sua mão antes de comprá-la!

Independente do material, ao cortar algo, "deslize" a faca (não a pressione, exceto para alimentos macios como queijo ou banana, nem "serre"; use movimentos suaves e longos). Aqui estão as três facas que todo mundo deveria ter:

Faca de chef. Uma faca típica de chef tem de 20cm a 25cm e uma lâmina levemente curvada; isso permite deslizá-la pelos alimentos para picá-los. Se você tem mãos menores, experimente uma faca estilo Santoku, com uma lâmina quase reta e uma seção mais fina que serve melhor para movimentos de corte reto.

Faca de descascar. Uma faca de descascar tem uma lâmina pequena e é projetada de forma que você possa segurá-la em uma das mãos e o alimento na outra, para tarefas como remoção de sementes. Sua empunhadura semelhante à de um lápis permite que você gire-a entre os dedos, de forma que possa cortar algo girando a faca e não o alimento.

Faca de pão. Uma faca de pão tem a lâmina serrilhada, normalmente entre 15cm e 20cm de comprimento. Ainda que não seja uma faca de uso diário, é útil para cortar outras coisas além do pão: de frutas a tomates, todos são cortados com mais facilidade com uma lâmina serrilhada.

> Estou sempre pensando no "modo fracasso": se a faca escorregar, para onde ela irá? Ver alguém usar uma faca de maneira imprópria é como ouvir unhas arranhando um quadro-negro.

Mantenha a faca se movimentando em um plano vertical, movendo o alimento em vez de mover a faca sobre ele. Vá colocando os itens dentro do plano de corte com os dedos posicionados de forma que não possam ser cortados. Mantenha os dedos da mão que segura o alimento curvados para trás, de modo que, se a faca deslizar, eles estejam fora de perigo. Você pode também encostar o lado da faca contra as juntas dos dedos para manter um controle melhor.

Quando for raspar a comida de uma tábua de corte, vire a faca e use o lado oposto ao da lâmina para evitar deixá-la cega.

Há mais de uma maneira de segurar uma faca: em vez de empunhá-la como um taco ou raquete (esquerda), tente pegá-la usando os dedos (direita). Você vai ter mais destreza dessa forma.

Sopa Francesa de Cebola de Uma Hora

Uma faca de chef grande, uma tábua de corte e um saco enorme de cebolas: o jeito perfeito de aprender a fatiar, picar, cortar e descascar. Mesmo que nunca tenha feito uma sopa francesa de cebola, é fácil se você tiver uma boa técnica com a faca. Para uma adorável demonstração do "trabalho de cão" da técnica de faca e de corte de cebolas, veja o episódio "Your Own French Onion Soup", do programa French Chef de Julia Child: http:// cookingforgeeks.com/book/onionsoup/ *— conteúdo em inglês. Ainda que algumas coisas tenham mudado — uma metalurgia melhor nas facas, particularmente —, as técnicas fundamentais não mudaram. Vê-la cozinhando e ensinando é uma alegria.*

Receitas mais antigas de soupe à l'oignon, como uma de 1651, pedem água ou caldo de carne; outra receita antiga sugere adicionar alcaparras por cima depois de pronta. A versão de Julia Child pede caldo de frango e carne caseiros, mas, embora você deva fazer o seu próprio caldo em algum momento (veja a página 350), isso leva mais tempo do que a maioria de nós tem para preparar uma refeição. Minha versão aqui usa caldo

de vegetais (eu prefiro) e usa o micro-ondas ("imagine isso!") com inteligência.

Prepare uma tábua de corte e, ao lado dela, um recipiente refratário para as cebolas picadas. Coloque **4 colheres (sopa) de manteiga (60g)** no recipiente.

Fatie de **4 a 6 cebolas amarelas grandes, mais ou menos 900g.** Retire a raiz e o talo, corte-as ao meio (de cima a baixo) e retire a casca. Remova qualquer camada externa dura, ou ela vai terminar dentro da sopa. Corte as metades das cebolas em fatias e transfira para o recipiente à medida que houver espaço na tábua.

Por que as cebolas fazem chorar?

Todos sabemos que isso vai além do sumo da cebola espirrar em seu olho. Quando as células da cebola são esmagadas, uma enzima (alinase) reage com os sulfóxidos das células para produzir ácido propenilsulfênico, que se estabiliza em gás sulfúrico (tecnicamente o propanotial–S-óxido), que pode reagir com água e produzir ácido sulfúrico. Quando você está cortando cebolas, o gás sulfúrico interage com a água do fluido lacrimal dos olhos e produz ácido sulfúrico, que faz com que os olhos lacrimejem para eliminá-lo.

A ciência do choro causado pelas cebolas explica alguns truques para evitá-lo. Há três estágios que levam às lágrimas: a reação da alinase com os sulfóxidos, o gás sulfúrico atingindo os olhos e a interação com eles. Interrompa um desses estágios e reduza a propriedade lacrimejante da cebola. Aqui estão alguns métodos:

Use uma faca afiada e uma boa técnica. Usar uma faca afiada reduz a quantidade de líquido secretada pelo tecido da cebola quando cortada; manter as fatias unidas reduz a a liberação de ácido sulfênico.

Resfrie as cebolas antes. Reações enzimáticas e voláteis dependem da temperatura, então uma hora ou duas no refrigerador reduz a produção de ácido sulfênico. (Mas não guarde cebolas na geladeira — veja a p. 119.)

Molhe a faca, a cebola e a tábua. Os sulfetos que levam às lágrimas são hidrossolúveis, então uma pequena quantia de água pode ajudar. Não é uma grande solução, contudo — cortar coisas escorregadias não é fácil.

Evite que os gases alcancem seus olhos. Use um ventilador, corte em ambiente bem ventilado ou utilize óculos de natação. Isso vai reduzir a quantidade de gás sulfúrico que chega até seus olhos.

Agora a parte não ortodoxa. Cozinhar cebolas no fogão é um ato de equilíbrio térmico entre manter o fogo quente o suficiente para cozinhá-las em seu próprio líquido mas frio o suficiente para não ressecá-las e queimá-las. Colocar as cebolas no micro-ondas pode parecer loucura, mas ele acerta em cheio esse ato de equilíbrio: o micro-ondas aquece a água das cebolas, fazendo com elas cozinhem, mas não atinge as partes mais secas e assim não as queima. Leva o mesmo tempo — de 30 a 45 minutos — mas é impressionantemente simples.

Leve as cebolas e a manteiga ao micro-ondas por 15 minutos em potência alta e então mexa. Elas devem estar translúcidas e murchas a essa altura, mas não douradas. Retire qualquer pedaço de casca que tenha escapado por acidente. Ponha no micro-ondas por mais 15 minutos. Mexa novamente, e mais uma vez procure pedaços de casca. As cebolas devem diminuir de volume a essa altura, e talvez comecem a ficar douradas. Coloque no micro-ondas por mais 5 minutos até que tenham reduzido bastante e estejam amarronzadas.

Transfira as cebolas para uma panela e misture:

- **1 litro de caldo de legumes sem sal**
- **2 colheres (sopa) de conhaque, uísque ou xerez (30ml) (opcional, mas dá uma profundidade muito boa; use xerez se você gosta da doçura)**
- **1 colher (chá) de sal (6g)**
- **Pimenta preta moída**

Experimente e ajuste os temperos como desejar, tomando o cuidado de não salgar demais o líquido já que o queijo equilibrará o sal. Você pode guardar a sopa nessa etapa por vários dias na geladeira.

Para servir, aqueça a sopa em fogo brando. Coloque-a em tigelas individuais (ou em uma sopeira rasa se estiver servindo no estilo familiar) e cubra com **fatias de pão torrado**. (Não deixe de torrar o pão ou vai terminar com uma papa.) Você pode usar pão amanhecido para fazer as torradas. Do contrário, seque as fatias em um forno a 150°C e depois torre.

Cubra o pão com uma camada generosa de **queijo fatiado que derreta bem**, como **Gruyère, Fontina ou Emmental**, criando uma camada de cerca de 0,5cm de fatias de queijo por toda a superfície.

Derreta e torre o queijo em um grill até que alguns pontos estejam quase queimados.

Como cortar uma cebola

Corte a cebola ao meio e coloque o lado cortado para baixo em uma tábua de corte. Faça dois ou três cortes horizontais em direção ao lado da raiz. Não corte até o fim; deixe a parte final sem corte para que a cebola não desmonte.

Faça uma sequência de cortes verticais, mais uma vez tomando o cuidado de deixar o lado da raiz sem cortar.

Gire a cebola e faça uma sequência final de cortes verticais, e o resultado serão cubinhos de cebola picada.

ABC dos Equipamentos de Cozinha

Buck Raper: Facas

Buck Raper é diretor de produção e engenharia da Dexter-Russell, à maior e mais antiga fabricante de cutelaria dos Estados Unidos. Acima, Buck segura uma faca ao lado de um aparelho para testes de afiação e vida útil de lâminas, no laboratório de metalurgia.

Como você veio trabalhar na Dexter-Russell?

Em uma vida anterior, eu trabalhava em um doutorado em química orgânica sintética.

Uau! E o que aconteceu?

Fui convocado para o Vietnã.

E aí você voltou...

Voltei e não havia muitas oportunidades de trabalho para PhDs em química, e eu ainda tinha em mente passar mais dois anos na academia, e tinha uma família para sustentar. Então fiz um MBA e consegui o dobro do salário inicial que receberia como PhD. Minha família sempre foi do negócio de cutelaria — meu avô e meu pai — e tudo que eu ouvia eram conversas sobre facas. Quando garoto, meu pai me levava à fábrica de canivetes nas manhãs de sábado e me deixava com um empregado para poder trabalhar, e eu fazia canivetes com ele.

A formação em química e o histórico familiar de produção de facas se complementam?

De certa forma... mas foi mais o método científico e as técnicas analíticas de uma ciência exata, e aplicá-los à fabricação. Eu via aquilo de outro ponto de vista, diferente do que um MBA em História teria, ou um MBA em Inglês. Vindo de uma ciência material, você encara as coisas de um ponto de vista estrutural.

Pode me dar um exemplo?

Boa parte do tratamento térmico do metal, da afiação e da escolha dos aços era feita quase que por folclore. Sempre foi feito dessa forma e ninguém se lembra por quê. Agora quando estamos tentando escolher um aço para uma aplicação especial, fazemos alguns testes, fazemos algumas lâminas, e as experimentamos para ver quais são os resultados. Temos uma amostra de controle e um registro de dados. Esse é o tipo de mudança que fiz. A Dexter-Russell tem 192 anos de idade, e ainda temos maquinário e ferramentas que usávamos na virada do século, em 1900. Essas técnicas ainda funcionam e são muito boas, mas ninguém sabia realmente por que fazíamos as coisas daquela forma.

O que o surpreendeu quando estava testando o folclore?

Somos a número um em facas para ostras, e há o problema crônico com as pontas de facas para ostras, que se quebram com facilidade. Tínhamos um processo de tratamento térmico e pensávamos que ele fazia com que o aço ficasse duro o suficiente para não quebrar. A teoria era: se a lâmina está se quebrando, faça-a mais dura, e então a ponta não se quebrará. A realidade era que precisávamos usar um aço mais resistente. Então mudamos o processo para criar um aço mais resistente e flexível.

O que significa para o aço ser resistente ou duro?

É o custo-benefício para ter uma boa lâmina. Quanto mais duro o aço, melhor será a lâmina. Mas você também precisa ter alguma flexibilidade. Se precisa de uma faca flexível para osso ou filé, um aço mais duro será mais frágil; vai quebrar. Então tem que abrir mão da dureza em favor da resistência, que vai lhe dar maior flexibilidade. A resistência também proporciona utilidade e resistência à abrasão. Uma forma como uma lâmina perde a utilidade é que você gasta os grânulos de aço, e para resistir a isso é preciso procurar por um aço duro.

Quando fazemos tratamento térmico no aço, uma transformação martensítica até a temperatura lhe dá o máximo de dureza. (Martensita é um tipo de estrutura cristalina em metal formada por mudanças rápidas na temperatura.) Mas se você não atingir a temperatura, se aquecê-lo um pouco menos, ele sai mais duro. Se superaquecê-lo, também será duro, mas se corrói. Em nosso caso, quando falamos de aço inoxidável da série 400 com tratamento

Cozinha Geek

térmico, a temperatura ideal é 1.057°C. Se você aquecê-lo a 1.066°C, obterá a mesma dureza que obteria se o aquecesse a 1.049°C, mas um é mais duro, e o outro irá corroer.

O aço é formado de grânulos. Se cortar a lâmina de uma faca em duas e olhar a olho nu, a textura dentro dela vai ser parecida com a do cimento fino. O que você está vendo são grupos de grânulos. O aço existe em nove ou dez fases diferentes. Dependendo de como é processado e a que temperatura, ele terá uma mistura dessas várias fases, e isso vai determinar sua dureza. Eu uso a analogia de assar um bolo quando estou explicando o tratamento térmico. Você tem massa crua e a submete ao calor. Há uma mudança química e uma mudança de fase, e vai de uma pasta fluida a um sólido poroso depois que está assado.

Com o aço, uma vez que ele é aquecido a uma temperatura crítica, o resfriamento — chamado de têmpera — também é crítico. Você provavelmente já viu filmes antigos em que o ferreiro está forjando o ferro; quando o aço está quente, ele o mergulha na água e há um sibilar de vapor. A razão para isso é o resfriamento rápido. No caso do aço inoxidável, é preciso chegar a menos de 732°C em menos de três minutos para manter a fase. Demorar mais para resfriar gera uma mistura de fases diferentes no aço. Então não é só atingir a temperatura; a curva de resfriamento é o que importa.

O aço também é determinado pela liga. Há duas ou três dúzias de tipos diferentes de aços inoxidáveis para cutelaria, e eles são apenas uma parcela bem pequena das ligas de aço. Os aços-liga são um subconjunto dos aços de carbono. E todos os processos de tratamento térmico são determinados pela liga com a qual você está trabalhando.

Existem outros tipos de aço que vocês gostariam de usar para propósitos particulares na fabricação de facas?

Queremos usar um aço inoxidável, embora o aço-carbono produza facas excelentes. Todo mundo gosta de suas velhas facas de carbono, mas, hoje em dia, com a Fundação Nacional de Saneamento e outros órgãos reguladores, você não pode usar facas de aço-carbono na maioria dos restaurantes. Nós escolhemos o aço inoxidável, que tem cromo em sua composição; é o cromo que o torna inoxidável. Também tem que ter carbono no aço, de modo que possa endurecê-lo. Para uma lâmina mais dura, adiciona-se carbono; para mais resistência à corrosão, é preciso mais cromo. Ao fazer o tratamento térmico, espera-se que o resultado seja uma textura bem fina, e que coisas como molibdênio, vanádio, tungstênio e cobalto ajudem a tornar o aço mais resistente.

Qual o motivo da proibição das facas de carbono nos restaurantes?

Elas enferrujam, e ferrugem é óxido de ferro. É sujo, e onde a lâmina tem ferrugem, existem depressões que retêm gordura. A gordura favorece a proliferação de bactérias. Normalmente, isso é controlado pela regulamentação da cidade, do estado ou do condado.

Aço de carbono versus aço inoxidável: qual é melhor?

Essa é uma questão clássica sobre a qual ponderei por trinta anos. Eu finalmente fiz um seminário com um metalúrgico de uma fábrica de aço francesa, e ele desenvolveu uma máquina para testar a afiação e a vida útil das lâminas. A resposta é que é possível fazer uma lâmina de aço-carbono 5% mais afiada, enquanto uma lâmina de aço inoxidável vai durar cerca de 5% mais.

Com o aço inoxidável sendo mais duro, é mais difícil fazer a lâmina, então ele com frequência recebe uma má fama, porque as pessoas não conseguem afiá-lo corretamente. É possível fazer uma lâmina de aço-carbono 5% mais afiada, mas não dá para perceber ao usar uma faca. Você precisa de aparelhos científicos para perceber a diferença. A diferença na prática é que é muito fácil fazer uma lâmina em aço-carbono, então a maioria das facas de aço-carbono das pessoas é mais afiada porque é mais fácil de afiar de novo. Uma faca de aço-carbono responde com muita facilidade a uma chaira de açougueiro; você tem um pouco mais de trabalho com uma faca de aço inoxidável.

Vou perguntar uma coisa que provavelmente nos levará às portas do inferno: qual é o modo correto de afiar uma faca?

Há vários modos de se fazer isso. Provavelmente, a melhor maneira para todos os propósitos e o que eu recomendo às pessoas é usar um afiador de diamante. O afiador tradicional de açougueiro é um ferro de ½ a ⅝ de polegada (1,2cm a 1,6cm) com serras longitudinais. Essas chairas estão sendo substituídas por chairas chapeadas com diamante. A chaira de diamantes afia a lâmina com muita rapidez, porque é dura o suficiente para remover metal e criar um novo fio.

Um fio é, na verdade, um punhado de pequenas rebarbas, do tipo dente de serra, que ficam ali perpendiculares ao dorso da lâmina. Quando você corta, essas pequenas rebarbas (as chamamos de plumas) se retorcem. A primeira coisa que acontece quando você afia com uma chaira de açougueiro é que você recoloca essas plumas na vertical, e consegue um fio muito bom. Depois de um tempo. Elas se retorcem para um lado e para o outro. Elas se contorcem e quebram como

ABC dos Equipamentos de Cozinha 41

um arame ao ser torcido. E então é preciso criar um novo fio, novas plumas, e o atrito em um afiador de diamante é perfeito para isso. É isso que as longas serrilhas fazem na chaira comum do açougueiro, mas é muito mais fácil fazê-lo com uma chaira de diamante. Quando desliza o gume de uma faca por uma chaira, você levanta as plumas e começa a afiná-lo. Posso fazer isso com as costas de um prato de porcelana, ou uma parede de tijolos, e renovar o fio, mas um afiador de diamante é melhor.

Fiz muitas viagens à China, e eles têm cozinhas bastante primitivas, assim como equipamentos, ferramentas e utensílios. Eles fazem tudo com uma faca básica. Eles a chamam de cutelo, mas não é realmente um cutelo. É um fatiador, uma espátula e raspador e tudo mais, mas com aquela única faca, eles param o tempo todo e se agacham para recriar o fio em um tijolo que fica no chão. Eles mantêm aquelas facas muito, muito afiadas. Aprendi na culinária chinesa que a forma como as coisas são fatiadas importa tanto quanto o gosto, a apresentação e o frescor dos ingredientes. Tudo isso pode ir por água abaixo se você cortar pedaços esfarrapados.

Eu recomendaria um afiador de diamante ou uma pedra de amolar. Mas a pedra de amolar requer mais habilidade e treinamento para ser usada. Eu ficaria longe dos amoladores elétricos.

Em algum momento as plumas se soltarão e presumo que esse seja o momento de amolar o fio da faca para formar um novo.

Com o afiador de diamante, você está afiando ao mesmo tempo em que está endireitando o fio. O afiador de açougueiro tradicional não tem dureza suficiente para remover o metal. O problema de utilizar um afiador de açougueiro é que a chaira deve ser mais dura do que a lâmina que está sendo afiada. Caso contrário, não se chega a lugar algum, é como usar uma lima comum para alisar ou dar forma ao metal. A lima não vai cortar o metal se não for mais dura do que o que está cortando. Se deixar a faca ficar muito cega, deixá-la novamente com fio será um trabalho e tanto. Se der algumas passadas pelo afiador de açougueiro dia sim, dia não, ou uma vez por semana, ou toda vez que guardá-la, então a faca estará sempre pronta para o uso.

Em que momento uma faca está efetivamente gasta? (Buck me mostra a foto a seguir.) Eu não acredito em quanto a faca de baixo foi afiada quando comparada à nova de cima. Qual é a história dessa faca?

Quem quer que estivesse afiando essa faca, era muito, muito bom. Ela veio para o pessoal do nosso serviço de atendimento ao consumidor para substituição, de um açougue de bairro. Eu treino nossa equipe de vendas, e uma das perguntas que eles fazem é: qual a vida útil de uma faca? Então mostro isso a eles. Chega à beira do ridículo. Eu diria que essa faca foi usada por cinco ou seis anos.

Normalmente, vemos em restaurantes que uma faca tem vida útil de seis a nove meses. Com a cutelaria profissional, e em particular em frigoríficos, eles precisam de uma lâmina larga para separar as partes da carne. Precisam de uma faca grande e curvada, a que chamamos de faca de açougueiro. No início da vida útil, ela tem cerca de 6cm de largura, e quando chega perto dos 2,5cm ou 3cm já não serve para cortar as partes grandes da carne. Então eles passam a usá-la para os cortes pequenos e a chamam de faca de fatiar. Quando está com menos de 2cm, ela é usada como faca de desossar.

Então essas facas, na verdade, passam por uma série de vidas diferentes? À medida que ficam menores pela afiação ganham novas finalidades e são reusadas?

Elas ficam mais estreitas e ficam mais curtas. As pessoas descobrem diferentes aplicações para elas. A indústria avícola ainda faz isso. O que estou dizendo aconteceu principalmente antes da Segunda Guerra Mundial. As pessoas começaram a nos procurar e dizer: "Ei, você pode fazer esse formato do zero?" Então começamos a criar o mesmo formato da faca gasta. Você não teria que desgastar uma faca de corte gigante; poderia comprar uma faca de fatiar na loja. Muitos dos nossos formatos tradicionais vieram de lâminas maiores que foram desgastadas e usadas para finalidades diferentes, e então passamos a fazer uma lâmina com aquele formato.

Que conselho você daria a alguém novo na cozinha?

Se eu quisesse dar uma de espertinho, diria: não corra com uma faca. Mantenha suas facas longe da máquina de lavar. Enxugue-as com um pedaço de pano. Quando você as coloca na lavadora, elas se batem e perdem o fio. Se colocá-la na lavadora, retire-as logo depois e seque. Mantenha-as afiadas; não deixe que fiquem cegas. Mantenha o fio toda vez que usá-las ou ao menos de vez em quando. Dar uma ou duas passadas pela chaira e afiá-la nunca será um trabalhão, e você vai ter sempre uma faca afiada.

Afiação Básica de Facas

Manter suas facas amoladas é o equivalente na cozinha a passar fio dental ou filtro solar: é algo que você provavelmente não está fazendo com a frequência necessária.

- Facas afiadas exigem menos pressão ao fazer os cortes, portanto há menos força envolvida. Você tem uma chance menor de que ela escorregue e o corte.
- Facas afiadas fazem cortes mais precisos; há menos "rasgos" no que quer que esteja cortando.
- Facas afiadas evitam que seu braço fique cansado porque não é preciso usar os músculos para cortar as coisas. É claro, você precisaria fatiar e picar por várias horas para notar.

Manter suas facas em bom estado envolve tanto manter a lâmina "no esquadro" (alinhada) quanto afiar o gume para remodelar as plumas se o padrão alinhado se perdeu. Para manter suas facas alinhadas, use uma chaira como parte da rotina de lavagem e limpeza ao final de uma sessão de culinária. Ao correr a faca contra a chaira, você empurra qualquer parte da lâmina que esteja fora de alinhamento ("plumas") de volta para o seu lugar. (Não tente realinhar uma faca serrilhada — chairas comuns não servem para o fio serrilhado.) Procure por uma chaira banhada a diamante: a cobertura de diamante é mais dura que o aço usado mesmo em lâminas forjadas, de modo que ela pode tanto realinhar as plumas quanto criar um novo fio, dispensando a necessidade de remodelar a lâmina.

Uma afiação mais séria envolve amolar a lâmina para criar um fio novo e pode ser feita contra qualquer superfície dura: uma pedra de amolar, discos de amolação, ou até mesmo um tijolo! (Veja a entrevista com Buck Raper nas páginas anteriores para mais detalhes.) Afiar em uma pedra de amolar, ao contrário de alinhar a lâmina, tem um lado negativo: para criar um novo fio é necessário remover material, e isso reduz a vida útil da faca. Mas, mesmo com o alinhamento constante, as lâminas das facas vão ficar cegas.

Não importa como você afia uma lâmina — as pedras de amolar são populares —, você vai precisar pensar sobre ângulos. O ângulo de uma lâmina pode ser medido em graus entre o lado da faca e a superfície de abrasão. Um ângulo de dez graus é mais agudo do que um de 20, mas também mais propenso a deixá-la cega, já que o ângulo mais agudo significa metal mais fino na ponta, o que enfraquece o gume. As lâminas têm dois lados, então uma faca afiada a 20° de cada lado tem um gume de 40° acumulado. Facas de cozinha têm em geral entre 15° e 20° (em cada lado). O ângulo não precisa ser necessariamente o mesmo dos dois lados. Alguns chefs preferem suas facas com um ângulo assimétrico — digamos, 12° de um lado e 20° do outro —, de modo que quando estão cortando alguma coisa a faca não escape para os lados. (Um cozinheiro destro vai alinhar a faca à comida olhando pelo lado esquerdo, já que o alimento estará posicionado na mão esquerda, então há um viés no corte.) Os ângulos de afiação podem se tornar complicados ao misturar dois diferentes, com um lado tendo um segundo passe de afiação com um ângulo mais agudo; isso deixa mais metal perto da borda para criar uma base mais forte, com um fio mais fino, que dura por mais tempo.

Algumas fábricas comerciais usam até mesmo perfis convexos e curvos. Como você pode ver, há muito para aprender sobre afiação! Uma dica: tente colorir o fio da lâmina com marcador preto, de modo que possa acompanhar o progresso de seu trabalho com mais facilidade.

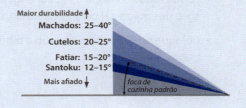

Tábuas de Corte

As tábuas de corte são de dois tipos principais: de madeira e sintéticas. As de madeira são feitas de madeiras duras como bordo ou imbuia e têm um toque agradável; as sintéticas são feitas de plásticos como nylon ou polietileno e têm o benefício do preço. Evite usar tábuas de vidro ou pedra para qualquer outra coisa a não ser sua finalidade: elas deixam as facas cegas.

Use o papel em que a carne vem embrulhada como uma tábua de corte descartável. Um prato a menos para lavar.

Qual é mais segura, depende. Lavar a tábua na lavadora vai esterilizá-la e matar qualquer salmonela ou *E. Coli* eventualmente presente. Tábuas de madeira não são próprias para lavadoras — água quente as empena —, elas são mais permissivas a lapsos de sanitização devido às suas propriedades químicas. Pesquisas mostram que tábuas sintéticas têm duas vezes mais chance de transmitir salmonelose do que as de madeira, mesmo depois de lavadas. Se você as usa, tenha certeza de higienizá-las de maneira apropriada.

Pessoalmente, eu uso uma tábua de plástico para carnes cruas e uma de madeira para itens cozidos, porque acho que a diferença é um lembrete visual, e se por acaso esqueço de lavar uma delas corretamente, há uma chance menor de uma contaminação cruzada. Além das questões de segurança da comida, há alguns aspectos práticos que você deve ter em mente:

- Procure tábuas de corte que tenham pelo menos 30cmx45cm; se forem muito pequenas, não haverá espaço para picar ou cortar as coisas.
- Algumas tábuas têm uma ranhura ao redor da borda para evitar que os líquidos escorram pelos lados. Isso é útil quando você está trabalhando com itens molhados, mas torna a transferência de itens secos, como ervas picadas, mais difícil. Tenha isso em mente ao escolher uma tábua.
- Se sua tábua começar a cheirar (digamos, depois de trabalhar com alho ou peixe), use suco de limão e sal para neutralizar os odores.
- Coloque um pano de prato sob a tábua para evitar que se mova enquanto você está trabalhando.

Panelas e Caçarolas

Gosto de pensar que tenho uma cozinha minimalista, depois de tê-la reduzido em uma mudança recente, mesmo assim, minha coleção de panelas e caçarolas contém cinco peças: duas frigideiras (uma antiaderente), uma panela de molho (uma muito estranha que peguei na escola), uma caçarola (obrigado, pai!), e uma pequena panela de ferro. O custo dessas panelas talvez seja maior que o de todo o resto do meu equipamento de cozinha atual combinado. E isso me parece bem correto.

Frigideiras são panelas rasas, largas e com bordas ligeiramente inclinadas. Se você só pode ter uma, escolha uma antiaderente — é a mais fácil de usar. Como os revestimentos antiaderentes impedem a formação do *fond* (pedaços de comida que douram no fundo e dão sabor aos molhos), considere comprar uma de aço inoxidável também.

Panelas, aproximadamente tão largas quanto altas e com lados retos, suportam alguns litros de líquido. Procure uma com base espessa, para evitar pontos mais quentes. Não se esqueça da tampa; às vezes ela é vendida à parte.

Caldeirões suportam 4 litros ou mais e são úteis para cozinhar vegetais, massas e sopas. O que uso é uma das variedades comerciais mais baratas de aço inox. Não se esqueça da tampa!

Panelas de ferro fundido têm uma massa térmica mais alta do que as outras, o que as torna ideais para selar alimentos. Certos tamanhos são excelentes para assar coisas como pão de milho. Evite cozinhar itens muito ácidos em panelas de ferro fundido; eles reagem quimicamente. Sempre a seque depois de lavar; lave-a com água e uma esponja macia (ou sal e uma toalha), aqueça-a no fogo por um minuto e unte o interior com uma camada bem fina de óleo.

Como curar uma panela de ferro fundido?

cura é o jargão culinário para a formação de um acabamento não aderente baseado em gorduras que foram aquecidas o suficiente para se quebrarem e ligarem-se umas às outras e à superfície da panela. Você deve curar as panelas novas (ou curar novamente as velhas que necessitarem de cuidados) esfregando-as com água e sabão, secando-as no fogo por um minuto e então cobrindo-as completamente com uma camada fina de gordura. Tradicionalmente usava-se banha ou sebo, embora qualquer óleo sirva; alguns cozinheiros não abrem mão do óleo de linhaça cru. Seque o máximo possível o óleo, coloque a panela no forno ajustado para 260°C por 60 a 90 minutos, e então desligue o forno e deixe que a panela esfrie. Repita algumas vezes se o acabamento lhe parecer fino demais, ou então execute o processo de untar e levar ao forno como parte regular da limpeza pós-uso nas primeiras vezes em que usá-la.

Como grudam uma cobertura antiaderente na panela se nada gruda nela?

Utilizando um produto químico que se cola tanto à cobertura antiaderente quanto à panela, chamado promotor de adesão. O ácido perfluoro-octanoico (PFOA) é o promotor de adesão do momento. Infelizmente, é bastante tóxico, mas de acordo com a Agência de Proteção Ambiental dos Estados Unidos (EPA), é usado apenas como uma ajuda processual durante a produção e os fabricantes afirmam que ele não está presente nos produtos prontos.

Compre mais de uma frigideira para preparar diferentes componentes de um prato simultaneamente.

Metais, Panelas e Pontos de Aquecimento

Qual é a vantagem de utilizar diferentes metais ou combinar várias camadas deles na fabricação de panelas? Tem a ver com as diferenças na condutividade térmica (a rapidez com que a energia térmica é conduzida) e com a capacidade térmica (a quantidade de energia necessária para aquecer um material, que é a mesma liberada quando resfriada).

Vamos começar com a condutividade de metais comuns em panelas, comparados a alguns outros metais.

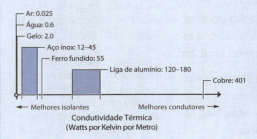

Panela de ferro fundido em um queimador = transferência de calor mais lenta.

Panela de alumínio em um queimador = transferência de calor mais rápida.

Panelas feitas de materiais com baixa condutividade térmica demoram mais para esquentar, porque a energia térmica aplicada pelo queimador demora mais para ser transferida para cima e para o exterior. Na física, isso é chamado de baixo tempo de resposta térmica. Na culinária, panelas com baixa condutividade térmica (ferro fundido, aço inoxidável) são lentas na resposta a mudanças no calor. Coloque-as no fogo, e nada parece acontecer por algum tempo. Da mesma forma, se elas ficarem muito quentes e forem retiradas do fogo, a comida dentro dela vai continuar a cozinhar por algum tempo. (Se estiver com uma panela cheia de ingredientes começando a queimar, transfira para uma tigela para interromper o processo. Mesmo fora do fogo, ela vai continuar a queimar o conteúdo.)

Dadas duas panelas de diâmetros idênticos, uma de ferro fundido e outra de alumínio, a de alumínio vai conduzir o calor através dela de forma mais rápida. Aqui temos uma ilustração, que utiliza papel térmico para fax (ei, nem todos têm uma câmara térmica!). Já que o papel de fax térmico escurece quando aquecido, escuro = quente e branco = frio.

Se estiver empolgado para experimentar, pegue um pouco de farinha, espalhe uma camada fina pela superfície da panela, aqueça-a no queimador entre 30 a 60s e observe onde a farinha fica dourada primeiro.

Note que o queimador tem um raio amplo e os jatos de gás são direcionados para o exterior. O resultado? O centro da panela acaba ficando mais frio. A panela de ferro fundido mostra bem isso, porque o calor não é conduzido pelo material tão rápido quanto na de alumínio, deixando uma região fria.

O calor específico também é importante. Calor específico é a energia térmica (medida em joules) necessária para mudar uma unidade de massa de material por uma de temperatura, e ela difere entre os materiais.

Quer dizer, será necessária uma quantidade de energia diferente para aumentar em 1° a temperatura de um quilo de ferro fundido quando comparado a um quilo de alumínio, devido a como os materiais são estruturados em nível atômico. Como se comparam os metais comuns utilizados na fabricação de panelas em termos de calor específico?

O ferro fundido tem um calor específico mais baixo que o do alumínio. É preciso quase duas vezes mais energia (897J/kg.K contra 450J/kg.K) para aquecer a mesma quantidade de alumínio à mesma temperatura, e, porque a energia não desaparece simplesmente (primeira lei da termodinâmica), isso significa que um quilo de alumínio irá na verdade liberar mais calor do que um quilo de ferro fundido ao esfriar (por exemplo, quando você põe aquele pedação de carne na superfície da panela).

Contudo, não são apenas a condutividade térmica ou o calor específico que fazem diferença; a massa da panela é crítica. Sempre selo minha carne na panela de ferro fundido. Ela pesa 3,5kg, comparados aos 1,5kg das panelas de alumínio, então ela tem mais energia térmica para liberar. Quando você for selar, pegue uma panela que tenha valores mais altos de calor específico x massa, de modo que, uma vez quente, ela não perderá tanta temperatura quando você colocar a comida.

Há ainda alguns outros fatores que você deve considerar ao escolher uma panela. Panelas de ferro fundido mal curadas e de alumínio anodizado reagem com ácidos, portanto as panelas feitas com esses materiais não deveriam ser usadas para cozinhar tomates ou outros itens ácidos. Panelas não aderentes devem ser aquecidas acima dos 260°C. E depois há casos em que a panela não é a fonte primária de calor para o cozimento: quando você está fervendo ou vaporizando alguma coisa, a água fornece a transferência de calor, então o material usado para a fabricação da panela não é importante. Da mesma forma, se você está usando um queimador ultraforte (como aqueles usados com woks), a panela não é um dissipador de calor, então a capacidade térmica não é importante.

E qual é o segredo dos metais cladeados? Aquelas panelas com núcleo em cobre ou alumínio com revestimento de aço inox ou algum outro metal (cladear significa revestir com uma cobertura). Esses tipos de panelas são a solução para dois problemas: evitar os pontos de aquecimento porque nivelam o calor rapidamente (por usarem alumínio ou cobre), e proporcionar uma superfície não reativa (tipicamente aço inox, embora revestimentos antiaderentes também funcionem), de modo que a comida não reaja quimicamente com a panela.

Finalmente, se você for comprar uma panela e não consegue decidir entre duas opções similares, opte por aquela que tenha pegadores que possam ir ao forno. Evite madeira, e esteja certo de que os pegadores não sejam muito grandes a ponto de impedir que você coloque-a no forno.

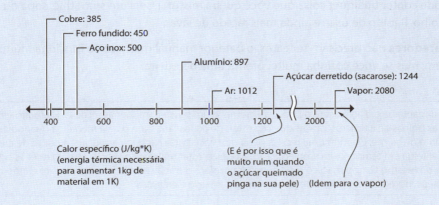

Cobre: 385
Ferro fundido: 450
Aço inox: 500
Alumínio: 897
Ar: 1012
Açúcar derretido (sacarose): 1244
Vapor: 2080

Calor específico (J/kg*K) (energia térmica necessária para aumentar 1kg de material em 1K)

(E é por isso que é muito ruim quando o açúcar queimado pinga na sua pele) (Idem para o vapor)

Equipamentos Essenciais

Se me pedir uma lista de compras para uma cozinha novinha em folha, eu diria para comprar uma faca e uma panela de cada tipo que mencionei antes, algumas tábuas de corte, e depois a lista a seguir de "todo o resto".

As partes "óbvias" de "todo o resto" são: algumas colheres de pau, um batedor, panos de prato, um timer, medidores de metal resistentes ao calor, uma caneca de medidas que possa ir ao micro-ondas e colheres de medidas. Depois há alguns comentários sobre itens que podem ser úteis para iniciantes:

Tigelas de metal e de vidro são fáceis de lavar, baratas em lojas de utensílios para o lar e seguras para serem usadas no forno em baixa temperatura (para manter a comida aquecida). Não use vasilhas plásticas. São muito menos versáteis.

Uma espátula de silicone é perfeita para mexer ovos, incorporar claras em neve a massas e raspar o fundo das tigelas das massas de bolo. O silicone é um excelente material para utensílios de cozinha e não se deforma com o calor de até 260°C.

Pinças são extensões à prova de calor de nossos dedos; são úteis para virar torradas, frango na grelha e para tirar pequenas tigelas de cerâmica do forno. Recomendo pinças com molas, bordas em concha e pontas de silicone resistentes ao calor.

Tesouras de cozinha servem para trabalho pesado, são úteis para cortar ossos (veja a p. 218) e vegetais folhosos (inclusive para decoração).

Espremedores de alho são excelentes para mais do que espremer alho, se você tiver um resistente, feito de aço inox. Para espremer alho, coloque lá dentro um dente descascado, aperte, tire o alho recém-amassado e lave o espremedor logo em seguida — cinco segundos de trabalho para um alho sempre fresco e nutritivo. Para gengibre, corte uma fatia fina, esprema e, da mesma forma, lave o espremedor imediatamente.

Mixers têm uma lâmina montada em um cabo e são imersos em um recipiente que pode conter qualquer coisa que você queira misturar, seja um smoothie, sopa ou molho. Rápido de usar, e ainda mais rápido de lavar.

Batedores não precisam ser caros, o batedor manual mais barato funciona muito bem; mas se você cozinha muito, prefira uma batedeira.

"Bater a manteiga e o açúcar até o ponto de creme" é um passo comum nas receitas. Há muito escrito sobre as bolhas de ar microscópicas que os cristais de açúcar arrastam para a manteiga quando estão em ponto de creme. Quando uma receita pedir que você bata manteiga e açúcar ao ponto de creme, use manteiga em temperatura ambiente — ela precisa estar maleável o suficiente para reter as bolhas de ar e ao mesmo tempo macia o suficiente para poder ser trabalhada — e use um mixer elétrico para agregar os ingredientes até que obtenha uma textura leve e cremosa.

E, finalmente, três itens que são tão úteis que vou detalhar suas virtudes:

Uma balança de cozinha digital é um item indispensável. Ingredientes secos se comprimem com facilidade, então a quantia de farinha em "1 xícara" pode variar de maneira surpreendente. As balanças digitais resolvem esse problema. Pesar os ingredientes também permite que os meça rapidamente. Procure uma balança que tenha uma superfície lisa na qual possa colocar uma tigela ou um prato e que seja capaz de medir até 2,2kg em divisões de 1g.

Você precisa pesar a farinha? Sim! Pedi a dez amigos que medissem e depois pesassem uma xícara de farinha. O menor peso relatado foi 124g; o maior, 163g. Essa é uma diferença de 31%!

Termômetros digitais para carnes são maravilhosos. Arrume um com cabo, de modo que possa colocar a sonda na comida que está preparando e ajustar o controle para bipar quando atingir a temperatura desejada. Apesar dos timers serem úteis, o tempo é apenas um indicador da temperatura. Receitas que dizem: "Asse o frango por vinte minutos" pressupõem que levará 20 minutos para que a temperatura interna do frango atinja 71°C. Usar um termômetro de carne evita que você passe do ponto: enfie a sonda no frango, ajuste o alarme para 65°C e, quando o alarme desligar, tire o frango do forno. (Ajuste o alarme para poucos graus abaixo da temperatura pretendida para permitir que o calor "latente" aumente a temperatura para os poucos graus que faltarem.)

Espete a sonda de um termômetro em um quiche para que mostre quando a temperatura indicada foi alcançada — perto dos 65°C é o suficiente para criar a massa de ovos, sem deixá-lo seco.

Uma panela de pressão elétrica com modos para arroz e cozimento lento é outra grande ferramenta. Alguns processos químicos na cozinha exigem um longo período de tempo a uma temperatura relativamente específica. Com a pressão, você pode economizar seis horas de cozimento e realizá-lo em uma hora. Panelas de pressão elétricas são como carros automáticos: não têm o mesmo controle que teria um fogão à moda antiga, mas também não requerem aprender a pisar na embreagem ou mudar as marchas. As panelas de pressão manuais têm a vantagem de uma pressão potencial ligeiramente maior e de tempos de aquecimento mais rápidos, e ainda nenhuma parte eletrônica que possa quebrar. Mesmo assim, se não tem experiência com elas, eu ficaria com as elétricas, pelo menos de início: elas podem ser deixadas sem supervisão com segurança sem a preocupação de ver sua cozinha pegando fogo. Esse eletrodoméstico prestativo faz toda uma série de pratos (costeletas refogadas, confit de pato, ensopado de carne) com extrema facilidade. Escolha uma que tenha também modos para arroz e cozimento lento (nem tudo é melhor "na pressão"); alguns modelos têm ajustes para fazer iogurte e outras faixas de temperatura também.

Quantos Mililitros Há em Uma Xícara?

Depende para quem você pergunta. Os antigos romanos tinham seu *modius* para medir líquidos, sem qualquer padronização. Então, historicamente falando, não há uma resposta única. Para nossa surpresa, isso ainda é verdade. Ainda hoje não alcançamos um consenso mundial.

A xícara padrão americana — de 8 onças americanas fluidas — tem um volume de 237ml. Mas se falarmos de uma xícara americana padrão, como as usadas em etiquetas nutricionais, ela é de 240ml, isso também vale para o Brasil. Mora no Canadá? Então sua xícara terá 250ml, por favor. É britânico? Uma xícara imperial tem 284ml. (Isso me deixa pensando: se eu pedir uma caneca de Guiness na Irlanda, será que vai vir mais do que viria nos Estados Unidos?)

Depois há o problema de medir ingredientes secos pelo volume em vez do peso. O Departamento de Agricultura dos Estados Unidos define 1 xícara de farinha como pesando 125 gramas; outras fontes usam 137 gramas. No pacote de farinha de trigo que tenho em casa, 120g. Essa também é a prevalência no Brasil. Alguns padeiros definem 1 xícara como 140g, o que é o mais próximo do peso médio que obtenho quando meço a farinha com minha xícara de 237ml.

Diferenças nas medidas como essas são apenas uma das muitas razões pelas quais seguir uma receita cegamente não dá certo. Entenda o que as medições estão tentando controlar e faça ajustes de acordo com isso. Para um pouco de diversão, confira a tabela de "conversões comuns" a seguir, que Randall Munroe, da xkcd (http://www.xkcd.com — conteúdo em inglês), nos forneceu gentilmente. É provavelmente o melhor guia de conversão que vi até hoje.

P.S.: O que pesa mais, uma onça de ouro ou uma onça de penas? Dica: o ouro é pesado em onças troy.

50   Cozinha Geek

Adam Ried: Equipamentos de Cozinha

FOTO POR ANDREW BARANOWSKI.

Adam Ried escreve a coluna de culinária do Boston Globe Magazine *e aparece como especialista de equipamento de cozinha na série da PBS* America's Test Kitchen. *Seu site pessoal é http://www.adamried.com (conteúdo em inglês).*

Como você acabou escrevendo para o *Globe* e trabalhando na *America's Test Kitchen*?

Eu não pretendia me envolver com comida como profissão. Fui para a escola de arquitetura. Percebi bem rápido que a) eu nunca deveria ter sido aceito para a escola de arquitetura, e b) ainda que tenha sido aprovado, seria um grave erro continuar, porque, como diria a Barbie: "A Matemática é difícil".

Então eu fazia marketing para escritórios de arquitetura. Passei muito tempo folheando livros de culinária, fazendo jantares e recebendo amigos, mas a luz não tinha acendido. Eu chegava toda segunda-feira de manhã, depois de um fim de semana cozinhando, e compartilhava com meus colegas de escritório as várias coisas que havia tentado fazer, como tinham saído e o que eu queria mudar. Um dia, alguém olhou para mim e disse: "O que você está fazendo aqui? Por que não vai para a escola de culinária?" Eu me senti um bobalhão. Essa ideia nunca havia passado pela minha cabeça, embora minha irmã tivesse frequentado uma e toda a minha família cozinhasse. Imediatamente deixei meu trabalho e fui para o Programa de Certificação em Culinária da Universidade de Boston.

Em dado momento, eu estava no escritório da diretora, e havia outra mulher esperando para falar com ela. A mulher e eu começamos a conversar. Ela havia feito o curso um ou dois anos antes. Era editora na *Cook's Illustrated*, que eu lia, mas outra vez, um momento de estupidez, nunca havia me passado pela cabeça que a editora ficava naquela mesma rua, em Brookline. Comecei a falar com ela sobre o trabalho e se ela gostava dele. Naquele momento, decidi que queria escrever sobre comida em vez de cozinhar.

Eu ficava atrás da pobre mulher para conseguir um trabalho freelance aqui e ali. Isso finalmente culminou em um trabalho real na *Cook's Illustrated*. Isso foi no início dos anos 1990. Eu me lembro que ficava na escola pensando: "Ah, meu Deus, não quero trabalhar em um restaurante. É muito difícil. Estou velho demais. Não gosto do calor. O que é que eu vou fazer?" É uma daquelas histórias inacreditavelmente irritantes de "lugar certo na hora certa" que você nunca quer ouvir quando está do outro lado.

Da perspectiva do interior da cozinha, o que acabou sendo mais importante do que você esperava?

Isso pode parecer um pouco geek, mas o que não percebi ao entrar na cozinha, principalmente porque não tenho uma mente científica, é que entender um pouco a ciência por trás da culinária é importante. A fermentação ainda é um mistério para mim. Todas as receitas usam principalmente fermento em pó, mas às vezes incluem um pouco de bicarbonato de sódio. Entender a neutralização ácida do bicarbonato e quais ingredientes são ácidos não é algo que ensinam para você na escola de culinária.

E o que acabou sendo menos importante?

Não quero dar um tiro no pé aqui, mas eu diria que os equipamentos de cozinha. Você não precisa de todo equipamento que possa imaginar para cozinhar bem.

Que ferramentas você consideraria básicas e necessárias na cozinha?

Com certeza uma faca de chef. Uma faca de serra também é bem útil. Uma boa panela baixa pesada com núcleo de alumínio. Você pode fazer um milhão de coisas diferentes com ela: pratos sauté, é claro, refogados, frituras rasas, selar, assar... uma boa peneira, xícaras e colheres de medidas são úteis. Adoro tigelas que têm as medidas marcadas, de modo que você pode acertar o volume enquanto está misturando. Tenho um mixer que uso bastante. Eu não iria a lugar nenhum sem o meu mixer. Uso o processador com frequência. Tenho uma batedeira, mas eu poderia provavelmente fazer a mesma coisa com um mixer para a maioria das coisas que faço. Estes são alguns dos itens básicos.

Qual sua abordagem geral quando olha para uma peça de utensílio de cozinha?

Faço de tudo para evitar preconceitos. Porque tive anos de experiência na área, exposição aos vários equipamentos e falei com vários especialistas, automaticamente sei o que estou procurando. Mas tenho que experimentar, deixar de lado o que já sei e fazer o teste da maneira mais objetiva possível, porque posso me surpreender.

Eu me lembro de testar panelas grill com sulcos no fundo, que tinham o objetivo de criar o efeito visual das marcas que um grill deixa. Sou fã das panelas de aço fundido, gosto de ferro fundido, e uma das panelas na fila de testes era uma panela grill de aço fundido. Mesmo fazendo meu melhor para deixar de lado os preconceitos, ainda pensei: "Isso vai ser fabuloso". De fato, ela aquecia por igual e retinha o calor. Fazia boas marcas de grill. Mas fiquei surpreso pelo fato de que era um horror para limpar por causa do formato e dos sulcos. Muita porcaria fica grudada entre eles. Tento não usar detergente ou abrasivos no ferro fundido porque quero manter a cura. Se tiver sujeira grudada, limpo com sal grosso e uma escova dura, e ali não havia espaço suficiente para o sal fazer o trabalho. Depois de limpá-la duas vezes, jurei que nunca mais a usaria.

Qual é o processo para passar de uma primeira versão ou conceito para uma receita final de um artigo no *Boston Globe*?

Eu nunca perturbo o processo do cozinheiro, então é provável que pesquise e faça testes mais do que o necessário. Por exemplo, no momento estou trabalhando em um bolo de frutas para uma coluna de Natal. Eu começo procurando online. Tenho uma infinidade de livros de culinária em casa, e também faço bastante uso das bibliotecas da área. Então leio quantas receitas de bolo de frutas eu conseguir, digamos 40 ou 50, ou o que quer que caiba em meu prazo. Depois faço uma pequena tabela para mim mesmo, apenas algumas anotações rápidas dos tipos e variáveis em uma receita de bolo de frutas. Então eu cubro com minha própria sensibilidade culinária. Por exemplo, que esquema de cores eu quero, que proporção de massa para frutas e nozes, que formatos, e assim por diante.

E vou fazer o que chamo de "remendar" uma receita. Eu tento fazê-la. Reúno meus degustadores e então provamos e a analisamos. Não existe isso de refeição casual e impensada nessa casa. Eu quero feedback de cada mordida que cada um coloque na boca. Depois volto e faço a receita uma segunda vez. É mais comum que eu a refaça uma terceira vez. É um processo constante de crítica e análise.

Existem casos em que você fica emperrado e não consegue detectar por que não está dando certo?

Tenho sorte de ter trabalhado no mundo da comida por tempo suficiente para conhecer um monte de pessoas bem mais espertas que eu, para quem sempre posso ligar e fazer perguntas. Na verdade, em uma das minhas primeiras colunas para o *Globe*, eu estava fazendo uma coisa com mangas e queria fazer pão de manga. Eu estava tentando acertar a fermentação. Tinha um pouco de melaço e um pouco de purê de mangas, e essa questão do fermento em pó e do bicarbonato surgiu. Acabei ligando para um milhão de padeiros diferentes para que eles me ajudassem a compreender o papel do fermento em pó e como afeta o ato de dourar.

Sou conhecido por descartar receitas se elas não saem como eu gostaria que saíssem depois da terceira ou quarta tentativa, ou se elas não têm o sabor que quero que tenham. Mas não me lembro de ficar entalado com um problema que não conseguisse resolver com a ajuda de pessoas capazes.

Já existiu algum caso em que você tenha publicado uma receita e depois de algum tempo disse "ops", ou em que a reação tenha sido inesperada?

Ah, meu Deus, sim! É muito difícil contentar todas as pessoas o tempo todo. Eu me lembro de ter publicado uma receita no início e quando olhei para ela depois de alguns anos, pensei: "Que diabos eu estava pensando? Isso é complicado demais!"

Alguma de suas receitas pegou você de surpresa por ter sido muito apreciada?

Teve uma receita que fiz de quinoa ao limão e aspargos com camarão frito. Eu discuti sobre a quinoa por algum tempo com meu editor, porque gosto muito. Agora ela está presente em quase todos os supermercados, mas no momento em que estava escrevendo a receita era uma novidade para mim. As pessoas amaram. Recebi muitas respostas positivas dos leitores para essa receita.

Cozinha Geek

Quinoa ao Limão e Aspargos com Camarão Frito

¼ de xícara (chá) de azeite de oliva (60ml)

3 colheres (sopa) de manteiga (45g)

1 cebola média picada em pedaços pequenos (100g)

1 ½ xícara (chá) de quinoa lavada e escorrida (280g)

Sal e pimenta-do-reino

225g de aspargos sem as pontas e cortados em pedaços de 4cm

1 ½ colher (chá) de raspas de limão (2g) (o equivalente a um limão)

¼ de xícara (chá) de suco de limão (60ml) (aproximadamente 1 limão)

900g de camarões grandes sem casca, limpos, lavados e secos

4 dentes de alho amassados (12g)

½ xícara (chá) de vinho branco seco (120ml)

Pimenta-de-caiena

¼ de xícara (chá) de salsinha fresca picada (15g)

Ajuste a prateleira do forno para a posição central, coloque um refratário nela e aqueça o forno a 95°C. Em uma frigideira retangular grande, aqueça 2 colheres (sopa) de óleo (30ml) e 1 colher (sopa) de manteiga (15g). Adicione a cebola e frite até que amoleça, cerca de 5 minutos. Junte a quinoa e cozinhe mexendo sempre, até que esteja dourada, por mais ou menos 4 minutos. Acrescente 2 ¾ de xícaras (chá) de água (650ml) e 1 colher (chá) de sal (6g), aumente o fogo para alto e deixe ferver. Diminua para fogo baixo, cubra e deixe cozinhar até que a quinoa esteja macia, por mais ou menos 12 minutos. Desligue o fogo, salpique os aspargos sobre a quinoa, tampe outra vez e deixe a panela descansando até que a quinoa tenha absorvido todo o líquido e os aspargos estejam macios, por mais ou menos 12 minutos. Adicione as raspas e o suco de limão, tempere com pimenta-do-reino,

corrija o sal e mexa. Transfira a quinoa para o prato aquecido no forno, espalhe-a fazendo uma "cama" e coloque-a no forno para mantê-la aquecida.

Enxugue a frigideira com toalha de papel, adicione 1 colher (sopa) de azeite (15ml) e coloque em fogo alto. Quando o azeite começar a soltar aroma, acrescente metade dos camarões e frite-os sem movimentá-los até que comecem a ficar opacos, por mais ou menos 1 minuto. Vire rapidamente os camarões e frite-os até que estejam totalmente opacos, mais ou menos 45 segundos, e depois transfira-os para uma tigela. Coloque o azeite restante (1 colher [sopa]) na panela, e repita o processo para fritar o restante dos camarões. Coloque as duas colheres de sopa de manteiga que restaram na panela em fogo médio–baixo. Quando a manteiga estiver derretida, adicione o alho e frite, mexendo constantemente, até que esteja cheiroso, por aproximadamente 45 segundos. Adicione o vinho e uma pitada de pimenta-de-caiena e mexa para misturar. Recoloque os camarões e o molho que por acaso tenha se acumulado na panela, adicione a salsinha, tempere com sal a gosto e mexa para misturar. Retire o prato do forno, coloque o camarão e o molho sobre a cama de quinoa e sirva em seguida.

Olá, Cozinha!

RECEITA REPRODUZIDA SOB PERMISSÃO DE ADAM RIED; ORIGINALMENTE PUBLICADA EM 18/05/2008, NA THE BOSTON GLOBE MAGAZINE.

ABC dos Equipamentos de Cozinha

Conteúdo do Capítulo

Gosto + Cheiro = Sabor 56

Gosto e Sentido Gustativo 58

    Salgado 64

    Doce....................... 68

    Ácido...................... 72

    Amargo 74

    Agradável (Umami) 76

    Ardido/Condimentado,
    Refrescante e Outras Sensações
    Gustativas..................... 79

Inspiração pela Combinação de Gostos......84

Cheiro e Sentido Olfativo 89

    Descrevendo Aromas 93

O que É Sabor?....................................98

Inspiração pela Exploração................... 103

Inspiração pela Sazonalidade 112

Inspiração de Sabor Computacional........ 125

Receitas

Marinada à Moda Grega, 62

Salmoura à Moda Japonesa, 62

Costela de Porco Recheada com Cheddar e Pimentão Poblano, 66

Mexilhões Selados com Manteiga e Cebolinhas-brancas, 67

Calda Simples de Gengibre, 70

Como Cozinhar uma Alcachofra, 70

Iogurte Caseiro, 73

Salada de Chicória com Ovos Pochê e Bacon, 75

Endívia Belga, 75

Chocolates Mentolados, 81

Salada de Verão de Melancia e Queijo Feta, 85

Torta Falsa de Maçã, 96

Molho Béchamel (Molho Branco), 105

Mac 'n' Cheese (Macarrão com Queijo), 105

Molho Velouté, 106

Sopa de Minestrone, 106

Molho de Tomate, 107

Penne alla Vodca, 107

Molho Holandês, 108

Molho Espanhol (Molho Marrom), 109

Salada de Tomate, Muçarela e Manjericão Fresco, 114

Salada de Erva-doce, Cogumelos Portobello e Parmesão, 114

Sopa de Primavera de Alface, 116

Sopa de Inverno de Feijão-branco e Alho, 116

Gaspacho para o Verão, 117

Sopa de Outono de Abóbora, 118

Tacos de Peixe com Picles e Chutney de Morango, 129

Laboratórios

Você Diz Batata, Eu Digo Maçã, 57

Diferenças Genéticas de Paladar, 82

Você Conhece Bem os Seus Sabores?, 130

Entrevistas

Linda Bartoshuk: Paladar e Prazer, 86

Brian Wansink: Expectativas, Sabor e Alimentação, 101

Lydia Walshin: Ingredientes Incomuns, 110

Tim Wiechmann e Linda Anctil: Inspiração Sazonal, 121

Gail Vance Civille: Sabor e Aroma, 132

2
Gosto, Cheiro e Sabor

VOCÊ ABRE A GELADEIRA E ENCONTRA PICLES, MORANGOS E TORTILHAS.
O que você faz? A resposta pode ser: crio um burrito de picles com morangos. Ou, se você não gostar tanto de aventura, outra resposta é: peço uma pizza. Mas entre fazer um burrito asqueroso e pedir comida, talvez exista outra opção — descobrir a resposta para uma das perguntas mais filosóficas da vida: "Como sei o que combina com o quê?"

A resposta, assim como para tantas outras coisas, é: "Depende". Depende de suas experiências passadas e do que você aprendeu a gostar. Depende do que você tem vontade quando está parado em frente à geladeira contemplando os picles e os morangos e como a sua vida chegou nesse ponto em que só há três ingredientes na geladeira. Também depende de que gosto eles vão ter juntos, de acordo com como sua língua e seu nariz vão sentir os sabores e os aromas do que você está comendo.

O segredo para se fazer um prato de lamber os beiços é escolher bons insumos: ingredientes saborosos, que tenham aroma agradável e que façam você ficar com água na boca. É verdade, você também precisa ter alguma habilidade quando eles estiverem na panela, mas nenhum cozinheiro faz milagres com ingredientes ruins. Se você entender como o sabor é criado e detectado, conseguirá responder melhor àquela pergunta filosófica sobre combinações culinárias e inspirações.

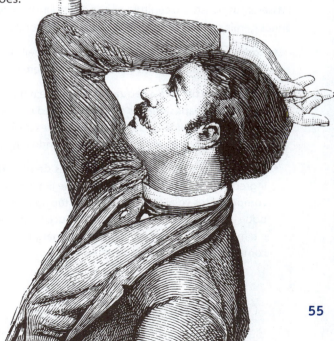

Gosto + Cheiro = Sabor

Cozinheiros experientes conseguem imaginar o sabor que terá a combinação de certos ingredientes sem usar o garfo. Para eles, prever quais combinações darão certo é uma questão de lembrar o que deu certo no passado e perceber padrões nas receitas. Mas *o que é* sabor? E como você pode aprender a prever o que dará certo quando for misturado?

O sabor é baseado na combinação do *gosto*, a sensação gustativa da língua, com o *cheiro*, o sentido do olfato dos receptores do nariz. O cérebro também computa algumas outras informações colhidas pela boca, como textura e irritação oral causada por substâncias químicas (como pimentas muito ardidas ou hortelã). Existem ainda alguns detalhes menos importantes (alguns diriam dissabores), como a cor, que podem alterar nossa impressão do que comemos. Contudo, tais fatores estão mais ligados à percepção que ao sabor.

Os sentidos que criam a sensação do sabor são baseados na química. A língua detecta componentes que ativam células sensoriais nas papilas gustativas, geralmente com a ajuda da saliva. O nariz detecta os elementos *voláteis* — componentes químicos que evaporam com facilidade de onde foram originados — enquanto são carregados pelo ar, passando pela cavidade nasal. Da próxima vez que comer um morango, tente lembrar-se de que o sabor que está sentindo se deve a alguns componentes que ativam os receptores de paladar e olfato.

Nosso cérebro nos faz acreditar que o sabor vem de um ingrediente único, mas, na verdade, nossa "sensação de sabor" é criada por ele. Geralmente usamos a palavra "gosto" quando nos referimos ao sabor, mas, de uma perspectiva técnica, um bom morango tem apenas o gosto doce. O gosto se combina com o aroma complexo da fruta para criar o sabor do morango. Para entrarmos a fundo na ciência do gosto e do aroma, é importante esclarecer: gosto é o que é reconhecido pela língua; aroma, pelo nariz, e sabor é a sensação combinada, gerada pelo cérebro ao juntar os sinais enviados pelos sentidos. Passaremos o resto do capítulo nos aprofundando nessas especificidades, mas algumas linhas gerais para criar refeições geniais devem ser destacadas:

- **Comece com bons ingredientes.** Nem o melhor feiticeiro da culinária vai conseguir criar moléculas de gosto e aroma ausentes em produtos de baixa qualidade.

- **Utilize uma técnica adequada.** A língua e o nariz não conseguem detectar composições aprisionadas dentro da comida. Fatiar vegetais, combinar ingredientes e aquecer a comida liberta os componentes de forma que você possa detectá-los, e também os transforma em outros, mudando o que está disponível para você avaliar.

- **Tempere com todos os modificadores de paladar, não apenas sal.** Colocar ingredientes como sal, açúcar e suco de limão muda os limiares de detecção de componentes voláteis e altera os não tão agradáveis. Adicionar uma pitada de sal pode aumentar o sabor, porque diminui o limiar necessário para que você os detecte e também mascara possíveis sabores amargos; adicionar suco de limão neutraliza compostos de amino com cheiros estranhos.

Laboratório: Você Diz Batata, Eu Digo Maçã

Ainda que estejam diretamente ligados, gosto e cheiro são sensações diferentes. Tente estes dois experimentos rápidos com alguns amigos para entender as diferenças.

Primeiro, pegue esse material:

Para o teste nº 1: Diferenças entre gosto e cheiro

- uma maçã
- uma cebola-branca ou amarela
- uma batata (opcional)
- nabo (opcional)
- uma faca e uma tábua de corte
- uma tigela pequena com água

Para o teste nº 2: Entendendo a irritação oral

- canela
- pimenta-de--caiena em pó
- 2 colheres ou 2 copinhos de amostra para colocar uma pitada de cada

Preparo:

Teste 1: Diferenças entre gosto e cheiro

1. Corte pedaços de maçã, cebola, batata (opcional) e nabo (também opcional) em tiras finas como se fossem batatas fritas, tirando toda a casca. Tente fazer com que pareçam idênticos uns aos outros. Corte pedaços suficientes para que cada participante possa experimentar alguns.
2. Mergulhe as amostras em uma pequena tigela com água por um ou dois minutos. Isso irá retirar um pouco do sumo dos ingredientes, o que é particularmente importante no caso da cebola. (Estas duas etapas podem ser feitas com antecedência se você estiver preparando para um grupo.)

3. Faça com que todos peguem uma amostra de uma tigela, e com os narizes tapados, deem uma mordida na amostra. (Tapar o nariz impede que o ar que transporta os odores entre na cavidade nasal.) Faça uma anotação do que você acha que está comendo — que gostos você sente? Depois, solte o nariz e perceba a diferença. Repita várias vezes, até que tenha experimentado todas as comidas.

Para grupos maiores, use jujubas variadas.

Teste 2: Entendendo a irritação oral

1. Coloque uma pitada de canela em uma colher ou em um copinho de teste e uma de pimenta-de-caiena (não exagere!) em uma segunda colher.
2. Tape o nariz de modo que o ar não entre ou saia dele; isso irá impedir que os receptores olfativos capturem qualquer odor. Experimente a canela, mantendo o nariz tapado. O que você percebe sobre o gosto e o cheiro? Solte o nariz e respire. O que você nota?
3. Repita com a pimenta-de-caiena, tape o nariz, prove e depois respire; anote o que você percebe em cada etapa.

Hora da investigação!

O que você percebeu sobre o "gosto" da comida quando tapou o nariz? Tanto a cebola quanto a pimenta-de-caiena têm sabores pronunciados; o que você percebeu sobre a diferença na forma como você as experimentou? Por que você acha que não conseguimos sentir o "gosto" das coisas quando estamos resfriados?

Gosto + Cheiro = Sabor

Gosto e Sentido Gustativo

Nosso sentido do paladar é um feito incrível da biologia e da evolução, e por uma boa razão: ele nos orienta com relação à nutrição aos alimentos ricos em energia (doces, salgados) e aos blocos de construção biologicamente necessários (salgados), e nos afasta dos alimentos potencialmente prejudiciais (azedos e amargos).

Os quatro sabores fundamentais da cozinha ocidental — salgado, doce, ácido e amargo — foram descritos pela primeira vez há 2.400 anos pelo filósofo grego Leucipo (ou mais provavelmente por um de seus discípulos, Demócrito). Os antigos chineses incluíram um quinto, o ardido/apimentado e, de fato, esses alimentos, bem como os refrescantes, são detectados pelo paladar. Outro sabor, identificado como agradável, foi descrito há cerca de cem anos por um pesquisador japonês que identificou um sabor "substancial" ativado pelos aminoácidos, a que ele chamou de *umami*. Uma pesquisa mais recente identifica receptores de sabor adicionais para ácidos graxos ("oleogustus"), alguns metais, cálcio e até para água, embora seja improvável que eles sejam aplicáveis no sentido culinário.

Por si só, o paladar é a menor parte do sabor, sendo responsável por cerca de 20% de sua sensação, os outros 80% vêm do aroma. Contudo, sendo a parte mais primitiva, o paladar é mais fácil de compreender, por isso vamos começar por ele. A língua humana contém milhares de papilas gustativas, cada uma tem um grupo de 50 a 100 células receptoras. (As bolinhas em sua língua contêm algumas papilas gustativas, mas elas estão em outros lugares, também — até mesmo no *palato*, o céu da boca.) Cada uma dessas células interage com várias substâncias químicas, levadas até elas por nossa saliva enquanto mastigamos. São elas que sinalizam os vários sabores. Uma vez ativadas, transmitem sinais para o nosso cérebro, que os reúne conferindo a intensidade relativa do sabor.

É sabido que os receptores para doces, amargos e umami também existem por toda parte do corpo humano. Os receptores para doce no intestino, por exemplo, respondem ao açúcar e enviam sinais positivos para o cérebro; há uma razão pela qual comer e engolir uma boa comida é tão satisfatório! Outros animais vão além e dependem de receptores localizados em outras partes de seus corpos. Os peixes sentem o gosto através dos lábios; as moscas podem sentir o gosto através dos pés.

A magia do gosto tem início com as células receptoras. A metáfora padrão para o funcionamento delas é a da chave e fechadura. As substâncias químicas que estimulam o paladar — que disparam o sabor, como a sacarose do açúcar ou o sódio do sal — agem como chaves, encaixando-se em "fechaduras" em nossas células receptoras. As diversas famílias de compostos se encaixam em diferentes fechaduras, de modo que a percepção de um sabor pode ser pensada como uma chave única, que corresponde a uma fechadura específica. Ao experimentar açúcar, o cérebro registra o gosto "doce" com base na célula receptora à qual se liga e nos caminhos neurológicos entre eles.

Cada sensação de gosto vem de um tipo diferente de célula receptora de paladar, mas vários receptores podem levar à mesma sensação de gosto. Estima-se que existam na língua cerca de 40 tipos diferente de receptores, vários deles detectando o mesmo gosto. O sal, pelo menos em camundongos, é detectado por dois receptores diferentes, um para baixas concentrações de sódio e outro para altas. Os sabores doces também são detectados por dois receptores diferentes, chamados T1R2 e T1R3. As diferenças nos compostos também vão determinar a rapidez com que se encaixam na "fechadura" do receptor e por quanto tempo irão ativá-lo, o que leva a diferentes sensações temporais entre os sabores. A metáfora da chave-fechadura não é perfeita. Contudo, a proporção da sensação de um gosto muda quando outro é detectado.

A intensidade com que registramos um sabor depende de quanto do componente tem na comida e da sensibilidade a ele. Assim como nossos outros sentidos têm limiares para detecção (por exemplo, poucos de nós ouvem qualquer coisa em 2dB, enquanto a maioria detecta frequências mais altas que 15dB), o paladar e o olfato têm limiares mínimos absolutos. Olhe a tabela que mostra os valores para limiares de referência de gosto, expressos em partes por milhão (isto é, para que percebamos esses compostos, eles têm de estar presentes a partir dessa concentração; porém,

Doce	Sacarose	5.000ppm
Salgado	Cloreto de Sódio	2.000ppm
Agradável	Glutamato	220ppm
Azedo	Ácido Cítrico	40ppm
Amargo	Quinino	2ppm
Picante	Capsaicina	0,3ppm

não leve esses números tão a sério, eles variam conforme diversos fatores).

Nossa sensibilidade aos componentes revela a importância deles. Somos muito mais sensíveis aos ácidos, amargos e irritantes. Estes geralmente denotam alimentos não confiáveis, como comida estragada ou envenenada, comumente ácidos ou amargos. Evolutivamente falando, isso não é surpresa; um organismo que evita comer algo perigoso tem mais chances de transmitir seus genes!

A capsaicina está na lista. Ela é a substância que torna as pimentas ardidas, e é um exemplo de *chemesthesis* — a sensação dos compostos químicos. Nossas papilas gustativas, assim como nossa pele, podem detectar a irritação causada por substâncias químicas tais como o álcool etílico e a capsaicina. Outras substâncias, como o mentol, ativam sensações de frescor. Essas substâncias ativam outros aspectos de nossas papilas gustativas e influenciam o sabor, e mostram que é incorreto pensar que a língua só percebe quatro ou cinco gostos. Cada cultura dá uma ênfase diferente a essas sensações em sua culinária — muitos pratos indianos e do sudeste asiático priorizam gostos apimentados e picantes, enquanto os japoneses baseiam grande parte de sua culinária nos agradáveis/umami.

Independentemente do tipo de culinária que aprecia, a maneira de abordá-la é a mesma: tentar equilibrar os vários gostos (por exemplo, não deixar muito salgado ou doce). Há uma série de desafios práticos para se criar gostos equilibrados, e compreendê-los pode elevar sua diversão na cozinha. De que maneira você prefere equilibrar os gostos depende em grande parte de como seu cérebro está treinado para responder a eles. Aqui está uma série de diferentes aspectos do gosto a que você deve estar atento quando estiver cozinhando.

Gosto e Sentido Gustativo

Lembre-se de temperar! Conhecer a ciência do gosto não faz com que um prato tenha um sabor melhor se você não prestar atenção aos seus sentidos. Aprenda a sentir o gosto das coisas. Veja se consegue notar mudanças nos gostos e aromas enquanto a comida cozinha, e reserve um tempo para experimentá-la e perguntar-se o que poderia fazer para melhorá-la. Ajustar os temperos ao final pode parecer óbvio, mas é um passo comum que as pessoas esquecem. Uma pitada de sal ou um pouco de suco de limão podem fazer maravilhas para equilibrar os gostos.

Seus valores culturais vão afetar o que você considera equilibrado nos gostos. O que uma cultura considera ideal em termos de equilíbrio não necessariamente é igual em outra. Os americanos geralmente gostam mais de alimentos adocicados que os europeus. O umami é um gosto fundamental na culinária japonesa, mas, historicamente, recebe menos consideração na tradição europeia (embora isso esteja mudando). Preferências de sabor começam a se desenvolver *antes* do nascimento — se as mães comem alimentos como alho, por exemplo, durante a gravidez, isso impacta as preferências da criança, e as reações faciais fetais podem ser vistas no terceiro trimestre em resposta a comidas com gostos agradáveis e adversos. Então, ao cozinhar para os outros, o que considera perfeito pode não ser para eles, não importa se é uma refeição única ou uma vida inteira de refeições divididas com um parceiro.

O que você acabou de comer pode influenciar o que vai comer a seguir. Ao servirmos pratos diferentes, os sabores de um podem afetar os de outros — um efeito chamado de *adaptação de gosto*. Grande parte dos nossos sentidos se adapta a um sinal depois de um tempo, de forma que sejamos capazes de perceber mudanças. Um iogurte adoçado, por exemplo, se torna menos doce à medida que você o come, e essa adaptação pode ser transportada para a coisa seguinte que você provar. Da próxima vez que escovar os dentes, beba um pouco de suco de laranja logo depois e perceba como fica amargo. (O lauril sulfato de sódio presente na pasta permanece na boca por algum tempo e destrói sua habilidade de sentir o doce.) Bebidas carbonatadas como água mineral com gás são tradicionalmente limpadoras de palato, embora estudos sugiram que biscoitos do tipo "cracker" são mais eficazes. Aquele pão no cesto da mesa não é só para deixá-lo satisfeito: comê-lo também limpa o paladar quando você alterna alimentos!

> Adaptação de gosto é a alteração da sua percepção por sensações anteriores, enquanto que a perversão de gosto é a mudança que um composto faz na forma como seu paladar o registra. Veja a p. 71 sobre distorção de gosto.

Fatores ambientais afetam a percepção do gosto das coisas. Climas secos mudam a quantidade de saliva na boca, o que diminui a sensibilidade para o gosto. As comidas das companhias aéreas sofrem com isso: molhos e pretzels são servidos com frequência pois têm sabores fortes. Nosso paladar muda com as condições do tempo!

A temperatura também tem impacto nas sensações gustatórias: alimentos quentes (acima dos 30°C) serão detectados como mais intensos pelas papilas gustativas que os frios devido à sensibilidade ao calor das células receptoras de gosto. Existe uma característica biológica divertida aqui: alimentos abaixo da temperatura corporal não são registrados como quentes, então um prato pouco abaixo dela não parecerá quente, mas, ainda assim, transmitirá sabores mais fortes. Alimentos frios, por outro lado, resultam em sabores menos intensos, principalmente os açúcares. Há uma razão pela qual refrigerante quente é horrível: ele tem o sabor mais doce (enjoativo) do que quando gelado. Na cozinha, considere o impacto da temperatura sobre o sentido gustativo ao preparar pratos frios. Versões geladas de coisas como sorvete terão sabor e cheiro menos acentuados que suas versões líquidas e quentes, então ajuste-as de acordo.

Diferenças genéticas podem mudar como você sente o gosto das coisas. O gosto que você e eu sentimos não é o mesmo. A área mais pesquisada das diferenças genéticas de paladar usa os componentes de gosto amargo propiltiouracil (PROP) e feniltiocarbamida (PTC) para entender como interagimos com a comida. Algumas pessoas não sentem os gostos desses compostos — inclusive eu — enquanto outras os sentem como amargos. Não é uma dicotomia "sentir ou não", mas isso parece se relacionar a dois genes e alguns aspectos genéticos. Dependendo da composição genética de alguém, o amargo pode ser insuportavelmente repulsivo. Um amigo meu quase me deu um soco instintivo quando fazíamos um teste com papel PTC — aliás, um degustador extraordinário. (Veja a p. 82 sobre testar diferenças de gosto; para a entrevista com Linda Bartoshuk, ferrenha pesquisadora da área, veja a p. 86.)

Ser capaz de sentir o gosto do PROP ou do PTC não é bom ou ruim; é apenas diferente. Aqueles que percebem esses gostos sentem alguns alimentos — especialmente vegetais de folhas verde-escuras — mais amargos devido aos componentes que a língua capta. Aqueles que sentem o gosto do PROP/PTC geralmente têm um número maior de papilas gustativas, o que resulta em mais células que podem sofrer irritação oral. Essa peculiaridade faz com que eles sintam o gosto de alimentos adstringentes, ácidos e apimentados mais forte. A cafeína é mais amarga para os que sentem o PROP/PTC, pesquisadores descobriram que isso explica por que essas pessoas são mais propensas a adicionar leite ou açúcar ao café e ao chá, o que reduz o amargo.

Como você pode ver, uma pequena diferença na habilidade de sentir os gostos pode desencadear uma série de outros gostos, mudando o equilíbrio. Há evidências de diferenças genéticas na habilidade de sentir o gosto de componentes estimulantes do paladar como o glutamato; mas outras diferenças podem também existir.

Questões fisiológicas também podem interferir na capacidade de sentir gostos — notadamente a idade, o estresse e as doenças. À medida que envelhecemos, nossas preferências de gosto mudam. O gosto por doces das crianças vem de um impulso biológico por alimentos de alto teor calórico; idosos também têm mudanças na capacidade de sentir cheiros e se tornam menos sensíveis ao sal e a alguns gostos levemente amargos. (Parece que substâncias que estimulam o paladar como o sódio e a sacarose têm odores leves associados a elas, então há algum impacto nos limiares de gosto quando o olfato diminui.) Para os idosos, a perda do sentido gustativo pode

Gosto e Sentido Gustativo **61**

ser um problema — é difícil comer alimentos leves. O estresse também afeta o paladar por causar um aumento do hormônio cortisol, que, entre outras coisas, diminui a força do estímulo das papilas gustativas. E, finalmente, há uma ampla gama de doenças que podem afetar nosso sentido do paladar, a maioria das quais raramente é diagnosticada na população não idosa (como você pode saber que tem uma ageusia específica — "cegueira" para o gosto — se não sabe como as outras pessoas o sentem?). Embora compreender questões fisiológicas não mude o gosto que as pessoas sentem, pode explicar seu comportamento alimentar.

A partir dessa pequena consideração das formas como o gosto é afetado, você pode ver que o paladar não se reduz às quatro sensações básicas de salgado, doce, ácido e amargo descritas pelos gregos antigos. Vamos examinar seus aspectos, junto com receitas e experimentos, na primeira parte desse capítulo.

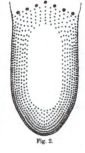
Fig. 2.

A ideia errônea de que os sabores primários vêm de diferentes partes da língua começou com uma tradução errada. Todas as regiões do lado de cima da língua humana podem detectar sabores primários. Há pequenas diferenças na sensibilidade por região, que é o motivo pelo qual as diferentes partes da língua sentem gostos diferentes de uma forma mais acurada. A parte posterior da língua é mais sensível ao amargo do que a anterior, enquanto que a anterior é mais sensível para o doce que a posterior, então um líquido ligeiramente agridoce irá provavelmente mudar de gosto em diferentes partes da língua.

Marinada à Moda Grega

Marinadas, ao menos pela definição comum, são líquidos ácidos nos quais os alimentos são mergulhados antes de serem cozidos. É um termo um tanto inapropriado, contudo — a palavra marinada deriva do espanhol marinar, que significa "curtir em salmoura". A maioria das marinadas atinge apenas a superfície das carnes, então escolha cortes finos para marinar.

Em uma tigela, misture:

- ½ xícara (chá) de iogurte (120g)
- 2 colheres (sopa) de suco de limão (30ml) (mais ou menos um limão)
- 2 colheres (chá) de orégano (4g)
- 1 colher (chá) de sal (6g)
- Raspas de um limão bem picadas

Salmoura à Moda Japonesa

Salmouras são sempre baseadas em sal — nesse caso, molho de soja, que tem entre 5% e 6% de sal. O sal dissolve partes do tecido muscular, o que resulta em carnes cozidas mais macias. Adicionar outros modificadores de sabor, como o mel, equilibra o gosto salgado.

Em uma tigela, misture:

- ½ xícara (chá) de molho de soja (120ml)
- 4 colheres (sopa) de gengibre ralado (24g)
- 6 colheres (sopa) de cebolinha verde picada, cerca de 4 talos (40g)
- 4 colheres (sopa) de mel (60ml)

Ingredientes Saborosos por Cultura

Culturas diferentes utilizam diferentes itens para modificar os gostos básicos na culinária. Use alguns desses ingredientes comuns para ajustar os gostos quando cozinhar. (Para uma lista de ingredientes de algumas culturas que dão cheiros e aromas, veja a p. 111.)

Estas são sugestões gerais; não as tome como uma antologia de cozinha regional. O norte da Índia é mais árido e fresco que o sul, e usa técnicas e ingredientes completamente diferentes. É por isso que a comida de cada cultura tem princípios próprios de sabor.

	Amargo	Salgado	Ácido	Doce	Umami	Picante
Caribenha	Melão amargo	Bacalhau	Limão	Açúcar mascavo	Tomate	Pimenta picante
Chinesa	Brócolis; Melão amargo	Molho de soja; Molho de ostras	Vinagre de arroz; Molho de ameixa	Molho de ameixa; Molho hoisin	Cogumelos; Molho de ostras	Mostarda; Pimenta de Sichuan; Gengibre
Francesa	Rabanete; Endívia	Azeitonas; Alcaparras	Vinagre de vinho tinto; Suco de limão	Açúcar	Tomate; Cogumelos	Mostarda; Pimentas
Grega	Dente-de-leão; Nabo	Queijo Feta	Limão-siciliano	Mel	Tomate	Pimenta-do-reino; Alho
Indiana	Férula; Melão amargo	Kala Namak (sal negro)	Limão; Tamarindo	Açúcar; Rapadura	Tomate	Pimentas, Semente de mostarda; Alho; Cravos; Gengibre
Italiana	Nabo; Azeitona; Alcachofra; Chicória	Presunto; Queijos; Alcaparras; Anchovas	Vinagre Balsâmico; Limão-siciliano	Legumes carameliza-dos; Frutas secas	Tomate; Queijo parmesão	Alho; Pimentas
Japonesa	Chá	Molho de soja; Missô; Algas marinhas	Vinagre de arroz	Mirin	Cogumelos shiitake; Missô; Dashi	Wasabi; Pimentas
Norte-africana	Chá	Limões em conserva	Limões em conserva	Tâmaras	Harissa; Sumbala	Harissa
Latino-americana	Chocolate sem açúcar; Cerveja	Queijos; Azeitonas	Tamarindo; Limões	Cana-de-açúcar	Tomate	Jalapeño
Sudeste asiático	Casca de tangerina; Toranja	Molho de peixe; Pasta de camarão desidratado	Tamarindo; Limões kaffir	Leite de coco	Pasta de feijão fermentada	Pimenta tailandesa
Espanhola	Azeitonas	Anchovas	Vinagre	Frutas; Açúcar	Páprica defumada	Pimentas
Turca	Café	Zatar	Iogurte	Mel	Tomate	Pimenta vermelha

Gosto e Sentido Gustativo

Salgado

Percebemos alimentos como salgados por um mecanismo biológico relativamente simples: íons de sódio do sal ativam receptores específicos para o gosto salgado através de canais iônicos — essencialmente uma passagem fechada em uma célula —, que completam um circuito elétrico que envia ao cérebro a mensagem "salgado".

De todas as sensações gustatórias fundamentais, nosso mecanismo para sentir gostos salgados é único em sua detecção de um componente específico, o sódio. Quase nada mais ativa o gosto do sal; os canais iônicos são bastante seletivos sobre o que ligam. O sódio é uma necessidade biológica, regulada pelos rins, para controlar a pressão sanguínea, permitir a comunicação celular, equilibrar os níveis de água e gerenciar uma série de coisas. Nossas vidas dependem de ingestão suficiente de sal. Dada a sua importância biológica, nossa habilidade de sentir seu gosto e desejá-lo faz sentido. Assim como com os doces, nosso desejo por gostos salgados está relacionado ao que nossos organismos necessitam em um dado momento.

O sal iodado tem o iodo adicionado como uma fortificação nutricional contra males como o bócio. Experimentos controlados mostram que não há diferença de gosto entre sal com e sem iodo utilizado em concentrações normais.

A palavra *salgado* descreve o gosto, enquanto sal define um composto químico. O sal de cozinha é o cloreto de sódio; e a menos que você esteja falando de química, este é o tipo de sal a que nos referimos quando a palavra sal é usada. De uma perspectiva química, existem outros tipos de sais além do cloreto de sódio. Um deles, o cloreto de potássio, tem gosto salgado, mas também amargo. Se você olhar nas etiquetas de ingredientes para substitutos do sal, verá outros compostos adicionados para diminuir esse amargo. Outros sais que você deve conhecer, tais como o de Epsom (sulfato de magnésio), têm o gosto amargo. Sais que contêm lítio em lugar de sódio têm o gosto salgado porque os íons de lítio (Li+) permeiam os canais iônicos das células para esse gosto. Sinto pelo químico que descobriu isso, contudo — o lítio é tóxico em altas doses! (Para usos culinários destes outros tipos de sal, veja a p. 382.) Em quase todos os casos, gostos salgados são dados pelos íons de sódio do sal de cozinha, ou seja, o cloreto de sódio.

É o íon de sódio (Na+) no cloreto de sódio que tem gosto salgado; o íon de cloreto (Cl-) apenas estabiliza o sódio na forma sólida. Para que o gosto salgado seja registrado, o íon de sódio tem que completar o circuito do canal iônico. Este é um ponto sutil para pessoas que precisam regular a ingestão de sal: o quanto a comida parece salgada não detecta quanto sal está presente! Os íons de sódio, extremamente pequenos, permeiam com facilidade os alimentos cozidos com eles e, constritos, não terão contato com os receptores de gosto salgado.

Soluções muito, muito fracas de sódio terão gosto doce! Íons de sódio parecem ativar o receptor de doce, mas o mecanismo exato ainda não é conhecido.

Muito sal adicionado no início do cozimento pode ser absorvido pela comida, o que significa que você não vai sentir seu gosto mas vai digeri-lo, aumentando a ingestão de sódio. Esteja ciente disso ao cozinhar para pessoas com dietas restritivas!

Acrescentar sal muda a forma como outros gostos são registrados e como sentimos aromas. Os receptores de gosto não são detectores perfeitos para os vários compostos. Gostos salgados e ácidos podem mascarar um ao outro porque o sódio interfere ligeiramente. Adicionar uma pitada de sal à comida não necessariamente faz com que fique salgada, mas reduz a acidez, o que também aumenta a percepção do doce! A adição de uma pequena quantidade de sal (não muita!) melhora outros alimentos, conferindo uma "plenitude" a alimentos que de outra forma teriam um gosto definido como "insosso". É

Faça você mesmo: sal marinho

Fazer o seu próprio sal é fácil — se morar perto do mar. Encha com água do mar alguns baldes de 2 litros. Derrame-a em uma panela grande, coando-a com um pano ou filtro de café para retirar areia e partículas. Ferva a água até que seu volume reduza a um quinto. Coloque em um pote de vidro raso e deixe evaporar por um dia ou dois. 2 litros de água rendem cerca de ¼ de xícara (65g) de sal.

Fazer sal por evaporação remove a água em vez de extrai-lo. Ou seja, qualquer outra coisa presente na água, de sabores sutis a traços de minerais (bom), até mercúrio (tóxico), ficará no sal. Usá-lo uma vez ou outra não será um problema, mas eu evitaria o hábito de usar sal marinho feito em casa.

por isso que muitos pratos doces pedem uma pitada de sal. Quanto sal há em uma pitada? O suficiente para ampliar o sabor da comida, mas que não o torne distinto.

O sal age também como realçador de gosto. Mexilhões com sal, roscas polvilhadas com sal grosso, lassi e até mesmo sorvetes de chocolate ou brownies têm um gosto naturalmente diferente sem o sal. Ao usá-lo como cobertura, use uma variedade de sal grosso ou em flocos (sal marinho), e não halita/ sal kosher ou sal refinado — assim você precisa de menos sal para a mesma sensação de salgado.

Dicas	• Evite o "sal oculto" usando no início do cozimento apenas a quantia necessária para as reações químicas e físicas, e ajuste os níveis de sal para o gosto no final do cozimento.
	• Uma pitada de sal não é uma medida exata. Tradicionalmente, é a quantidade que você pode pegar entre o dedão e o indicador, mas se precisar um ponto de partida, use ¼ de colher de chá (menos de 1g).
	• Devido às diferenças genéticas na forma como sentem o gosto de alguns compostos amargos, pessoas diferentes necessitam de quantidades diferentes de sal para mascarar o amargo dos alimentos. Deixe um saleiro à mesa para equilibrar os paladares!
	• A quantidade de sal que prefere é em parte baseada em seu modelo de alimentação dos últimos meses — seu corpo aprende a preferir mais ou menos com o tempo.
Para deixar algo mais salgado	• Adicione sal (dã!) ou ingredientes agradáveis (ao aumentar a sensação agradável/ umami, você amplia a percepção do sal; para sugestões desses itens, veja a p. 63).
Se algo ficar muito salgado	• Se algo está apenas um pouco salgado, aumente itens doces ou azedos para disfarçar.
	• Dilua o sal adicionando mais ingredientes ao prato. (O velho truque de adicionar uma batata à sopa salgada demais faz muito pouco para diminuir a sensação de salgado, mas dilui a concentração de sal.)

Gosto e Sentido Gustativo **65**

Costela de Porco Recheada com Cheddar e Pimentão Poblano

As salmouras — mergulhar alimentos em água salgada — conferem um delicioso sabor salgado a carnes como a costela de porco, como mostra essa receita. Esse é um daqueles pratos saborosos e fáceis de fazer, o que o torna uma grande pedida para jantares a dois.

Em um recipiente, misture **4 colheres (sopa) de sal (70g)** com **4 xícaras (chá) de água em temperatura ambiente (~1l)**. Mexa para dissolver o sal. Coloque **2 a 4 costelas de porco sem osso de pelo menos 2,5cm de espessura** na salmoura e armazene-as na geladeira por uma hora. (Salmouras mais demoradas vão resultar em carnes mais salgadas; se você deixá-las na salmoura por mais de duas horas, use água gelada e mantenha a carne no refrigerador.)

Enquanto as costelas estão na salmoura, crie um recheio misturando em uma tigela:

- **¼ de xícara (chá) de pimentão poblano, primeiro tostado e depois picado, aproximadamente 1 pimentão (40g)** (veja as notas sobre como assar o pimentão)
- **¼ de xícara (chá) de queijo cheddar ou queijo Monterey Jack, cortado em cubos pequenos (40g)**
- **½ colher (chá) de sal (3g)**
- **½ colher (chá) de pimenta-do-reino moída (1g)**

Depois de as costelas terem salmourado, retire-as da água e seque com papel toalha.

Prepare-as para o recheio: usando uma faca de desossar, faça uma pequena incisão na lateral da costela de porco, e, em seguida, empurre a lâmina até o centro. Crie uma cavidade central, deslizando a lâmina dentro da costela, ao mesmo tempo em que mantém a "boca" da cavidade — onde você empurrou a faca na carne — do menor tamanho possível.

Recheie cada costela de porco com aproximadamente uma colher de sopa do recheio. Esfregue a parte externa com **azeite** e tempere com uma pitada de **sal**. (Você terá sobras do recheio. É melhor fazer demais do que arriscar não ter o suficiente. Guarde o restante para fazer ovos mexidos.)

Aqueça uma panela de ferro fundido em fogo médio até que esteja quente (cerca de 200°C, o ponto em que a água respingada sobre a superfície da panela, chia e evapora). Coloque as costelas na panela, selando cada lado até o exterior dourar, cerca de 5–7 minutos de cada lado. Verifique a temperatura interna, cozinhando até que o termômetro registre 62,8°C. Em seguida, retire-as da panela e deixe-as descansar em uma tábua de corte por, pelo menos, três minutos.

Para servir, corte as costelas na metade para expor o interior. Sirva em cima do purê de batatas com alecrim (veja a p. 212).

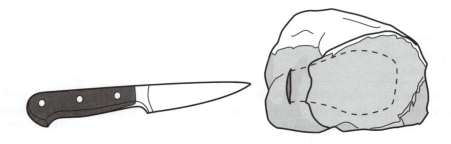

Notas

- Como tostar um pimentão poblano? Se você tem um fogão a gás, pode colocá-lo diretamente sobre o queimador, usando um par de pinças para virá-lo quando a pele estiver queimada (espere que a pele vire carvão e fique preta, é o que você precisa). Se não tem um fogão a gás, coloque o pimentão no forno (a gás ou elétrico) ajustado para alto, girando-o conforme necessário. Quando a pele estiver quase toda queimada, retire do fogo e deixe descansar em uma tábua de corte até esfriar o suficiente para manusear. Usando um pano ou toalha de papel, limpe a pele queimada e descarte. Fatie o pimentão (descartando sementes, nervuras e a parte de cima) e coloque em uma tigela.

- Tente outros recheios, como pesto ou uma mistura de sálvia, frutas secas (amoras, cerejas, damascos) e nozes (pecã, avelãs).

- Nos Estados Unidos, as diretrizes culinárias costumavam recomendar que se cozinhasse a carne de porco a 74°C para eliminar o risco de cisticercose. No entanto, a cisticercose foi erradicada da população animal e em 2011 as diretrizes culinárias do Departamento de Agricultura dos Estados Unidos (USDA) foram reduzidos para 62°C para cortes inteiros de carne (deixe a carne descansar por três minutos antes de cortar ou comer). Se você mora em outros lugares, pode ser que as diretrizes ainda exijam que ela seja cozida a 71°C devido à prevalência da cisticercose.

- Como um experimento, prepare uma carne de porco na salmoura e outra sem: será que a salmoura muda a perda de peso durante o cozimento? Usando uma balança em gramas, pese uma costeleta de porco antes e depois da salmoura, e depois de cozida, e compare a percentagem de perda de peso com a da costeleta de porco que não passou pela salmoura. Você pode também testar a mudança de sabor causada pela salmoura. Se você está cozinhando para outras pessoas, recrute-as como degustadores. Prepare costeletas com e sem salmoura, sirva uma porção de cada e veja quais as preferências dos convidados.

Mexilhões Selados com Manteiga e Cebolinhas-brancas

Mexilhões salpicados com uma quantidade generosa de sal marinho e ao molho de manteiga têm um sabor maravilhoso. Aqueça uma panela de ferro fundido até estar bem quente. Enquanto aquece, lave cerca de **500g de mexilhões**, descartando os abertos e quebrados. Jogue os mexilhões na panela quente. Depois de três minutos eles estarão abertos e cozidos. Salpique com **uma colherada generosa de sal marinho** e **uma cebolinha-branca picada**. Se você gosta de comida apimentada, acrescente também uma pimenta jalapeño picada. Mexa ligeiramente para misturar os ingredientes e depois retire do fogo. Sirva os mexilhões diretamente na panela, usando garfos e os dedos. Prepare uma pequena tigela com **manteiga derretida** para molhar os mexilhões e uma tigela maior para descartar as conchas à medida que os come.

Doce

Assim como acontece com o sal, somos programados para gostar de comidas doces. Gostos doces indicam calorias rapidamente digeríveis e, portanto, energia rápida, importantes desde o tempo em que obter comida envolvia pegar uma lança. Assim como o gosto salgado instiga a comer o sal biologicamente necessário, o doce incita a comer alimentos ricos em energia. O desejo por doces muda, diminuindo com a maturidade. A preferência das crianças por doces é relacionada ao processo de crescimento dos ossos. (Rápido, crianças, digam a seus pais que seu desejo por doces é culpa da *biologia*!)

> Gatos não sentem gosto de açúcar! Os animais evoluíram para terem receptores de gosto diferentes de acordo com suas dietas. A maioria dos carnívoros — incluindo gatos — não tem carboidrato como parte da dieta natural e parece não ter detectores para doces.

Células receptoras que ativam as mensagens para "doce" são mais complexas do que as homólogas salgadas — os íons de sódio são menos complexos do que os compostos de que nossos corpos obtêm energia. Para algo ser registrado como doce, tem de se ligar a dois pontos externos nas células receptoras. Para isso, o composto tem que ser modelado para se conectar aos dois extremos, com a estrutura química certa para ligar-se a eles. Essa "fechadura" é muito específica, e se encaixa em apenas algumas "chaves" naturais — vários tipos de açúcares.

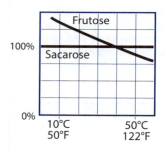

Comparada à sacarose, a frutose se torna menos doce à medida que a temperatura aumenta — usá-la faz sentido em bebidas frias!

Diferenças no encaixe dos compostos na "fechadura" alteram seu grau de doçura. O açúcar comum (sacarose) se encaixa relativamente bem, mas os açúcares do leite (lactose) não são tão adaptados, e são registrados como menos doces. A frutose é mais doce do que a sacarose em temperatura ambiente, mas em um exemplo do quão complicadas a química e a biologia são, sua doçura diminui com a temperatura. Uma molécula de frutose muda conforme é aquecida, alterando sua capacidade de se ligar aos receptores. (Para geeks da química: a frutose tem tautômeros relacionados ao calor — variações estruturais em que um átomo de hidrogênio troca de posição, mudando a ordem das ligações simples e duplas adjacentes — que, em temperaturas elevadas, não ativam os receptores igualmente.)

A forma como percebemos a doçura depende da facilidade e do tempo com que um componente se liga aos receptores. A sacarose faz uma ligação fraca, seu início é lento e demoramos para registrar "doce!" quando a ingerimos. Seu gosto é prolongado e agradável mesmo em concentrações altas. Já a frutose se liga e desaparece rapidamente dos receptores. Os adoçantes têm diferentes sensações de gosto, se prolongando por intervalos diferentes de tempo. Paladar não é só a intensidade, mas também a duração.

Compostos diferentes do açúcar podem se encaixar nos receptores de doces. O chumbo, na forma de acetato de chumbo, tem gosto doce, como os romanos antigos inadvertidamente comprovaram. Algumas proteínas, como a monelina, também têm gosto doce e podem agir como substituto do açúcar devido à facilidade com que ativam os receptores. Os substitutos do açúcar — criados sinteticamente ou extraídos seletivamente das plantas — são selecionados para se ligarem perfeitamente bem aos receptores, sendo uma chave tão perfeita quanto possível. Os esteviosídeos, compostos presentes na estévia, responsáveis por sua doçura, ativam a percepção de doce em uma diluição de 300 a 600 vezes mais fraca do que precisamos para detectar a sacarose; o aspartame é menos potente, em uma concentração entre 150 e 200 vezes mais fraca.

A eficácia dos substitutos do açúcar como mecanismo de controle de peso não é tão clara quanto você possa pensar. Uma pesquisa recente descobriu que os refrigerantes diet levam a um maior ganho de peso, embora não se saiba por que isso acontece. Possivelmente nossos corpos estocam gordura baseados também na sensação de doçura e não só nas calorias, ou os adoçantes artificiais podem causar algum impacto nas bactérias intestinais e mudar a forma de lidar com a comida.

Substitutos do açúcar podem também ter gosto amargo em concentrações maiores devido a pequenas semelhanças entre a forma como seus receptores trabalham. Alguns receptores de amargo aceitam versões "distorcidas" e não planas dos componentes do açúcar substituto — uma chave que se encaixa em uma fechadura pode potencialmente se encaixar em outras! Esse problema de encaixe é um dos motivos pelos quais os doces que dependem do açúcar (sacarose) para volume não podem ser feitos com substitutos. O açúcar de mesa, como item culinário, não é utilizado só para adoçar: ele pode se ligar à água, causar e ajudar em reações de douramento, fermentação e cristalização — uma única molécula pode desempenhar inúmeros papéis, logo, moléculas complexas têm mais peculiaridades.

> A política do açúcar é complicada. Já notou que as tabelas nutricionais não dão uma "porcentagem diária" para o açúcar? A OMS pede que limitemos os açúcares livres a 10% da ingestão calórica e sugere que 5% é o ideal.

Dicas	• Uma receita com um tipo específico de açúcar — digamos, xarope de milho —, o inclui por sua função. O xarope de milho (100% glucose) inibe a formação de cristais, que produzem texturas empedradas, e é por isso que algumas receitas o exigem.
	• O açúcar mascavo é feito de açúcar branco e melaço, em uma proporção de 10:1. Se você está cozinhando e não tiver açúcar mascavo, adicione cerca de 2 colheres (sopa) de melaço (30 ml) por xícara (chá) de açúcar (200g) (ou um pouco mais para um açúcar mais escuro).
	• Ao fazer caldas de açúcar para adoçar bebidas, tenha cuidado com a temperatura. Açúcar branco em água, quando aquecido e fervido, se separa em frutose e glucose, o que deixa o gosto menos adocicado. Uma calda de açúcar aquecida apenas até que dissolva terá um gosto mais doce do que a mesma calda depois de ferver.
Para deixar algo mais doce	• Acrescente açúcar, mel, ou outros adoçantes (veja a p. 63); diminua os ingredientes ácidos ou amargos.
Se algo ficar muito doce	• Aumente a acidez (por exemplo, acrescente suco de limão ou vinagre) ou a condimentação (por exemplo, adicione pimenta-de-caiena).
	• Para experimentalistas culinários, use um inibidor de doçura (veja a p. 393).

Gosto e Sentido Gustativo

Calda Simples de Gengibre

O açúcar é bom para promover simultaneamente outros sabores enquanto esconde gostos amargos e ácidos, como mostra essa calda simples de gengibre. O açúcar diminui o gosto forte, picante e levemente ácido do gengibre.

Em uma panela, ferva e deixe borbulhar em fogo baixo:

- 2 xícaras (chá) de água (470ml)
- ½ xícara (chá) de açúcar (100g)
- 2/3 de xícara (chá) de gengibre (cru) bem picado ou ralado (64g)

Ferva por 30 minutos, deixe esfriar, coe a mistura em uma garrafa ou recipiente e jogue fora os pedaços de gengibre coados.

Além de adicioná-la à água com gás para fazer um refresco de gengibre, experimente essa calda como cobertura de panquecas ou waffles. Você também pode adicionar à fervura um favo de baunilha cortado no sentido longitudinal para dar um sabor mais rico.

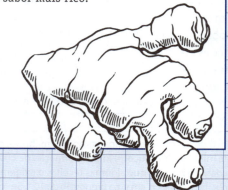

Como Cozinhar uma Alcachofra

Para o iniciante, as alcachofras são um quebra-cabeça culinário porque não são parecidas com nada do que comemos. (Que outro alimento que comemos é o botão fechado de uma flor?) Elas também distorcem o paladar, nesse caso, mudando a sensação de doçura das coisas.

As pessoas normalmente comem as pétalas das alcachofras retirando uma pétala do botão cozido; mergulhando-a em um molho, manteiga derretida ou azeite aromatizado (veja a p. 401); e depois raspando a carne da base da pétala usando os dentes da frente. A maneira mais fácil de cozinhar uma alcachofra é no micro-ondas: retire o caule, corte mais ou menos 2cm das pontas, lave-a para deixá-la molhada e então coloque no micro-ondas por 6 a 8 minutos (ou mais para alcachofras maiores ou várias delas).

Corações de alcachofra — os centros das flores — ficam excelentes em pizzas, saladas, ou simplesmente assados. Para prepará-los, corte o fundo e a ponta da alcachofra, retire as pétalas escuras, retire qualquer parte verde e escave a cavidade central. Esprema um pouco de limão nela para evitar que perca a cor. O coração é a parte branca carnuda do botão. Na primeira vez em que um amigo tentou preparar alcachofras seguindo instruções menos precisas, acabou ficando sem nada depois de ter arrancado tudo de dentro dela.

Distorção de Gosto com Alcachofra e Fruta-milagrosa

Nossas papilas gustativas são detectores químicos cheios de células receptoras que esperam até que a substância química certa apareça e se "encaixe" para serem ativadas, como fechaduras esperando pela chave certa para abri-las. E se houvesse outra forma de abrir a porta?

A *distorção do gosto* acontece quando um composto temporariamente muda a forma como sua língua sente o gosto de outros alimentos. As alcachofras, por exemplo, têm dois componentes, a cinarina e o ácido clorogênico, que fazem com que alimentos ingeridos logo depois tenham o gosto ligeiramente mais doce. Tente ferver uma alcachofra, comer as folhas sem molho e depois beber um pouco de água; você vai notar que a água tem um gosto levemente adocicado. (Esse também é o motivo pelo qual combinar vinhos com alcachofra é complicado!)

Há outro composto em alimentos, a miraculina, que é um exemplo ainda melhor de distorção de gosto. A miraculina se liga a receptores de doce e os aciona quando compostos ácidos se aproximam (os efeitos têm início em soluções com pH de 6,5 e aumentam até o pH de 4,8), fazendo, assim, com que a comida que geralmente tem gosto azedo (devido aos ácidos) tenha um gosto doce.

A planta da fruta-milagrosa produz uma pequena baga vermelha, apropriadamente chamada de "fruta-milagrosa", que contém uma grande concentração de miraculina. Mastigar a polpa da fruta por alguns minutos expõe você a uma quantidade de miraculina suficiente para que sinta gosto de limonada se mastigar um limão.

O fenômeno foi observado pela primeira vez em 1725 no oeste da África, onde os nativos a utilizavam para "adoçar" suas experiências com cerveja azeda. Em 1852, a fruta "milagrosa" fez sua primeira aparição nas revistas médicas; um trabalho mais recente tem foco no potencial de utilização para diabéticos. As últimas décadas assistiram a várias tentativas de uso de miraculina como aditivo alimentar, mas os aditivos alimentares não obtiveram sucesso em diferentes exigências regulamentares (veja a p. 376), e a miraculina precisa ainda ultrapassar essas barreiras.

Você pode encomendar essas frutas online, mas, infelizmente, elas são perecíveis. Pastilhas desidratadas, derivadas da fruta, também estão disponíveis e são mais fáceis para fazer experimentos. (Para fontes, acesse http://www.cookingforgeeks.com/book/miraculin/ — site em inglês.) Quando tiver as frutinhas ou as pastilhas nas mãos, convide amigos para a sua casa, comam as frutas e depois sirvam-se de algumas comidas azedas. Iogurte natural funciona muito bem, assim como toranja e limão.

A "viagem de sabor" não se limita a comidas azedas. Tenho um amigo que jurava que o sanduíche de rosbife que estava comendo era coberto com mel, enquanto outros provaram molho inglês e acharam parecido com sashimi. Tente comidas como molhos, tomates, vinagre de maçã, rabanete, salsinha, cerveja preta, molhos apimentados e queijos. Tenha em mente que a miraculina faz com que as comidas ácidas tenham *gosto* doce, porém, não altera o seu pH. Então, não se encha de limões, a não ser que queira ter muita azia.

A miraculina, embora seja uma experiência divertida, acaba não sendo prática como um substituto do açúcar em larga escala em sua forma comum: ela adere à língua por quase uma hora, o que significa que outros alimentos ingeridos depois dela serão também afetados. Existem alguns trabalhos sendo feitos para tentar adicionar proteínas similares à miraculina em plantações de grãos — imagine grãos de cereais que têm gosto doce mas não contêm açúcar extra (veja a patente dos Estados Unidos nº 5.326.580 — hum, adoçantes sem carboidratos) —, mas não se sabe onde isso vai dar e se os consumidores vão aceitar.

Ácido

Gostos ácidos são causados por compostos ácidos na comida, e somos programados desde o nascimento para reagir a eles. Assim como o gosto do sal, a sensação de acidez é detectada pelos canais iônicos nos receptores de gosto azedo que interagem com um componente ácido dos íons de hidrogênio. De forma literal, receptores de gosto azedo são detectores primitivos de pH químico. Os íons de hidrogênio os ativam e, quanto mais papilas gustativas forem ativadas, mais azedo será o gosto.

Os seres humanos são os únicos a apreciar gostos azedos. Assim como os amargos, eles são indicadores de alimentos potencialmente perigosos; neste caso, a aversão evita que consumamos coisas estragadas. Como viemos a gostar de gostos azedos é um pequeno mistério biológico. Em algum momento de nosso passado, perdemos a habilidade de sintetizar vitamina C, provavelmente pelo consumo regular de frutas com alta concentração; uma teoria para o nosso desejo adquirido de comer alimentos azedos baseia-se na ideia de que pretendemos ingerir vitamina C para evitar doenças.

Independente do motivo, aprendemos a gostar de gostos azedos quando crescemos. Alguns itens são naturalmente azedos devido à composição química. Os ácidos cítrico e ascórbico nas frutas cítricas as tornam fortemente azedas, uma defesa razoável contra herbívoros que não cozinham. O ácido málico, da maçã, confere a ela uma acidez deliciosa. Outros alimentos se tornam azedos ao estragar: iogurte, vinagre, picles e pão fermentado são obtidos a partir da fermentação, que gera alimentos deliciosamente estragados com ácidos de gosto azedo como o lático e o acético.

É claro, há exceções e complicações para a regra do "gosto azedo dos ácidos". Os ácidos são compostos que podem emprestar um íon de hidrogênio, mas outras regiões de um composto podem ser capazes de se encaixar em outros receptores. O ácido glutâmico tem gosto agradável; o pícrico é amargo. E a rapidez com que detectamos a acidez pode variar com o tipo de ácido, da mesma forma que cada açúcar demanda um tempo diferente para ser registrado. Alimentos com gosto ácido podem ter tempos e períodos diferentes de atuação, devido à sua química. O ácido cítrico é detectado rapidamente, provocando uma explosão de sabor azedo; o málico, entretanto, tem a detecção demorada e se prolonga. As indústrias de alimentação usam isso de maneira inteligente, combinando vários ácidos para gerar um perfil de gosto azedo que tenha a intensidade desejada com o passar do tempo.

Dica	• Verifique o equilíbrio entre sal e acidez dos pratos no final do cozimento, e adicione um ingrediente como suco de limão ou vinagre para "realçar" o sabor.
Para deixar algo mais ácido	• Adicione suco de limão, vinagre, ou ingredientes com gosto ácido (veja a p. 63).
Se algo ficar muito ácido	• Aumente a quantidade de doce para disfarçar.

Iogurte Caseiro

O iogurte é o leite "estragado" com boas bactérias. As bactérias Streptococcus thermophiles *e* Lactobacillus bulgaricus *transformam o leite em iogurte consumindo os açúcares da lactose e criando ácido lático, dando ao iogurte o gosto azedo característico. É claro, se você adicionar açúcar suficiente (mel ou geleia) ou sal (para os marinados — veja a p. 62), você vai disfarçar a acidez. O ácido lático também diminui o pH, fazendo com que o iogurte coalhe devido à desnaturação das proteínas do leite.*

Em uma panela (ou, preferencialmente, em banho-maria), aqueça levemente:

2 xícaras (chá) de leite (500ml) (de qualquer tipo, exceto o sem lactose) — se você gostar, tente leite de cabra ou de ovelha, se conseguir encontrar

Deixe o leite em 93,3°C e mantenha essa temperatura por 10 minutos usando um termômetro digital. Não deixe o leite ferver, porque isso afetará o sabor do iogurte.

Transfira o leite para uma garrafa térmica aberta e espere esfriar até os 46°C. Adicione **2 colheres (sopa) de iogurte natural (30g)** e misture. Certifique-se de que o iogurte que está usando seja "probiótico". Isso significa que ele tem bactérias boas vivas dentro dele. Adicionar o iogurte provê as bactérias necessárias, então não o adicione antes que o leite esfrie; caso contrário, você vai cozinhar as bactérias!

Feche a tampa da garrafa e deixe assim por quatro a sete horas. Transfira o líquido para um recipiente e coloque na geladeira imediatamente.

Notas

- Adicione mel ou geleia ao leite quente antes da inoculação para retirar um pouco do gosto azedo do produto final (o doce ajuda a esconder o azedo). Muitas culturas usam o iogurte como um ingrediente de saborização — como guarnição para acompanhar sopas, como um marinado, ou como base de molhos para acompanhar carnes e peixes (veja a p. 28).

- Essa receita esteriliza o leite (leite pasteurizado ainda pode ter um baixo nível de bactérias) e mantém o período de incubação por quatro horas para reduzir as chances de proliferação de bactérias relacionadas a doenças alimentares. Tal como acontece com tudo que se come, tenha em mente que se o gosto for ruim, o cheiro for estranho ou se o iogurte olhar para você e contar uma piada, provavelmente não está próprio para o consumo. (O inverso, infelizmente, não é verdade: só porque algo tem um cheiro normal não quer dizer que seja necessariamente seguro.) Se você se sente confortável com algum risco na comida, incubações maiores resultarão em um sabor mais forte e desenvolvido. As receitas tradicionais simplesmente deixam o leite coberto durante toda a noite para fermentar.

- Os iogurtes naturais tendem a ser finos e mais líquidos, o que pode não ser de seu agrado. Para um iogurte grosso estilo grego, coloque-o em um coador sobre uma tigela e deixe coar durante a noite na geladeira. Ou, se preferir, experimente adicionar espessantes como pectina, ágar ou gelatina (veja a p. 408). Para um iogurte mais rico, tente substituir ½ xícara (chá) do leite (120ml) por creme antes de aquecer. Para dicas adicionais sobre a produção de iogurte, acesse *http://cookingforgeeks.com/book/yogurt/* (conteúdo em inglês).

Faça um banho-maria improvisado colocando uma tigela de metal dentro de uma panela e prendendo uma colher sob um dos lados da tigela para permitir que a água circule por baixo.

Amargo

A percepção do amargo, como a do azedo, veio da necessidade biológica de evitar alimentos perigosos, geralmente tóxicos. Mas o amargo tem mecanismos mais complexos. Há cerca de 35 tipos de receptores para detectar o gosto de compostos amargos, cada um encaixa-se em diferentes "chaves" químicas. Detectamos esses sinais como "amargo!" pois os diferentes receptores se conectam a uma fibra nervosa comum.

Sabemos que o gosto amargo é uma preferência adquirida — cada cultura tem diferentes preferências. Americanos e britânicos dão uma ênfase menor ao amargo quando comparados a outros, mas se aprendemos a gostar de sabores amargos devido à exposição ou por condicionamento é uma questão a ser respondida. É sabido que não gostamos de sabores amargos no início de nossas vidas. O fato de termos de "aprender a gostar" é o motivo pelo qual eles não são atraentes para as crianças: eles não aprenderam a tolerar nem gostar do amargor. Folhas de dente-de-leão, ruibarbo e alcachofra pouco cozidas têm componentes com gosto amargo. Não surpreende que eu não suportasse essas coisas quando criança; à medida que fiquei mais velho, passei a gostar do amargor de vegetais na salada.

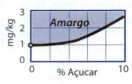

Em água pura, a limonina pode ser sentida em concentrações iguais ou superiores a 1mg/kg. É necessária uma concentração três vezes maior quando misturada em solução de açúcar a 10% (Guadagni, 1973).

O amargo também pode ser um sabor confuso. Um número surpreendente de pessoas o confunde com o ácido — cerca de um em cada oito norte-americanos descreve incorretamente ácido cítrico em água como tendo sabor amargo, e não ácido ou azedo. O café é comumente descrito como amargo, mas ele também pode ser bastante ácido, o que dá a ele um fundo ácido somado ao amargo mais forte. O amargor parece cair muito bem em outras bebidas além do café: chá-preto, lúpulo (usado na fabricação de cerveja) e noz-de-cola (dos refrigerantes) são amargos. E, como todos os alimentos amargos, são deliciosos — se você aprendeu a gostar deles.

Dicas	• Diferenças genéticas nas sensações de gosto mudam as preferências, principalmente nas crianças. Ao servir convidados, lembre-se de que nem todos compartilham o mesmo "cenário de gosto", o que muda o nível de amargor que alguém aprecia.
	• Gostos salgados e doces disfarçam o amargo. Faça um "teste para amargo" simples com água tônica, que usa o quinino como amargante e é fácil de encontrar. (Use uma sem adoçante.) Coloque-a em dois copos. Em um, adicione sal e os compare.
Para deixar algo mais amargo	• Ao contrário dos outros gostos, não temos um tempero padrão que torne as coisas amargas! Use ingredientes como folhas amargas ou cacau (veja a p. 63).
Se algo ficar muito amargo	• Aumente o sal ou o doce para disfarçar. Uma pitada de sal em uma salada que contém itens amargos ajuda a equilibrar o sabor.
	• Adicione um ingrediente gorduroso. Alguns estudos mostram que níveis moderados de gordura reduzem a sensação de amargor sem prejudicar outros gostos.

Salada de Chicória com Ovos Pochê e Bacon

A chicória-crespa — também conhecida como endívia — é uma verdura amarga usada com frequência em saladas com ovos pochê e bacon, chamada na França de Salade Lyonnaise. A gordura do lardon — basicamente, pedacinhos de bacon — e a gema do ovo moderam o sabor amargo da chicória-crespa. Experimente algumas folhas de chicória puras depois de comer a salada para perceber a diferença! Essa receita rende duas porções.

Lave **1 maço de chicória-crespa, cerca de 150g** e retire a base de modo que as folhas se separem. Use uma secadora de folhas ou seque-as com uma toalha, depois as transfira para uma tigela grande. Corte qualquer folha grande em pedaços menores.

Prepare o lardon usando **pedaços grossos de panceta ou 2 ou 3 fatias largas de bacon em pedaços**. Corte em cubos grandes. (Se estiver usando panceta salgada, ferva ligeiramente a carne para remover um pouco do sal.) Coloque a carne em uma frigideira em fogo médio–baixo e frite os lardons, virando-os de vez em quando. Quando estiverem bem dourados, desligue o fogo e transfira os lardons para a tigela, deixando a gordura que se soltou na panela.

Prepare um vinagrete usando **2 colheres (sopa) da gordura de porco (30ml) que sobrou na panela**. Adicione **2 colheres (sopa) de cebolas picadas (20g), 1 colher (sopa) de azeite de oliva (15ml), 1 colher (sopa) de vinagre branco (15ml)** (use vinagre de champanhe ou de xerez, se tiver) e **1 colher (chá) de mostarda dijon (5g)**. Adicione **sal** e **pimenta** a gosto.

Se gostar, prepare alguns croutons na frigideira, utilizando o resto da gordura que sobrou. Coloque **2 fatias de pão cortadas em cubos de 1cm** em fogo médio, chacoalhando a panela quando necessário para revirar o pão enquanto torra. Transfira os croutons para a tigela quando estiverem prontos.

Derrame o vinagrete sobre as folhas na tigela e misture as folhas, os lardons e os croutons opcionais.

Prepare **dois ovos pochê** (veja a p. 193 para instruções). Para servir, coloque uma porção da salada de chicória-crespa em um prato e então coloque um ovo pochê por cima.

Gosto, Cheiro e Sabor

Endívia Belga

Corte **uma endívia** em quatro partes idênticas e coloque-as em uma assadeira ou panela que possa ir ao forno. Polvilhe com **açúcar** e derrame um pouco de **manteiga derretida** ou **azeite de oliva** por cima.

Transfira a assadeira para um grill ou coloque-a sob o grill do forno por alguns minutos, até que a endívia comece a amolecer e as pontas das folhas fiquem douradas.

Sirva com queijo azul (roquefort ou gorgonzola) ou use as endívias como acompanhamento para um peixe de sabor mais pronunciado.

Agradável (Umami)

Os gostos agradáveis, conhecidos como umami, geram sensações de estalar os beiços, que são a característica dos alimentos ricos. Pizzas, carnes e queijos envelhecidos como o parmesão tendem a ser ricos em componentes agradáveis, assim como os bons caldos, cogumelos e tomates. Embora os gostos agradáveis sejam menos discutidos na cozinha ocidental do que os descritos até agora, eles são fundamentais na japonesa. Os receptores de gosto umami só foram descobertos recentemente; em 2002, pesquisadores encontraram um mecanismo para eles similar aos receptores para doces, terminando com qualquer argumento de que o umami não seja um gosto legítimo.

Não consegue formar uma memória de um gosto umami? Faça um simples caldo reidratando uma colher (sopa) de shiitake em 1 xícara (chá) de água fervente (240ml). Deixe os cogumelos cozinharem por 15 minutos. Experimente o líquido; ele terá uma alta concentração de ácido glutâmico dos cogumelos. (Ou dissolva uma pequena quantidade de glutamato monossódico ou GMS em um copo d'água, mas ele também estará salgado devido ao sódio.)

A ênfase japonesa em gostos umami é uma peculiaridade da geografia, do clima e das plantas que disso resultam. A cozinha japonesa é a única a fazer uso consistente e extensivo das algas marinhas, muito ricas em glutamato. Esse composto, na forma de ácido glutâmico, foi identificado em 1908 pelo químico japonês Kikunae Ikeda. Ele usou inicialmente a palavra japonesa para saboroso, *umai*, para descrever como ele aumentava a sensação de outros gostos, sugerindo o nome *umami* e depois "gosto glutâmico". Embora já o tivessem descrito — o gastrônomo britânico Jean Anthelme Brillat-Savarin falou sobre isso quase um século antes, sobre a *osmazoma* —, foi Ikeda quem o isolou e tornou público.

Para um paladar ocidental típico, gostos umami são mais sutis que os quatro ocidentais primários. Isso não é surpresa, pois poucos ingredientes cotidianos usados na culinária ocidental têm substâncias ativadoras de gosto que acionam a sensação agradável. Molhos como ketchup são fontes típicas de sabores umami; itens como molho de soja também. (O ketchup moderno é uma festa para o paladar: doce, salgado, agradável e até um pouco azedo, mas não amargo — não admira que as crianças adorem!)

Do ponto de vista biológico, os receptores umami da língua captam nucleotídeos e aminoácidos como o glutamato. O glutamato — o mesmo glutamato do glutamato monossódico — é o componente mais comum que ativa o gosto umami. Embora Ikeda tenha descrito inicialmente a sensação como a do glutamato, ela é, na verdade, um fenômeno mais amplo. Inosinato, guanilato e aspartato também são comuns nos ingredientes. De modo pragmático, porém, a maneira mais fácil de acrescentar um gosto umami é usando ingredientes ricos em glutamato livre. (Ele dissocia-se para se ligar aos receptores da língua; o glutamato fixo não é detectado com facilidade.)

Por que sentimos compostos como o glutamato? Ao contrário dos outros gostos, não temos uma predisposição biológica para sensações umami, embora gravitemos ao redor delas. Presumivelmente, houve uma vantagem evolutiva para garantir que

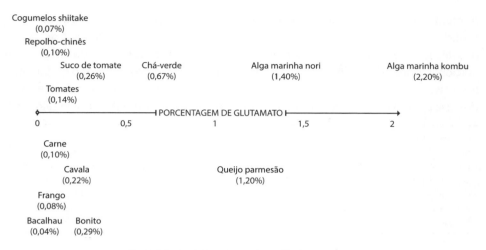

Conteúdo de glutamato em ingredientes comuns.

comêssemos alimentos ricos em proteínas, já que eles fornecem os aminoácidos necessários para construir e reparar o tecido muscular. A primeira coisa que a maioria de nós experimenta na vida — o leite materno — tem quantidades surpreendentemente altas de glutamato. Assim como o gosto doce e o salgado são associados com atributos positivos da comida (energia rápida no caso do açúcar e um elemento essencial para regular a pressão arterial no caso do sal), nossa necessidade por gostos umami garante a ingestão de aminoácidos em quantidade suficiente. Independente disso, vale tentar compreender o gosto umami por seu valor hedonista.

Há muitas fontes naturais de glutamato. O apreço dos britânicos e australianos pelo vegemite deve-se ao toque de umami. Muitos pratos tradicionais japoneses pedem o dashi, um caldo feito com itens ricos em glutamato natural, como a alga kombu (2,2% de glutamato por peso). Preparar o dashi é fácil: em uma panela, coloque 3 xícaras (chá) de água fria (720ml) e uma tira de kombu (alga parda seca) de 15cm e deixe a mistura descansar por 10 minutos. Coloque em fogo brando até ferver. Remova o kombu pouco antes de a água começar a ferver e adicione 10g de flocos de bonito (flocos do peixe bonito secos e defumados). Coloque a água para ferver, retire do fogo e coe os flocos de bonito. Este líquido é o dashi. Para fazer sopa de missô, adicione pasta de missô, tofu picado e (opcionalmente) cebolinhas fatiadas, nori ou wakame.

O glutamato está naturalmente presente em muitos outros alimentos — por exemplo, na carne de boi (0,1%) e no repolho (0,1%). E se você é como a maioria dos geeks e pizza faz sua boca salivar, pode ser por causa da presença do glutamato nos ingredientes: queijo parmesão (1,2%), tomate (0,14%) e cogumelos (0,07%). Além de usar ingredientes naturalmente ricos em compostos de glutamato, você pode adicionar glutamato diretamente à comida usando o monossódico. O GMS é para o gosto umami o que o açúcar é para o doce: como substância química, é praticamente inodoro (porém cheio de sabor!), mas ele ativa os receptores da língua.

Gosto e Sentido Gustativo

Aumentar a sensação de sabor tem um benefício extra: aumenta nossos outros sentidos de gosto. O sabor aumenta a sensação dos componentes do gosto de sal e dos doces, o que significa que você pode diminuir a quantidade de sal de um prato se adicionar ingredientes umami ou usar glutamato monossódico. (Se usar o glutamato monossódico, você deve reduzir o sal de qualquer forma, porque ele se dissolve e se dissocia em um íon de sódio e glutamato, e o íon de sódio aumenta o gosto salgado.)

A sensibilidade ao glutamato monossódico, chamada de complexo de sintomas do GMS pela comunidade médica, afeta temporariamente em torno de 1 a 2% das pessoas. Indivíduos intolerantes, ao receberem 3 gramas de GMS sem qualquer outra comida, podem experimentar sintomas passageiros como dores de cabeça, dormências, ou vermelhidão cerca de 1 hora depois. As quantidades de GMS adicionadas aos alimentos geralmente não ultrapassam 0,5 gramas, e estudos controlados duplo-cego com placebos deixam muitas dúvidas a respeito dos indivíduos que afirmam ser sensíveis.

Dica	• Para pratos com vegetais e cozinha vegetariana, adicione ingredientes ricos em glutamato para melhorar o sabor geral.
Para deixar algo mais umami	• Use ingredientes como milho, tomates, queijo parmesão ou molho de soja. • Utilize técnicas culinárias que aumentem os componentes umami (por exemplo, cura e fermentação de alimentos como bacon, molho de soja e de peixe aumentam os níveis de glutamato desses ingredientes). • Adicione GMS, dependendo de como você se sente com relação a ele. (A "síndrome do restaurante chinês", em que o GMS causaria reações alérgicas, é um placebo completo — nenhum estudo controlado o replicou até hoje — mas os efeitos placebo podem ser fortes!)
Se algo ficar muito umami	• Não há uma ação contrária eficaz. Tente diluir.

Edamame

Palavra japonesa para "feijões em galhos", o edamame — grãos jovens de soja que foram cozidos no vapor e às vezes ligeiramente salgados — é um excelente aperitivo umami para antes das refeições. Retirar os grãos de dentro das favas é um adorável começo para o jantar. O edamame é tradicionalmente vendido ainda no galho (procure por eles dessa forma em um mercado de alimentos asiático), mas para a maioria de nós ele é encontrado mais facilmente na seção de frigoríficos nos bons supermercados.

Para prepará-lo, você pode jogar o **edamame** em **água fervente salgada** e cozinhar entre 2 e 5 minutos, ou cozinhá-lo no micro-ondas usando um recipiente tampado com **¼ de xícara (chá) de água (60ml)**, por 2 a 5 minutos. Coloque **sal** antes de servir. Tente refogar as favas fechadas em **azeite de oliva** com **alho amassado e molho de soja**.

Ardido/Condimentado, Refrescante e Outras Sensações Gustativas

Além das sensações primárias de gosto, nossas papilas gustativas também registram um conjunto de sensações relacionadas às propriedades químicas de alguns alimentos que, com a exposição, aprendemos a apreciar. Em aplicações culinárias, a *chemesthesis* — sensações causadas por compostos químicos — contribui para o gosto de tudo, das pimentas ardidas ao alho pungente até as balas de menta.

As sensações picantes e condimentadas são a forma mais comum de chemesthesis culinária. Compostos como a capsaicina das pimentas fortes tanto irritam as células como ativam o mesmo mecanismo utilizado para detectar temperaturas quentes, usando um neurotransmissor chamado substância P (P, de pain, dor, em inglês). Em uma das atitudes mais sutis da natureza, a substância P pode ser retirada lentamente e demora um tempo — muitos dias, provavelmente semanas — para ressurgir, o que significa que se você sempre comer alimentos apimentados, sua capacidade de detectar a capsaicina diminui. Por causa disso, perguntar para alguém se um prato está picante nem sempre informa se é seguro atacar; ele pode comer alimentos apimentados com frequência. Além disso, à medida que você se expõe à comida apimentada, vai precisar mais e mais dos ingredientes para deixá-la apimentada no mesmo nível.

As sensações picantes e condimentadas podem ser ativadas sem confundir o mecanismo de detecção de temperaturas altas. Alho, wasabi e mostarda podem causar uma reação forte e abrasadora, assim como alguns queijos franceses com cheiro forte que têm qualidades agudas e cáusticas. Algumas pimentas causam uma sensação pungente e anestesiante.

A chemesthesis inclui outras sensações além da picante e pungente. As balas de hortelã retiram sua refrescância do mentol, naturalmente presente em óleos de plantas como a hortelã. O mentol ativa os mesmos caminhos nervosos que as temperaturas baixas, e é por isso que uma bala ou um chiclete de hortelã pode causar reações de frio e formigamento.

Nossas bocas também capturam dados para aspectos de irritação oral. A adstringência, uma reação de secura e enrugamento, aparece quando certos compostos (normalmente polifenóis) secam a boca, por se ligarem a proteínas na saliva que normalmente promovem a lubrificação. As bebidas carbonatadas também causam irritação celular, e ao mesmo tempo disfarçam outros gostos. Beba um pouco de água

O espilantol, ingrediente ativo da flor comestível sichuan (conhecida no Brasil como Jambú ou agrião-do-pará e que não tem nenhuma relação com as pimentas sichuan), ativa receptores que causam a sensação de dormência e formigamento. Os "botões" são na verdade as flores da planta *Acmella oleracea*. A reação de formigamento é como a de lamber os terminais de uma bateria de 9 volt — uma sensação curiosa, se você estiver disposto a gastar em uma compra online.

gaseificada, e depois a "desgaseifique" (tampe-a, agite a garrafa e reabra com cuidado para deixar escapar o gás). Dependendo da marca, você vai ficar chocado com como a água sem o gás é salgada. (A carbonatação também interage com a enzima anidrase carbônica 4 para ativar os receptores de gosto ácido, mas ainda não está claro por que ela não tem gosto ácido para nós.) Comidas ácidas podem também causar irritação oral, embora menos notáveis do que muitas outras sensações gustativas envolvidas na chemesthesis.

A maioria das culturas europeias não considera que o ardido/condimentado seja um gosto primário; outras culturas, como a Tailandesa, sim, e as práticas da medicina ayurvédica no subcontinente indiano definem "quente" como uma parte das prescrições alimentares básicas. Por que a diferença? Uma teoria sugere diferenças genéticas entre os receptores dos europeus e dos nativos de outras regiões (quanto mais células receptoras, mais células para serem irritadas).

Dica	• Comidas condimentadas diminuem a percepção para doce e salgado; e, enquanto aumentam a detecção de alguns odores, diminuem a de outros.
Para deixar algo mais condimentado	• Use ingredientes picantes, como a pimenta-preta (levemente pungente devido à piperina) ou a pimenta-de-caiena (capsaicina).
Se algo ficar muito condimentado	• A capsaicina é uma molécula apolar (veja a p. 398), por isso ingredientes açucarados e gordurosos são mais aptos a neutralizá-la, ao passo que tomar água pouco reduz a sensação de queimação. Laticínios funcionam bem por vários motivos: a caseína se liga à capsaicina e os açúcares da lactose ajudam a dissolvê-la. Se um prato está muito apimentado, o ideal é adicionar leite; ou adicione algo com açúcares ou gorduras para suavizá-lo.

Faça você mesmo: a Escala Scoville

Wilber Scoville, um farmacêutico americano, passou muito tempo na virada do século XX tentando descobrir como extrair compostos das plantas. Sua contribuição mais importante é um teste organolético — que se baseia nos sentidos — para medir a quantidade de capsaicina nas pimentas fortes. Testes organoléticos não são muito precisos (o que uma pessoa sente pode mudar ao longo do tempo e ser diferente do que outra pessoa sente), mas eles têm a vantagem de que você pode realizá-los em casa.

O método de Scoville, publicado pela primeira vez em 1911, é fácil, e utiliza pós desidratados de várias pimentas (também conhecidos como capsicum): "Um grão (64,8mg) de capsicum moído é macerado durante a noite em 100ml de álcool (78,9g), e depois de agitado, filtrado. Esta solução alcoólica é em seguida adicionada à água adoçada em proporções definidas até que uma pungência fraca, mas distinta, seja perceptível na língua". Ele não especifica quanto açúcar usar na "água adoçada", mas 10% de açúcar na água é um começo razoável, se quiser tentar. Quanto ao álcool, use um de grão neutro como vodca. Para determinar a tabela de Scoville para uma pimenta, calcule quanto a pimenta moída foi diluída na solução onde se pode apenas detectar sua presença. Use algumas variedades de pimenta para que possa fazer comparações!

Chocolates Mentolados

A abundância de doces feitos de açúcar e mentol cobertos com chocolate é prova suficiente da popularidade da sensação refrescante do mentol. Tente fazer o seu, usando chocolate de boa qualidade.

Em uma tigela, meça e misture até que os ingredientes se tornem uma pasta espessa e consistente:

- 1 xícara (chá) de açúcar refinado (120g)
- 1 colher (sopa) de manteiga em temperatura ambiente (15g)
- 2 colheres (chá) de leite ou xarope de milho (10ml) (use xarope de milho se quiser um centro mais cremoso e menos duro)
- 2 colheres (chá) de extrato de hortelã (10ml)
- 1 colher (chá) de açúcar (5g)

A seguir, molde a pasta no formato que desejar seus doces. Há várias maneiras de fazer isso. A mais fácil é enrolar a pasta em bolas pequenas (como brigadeiros); você também pode fazer um rolinho com a pasta e cortar em rodelas grossas. Depois que os modelar, deixe-os descansar por uma hora ou duas para secar um pouco, ou coloque-os no freezer por 30 minutos para ficarem firmes.

Em outra tigela, derreta de **110g a 220g de chocolate amargo**, seguindo as instruções para temperá-lo (veja a p. 157). Se você não se importar em trapacear, pode usar cobertura para doces, que tem gorduras diferentes em lugar da gordura de cacau e não precisa ser temperada.

Com a ajuda de um garfo (aqueles de plástico sem os dentes do meio funcionam muito bem), mergulhe os confeitos de hortelã no chocolate, vire-os para cobrir os dois lados e depois dê batidinhas com o garfo na borda da tigela para afinar a cobertura. Transfira os doces para um prato ou forma de cookie forrada com papel-manteiga ou parafinado e deixe descansar em temperatura ambiente. (Colocá-los no refrigerador ou no freezer não vai deixar que o chocolate pegue o tempero corretamente!)

As fábricas comerciais usam uma infinidade de truques para fazer doces. Pegue um After Eight, por exemplo, com seu centro líquido: os fabricantes preparam o recheio misturando uma enzima, a invertase, com o açúcar. Depois de alguns dias, essa enzima quebra as moléculas de açúcar (sacarose) em açúcares mais simples (frutose e glicose), que são um tanto viscosos. (Veja a p. 432 para saber mais sobre enzimas.) Não espere conseguir replicar com perfeição seu chocolate mentolado favorito!

Laboratório: Diferenças Genéticas de Paladar

Como saber se você e eu sentimos gostos e cheiros da mesma forma? Imagine que você está preparando um jantar com a família ou com amigos e começa uma discussão sobre as verduras precisarem de mais sal. (Eu sei, o sonho de todos os pais.) Para uma pessoa elas não estão suficientemente salgadas, enquanto que para outra já estão salgadas demais. Ou então você experimentou uma receita de frango que leva coentro (veja a p. 28) e ficou com um gosto horrível. O que está acontecendo aqui?

Assim como as variações genéticas levam as pessoas a terem cores de olhos diferentes, existem variações em nossas papilas gustativas e receptores de aromas. Aqui estão três diferentes experimentos de gosto que você pode fazer para ver como alguns de nossos genes para gosto e aroma se sobrepõem. A ordem dos testes não importa, mas sugiro que faça o do doce de menta por último para terminar com um gosto agradável.

Primeiro, pegue esse material:

Teste 1	Algumas folhas de coentro	
Teste 2	*Ou:* Tiras de teste de PTC/PROP (procure na internet por "teste de papel de superdegustador" ou acesse http://www.cookingforgeeks.com/book/supertaster/ — conteúdo em inglês)	*Ou:* 1 vidro de corante azul para alimentos, 1 cotonete ou colher, 1 folha de papel de fichário (isso é, uma folha com quatro furos com 8mm de diâmetro) dobrada de forma que você fique com um pequeno pedaço de papel com um furo, 1 espelho, ou um parceiro que esteja disposto a ficar olhando para a sua língua
Teste 3	1 bala de menta — ela perde potência com o tempo, então arrume uma fresca!, 1 xícara de água ou outra bebida para enxaguar a boca	

Preparo:

Teste 1: Cheiro de coentro

1. Tape o nariz, e então mastigue o coentro. Observe a sua reação.
2. Solte o nariz e respire. Observe que odores você sente.

Teste 2: Versão PTC/PROP

1. Coloque a tira de testes na língua e deixe descansar por alguns segundos.
2. Observe que sensações de gosto você tem. Ela é forte, moderada, ou tem a sensação agradável de papel molhado?

Teste 2: Versão corante alimentício azul

Se não tem tiras de teste, você pode colocar a língua para fora (tudo em nome da ciência, é claro).

1. Coloque uma gota de corante azul para alimentos no cotonete ou na colher.
2. Marque a língua com ele. Tome um gole de água para retirar um pouco da tinta.
3. Procure por pontos na língua — você deverá ver pontos rosados rodeados por azul-escuro. (Os pontos rosados são papilas fungiformes — pequenas projeções na ponta da língua que têm papilas gustativas —, que não são coloridas pelo corante; é possível não ver nenhuma.)

82   Cozinha Geek

Laboratório: Diferenças Genéticas de Paladar

4. Escolha a área em que há mais pontos, normalmente a porção frontal da língua. Coloque o pedaço de papel de modo que você possa ver o ponto através do buraco.
5. Usando um espelho ou a ajuda de um parceiro, conte o número de pontos rosados visíveis.

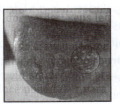

É isso que você vê quando tenta contar os pontos em sua língua. Há cerca de 12 pontos nesse exemplo.

Teste 3: Sensibilidade trigeminal

1. Coloque a bala na boca e feche-a (não deixe a boca aberta e não mastigue!).
2. Espere mais ou menos meio minuto e dê chance à saliva de amolecer e quebrar a bala.
3. Morda a bala sem abrir a boca. O que você observa? É uma sensação forte ou moderada?
4. Respire pela boca e veja como o sabor muda.

Hora da investigação!

O que você observou nos três testes? Alguma surpresa? Como acha que as diferenças no gosto mudam a forma que as pessoas comem? Como a sensibilidade aumentada a alimentos amargos mudaria quanto ou como alguém tempera as coisas?

Algumas coisas que você deve ter sempre em mente:

- 1 entre 10 pessoas vai sentir o cheiro do coentro de forma diferente.
- Para o teste do corante azul, se você contou mais de 30 papilas, você provavelmente é um superdegustador. Degustadores normais tendem a ter entre 15 e 30 papilas, enquanto que os não degustadores têm menos de 15, em média. Aproximadamente 25% das pessoas são não degustadoras, 50% são degustadoras normais e 25% são superdegustadoras.
- O teste da bala de hortelã vai dar uma noção geral de quão sensível você é à estimulação trigeminal. Se a sensação de frescor for muito forte, tipo muuuito forte, você provavelmente possui sensibilidade trigeminal. Se mal perceber alguma coisa, provavelmente possui uma sensibilidade leve. A maioria das pessoas, no entanto, sente o efeito de frescor entre os dois extremos.

Crédito extra:

Nossos sentidos podem diferir por razões além das genéticas: doenças podem prejudicar os sentidos, tanto temporária quanto permanentemente. Um dos testes mais rápidos para danos nervosos relacionados ao gosto é molhar um dedo e mergulhá-lo em um pote de café instantâneo, de preferência um expresso bem amargo. Lamba o dedo e depois engula, prestando atenção às sensações que observa. Você sente uma sensação amarga na língua ou há uma mudança brusca na sensação quando engole? Se isso acontecer, o nervo que transmite sinais da parte frontal da sua língua (o nervo facial) provavelmente está danificado, enquanto que o nervo que transmite sinais da parte posterior da língua (o nervo glossofaríngeo) está funcionando.

Inspiração pela Combinação de Gostos

As combinações de ingredientes podem mudar o sabor do que comemos de uma forma surpreendente. Uma pitada de sal pode mudar o sabor de um prato reduzindo o amargor, o que por sua vez aumenta a percepção da doçura. Esse tipo de interação é o motivo pelo qual adicionar um ingrediente que dê sabor ao prato pode também equilibrar e aumentar a sensação de sabores agradáveis.

A maioria das combinações de paladar — salgado + doce, amargo + doce — também altera os sabores. Isso é algo extraordinário! As mudanças nos paladares, que a língua detecta, podem mudar os aromas detectados pelo nariz. Os sistemas gustatório e olfativo são imaginados como independentes, mas há um cruzamento. Mesmo em níveis imperceptíveis, pequenas quantidades de pimenta-de-caiena podem aumentar nossa capacidade de detectar aromas de itens aparentemente desvinculados, como uva na geleia. Nossos sentidos são um sistema complicado, com limiares e intensidades nos quais percebemos compostos alterados por outros.

Ao cozinhar, experimente o que está preparando e pergunte-se que sensações são muito fortes ou fracas. Às vezes, é fácil consertar: frutas frescas sem muita graça podem ser polvilhadas com açúcar (morangos), com sal (toranja), ou regadas com limão (papaia, melancia e pêssegos). Soluções mais inspiradoras combinam ingredientes com gostos primários diferentes (melancia doce e queijo feta salgado). Tente usar combinações não tradicionais a gosto: morangos e pimenta-do-reino? Manga com jalapeños e coentro? Misturar combinações básicas de paladares pode ser muito inspirador.

Combinações de paladares vão além das definições clássicas de gostos. Experimente ingredientes picantes com outros gostos básicos. Condimentado + doce? Asas de frango fritas! Misturar gorduras também pode mudar os gostos, já que os compostos com capsaicina são lipossolúveis. Experimente abacate e molho sriracha, conhecido como o "molho do galo", por causa do desenho na garrafa de uma marca popular. O molho sriracha, afirmam, pode melhorar qualquer comida sem graça, mas esteja avisado: ele pode atropelar você como um trem de carga se você abusar!

Adicionar uma pitada de sal ou açúcar, ou ¼ de colher (chá) de pimenta-de-caiena (5g) pode não fazer com que a comida pareça mais salgada, doce ou apimentada, mas pode mudar o sabor! Você pode não notar a mudança enquanto cozinha. Se provar a comida focado em um aspecto, provavelmente não perceberá mudanças em outros. O campo da análise sensorial — percepções de medidas dos sentidos humanos — é fascinante e complexo.

Muitos alimentos são combinações de três ou mais gostos primários. O ketchup, por exemplo, é surpreendentemente complexo, com gostos umami (tomate), ácidos (vinagre), doces (açúcar e tomate) e salgados (sal). Se combinar gostos em um prato se tornar um desafio, sirva dois componentes separados lado a lado, de forma que complementem um ao outro.

Salada de Verão de Melancia e Queijo Feta

Na temporada das melancias, experimente essa salada simples para sentir o contraste de sabores entre o sal do queijo feta e a doçura da melancia.

Em uma tigela, junte e misture:

- 2 xícaras (chá) de melancia em cubos ou em pedaços (300g)
- ½ xícara (chá) de queijo feta cortado em pedaços pequenos (120g)
- ¼ de xícara (chá) de cebola roxa cortada bem fina, lavada e seca (40g)
- 1 colher (sopa) de azeite de oliva (14ml) (extravirgem, para dar gosto)
- ½ colher (chá) de vinagre balsâmico (3ml)

Nota

- Tente usar uma colher (chá) ou duas de suco de limão no lugar do vinagre como fonte de acidez. Como alternativa, brinque com os paladares adicionando azeitonas pretas (salgado), folhas de menta (refrescante) ou flocos de pimenta calabresa (condimentado), pensando em como cada variação transforma os sabores.

O jeito mais fácil de cortar uma melancia em cubos: use uma faca para fazer uma série de cortes paralelos em uma direção e então faça o mesmo nos outros dois eixos.

Combinação	Exemplo de ingrediente	Exemplo de combinação
Salgado + ácido	Picles Casca de limão em conserva	Molhos de saladas
Salgado + doce	Algas marinhas (levemente doces devido ao manitol)	Melancia com queijo feta Banana com queijo cheddar forte Melão e parma Pretzels cobertos com chocolate
Ácido + doce	Laranjas	Suco de limão e açúcar (como limonada) Milho assado com suco de limão
Ácido + amargo	Oxicocos Toranja (ácida devido ao ácido cítrico; amarga devido à naringina)	Negroni (drinque com gim, vermute, Campari)
Amargo + doce	Salsa amarga Maçã verde	Chocolate meio amargo Café/chá com açúcar/mel
Amargo + salgado	(N/A)	Couve refogada com sal Folhas de mostarda com bacon Melão amargo frito

Inspiração pela Combinação de Gostos

Linda Bartoshuk: Paladar e Prazer

Linda Bartoshuk é uma psicóloga americana que estudou extensivamente como as diferenças genéticas e as doenças afetam os sentidos do olfato e do paladar. Ela é mais conhecida por suas descobertas sobre os superdegustadores.

Em que momento você se viu estudando aromas e paladar?

Eu estudava filosofia e estava fascinada com epistemologia — como aprendemos o que sabemos? Comecei a me interessar em comparar sensações gustativas de uma pessoa com as de outra, o que é uma questão filosófica interessante. Se pensarmos sobre isso, você e eu não podemos compartilhar experiências. Como posso saber o que você sente quando experimenta algo, ou sente dor, ou qualquer outra tipo de sensação?

Eu penso em escalas de indicação — em uma escala de 1 a 10 — ou em testes de discriminação em que você recebe um conjunto de amostras e pedem a você que as classifique.

Procedimentos de classificação dão alguma informação, mas não dizem o que alguém está sentindo. Deixe-me dar um exemplo com dor. Se você está no hospital, uma enfermeira vai perguntar a você qual é o seu nível de dor de 1 a 10. É uma escala razoável para descobrir se a sua dor melhora ao tomar um analgésico. Mas a sua dor é a mesma que a pessoa a seu lado? Não, porque você não sabe o que significa 10 para aquela pessoa. Solucionar esse problema levou a descobertas como a dos superdegustadores, pessoas que sentem o gosto das coisas com mais intensidade do que outras.

Como você compara as diferenças de gosto entre as pessoas, principalmente com algo como a superdegustação quando há vários níveis?

Pedimos a eles que comparem o gosto com algo que não tem nenhuma relação com o paladar. Vou dar um exemplo: reunimos várias pessoas e olhamos suas línguas. Podemos ver uma estrutura da língua chamada papila fungiforme; são as saliências maiores visíveis na língua e uma estrutura que abriga as papilas gustativas. Então pegamos um grupo de pessoas que têm muitas papilas fungiformes e outro com pessoas que têm poucas. Depois colocamos fones de ouvido em nossos sujeitos e pedimos que comparem a doçura de um refrigerante com a altura de um som. Damos a eles um controle para aumentar e diminuir o som. As pessoas com muitas papilas gustativas vão girar o botão até os 90 decibéis; os sujeitos com menos papilas irão baixá-lo para 80 decibéis. Uma diferença de 10 decibéis significa o dobro da altura, então demonstramos que as pessoas com muitas papilas fungiformes e, portanto, com muitas papilas gustativas, comparam a doçura de um refrigerante a um som duas vezes mais alto. Agora você pode dizer: "Talvez a audição deles seja diferente". Bem, não temos nenhum motivo para pensar que a audição é relacionada ao paladar, e se estivermos certos, em média, aqueles com mais papilas sentem o dobro da doçura. Para termos segurança, usamos a altura do som e vários outros padrões.

Sabemos muito sobre os superdegustadores. Se você é um superdegustador e experimenta açúcar, ele será duas ou três vezes mais doce para você do que é para mim, porque eu não sou uma superdegustadora. Estou exatamente na outra ponta. A metáfora que usei é a visão: eu sinto em tom pastel e superdegustadores sentem em neon.

Isso significa que você não sente tanto prazer na comida quanto os superdegustadores?

Bem, gostar de comida vai muito além da biologia. Tem muito a ver com experiências anteriores e nós temos uma tendência a gostar do que já experimentamos antes. Eu não gostaria de ser uma superdegustadora porque gosto do mundo em que vivo.

Eu amo cookies de chocolate. Não posso imaginar que gostaria mais deles se fosse uma superdegustadora, mas, é claro, não posso afirmar porque não compartilho dessa experiência. Contudo, podemos usar nossos novos métodos para comparar o prazer que as pessoas sentem com as coisas. Cookies de chocolate provavelmente dão aos superdegustadores um pouco mais de prazer do que me dão, se formos medir em uma escala de prazer. Em geral, os superdegustadores têm mais prazer com suas comidas favoritas do que os não superdegustadores.

De onde vem a associação de prazer à comida?

Achamos que deve ser aprendido. A crença mais comum agora é que toda sensação de odor é aprendida. Às vezes o odor é associado ao que consideramos uma sensação primária, que chamamos de "determinado geneticamente". Você nasce amando açúcar, então você pode tornar um odor agradável ao associá-lo ao do açúcar. Você pode também pegar algo como odor de carne, os odores de coisas que são primariamente associadas a gorduras. O cérebro quer que você coma gordura porque você precisa das calorias. O cérebro nota que a gordura que ele detecta no estômago chegou associada a um odor particular. E ele quer que você coma gordura, por isso faz com que goste daquele odor, porque aquele odor foi associado a algo que ele quer: gordura. E esse é o mecanismo de uma preferência condicionada. É por isso que a psicologia experimental tem tanto a dizer sobre por que gostamos de certas comidas. É resultado de um sistema; há regras para isso.

Se você quisesse fazer alguém ter mais prazer na comida, como faria?

O condicionamento avaliativo estuda a transferência de um estímulo para o outro. O olfato é particularmente interessante já que transferimos muitas sensações com o odor. Você quer fazer com que alguém goste de um novo prato? Associe o odor daquela comida com uma situação agradável, como comer com alguém de quem goste. No futuro, você vai gostar mais desse prato porque o comeu pela primeira vez com alguém que gostava.

Isso foi uma questão de exame que eu costumava usar quando estava dando um curso sobre comportamento alimentar. Eu perguntava aos estudantes: "Você é um químico e acaba de inventar um novo odor que nunca existiu". E isso é possível. "Agora, você quer que seu novo odor seja divulgado pelo presidente da companhia. Como você faz para que o presidente goste do odor?" As respostas eram muito criativas.

"Faça com que a namorada dele o use como perfume". "Ele gosta de beisebol, então espirre o odor na cadeira dele quando ele for a um jogo". "Coloque-o em sua comida preferida". Todas essas respostas são casos de transferência de sensação. Você associa algo neutro com algo que é apreciado, e o estímulo neutro passa a ser apreciado.

É por isso que gostamos de certas combinações de sabores?

Você pode pensar nisso do ponto de vista do prazer. Por exemplo, se pegar pato e acrescentar laranja, será uma combinação maravilhosa. Framboesa com chocolate é outro par que temos tendência a gostar. Por outro lado, se adicionasse chocolate ao pato — isso não seria tão interessante — ou framboesa com laranja. Se pensarmos no prazer do olfato e como isso é adquirido, acredito que haja uma estrutura a que não necessariamente prestamos atenção. Por exemplo, a laranja é agradável a princípio porque está associada à doçura. O pato a princípio é agradável porque está associado à gordura. Gostar do odor da laranja não é inato; você aprende a gostar dele através da associação com o doce. E o odor do pato também; você aprende a gostar dele associando-o à gordura. Associar odores que adquiriram uma sensação de modos diferentes pode produzir uma sensação mais intensa.

Como isso se liga às combinações de gosto — no sentido gustatório?

Conhecemos as regras da mistura de gostos. Sabemos o que acontece se você combina doce, salgado, azedo e amargo. Quando você junta duas coisas que têm um gosto comum, eles se somam. Como o açúcar da sacarina e do açúcar de mesa; eles irão se somar. Mas se você junta dois gostos diferentes, como, por exemplo, o doce do açúcar e o amargo do quinino,

eles vão diminuir um ao outro. Então a regra é essa: sempre que juntarmos duas qualidades de gosto diferentes, eles se suprimem. Se você pensar, esse pode ser um mecanismo muito legal. Pense em um molho chinês bem complexo que leva vinagre, molho de soja, um pouco de açúcar e gengibre, claro, para um sabor agradável. Se eles fossem somados de forma linear, seu cérebro explodiria.

No paladar, você tem uma poderosa supressão da mistura, o que mantém o gosto em um nível razoável. Do contrário, toda vez que você tivesse um gosto complexo, seria muito, muito mais intenso, e isso provavelmente não seria útil, já que é mais importante no mundo identificar objetos diferentes de acordo com o gosto deles. Você não quer que os gostos sejam somados de forma linear. No olfato, é ainda pior. Pense nos diferentes odores que você pode misturar em uma combinação. Se eles se somassem linearmente, cada mistura complicada seria incrivelmente intensa e cada cheiro individualmente seria fraco. Não é assim que funciona. No olfato, você tem supressões entre os componentes, de uma forma ainda mais poderosa do que com o paladar.

Como percebemos e reagimos à comida parece muito, muito amplo. Há muito mais que paladar e aroma na comida, o que a torna muito complexa.

O amor pela comida é uma força incrível e poderosa em nossas vidas. Sabemos bastante sobre o que faz as pessoas gostarem ou não de uma comida. A biologia desempenha um papel relativamente pequeno porque a maior parte se deve às experiências.

Gosto, Cheiro e Sabor

Inspiração pela Combinação de Gostos   **87**

Comprando Sabor

Um bom sabor começa com ingredientes de qualidade. Um pêssego perfeito, fatiado e servido em um prato pode encantar, mas se o pêssego não tiver um cheiro real e parecer mais adequado para ser usado como uma bola de beisebol, há poucas chances de que ele seja realmente atraente. Aqui estão algumas dicas para fazer as compras pensando no sabor.

Use todos os sentidos. Quando precisa detectar qualidade, nariz, olhos e mãos são excelentes ferramentas. As frutas devem ter cheiro bom, o peixe deve ter pouco ou nenhum cheiro, e as carnes devem ter cheiro ameno, mas nunca ruim. Os melões devem ter cheiro doce, mas não muito (maduros demais!). A cor e a textura também são importantes: preste atenção à superfície. A forma como frutas como o pêssego e as peras cedem quando você as segura com firmeza ou aperta com suavidade diz se estão verdes, maduras ou passadas.

Conheça seus ingredientes. Seus sentidos nem sempre vão guiá-lo. Algumas frutas vão continuar a amadurecer depois de colhidas, devido à presença do gás etileno (veja a lista da p. 119), motivo pelo qual comprar bananas verdes pode ser uma boa pedida. Mas amadurecer não é o mesmo que ter sabor — uma fruta madura tem boa textura e proporção açúcar–amido, mas os componentes de sabor podem estar escassos, como os aficionados por tomate sabem.

Compras escalonadas. Compras e estocagem inteligentes podem determinar quando a fruta estará madura. Em vez de pegar um cacho inteiro de bananas, pegue meio cacho de bananas maduras e meio cacho de bananas verdes para estocá-las para quando estiverem boas. Quanto às frutas que amadurecem com etileno, como bananas e pêssegos, você pode também estocar algumas em um saco de papel para reter o gás e acelerar o amadurecimento.

Substitua em vez de comprometer. É melhor substituir alguma coisa que garanta um sabor impactante do que usar uma versão de baixa qualidade de um ingrediente específico.

Entenda a sazonalidade. Supermercados já existem há mais ou menos um século, e somente nas últimas décadas passaram a ter uma grande variedade de frutas frescas e vegetais disponíveis o ano todo. Mas produtos diferentes têm estações diferentes de crescimento, e produtos fora da temporada não serão tão bons. Se a pilha de coisas vermelhas onde se lê "tomates" no seu supermercado foi colhida antes de estarem maduros, os componentes de sabor não serão aqueles deliciosos que se formam com a maturação, e os tomates não terão um sabor agradável. Se você não conseguir tomates frescos, é melhor ficar com os enlatados, colhidos e embalados em alta temporada — além disso, ingredientes enlatados e congelados têm menor probabilidade de serem desperdiçados.

Cuidado com a propaganda. Gostamos de pensar que somos mestres do nosso destino, mas os profissionais de marketing vão lhe dizer o contrário. Pacotes com muito verde parecem mais saudáveis, mas a menos que você vá comer a etiqueta, o alimento não necessariamente terá gosto diferente. As companhias pagam para que seus produtos sejam colocados nas prateleiras mais visíveis, por isso olhe de cima a baixo para produtos alternativos que não estejam gastando tanto de seu orçamento com marketing. E cuidado com compras por impulso na viagem ao fundo da loja — há um motivo para que a seção de laticínios esteja ali! Quase todo mundo tem um item de laticínio na lista de compras, e as lojas sabem que colocar esta seção no fundo cria muitos impulsos de compras sem importância pelo caminho. Utilize uma lista de compras e deixe as crianças em casa (curiosidade: já notou que o layout da maioria das lojas faz você andar no sentido contrário ao do relógio? Isso deixa sua mão direita livre para pegar coisas enquanto empurra o carrinho com a esquerda).

Cheiro e Sentido Olfativo

O cheiro é uma ideia simples, mas complicada na prática. Idealmente, o aroma nos leva em direção ao desejável e nos afasta do que não é seguro. Mas ele faz isso em um contexto mais amplo que o culinário. Escolhendo com quem se relacionar? Ajudando crianças a identificar a mãe? Descobrindo se aquela camisa usada está limpa? Essas coisas se baseiam em nosso sentido olfativo, chamado formalmente de olfato, e sua complicação está no número de papéis que ele desenvolveu.

Apesar do senso de sabor ser limitado a algumas sensações básicas, o aroma é uma cornucópia de dados. Somos programados para detectar cerca de 360 compostos diferentes e diferenciar mais de 10 mil odores. Acrescente aspectos de intensidade, e podemos distinguir entre um trilhão de possibilidades. Nossa sensibilidade também é incrível. O nariz humano detecta alguns componentes abaixo da ordem de uma parte por trilhão. Isso seria como ser capaz de localizar um único grão de arroz enquanto vê Manhattan inteira do espaço. Sem o cheiro, os sabores das comidas seriam limitados a um punhado de gostos básicos e a vida à mesa de jantar seria muito entediante.

A forma como sentimos os cheiros é um tópico fascinante, compreendido apenas recentemente. O Prêmio Nobel de Fisiologia ou Medicina foi concedido em 2004 a dois pesquisadores, Richard Axel e Linda Buck, pelo trabalho em descobrir o mecanismo pelo qual sentimos os cheiros. Como o paladar, nossa sensação de aromas (olfato) é baseada em células sensoriais (receptores químicos) que são ativadas por componentes químicos. No aroma, eles são chamados de odorantes, e ativam as células quimiorreceptoras em nossos narizes. Mas há muito mais detalhes na história do cheiro.

À primeira vista, os receptores de cheiro e gosto trabalham de forma parecida. Assim como no gosto, receptores de odores são construídos para detectar exatamente um atributo, e cada receptor é codificado por exatamente um gene de odorante. Assim como no caso do "doce!", que os receptores de gosto são ativados por diversos componentes, diferentes compostos ativam um receptor de cheiro determinado. No caso do olfato, os receptores se localizam na cavidade nasal e respondem a compostos voláteis — substâncias químicas que evaporam, ficando suspensas no ar, de tal forma que passam pela cavidade oral, onde os receptores de odores as detectam.

A complexidade do olfato está na variedade de receptores e em sua ativação em grupos. Diferente do gosto, em que há sensações facilmente nomeáveis, o olfato tem muito mais sensações possíveis. Usamos palavras como almiscarado, floral, cítrico para descrever categorias de sensações, mas elas não vêm de um único receptor. O olfato é complicado por isso: um componente ativa vários receptores, e a combinação deles é o que registramos como um cheiro. Adicione um segundo fator — que os aromas são misturas de compostos — e você verá por que o olfato é tão complexo.

Biologicamente, um estimulante de paladar é como uma nota tocada em um piano e um odorante é um acorde. No paladar, registramos uma sensação baseada em um receptor de gosto ativado; no olfato, registramos um odorante de acordo com uma combinação de receptores. A vanilina, a molécula que dá à baunilha a maior parte de seu aroma, ativa múltiplos receptores olfativos, e nosso cérebro registra essa combinação como "parecida com baunilha". A baunilha comum é baseada em um punhado de odorantes de sua fava, e nós os detectamos de uma só vez, como acordes tocados ao mesmo tempo em uma sinfonia que registra "baunilha!".

Isso também explica o que acontece quando você sente um odor e o identifica errado. Quando algumas das notas estão "faltando", a engenhoca de pareamento de modelos do seu cérebro se põe a trabalhar e encontra seu melhor "chute". Recentemente, eu estava saindo de meu apartamento com o nariz entupido, o que diminui a capacidade de sentir cheiros. Senti cheiro de damasco, mas à medida que caminhava pelo corredor e mais odorantes chegavam ao meu sistema olfativo, o cheiro repentinamente mudou para o de tinta secando. Como pude me enganar com algo tão diferente? Apenas alguns receptores em meu nariz entupido foram ativados de início, e o acorde que tocavam era tão parecido com o do damasco que meu cérebro o completou para o mais próximo que encontrou. (Por que damasco? Não faço a menor ideia.)

O cérebro completa detalhes ausentes para combiná-los ao seu registro de experiências, e é por isso que você pode identificar esse desenho como um triângulo incompleto.

Nem todos os componentes podem ser cheirados. Para começar, eles devem ser voláteis — transformar-se em vapor através de evaporação ou ebulição. Para cheirarmos alguma coisa, ela tem que estar "no ar". Quando você desembrulha uma barra de chocolate e sente o cheiro, isso se deve a seus compostos evaporando e entrando por sua cavidade nasal. O chocolate está carregado de substâncias voláteis, enquanto sua colher de aço inoxidável tem poucas, e é por isso que você sente o cheiro de um e do outro não. A volatilidade de uma substância também muda com a temperatura, então temos mais dificuldade em sentir o cheiro de alimentos gelados. (A propósito, a evaporação dos componentes voláteis deixa a barra de chocolate mais leve com o passar do tempo, caso precise de uma desculpa para comê-la agora.)

Enquanto alguns alimentos têm naturalmente odores fortes, a maioria dos itens crus guarda seus odores até que sejam perturbados. Uma banana descascada, um pé de alface e um peixe fresco não têm muito aroma até que sejam trabalhados. O cozimento adiciona muitos odorantes, libertando compostos voláteis ou quebrando os não voláteis em novos compostos. Até mesmo picar vegetais libera odores, como sabem todos que já cortaram uma cebola. Pense na diferença de cheiro antes e depois de cortar a grama — o cheiro "verde" é um composto que estava preso na folha antes que fosse cortada.

Não é suficiente que o composto seja volátil e "libertado" para que o detectemos. Tamanho, forma e isomeria determinam se uma molécula é "cheirável" e como. Nosso sentido olfativo equivale a equipamentos de laboratório modernos, à caça de coisas específicas. Somos capazes de distinguir a diferença de único átomo — sentimos o cheiro tanto do octano como do nonano, apenas dois átomos de hidrogênio e um de carbono distantes; os odorantes primários da pera e da banana também diferem por apenas dois hidrogênios e um carbono.

Octano

Nonano

Uma surpresa do olfato é a isomeria, que diz se a molécula e sua versão espelhada são idênticas. Suas mãos esquerda e direita, por exemplo, são enantiomorfas porque têm a mesma forma, mas não são iguais. A carvona é um exemplo clássico: o composto S-carvona tem cheiro de cominho, e o R-carvona, de menta. Veja como eles são específicos!

S-Carvona

Há regras gerais para odores e compostos voláteis compreensíveis para geeks da química. As famílias dos compostos que contêm essas estruturas cheiram de forma parecida. Os ésteres são classicamente pensados como tendo cheiros de fruta. A categoria das aminas tem um cheiro desagradável e rançoso, como um peixe cru de uma semana, em que a cadaverina e a putrescina são dois dos odores mais conhecidos. E o grupo dos aldeídos tende a cheirar a mato. Essa associação dá suporte à teoria de que parte da detecção dos cheiros vem dos receptores ativados de acordo com a estrutura química de um composto volátil.

R-Carvona

Embora cheirar um composto simples não vá fazer com que você sinta o mesmo cheiro de, digamos, grama cortada, algumas substâncias são similares o suficiente para que a indústria química as use (no caso da grama, o hexenol, acetato de hexenil e metanol) como odorantes artificiais. Perfumes artificiais são usados em produtos como detergentes de roupa e balas porque são mais baratos e, em alguns casos, quimicamente mais estáveis que os cheiros originais, e, além disso, mais seguros (os naturais podem conter toxinas). O extrato artificial de baunilha, por exemplo, geralmente contém apenas vanilina, que é seu composto principal. Embora ele não tenha nenhum outro elemento da baunilha, o registramos assim e, em geral, o cheiro é agradável.

Aspectos químicos de aroma são complexos na prática, e nem falamos das diferenças individuais de detecção de odor! Aqui estão algumas diferenças de aroma que você deve considerar, principalmente ao cozinhar para os outros:

Diferenças genéticas. Assim como há diferenças genéticas para o gosto, há para o cheiro. O exemplo mais simples é o coentro: para alguns, ele é registrado como detergente de louça e é desagradável; para outros, é uma agradável adição à comida. Se você odeia coentro, está em boa companhia: Julia Child também. Sabemos que a aversão ao coentro se deve a uma ligeira variação genética (faça uma busca online sobre o tema); cerca de uma entre 10 pessoas apresenta essa variação, esse número é ligeiramente maior para as de ascendência europeia e menor para as de ascendência asiática.

Diferenças de limiares. Sabe-se que existem outras diferenças fisiológicas. As mulheres têm um número 50% maior de conexões neurológicas no bulbo olfativo que os homens, o que aumenta a habilidade feminina de detectar odores. Estas diferenças significam que existem variações nos limiares mínimos necessários para que vários odorantes sejam registrados. Como os aromas são combinações de odorantes, e diferentes aromas se sobrepõem, se sou capaz de detectar todos os odorantes no aroma, mas você é capaz de detectar apenas uma parte, é possível que eu sinta o cheiro de margaridas enquanto você sente algo parecido com fezes.

Mudanças relacionadas à idade. Assim como na visão e na audição, nosso olfato começa a deteriorar por volta dos trinta e diminui drasticamente depois dos sessenta anos. É um declínio lento e, diferente da audição e da visão, é difícil notar as mudanças, mas a perda afeta em parte nosso prazer pela comida.

Assim como ouvimos em estéreo, parece que sentimos cheiros em estéreo: usamos as narinas de maneira independente. Pesquisadores da universidade da Califórnia, Berkeley, descobriram que com uma narina tapada temos mais dificuldade em perceber cheiros, devido à falta de "comunicação entre elas".

Cruzamentos. Os sentidos de gosto e olfato não são isolados. Os odorantes podem mudar como percebemos os gostos básicos. O aroma de baunilha, por exemplo, aumenta o gosto doce de algumas coisas. Frutas como o mirtilo são "mais doces" que os morangos, no sentido que os mirtilos têm mais açúcar, mas os aromas nos morangos fazem com que os percebamos como mais doces. Experimentos mostram que cheirar comidas doces e tomar água faz com que ela fique adocicada.

Fadiga olfatória. Seja grato pela fadiga olfatória; sem ela, você sentiria constantemente quaisquer aromas de fundo que houvesse em sua casa ou enquanto estivesse andando por aí. Os cheiros começam a desaparecer depois de alguns minutos, presumivelmente à medida que o cérebro perde sintonia com eles. Grãos de café no balcão de perfumes são utilizados supostamente para recompor a fadiga, mas as pesquisas não comprovam a eficácia deste método — pelo menos não para recompor o nariz (talvez sua carteira?).

Qual a diferença entre extrato de baunilha artificial e natural?

Nos Estados Unidos, o extrato de baunilha natural deve ser feito com as favas (aprox. 10,5% do peso) em uma base que tenha pelo menos 35% de álcool etílico, enquanto o extrato artificial de baunilha tem como base a sintetização da substância química vanilina, responsável pelo aroma primário da baunilha.

Dependendo da fabricação, os extratos naturais e artificiais podem ser de difícil diferenciação, embora o que você veja na loja normalmente tenha algumas diferenças. O extrato artificial de baunilha pode ter outras substâncias (por exemplo, a acetovanilona), que muda seu aroma. Alguns desses outros componentes são descritos como "mais baunilha que a baunilha" — e são registrados como odores fortes —, então os extratos artificiais podem parecer mais fortes do que aqueles produzidos a partir da fava de baunilha.

Descrevendo Aromas

Ao contrário do que ocorre com o paladar, em que a linguagem cotidiana torna fácil descrever uma sensação como a de "salgado", para aromas pode ser um desafio. Não temos expressões para descrever morangos a não ser "parecido com morango" — o que é excelente se você comeu morangos, mas como descreveria um durião? Torrefadores de café, vinícolas e queijeiros, todos têm suas descrições específicas para o setor, mas são os químicos do sabor que realmente sabem descrever aromas.

As taxonomias descritivas aplicam rótulos aos odores como forma de classificar e agrupar comidas. A mais simples, da década de 1950, de J. E. Amoore, propõe apenas sete odores primários: canfórico (como naftalina), etéreo (como produtos de limpeza), floral (como rosas), almiscarado (como loção pós-barba), mentolado, pungente (como o ácido acético no vinagre) e pútrido (como ovos podres). Taxonomias pequenas como essa sofrem com discordâncias — o que essas definições significam? Se eu cheirasse chocolate, não teria ideia de como categorizá-lo.

Taxonomias descritivas mais modernas utilizam vocabulários maiores e são utilizadas por avaliadores treinados. Uma das mais comuns pode ser encontrada no Atlas of Odor Character Profiles (Atlas de Perfis de Características de Odores) — DS61, da American Society for Testing and Materials (Sociedade Americana de Testes e Materiais), de Andrew Dravnieks. Embora nem todos os itens listados sejam agradáveis ou relacionados a alimentos, este é um conjunto realmente diversificado e útil para analisar cheiros. Com 146 termos, a lista de Dravnieks também fornece detalhes suficientes para começar a formar um modelo significativo de odores de alimentos.

Outro sistema de classificação com adjetivos, o Allured´s Perfumer's Compendium (Compêndio de Perfumes de Allured), é usado pela indústria de perfumes, o pessoal responsável pelos cheiros de produtos que vão de detergentes até pastas de dente. Você pensa que aquele cheiro de carro novo é um acaso? Funcionários treinados cheiram os materiais que vão no interior de um carro novo para certificarem-se de que ele tem o cheiro perfeito. (Citando Matrix: "Você acha que é ar o que está respirando?") A taxonomia de Allured descreve aromas delimitados — itens familiares como banana e pêssego — e específicos como jacinto e patchouli, o que a torna menos útil para leigos.

As taxonomias descritivas estão longe de ser perfeitas. Por exemplo, tanto o limão quanto a laranja são classificados como "frutado/cítrico" na lista de Dravnieks. As taxonomias descritivas permitem a comparação entre odores, mas não são uma análise química onde a presença e as quantidades das várias substâncias são medidas. Mesmo assim, são divertidas de examinar e dão a você uma noção de como poderíamos descrever melhor os aromas se compartilhássemos de um vocabulário comum. Mesmo com uma lista como essa, descrever odores é mais um exercício literário que científico. Um amigo sommelier, cansado dos pedidos dos consumidores para que descrevesse o vinho, finalmente se cansou e disse: "Se gatinhos peidassem arco-íris, teria esse cheiro".

Cheiro e Sentido Olfativo

Atlas de Perfis de Características de Odores

Os 146 termos de odor de Dravnieks, divididos nas categorias principais, são da American Society for Testing e fornecem uma boa base para pensar sobre odores. Se você for a um encontro e quiser impressionar, essa lista é um bom ponto de partida para descrever aromas (esse queijo... tem cheiro de lençol sujo!).

Está se perguntando por que "doce" aparece como um termo para cheiro? Um cheiro doce não é a mesma coisa que um gosto doce; é uma questão de linguística. Aromas doces estão relacionados a odorantes à base de álcool lançados em frutas doces.

Comuns	Doce, fragrante, perfumado, floral, colônia, aromático, almiscarado, incenso, amargo, bolor, suado, leve, pesado, fresco/refrescante, quente
Ruins	Fruta fermentada/podre, enjoado, mofado, pútrido/ruim/deterioração, animal morto, cheiro de rato
Comidas em geral	Amanteigado (fresco), caramelo, chocolate, melaço, mel, manteiga de amendoim, sabão, cerveja, queijo, ovos (frescos), uvas-passas, pipoca, frango frito, confeitaria/pão fresco, café
Carnes	Tempero de carne, animal, peixe, peixe defumado, sangue/carne crua, carne cozida, oleoso/gorduroso
Frutas	Cereja/amora, morango, pêssego, pera, abacaxi, toranja, suco de uva, maçã, melão, laranja, limão, banana, coco, frutado/cítrico, frutado/outro
Vegetais	Legumes frescos, alho/cebola, cogumelos, pepino cru, batata crua, feijão, pimentão, repolho, aipo, legumes cozidos
Temperos	Amêndoas, canela, baunilha, anis/alcaçuz, cravo, xarope de bordo, endro, cominho, mentolado/menta, noz/avelã, eucalipto, malte, levedura, pimenta-do-reino, folhas de chá, condimentado
Corporais	Lençóis sujos, leite azedo, esgoto, fecal/esterco, urina, urina de gato, seminal/esperma
Materiais	Desidratado/em pó, giz, cortiça, papelão, papel molhado, lã molhada/cachorro molhado, borracha/novo, alcatrão, couro, corda, metálico, queimado/fumaça, papel queimado, vela queimada, borracha queimada, leite queimado, creosoto, fuligem, fumaça de tabaco fresca, fumaça de tabaco embolorado/envelhecido
Químicos	Cáustico/pungente/ácido, azedo/ácido/vinagre, amônia, cânfora, gasolina/solvente, álcool, querosene, gás de cozinha, elementos químicos, terebintina/óleo de pinho, verniz, tinta, enxofre, sabão, medicinal, desinfetante/carbólico, éter/anestésico, fluido de limpeza/carbona, naftalina, removedor de esmalte
Exteriores	Feno, granuloso, herbal, grama cortada, semente macerada, grama macerada, madeira, resina, cortiça/vidoeiro, bolorento/terroso, mofado, madeira de cedro, madeira de carvalho/conhaque, rosa, folhas de gerânio, violetas, lavanda, folhas de loureiro

Os aromistas usam bases de dados de odorantes com termos de odor descritivos. Por exemplo, a Flavornet (http://www.flavornet.org — conteúdo em inglês), criada por dois pesquisadores em Cornell (Terry Acree e Heinrich Arn), descreve mais de 700 odorantes químicos detectáveis pelo nariz humano. Listando substâncias como o valerato de citronela (que tem cheiro de mel ou rosa; usado em bebidas, doces e sorvete), a base de dados é útil para gerar certos sabores artificialmente — que substâncias têm cheiro de X?

Como Viajar de Avião Afeta o Paladar e o Aroma?

Como nosso sentido olfativo se baseia na aspiração de substâncias voláteis pela cavidade nasal, mudanças na pressão atmosférica afetam nosso olfato. Em baixas pressões, duas coisas acontecem: as substâncias voláteis evaporam com mais facilidade (o que quer dizer que mais substâncias estarão disponíveis para detecção), e a quantidade de ar em um dado volume diminui (então temos menos oportunidade de detectar essas substâncias).

Para descobrir o que acontece, nada melhor do que perguntar a pessoas que preparam a comida das companhias aéreas. Conversei com Stephen Parkenson, o chef da Flying Food Group, uma companhia que prepara as refeições das principais companhias aéreas dos Estados Unidos. Veja o que ele diz sobre a mudança do paladar da comida em altitude.

Quando você está no avião, a falta de umidade, que é próxima a que você teria no deserto, afeta as mucosas e as papilas gustativas. Em altitude, você perde cerca de 30% do seu paladar no que diz respeito a salgado e doce. Algo que você come no solo e que parece perfeitamente temperado, fica insosso quando você está a 30 mil pés. A exceção à regra é o umami (gosto agradável), que não se abala com a altitude.

Tentamos compensar a falta de sabor em altitude. Se estamos fazendo algo como vagens, dobramos a quantidade de sal na água ao cozinharmos. Não há necessariamente uma proporção ou equação que usamos. É como trabalhar em um restaurante, temperando um prato, sabendo que rumo tomar. Da mesma forma, sabemos o rumo a tomar nas linhas aéreas. Um prato de linha aérea que você venha a provar aqui embaixo estará salgado ou com sabor excessivamente forte, mas quando chega lá em cima, ele tem um gosto normal.

Da próxima vez que voar, tente experimentar alguma comida no voo e depois experimente a mesma coisa quando estiver em solo. Você vai ficar surpreso com a diferença na intensidade dos sabores!

Cheiro e Sentido Olfativo

Torta Falsa de Maçã

Se você nunca a fez, a torta falsa de maçã é uma daquelas surpresas que podem enganar um convidado desavisado. Feita com biscoitos de água e sal em vez de maçãs, ela tem uma textura similar à verdadeira, e o açúcar e os condimentos são tão convincentes — acrescentam a doçura, a acidez e os sabores associados à torta de maçã — que você pode enganar alguém que está familiarizado com a torta verdadeira e fazê-lo pensar que é isso que está comendo. É um excelente exemplo de como a sensação da combinação de odores junto com a expectativa pode ludibriar o cérebro.

Forre uma forma com **massa de torta** — veja a página 259 para uma receita de torta coberta, ou trapaceie e compre uma no supermercado. Esteja certo de que a massa seja suficiente para forrar e cobrir a torta.

Em uma panela, adicione 1 ½ **xícara (chá) de água (360ml), 2 xícaras (chá) de açúcar (400g)** e **2 colheres (chá) de cremor de tártaro (6g)**. Deixe ferver e diminua para fogo médio, deixe a calda cozinhando em fogo brando até engrossar, entre 110 e 115°C. Retire a panela do fogo e deixe a calda esfriar por alguns minutos.

Adicione à panela **30 biscoitos de água e sal (100g), 1 colher (chá) de canela (3g), 1 colher (chá) de baunilha (2,5g), ¼ de colher (chá) de noz-moscada (0,5g), 2 ½ colheres (chá) de suco de limão (38g)** e **raspas de 1 limão**. Mexa suavemente para agregar os ingredientes, mas não misture demais — os biscoitos devem continuar em pedaços grandes.

Coloque a mistura sobre a massa de torta. Corte **2 colheres (chá) de manteiga (30g)** em pequenos cubos e espalhe sobre o recheio. Polvilhe com algumas pitadas de **canela**.

Cubra a torta com a outra parte da massa e aperte as bordas para juntá-la à massa do fundo, trabalhando toda a circunferência. Utilizando um garfo ou uma faca afiada, espete ou faça talhos na massa de cima em padrões regulares para que o vapor possa escapar enquanto a torta assa.

Asse a torta em forno preaquecido a 220°C por mais ou menos 30 minutos, até que a massa esteja dourada. Sirva quente (aqueça no micro-ondas se necessário), de preferência à *la mode*, com uma bola de sorvete de baunilha.

O que é cremor de tártaro?

É basicamente bitartarato de potássio, originalmente um subproduto da fabricação de vinhos. Ele tem um gosto ácido, e confere à torta falsa o sabor azedo que normalmente vem do ácido málico das maçãs. O cremor de tártaro não tem cheiro de maçã — nenhum dos odorantes está presente —, mas o gosto azedo irá enganá-lo com certeza.

Substâncias Químicas dos Aromas Comuns

Aqui estão alguns exemplos de substâncias que dão às comidas seus aromas naturais. Observe que alguns são definidos por apenas uma substância, enquanto outros são combinações complexas. Muitas ervas e temperos são compostos de poucos elementos-chave voláteis, enquanto os aromas de frutas normalmente envolvem centenas de substâncias.

Um aroma artificial criado com exatamente os mesmos componentes, nas mesmas concentrações, não será diferente do "natural". Entretanto, extratos artificiais quase sempre tomam atalhos. Por exemplo, um sabor artificial de morango criado usando apenas três ou quatro dos odorantes mais comuns presentes nos morangos vai liberar uma quantidade de compostos voláteis suficiente para que ele tenha um cheiro diferente. Se você cresceu com sabores artificiais de morango, entretanto, poderá preferir a versão sintética!

hexenal

hexanal

O hexenal e o hexanal diferem por apenas dois átomos de hidrogênio. Ambos existem na natureza e têm o mesmo cheiro (de grama), e mostram que compostos similares podem não apresentar diferença de aroma.

Jujubas e raspadinhas de cheiro são apenas alguns dos produtos que se baseiam nesses compostos. Abra um pacote de jujubas e veja se consegue identificar alguns dos cheiros com os compostos abaixo:

Composto alimentar	Comentário
Amêndoas: • Benzaldeído	Componente primário do óleo de amêndoa. Quando for ao supermercado, olhe os ingredientes do extrato artificial! Ele é considerado melhor pelos degustadores; além disso, o natural tem traços de cianureto.
Banana: • Acetato de isoamila	Extrato artificial de banana é um projeto clássico de laboratório, para a irritação dos professores nas salas próximas. É também o feromônio que as abelhas usam para sinalizar um ataque.
Trufa negra: • 2,4-ditiapentano	Geralmente, os óleos artificiais de trufa negra são usados no lugar do natural. Alguns chefes o odeiam, possivelmente porque se você exagerar o cheiro se torna desagradável.
Amanteigado: • Diacetil	Usado em pipocas de micro-ondas, em grandes doses pode causar uma doença nos pulmões chamada de bronquiolite obliterante.
"Tutti-frutti" genérico: • Acetato de hexila	Utilizado em chicletes rosa e em jujubas. Está presente em variedades de maçãs como a Golden Delicious.
"Verde" genérico: • Hexanal	Descrito como "parecido com grama recém-cortada", este composto é usado em sabores frutados como maçã e morango.
Toranja: • 1-p-menteno-8-tiol • nootkatona	A toranja contém pelo menos 126 componentes voláteis, mas esses são os primários. O sabor de "toranja" das jujubas provavelmente os inclui.
Morango: • Diacetil • Etil butanoato (frutado) • Etil hexanoato (frutado) • Furanona (odor de caramelo) • Hexanal (verde)	O morango tem pelo menos 150 odorantes diferentes; apenas 4 ou 6 deles predominam no aroma. Bons sabores artificiais de morango incluem mais deles; os menos convincentes usam apenas alguns. É por isso que sabores artificiais de frutas geralmente não são muito fiéis — não é que não possam ser produzidos para ser bons, mas, do ponto de vista econômico, o custo dos componentes não justifica o investimento.

O que É Sabor?

O sabor é um truque Jedi da mente, uma combinação do sentido gustatório do paladar e do sentido olfatório do cheiro que seu cérebro funde em uma nova sensação. Para dar uma ideia de como seu cérebro é inteligente com relação a ele, considere isso: seu cérebro detecta odores de formas diferentes se você estiver inspirando ou expirando. Isso é louco! É como dizer que passar a mão da esquerda para a direita em uma bancada vai fazer você sentir uma temperatura diferente da que sentiria se passasse da direita para a esquerda. Nosso cérebro é programado para cheirar sinais de dois modos diferentes: os sabores usam a segunda maneira.

Algumas definições tornarão mais fácil essa discussão. A olfação ortonasal é definida como o que o nariz detecta ao cheirar algo que existe no mundo. Cheirar uma rosa, a menos que você a esteja também mastigando, usa a rota ortonasal. A olfação retronasal é o que o nariz detecta ao comer algo quando o ar sai da boca e adentra a cavidade nasal. Mesmo que você não note isso acontecer, é isso! Tente mastigar com o nariz tapado: corte o fluxo de ar e, puf!, a sensação de sabor desaparece.

Para solucionar esse truque do cérebro, um pesquisador, Paul Rozin, deu às pessoas suco de frutas e sopas incomuns via rota ortonasal: "Aqui, cheire isso; lembre-se desse odor", e depois deu a elas novamente a comida via rota retronasal (por um tubo plástico), pedindo que identificassem o odor anterior de que se lembravam. Foi um fiasco. Os mesmos compostos, os mesmos aparatos sensoriais, e uma experiência completamente diferente. Como eu já disse, o cheiro é simples na ideia, mas complicado na prática, e com o sabor não é diferente.

De uma perspectiva pragmática, de que sabores você gosta ou não é uma questão de exposição e preferência. Rozin começou a estudar o tema do ortonasal e retronasal quando se deparou com queijos fedidos — por que temos experiências de sabor diferentes para algo que tem um cheiro desagradável? Há muitas coisas que os psicólogos e fisiologistas ainda estão explorando. Felizmente, você não precisa ser um para fazer uma boa comida. Quando estiver trabalhando com comida, tenha em mente que sabor é uma combinação específica de dois sentidos — paladar e olfato, mas não uma simples soma dos dois. Prove a comida para ajustar o sabor antes de servi-la! Só o cheiro não é suficiente.

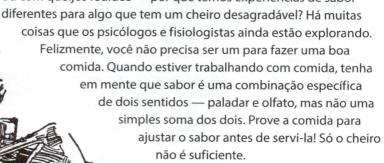

Aqui estão algumas dicas para obter um grande sabor quando cozinhar:

Mastigue! Certamente uma sugestão estranha para obter um bom sabor, mastigar a comida esmaga o alimento, mistura e lança um montão de substâncias para que seu sistema olfatório detecte, acrescentando aromas que se transformam em uma sensação de sabor. Lembre-se, para que uma substância ative um receptor de odor, ela tem que estar presente no ponto de detecção. Isso levanta a questão: mastigar a comida com a boca aberta leva a uma experiência de sabor diferente? (Se os animais sempre mastigam com a boca aberta...)

Use ervas frescas. A maioria das ervas secas tem sabores mais fracos porque os óleos voláteis que são responsáveis pelos aromas se oxidam e desnaturam, então ervas desidratadas são um substituto fraco. As ervas secas têm seu lugar, entretanto; faz sentido usá-las no inverno, quando plantas anuais como o manjericão estão fora de estação. Guarde as ervas secas em um lugar fresco e escuro (nunca em cima do fogão!) para limitar a exposição ao calor e à luz, que contribui para a desnaturação dos componentes orgânicos dos temperos.

Moa seus temperos. Não use pimenta-do-reino já moída; ela perde muito do sabor com o tempo, já que muitos dos componentes voláteis mudam. A noz-moscada moída na hora é também mais forte do que a moída com antecedência. Os temperos aromáticos pré-moídos terão tido tempo para se hidratar ou oxidar e se dispersar, o que acarreta uma mudança de sabor. A maioria dos temperos secos também se beneficia em ser "revigorado" — cozido em óleo ou em uma frigideira seca em fogo brando —, como forma de libertar as substâncias voláteis sem desnaturá-las.

Não despreze os ingredientes congelados. Frutas e vegetais comerciais congelados são convenientes e funcionam muito bem em alguns pratos. Congelar os vegetais logo que são colhidos tem vantagens: a desnaturação nutricional é interrompida, e o item congelado é da alta temporada, com o máximo sabor (enquanto a versão fresca do supermercado pode ter sido colhida antes ou depois do tempo ideal). Produtos congelados são úteis principalmente se estiver cozinhando só para você: permite retirar uma porção individual quando precisar. Quer congelar seu próprio canteiro ou um excedente de uma horta comunitária? Veja a página 365 para saber como usar gelo-seco. (Congelar no freezer de casa demora muito e produz vegetais murchos.)

Use álcool ao cozinhar. Meu restaurante favorito em São Francisco utiliza kirsch nos suflês de frutas, e acrescentar um toque de vinho em molhos ou deglaçar uma panela para fazer um molho rápido é uma prática comum. Utilizar bebidas alcoólicas muda o sabor devido à química da bebida: ela toma o lugar das moléculas de água que normalmente se ligam às substâncias, resultando em moléculas mais leves com maior probabilidade de evaporar, liberando mais substâncias voláteis para serem detectadas pelo nariz.

O que É Sabor?

Aversão por Gostos

Minha amiga Dawn detesta gosto de ovos. Quando criança, ela comeu ovos que tinham sido fritos em manteiga queimada. O cérebro dela ligou o gosto acre da manteiga queimada ao gosto dos ovos, e até hoje essa conexão está registrada nas partes basais do cérebro dela a ponto de não conseguir comer ovos. Uma aversão a um gosto — um desgosto profundo por um alimento, mas não um desgosto baseado em preferência biológica inata — tipicamente se origina de experiências ruins com a comida, quase sempre na infância, como no caso da experiência de Dawn com os ovos na manteiga queimada. Uma intoxicação alimentar é uma causa comum.

As aversões por gosto são fascinantes porque são associações inteiramente aprendidas. A comida que desencadeia uma intoxicação é corretamente identificada apenas em uma parte das vezes. Tipicamente, a culpa é colocada no elemento mais incomum da refeição, fato conhecido como *síndrome do molho béarnaise*. Algumas vezes, a doença nem é de origem alimentar, mas a associação negativa ainda é absorvida e se torna atrelada ao suposto culpado. Esse tipo de aversão por gosto condicionada é conhecido como *"o efeito Garcia"*, e recebeu esse nome pelo psicólogo John Garcia, que determinou que poderia criar aversão a gostos em ratos por causar-lhes náusea quando esses fossem expostos a água com açúcar. Como prova maior de que estamos à mercê de nossos subconscientes, pense nisso: até quando sabemos que erramos a causa da intoxicação ("Não pode ter sido a salada de maionese da Joanna porque todo mundo comeu e ninguém ficou doente!"), uma aversão por comida associada incorretamente ficará gravada da mesma forma.

Às vezes, uma única exposição que resulte em intoxicação alimentar é tudo que é necessário para que o cérebro crie uma associação negativa. Uma das análises mais perspicazes da aversão por gostos foi feita por Carl Gustavson quando era aluno de pós-graduação e estava empacado na tese do seu Doutorado. Pensando que a aversão por alimentos podia ser induzida quimicamente, ele treinou coiotes livres para evitar ovelhas, deixando por perto pedaços envenenados (mas não de forma letal) de carneiro para os coiotes comerem. Eles logo perceberam que a carne os deixava doentes, e, assim, "aprenderam" a evitar ovelhas. Por mais tentador que possa ser, não recomendo esse hábito para se livrar do vício em *junk-food*, mas que é um apelo e tanto, isso é.

E o que você pode fazer para superar uma aversão por gosto? Para começar, é preciso querer e estar aberto a isso. Você pode achar que ovos são nojentos, e se não estiver disposto a desconectar a associação, suas chances de comer uma omelete são muito baixas. Exposições repetidas a pequenas quantidades do item ofensivo, em situações em que você se sinta confortável, irão com o tempo remover a associação entre comida e memória negativa (isso se chama aniquilação). Lembre-se, comece com pequenas quantidades e faça exposições repetidas de modo consistente em um ambiente seguro. Se for demais de início, tente mudar o aspecto da comida, como a textura ou a técnica de preparo, de modo que a associação de sabor não seja tão forte.

Brian Wansink: Expectativas, Sabor e Alimentação

Brian Wansink é professor da Universidade de Cornell, onde estuda as formas como interagimos com a comida. Ele também é autor de dois livros: "Por que Comemos Tanto?" (Editora Campus) e Slim by Design (William Morrow, 2014 — sem tradução em português), que examinam como escolhemos o que comemos.

O que muda nossa percepção sobre o que pensamos que estamos cheirando e provando?

Os franceses têm uma expressão que diz que não há explicação para o gosto. Certamente não é verdade, a não ser nos próprios extremos da sua extensão. As pessoas são extremamente subjetivas, a tal ponto que nossas papilas gustativas acabam sendo levadas por nossas expectativas. Se alguém diz: "Prove isso; é amargo", vamos dizer: "É amargo!". Mas se alguém disser: "Ei, isso é meio sem graça" para a mesma comida, vamos dizer: "Sim, é sem graça". Concluímos isso a todo instante: a maneira mais fácil de mudar a interpretação do gosto das pessoas é mudar sua expectativa de antemão.

De onde as pessoas tiram as expectativas de gosto?

Nossa percepção visual da comida distorce nosso paladar. Descobrimos que se mudarmos a cor da gelatina de limão com corante alimentício vermelho e dissermos que é de cereja, as pessoas dirão: "Oh, muito boa essa gelatina de cereja". Descobrimos que mudar o modo como a comida é servida no prato importa. Se colocarmos um brownie em um prato de porcelana mais fino, em vez de usar um prato de papel, as pessoas estarão dispostas a pagar o dobro. Descobrimos ainda que colocar uma bobagem como decoração em um prato aumenta muito o valor que as pessoas estão dispostas a pagar.

Outro aspecto é quanto trabalho achamos que aquela comida deu. Se pensarmos que não foi colocado muito esforço, damos uma classificação mais baixa. Também descobrimos que se você der a alguma coisa um nome como "filé de frutos do mar italiano suculento", as pessoas vão dizer: "Isso é bom", mas se chamá-lo apenas de "filé de frutos do mar", as pessoas vão gostar menos.

Parece que as expectativas são incrivelmente importantes. Deve haver um desafio de não estabelecer expectativas muito altas?

Não, absolutamente. Nunca vimos dar errado. Vamos dizer que eu sirva uma carne a você, e diga: "Prove essa carne". Você prova e diz: "Estava muito boa, eu daria nota 6". Então eu sirvo uma segunda carne idêntica, mas digo: "Agora vou te dar a carne mais incrível e deliciosa do mundo. Ela foi massageada a mão por anos por anos e blá-blá-blá". Para onde irão as expectativas? Elas serão altas. E aí você come aquela carne e diz: "Está meio dura e um pouco seca. Não estava assim tão boa. Eu daria um 6,5". O que acontece aqui é o mais importante. Mesmo quando se joga as expectativas lá no alto, isso não faz as pessoas dizerem "está ruim". Elas ainda a classificam acima do que classificariam se não desse a elas nenhuma expectativa.

Trouxemos executivos de vendas que, em média, gastavam mais de 25 mil dólares ao ano com comida. Essas pessoas conhecem um jantar de gala. Demos a eles massa enlatada da marca Chef Boyardee. Colocamos a massa em um prato, e lemos para eles o verso da lata, algo como: "Isso vem de uma receita italiana de gerações; já perdemos a conta de quantas vezes foi feita". Eles a classificaram melhor quando não sabiam que era comida enlatada, pelo menos para pessoas com muito dinheiro. Se você cresceu não comendo produtos de marca porque eles custam caro demais, a marca do Chef Boyardee pode dar à comida uma aura.

O que essa aura faz com a expectativa?

As marcas têm um grande brilho quando você gosta delas. Se gosta do "KC Masterpiece Barbecue", e há uma marca de congelados "Hambúrgueres Congelados KC Masterpiece Barbecue", você vai dizer: "Ah, esse é bom", com mais probabilidade do que se a embalagem dissesse apenas "hambúrgueres".

Esse brilho pode dar errado. Observamos como a percepção de que há soja em uma comida contribui para que as pessoas pensem que está terrível. Demos às pessoas barras de cereais. Elas continham 10g de proteína vegetal; não era soja. Mudamos o rótulo para que dissesse: "contém 10g de proteína" ou "contém 10g de proteína de soja". Ao plantar a primeira sugestão na mente das pessoas, elas disseram: "Isso é ótimo. Parece chocolate. Tem uma textura legal". Para o rótulo de proteína de soja, elas disseram: "Não tem gosto de chocolate. Não consigo tirar o gosto da boca". É exatamente a mesma coisa. As pessoas sentiram o gosto do que pensavam que sentiriam.

Existe alguma aura saudável, em que coisas percebidas como saudáveis têm classificação mais baixa?

Em um de nossos estudos de restaurantes com crianças, tínhamos um prato de vegetais e massa que rotulamos como saudável, ou fresco, ou nada. O simples fato de rotular como saudável fez com que as pessoas dessem uma classificação pior do que os rotulados como frescos ou apenas massa com abobrinhas. A percepção de saudável da maioria das pessoas é de algo que precisam comer. Ninguém diz: "Eu comi uma sobremesa saudável incrível".

Essas percepções de saudável podem envenenar suas expectativas. Tenho três garotinhas em casa. Nunca usamos a palavra "saudável" quando damos as coisas a elas, e elas gostam de coisas saudáveis.

É um problema para a política de nutrição essa percepção sobre alimentos saudáveis?

Sim, principalmente porque as pessoas na política de nutrição não são treinadas como behavioristas.

Qual é a abordagem behaviorista para mudar a alimentação das pessoas?

Primeiro, você faz com que a comida seja mais conveniente. Segundo, faz com que seja mais atrativa. Terceiro, faz com que seja normal comê-la. Com essas três coisas, há uma infinidade de mudanças.

Digamos que eu queira que minhas filhas comam vegetais. Devo dizer: "Comam vegetais — são saudáveis"? Não. O que faço é: a primeira coisa que coloco na mesa é uma salada. Todos comem, e ficamos lá até que acabemos de comer. Só então a massa e o frango vão para a mesa. Isso torna tudo mais conveniente para se alimentar melhor.

Para tornar a comida atraente, digamos que vamos ter abobrinhas no jantar. Eu digo: "O que temos para o jantar hoje, querida?" Minha esposa diz: "Abobrinha. Vocês sabem o que é abobrinha? Vocês sabem que gosto tem? Será que tem gosto de melão?" Um pouquinho de discussão aumenta a curiosidade. E será uma aventura experimentar.

Você pode também tornar as coisas mais normais de experimentar. Quando minhas filhas não querem comer algo, eu digo: "Bem, se você não quer, posso comer?" Elas dizem "sim". Então pego um bocado e digo: "Está bom. Está muito bom, querida. Eu adoro!". A criança está satisfeita pensando: "Ah, enganei ele!". Poucos minutos depois, pego outro pedaço e digo: "Sim, isso está ótimo. Obrigado, querida! Você vai ter que fazer mais disso!". Então, de repente, a criança pensa: "Espere aí, você está pegando minha comida!". Depois de fazer isso algumas vezes, elas dizem: "Pare de pegar minha comida, papai".

E como o tamanho ou a cor do prato afetam a alimentação?

A questão da cor é muito clara. A maioria das pessoas quer uma coisa simples, mas é um pouco além disso. Descobrimos que a cor não importa; mas o contraste de cores entre o que está servindo e o prato.

Tivemos uma reunião de alunos aqui na Cornell em que foram servidas massas brancas ou vermelhas em pratos também brancos ou vermelhos. Descobrimos que se você servir comida vermelha no prato vermelho e branca no prato branco, você vai servir 19% mais massa do que se estivesse servindo branca no vermelho e vice-versa. Se o contraste estiver lá enquanto você estiver servindo, você vai dizer: "Opa, já está bom". Se o contraste não estiver presente, você tende a servir até dizer: "Opa, acho que é um pouco demais".

Isso acontece todos os dias e não importa se é comida saudável ou não. O contraste entre o que você serve e a cor do prato: 19%. Descobrimos isso quando servimos ervilhas em pratos verdes ou amarelos. Você quer que as pessoas comam mais ervilhas, certo? Elas irão servir mais em um prato verde do que em um amarelo por causa do contraste. Tínhamos pessoas servindo pudim. Elas servem mais pudim de chocolate em um prato escuro do que em um amarelo. Elas servem mais pudim de banana no amarelo que no escuro.

O que é mais perigoso que você coma demais? Para a maioria das pessoas, as comidas brancas. Então você não precisa ter 50 pratos coloridos, apenas tenha pratos escuros.

Mais alguma coisa que os cozinheiros de casa devam saber sobre como tornar suas refeições mais agradáveis?

Diminua as luzes. Descobrimos que quando diminuímos as luzes, as pessoas comem mais devagar e classificam a comida como melhor. Fizemos este estudo em um restaurante fast-food que estava passando por reformas. Pudemos dividi-lo em dois, de modo que metade era estilo jantar fino e a outra era típica, com luzes brilhantes e música alta. Descobrimos que o simples fato de diminuir a luz fazia com que as pessoas comessem em um tempo ⅓ maior, cerca de 18% menos e classificassem a comida como sendo muito melhor.

Quanto disso é baseado em um sentimento de uma experiência de jantar fino? O jantar de gala, culturalmente para os americanos, deve ser à meia-luz.

Acho que deve ser isso, mas acho que pode também ser ansiedade, atividade e distração. Ficamos um pouco desapontados com algo lá em casa outro dia, e tivemos que tentar ressuscitar a noite e torná-la especial. Dissemos: "Vamos comer à luz de velas, mas apenas luz de velas". As garotas adoraram.

Inspiração pela Exploração

Ao contrário de nossas preferências inatas por gostos primários, não fazemos distinção prévia com a maioria dos odores. Os sabores de que gostamos são sabores que aprendemos a gostar, e é por isso que as comidas de outras culturas podem ser literalmente estrangeiras para nós. É também por isso que a exploração culinária cultural é um meio fantástico de conhecer novos sabores! Algumas de minhas refeições favoritas são baseadas em ingredientes familiares em novas combinações, quase sempre de acordo com outras cozinhas. A primeira vez que comi tagine de frango, um prato do norte da África, foi tanto familiar (coxas de frango, tomates, cebolas) como exótico. (Os tagines, a propósito, levam o nome do prato em que são cozidos, a combinação de ingredientes é qualquer uma que você tenha em mãos.) O truque para esse tipo de inspiração é aprender sobre sabores e os itens que os fornecem. Mas como adquirir essa noção? Aqui vão algumas maneiras de explorar sabores, locais ou não.

Pergunte sobre os ingredientes na comida que você come. Tire um tempo para reconhecer os odores nas comidas que está ingerindo, observando as notas de cheiro que não reconhece. Da próxima vez que for a um restaurante, peça um prato que não conhece e tente adivinhar os ingredientes. Se travar, não tenha vergonha de perguntar aos funcionários. Lembro-me de tomar uma sopa de pimentão vermelho assado e não ter ideia do que dava corpo (espessura) à sopa. Cinco minutos depois, me vi sentado na frente do chef, que me levou a cópia da receita usada na cozinha e me contou o segredo (pasta suave de pimentão vermelho). Conheci não só um sabor novo naquele dia, mas também uma nova técnica (pão francês tostado amassado na sopa — um truque bem antigo para engrossar sopas) e o endereço de uma ótima loja armênia na cidade vizinha.

Brinque de "ingrediente culinário misterioso". Da próxima vez que estiver no mercado, compre algo que gosta de comer, mas que nunca tenha cozinhado. Para "intermediários", escolha algo que você conheça, mas que não tem ideia de como cozinhar. E se já tiver progredido para o nível "avançado", escolha algo que não reconhece de forma alguma. Você ficaria surpreso com quantos alimentos são irreconhecíveis em seu formato de ingrediente, mas depois de inseridos em uma refeição tornam-se familiares, às vezes, até comuns. Mandioca? Experimente fritar. Capim-limão, folhas de combava? Faça uma sopa tom yum. Com centenas de ingredientes disponíveis nos mercados, você deve conseguir encontrar algo novo que lhe inspire.

Imite sabores de outro prato. Se está aprendendo a cozinhar e não conhece muitas receitas, pense naquelas de que gosta. Até um sanduíche de manteiga

> O que pessoas de uma cultura apreciam pode ser desagradável em outra. A *Gourmet Magazine* escreveu um ótimo artigo (agosto de 2005) sobre três renomados chefs sichuaneses da China comendo em um dos melhores restaurantes dos Estados Unidos. Os sabores não acertaram os acordes que os chefs apreciavam. Inevitavelmente haverá diferenças entre seus gostos e os de seus convidados — vamos esperar que não esteja cozinhando para chefs sichuaneses renomados —, então não se surpreenda se uma combinação que você ama for apenas passável para os outros.

de amendoim pode inspirar: imagine espetinhos de frango grelhado, com geleia e amendoim torrado. Talvez você goste de pizza com cebolas, tomates e manjericão. Você pode usar esse recheio em massas ou pães aperitivos (bruschetta!).

Procure na internet uma lista de ingredientes que você já tenha em mãos.
Se estiver improvisando um tagine do norte da África ou um ensopado que pede tomates, cebolas e carneiro, mas não tem certeza de que outros ingredientes e temperos podem aprimorar os sabores, faça uma busca online e veja o que a internet tem a dizer. Apenas ler os títulos encontrados pode ser suficiente — nesse caso, coentro, batatas e pimenta são uma boa aposta.

Use similaridade como indicador de compatibilidade. Se uma receita pede o ingrediente A, mas o ingrediente B é extremamente similar, use o B e veja se funciona. Couve e acelga são folhas que podem ser substituídas em muitos pratos. Da mesma forma, os queijos provolone e muçarela têm um sabor leve e compartilham de propriedades de derretimento similares, então, usar um no lugar do outro em comidas como omeletes faz sentido. Comidas parecidas nem sempre são intercambiáveis. Cada uma tem o seu sabor distinto, e se você tentar recriar um prato tradicional com substituições não conseguirá reproduzir o original fielmente. Contudo, se o seu objetivo é fazer um prato gostoso ou experiências com itens parecidos é uma ótima forma de ver onde se encaixam e divergem.

Lembre-se de ajustar as quantidades. Um dos mecanismos mais importantes para conseguir um bom sabor não é usar novos itens, mas ajustar as quantidades dos já existentes. Cheire o prato. Prove. Que sabores estão desequilibrados? Precisa de mais temperos? Mais sal? Se está sem graça ou sem gosto, adicionar uma nota ácida (limão ou vinagre) acrescentaria algum brilho?

Molho Base Francês

Os molhos — em francês, *sauces*, derivado da expressão em latim originalmente significando adicionar temperos à comida — dão sabor ao transmitir uma grande quantidade de especiarias em uma pequena quantidade de líquido. A cultura ocidental usa molhos há pelo menos dois milênios, e eles aparecem em quase todas as cozinhas. Quase todas as culturas têm seus molhos, com técnicas e ingredientes que variam. Carnes grelhadas são cobertas com demi-glace; o mac n' cheese (macarrão com queijo) se baseia em molho de queijo. O molho mole usa cacau e pimenta; o pesto é um purê simples de manjericão e pignoli com alho e azeite de oliva. Os molhos também aparecem nas sobremesas: o creme inglês (veja a p. 192) pode ser usado como um molho doce e rico, e os purês de frutas podem dar cor e sabor intensos (coe-os para retirar as sementes, e você terá *coulis*).

A cozinha francesa é lendária no uso de molhos, então vamos dar uma olhada lá para nos inspirarmos. O molho básico francês é comumente atribuído ao Chef Auguste Escoffier — "o rei dos chefs e chef dos reis" —, que foi um dos mais importantes chefs na cozinha ocidental devido a seu trabalho em dar eficiência às cozinhas comerciais, criando padrões sanitários e focando na simplicidade da comida ("Acima de tudo, não complique!"). O trabalho influente de Escoffier em 1903, *Le Guide Culinaire*, define cinco molhos básicos no primeiro capítulo. Embora Escoffier mereça crédito por popularizá-los, a maioria desses molhos foi criada pelo trabalho de outro chef francês famoso, Marie-Antoine Carême, que definiu quatro deles 50 anos antes. (Carême não incluiu o molho holandês.)

104   Cozinha Geek

Molho Béchamel (Molho Branco)

Se tiver de aprender algum desses molhos, que seja o Béchamel. Ele é útil em tudo, de caldos a bases para sobremesas. Acrescentar um ingrediente aromático o transformará em um molho fantástico.

Em uma panela, derreta **1 colher (sopa) de manteiga (15g)** em fogo médio. Adicione **1 colher (sopa) de farinha de trigo (9g)** e continue mexendo, para incorporá-las completamente, cozinhando até a mistura passar de amarelo para um marrom-claro (essa combinação de farinha e manteiga se chama roux). Adicione **1 xícara (chá) de leite (240ml)**, aumente o fogo para médio–alto e mexa continuamente até a mistura engrossar.

Adições tradicionais incluem **sal, noz-moscada e pimenta**. Use tomilho seco, ou preaqueça o leite com **folhas de louro**. Se não gosta de manteiga, misture metade de manteiga e metade de óleo.

Como um molho base, ele pode ser modificado para criar molhos "filhos". Após fazer o roux e adicionar o leite, tente as seguintes variações.

Molho Mornay (ou molho de queijo)

É o molho Béchamel com partes iguais de gruyère e parmesão. Use 1 xícara (chá) de queijo ralado (100g) para cada xícara de leite, adicione o queijo em 3 partes para derreter. Se você não for maníaco por tradições, qualquer queijo que derreta servirá.

Molho Bayou

Refogue na manteiga uma cebola grande fatiada, adicione alguns dentes de alho fatiados e tempero crioulo. (Use partes iguais de cebola em pó, alho em pó, orégano, manjericão, tomilho, pimenta-de-caiena, páprica, sal e pimenta-do-reino.) Adicione a farinha e cozinhe o roux até ficar marrom-escuro. Geralmente ele é usado na culinária Cajun do sul da Louisiana.

Molho de mostarda

É o molho Béchamel com sementes ou uma colher de mostarda (tente uma com sementes). Ele pode ser também transformado em um bom molho de cheddar se você adicioná-lo ao molho inglês. Ou refogue cebolas picadas na manteiga enquanto faz o roux, e adicione a mostarda no final.

Mac 'n' Cheese (Macarrão com Queijo)

Molhos base franceses estão em todo lugar — até o Mac n' cheese, prato típico americano, usa um molho filho do Béchamel.

Comece com **uma porção dupla de molho Béchamel**. Adicione e mexa lentamente até derreter:

- **1 xícara (chá) de muçarela ralada (100g)**
- **1 xícara (chá) de cheddar ralado (100g)**

Em uma panela, ferva água salgada e cozinhe **250g de macarrão**. Use um tipo pequeno, como fusili ou penne — algo em que o molho se prenda. Veja se está pronto provando um pedaço da massa. Quando cozinhar, coe e transfira para a panela com o molho. Mexa para combinar.

Você pode parar aqui para um mac n' cheese clássico, ou melhorá-lo adicionando:

- **¼ de xícara (chá) de cebolas refogadas (60g)**
- **2 fatias de bacon cozido e fatiado em pedaços (15g)**
- **Uma pitada de pimenta-de-caiena**

Transfira para uma assadeira, salpique **migalhas de pão e queijo**, e gratine em fogo médio por 2 a 3 minutos até o pão e o queijo dourarem.

Notas

- *Você pode adicionar mais leite ao molho para deixá-lo mais líquido.*
- *Para fazer migalhas de pão, coloque um pedaço de pão velho ou torrado em um processador de alimentos ou liquidificador e bata. Ou use uma faca e corte-o em pedaços pequenos.*

Gosto, Cheiro e Sabor

Inspiração pela Exploração

Molho Velouté

O molho velouté é a base para vários molhos usados em pratos com sabores mais sauves como peixes e carnes. Se você quer fazer torta de frango, comece com uma massa dupla para torta (veja a página 259), e então recheie com uma combinação de frango cozido em pedaços, ervilhas, cebolinhas-brancas e cenouras, misturados em molho velouté.

Comece como se estivesse fazendo o molho Béchamel: crie um roux dourado derretendo **1 colher (sopa) de manteiga (15g)** em fogo baixo. Misture **1 colher (sopa) de farinha de trigo (9g)** e espere até a mistura cozinhar, mas não tanto que fique marrom (por isso o nome roux, que significa dourado). Adicione **1 xícara (chá) de caldo de frango (240ml)** ou outro caldo leve (um que use ossos crus em vez de torrados, como caldo de peixe ou de legumes) e cozinhe até engrossar.

Você pode fazer molhos derivados adicionando vários ingredientes. Aqui vão algumas sugestões. Observe a ausência de medidas específicas; use isso como um exercício para adivinhar e ajustar os sabores que se adaptem ao seu paladar.

Molho Albufera	Suco de limão, gema de ovo, creme de leite (prove com frango ou aspargos).
Molho Bercy	Cebolinhas-brancas, vinho branco, suco de limão, salsinha (prove com peixe).
Molho Poulette	Cogumelos, salsinha, suco de limão (prove com frango).
Molho Aurora	Purê de tomate, mais ou menos 1 parte de tomate para 4 de velouté e manteiga a gosto (prove com ravióli).
Molho Húngaro	Cebola (picada e refogada), páprica, vinho branco (prove com carnes).
Molho Veneziano	Estragão, cebolinhas-brancas, cerefólio (prove com peixes suaves).

Sopa de Minestrone

Molhos podem ser também a base para uma sopa, como mostra essa sopa rápida de minestrone. Trate os ingredientes como sugestões — na verdade, qualquer bom vegetal e qualquer coisa que sirva para espessar que você tenha em mãos vai funcionar.

Faça **uma porção dupla de molho Aurora** (veja acima, em molho Velouté). Mantenha o líquido em fogo brando e adicione **½ xícara (chá) de massa pequena (70g)**, como, por exemplo, ave-maria ou macaroni. Adicione um pouco de **cenouras picadas** e **aipo**, e ervas como **orégano ou manjericão**. Cozinhe a sopa até que a massa esteja macia. Tempere com **sal** e **pimenta** a gosto.

Molho de Tomate

O sauce tomate, a expressão em francês para molho de tomate, é similar, mas não idêntica aos molhos de tomate simples em que pensamos hoje (esses seriam molhos de tomate italianos). A receita original de Escoffier pede peito de porco salgado; estou usando bacon (barriga de porco), já que é mais fácil de encontrar. Você pode pular a parte do bacon e da manteiga e usar algo como azeite de oliva no lugar deles se preferir.

Em uma panela, misture **2 fatias de bacon (60g)** com **1 colher (sopa) de manteiga (15g)**. Quando a gordura tiver derretido, adicione **⅓ de xícara (chá) de cenouras picadas (50g)**, **⅓ de xícara (chá) de cebolas picadas (50g) (metade de uma cebola pequena)** e **1 folha de louro** ou **1 ramo de tomilho**.

Cozinhe até estar macio e ligeiramente dourado, por 5 minutos, e então acrescente **2 colheres (sopa) de farinha de trigo (18g)** e continue cozinhando a mistura até que esteja marrom-clara. Adicione **900g de tomates amassados** e **2 xícaras (chá) de molho branco (480ml)**. Deixe ferver e depois diminua para fogo baixo. Adicione **1 dente de alho amassado**, **1 colher (chá) de açúcar (4g)** e **½ colher (chá) de sal (3g)**. Cubra a panela e deixe o molho ferver por uma hora mais ou menos. (Se estiver usando uma panela que possa ir ao forno, você pode também transferi-la para o forno a 180°C e cozinhá-la, coberta.) Peneire o molho para retirar restos de vegetais e bacon, ou bata com o mixer. Adicione **pimenta-do-reino moída na hora** e **mais sal** se necessário.

Molho de tomate com pedaços	Em vez de peneirar ou bater o molho pronto, comece com bacon e vegetais bem picados, cortados em pedaços pequenos o bastante para poderem permanecer no molho pronto.
Molho de tomate italiano	Para um molho mais familiar, faça a versão italiana retirando o porco, a farinha e o molho branco. Cozinhe o molho um pouquinho mais para espessar. (Escoffier chamava esse molho de purê de tomates.)
Ketchup	Não adicione o molho branco. Cozinhe o molho até que engrosse e então adicione mais açúcar a gosto. Para mais sabor, adicione temperos como pimenta-de-caiena, dedo-de-moça, canela ou páprica.
Molho de vodca	Na fase final do cozimento, adicione ½ xicara (chá) de creme de leite (120ml) e ½ xicara (chá) de vodca ao molho (120ml), e ferva por alguns minutos.

Penne alla Vodca

Fazer molho de macarrão não tem de ser uma coisa demorada e exaustiva. Você pode começar com uma versão comercial de um molho base francês e então ampliá-lo para um molho derivado, como começar com um molho de tomate e adicionar o creme e a vodca para criar o molho de vodca. "Enfeitar" produtos comerciais pode ser uma maneira excelente de fazer experimentos com sabores. Conheço uma pessoa que começou a aprender a cozinhar adicionando ingredientes simples como bacon ou alcaparras ao molho de espaguete.

Comece com **2 xícaras (chá) de molho de tomate (480ml)**. Pode ser uma porção de *sauce tomate* (acima) ou um molho para massas pronto. Se quiser, coloque um punhado de **orégano** seco. Adicione **½ xícara (chá) de creme de leite (120ml)** e **4 colheres (sopa) de vodca (60ml)**. Adicione **500g de penne cozido** e cubra com **queijo parmesão ralado na hora**.

Inspiração pela Exploração

Molho Holandês

O molho holandês é o nome mais familiar do grupo, sendo servido tipicamente sobre aspargos ou ovos pochê (veja a página 193). É também o mais científico: uma emulsão de água e gordura, como seu molho derivado, a maionese. (Falaremos sobre emulsões mais tarde; veja a página 429.) Se você não é um tradicionalista, tente fazer o molho derivado usando maionese no lugar do holandês.

Divida **8 colheres (sopa) de manteiga (120g)** em oito pedaços e reserve.

Em uma panela, misture **2 gemas de ovos grandes (40g), o suco de 1 limão grande (2 colheres [sopa]/30ml)** e **uma pitada de sal**. Leve ao fogo baixo e mexa continuamente até que a mistura comece a encorpar, de modo que você possa ver o fundo da panela. Cuidado para não sobreaquecer, retire a panela do fogo enquanto continua a mexer. Adicione **1 colher (sopa) de manteiga (15g)** por vez à mistura, mexendo continuamente até que esteja completamente derretida e incorporada antes de acrescentar as partes restantes, uma a uma.

Se preferir, adicione pitadas de **pimenta-de-caiena** e **pimenta-branca moída**. Se achar que o sabor de limão está muito forte — o que não é um problema para recobrir aspargos, mas talvez seja com ovos beneditinos —, substitua uma colher de sopa (15ml) do suco de limão por uma de água.

Molho Béarnaise	Cozinhe em fogo brando 2 colheres (sopa) de estragão fresco em cubos (10g) e 2 cebolinhas-brancas picadas (2 colheres [sopa]/20g) em 2 colheres (sopa) de vinagre de champanhe ou vinagre de vinho branco; adicione a mistura ao molho antes de incorporar a manteiga. Use hortelã no lugar do estragão para fazer o molho Paloise.
Molho Dijon	Depois de preparar o molho holandês, adicione mostarda a gosto; este molho é tradicionalmente feito com mostarda dijon, que contém vinho branco no lugar do vinagre.
Molho Maltaise	Depois de preparar o molho holandês, adicione raspas de casca de laranja e uma colher (sopa) de suco de laranja (15ml). Tradicionalmente, utiliza-se a laranja sanguínea.
Molho Noisette	Use manteiga dourada (veja a p. 156) em vez da manteiga tradicional ao preparar o molho.

Molhos como o holandês têm como base emulsões que podem "desnaturar" se a gordura e a água se separarem. Tenha cuidado para não aquecer demais os ingredientes quando estiver preparando-o!

Molho Espanhol (Molho Marrom)

Também chamado molho marrom, o molho espanhol é comumente usado para preparar demi-glace para ser utilizado em carnes. O molho espanhol é considerado de sabor muito forte para ser usado sozinho. Também é muito mais elaborado de fazer do que os outros molhos base, mas válido para compreender de onde os restaurantes retiram um pouco de sua magia.

Em uma panela grande, derreta **4 colheres (sopa) de manteiga (60g)**. (Se preferir, substitua metade da manteiga por uma fatia de bacon.)

Adicione **⅓ de xícara (chá) de cenouras picadas (50g)**, **⅓ de xícara (chá) de cebola picada (meia cebola pequena) (50g)** e **⅓ de xícara (chá) de aipo picado (50g)**. Refogue os vegetais até que estejam dourados. Adicione **3 colheres (sopa) de farinha (36g)** e cozinhe a mistura até que a farinha esteja marrom-clara. Adicione **¼ de xícara (chá) de purê de tomate (60g)** e **2 litros de caldo de carne** (para a receita, veja a observação da p. 350). O caldo de carne escuro para o molho espanhol era feito tradicionalmente com ossos torrados de vitela, mas hoje em dia é feito com ossos de galinha. (Caldo enlatado funciona, mas não fica tão bom. O caldo enlatado não é feito com ossos e por isso não vira gelatina, então não terá a mesma textura. Um truque esperto para contornar esse problema é adicionar um pacote de gelatina sem sabor ao caldo antes de usá-lo.)

Adicione **uma folha de louro** e **alguns ramos de tomilho.** Cozinhe em fogo brando por duas horas, até que reduza a 1 litro. Enquanto o caldo está cozinhando, vá removendo periodicamente qualquer espuma da superfície sempre que necessário. Retire o molho do fogo, deixe esfriar e depois passe por uma peneira. (Coe uma segunda vez utilizando uma toalha de morim para retirar as partículas menores.)

Molho Roberto	Adicione vinho branco, cebola e mostarda. Um dos primeiros molhos, este foi popular nos anos 1600, mas depois foi relegado aos arquivos históricos.
Molho Bordelaise	Adicione vinho tinto, cebolinhas-brancas e ervas aromáticas. Este molho é servido tradicionalmente com carne vermelha como filé-mignon.
Molho Diable	Adicione pimenta-de-caiena, cebolinhas-brancas e vinho tinto. Diable é a palavra em francês para diabo, o que mostra como algumas pessoas se sentem com relação à pimenta-de-caiena.
Molho Piquante	Adicione alcaparras, picles, vinagre e vinho branco. Experimente servir com frango.
Molho Poivre (Molho de Pimenta)	Adicione vinagre e um bom punhado de grãos de pimenta amassados ao final do cozimento e cozinhe em fogo baixo por alguns minutos. Cuidado para não cozinhar demais o molho ou as pimentas vão criar um sabor amargo.

Inspiração pela Exploração

Lydia Walshin: Ingredientes Incomuns

Lydia Walshin é escritora de culinária e também ensina adultos a cozinhar. Conversei com ela sobre como aborda novos ingredientes. Você pode encontrá-la na internet em http://www.theperfectpantry.com (site em inglês).

Como você descobre o que fazer com ingredientes desconhecidos?

A melhor forma de aprender a usar algo novo é substituí-lo por algo familiar. Assim, por exemplo, tem uma ótima sopa de abóbora que sempre faço no outono e no inverno. Quando encontro um tempero que possa ter características similares a algo na sopa, faço uma substituição. Primeiro, substituo parte do ingrediente por parte do outro, e vejo como o gosto fica. Então, talvez eu substitua completamente o ingrediente.

Usando a sopa de abóbora como exemplo, minha receita pede por curry em pó, que por si só é uma mistura de vários ingredientes. Recentemente, descobri um ingrediente chamado *vadouvan*, um curry francês em pó. Como eu posso aprender a forma como o *vadouvan* se comporta? Coloco em algo que já conheço e digo: "Se eu tirar metade do curry e substituir por *vadouvan*, como isso muda o gosto? E da próxima vez que eu fizer a sopa, se substituir todo o curry por *vadouvan*, como isso afeta o gosto?".

Depois que entendo a diferença entre algo que é conhecido e algo que é desconhecido, posso começar a misturar em outras receitas. Contudo, se eu começar com uma receita que não conheço muito bem e ela usar um ingrediente que não conheço, então não vou saber o que ele modificou, porque não vou conseguir isolá-lo da receita como um todo.

Você fala sobre isolar ingredientes quase como um programador falaria sobre escrever códigos: isole uma variável por vez e modifique algo para ver o que muda no sistema. Acho que muitos de nós esquecem de aplicar a mesma abordagem metodológica à comida.

Exceto que o resultado pode não ser tão quantificável ou previsível quando se está cozinhando, mas essa é a minha parte não cientista me dizendo que a culinária é tanto uma arte quanto uma ciência. Você precisa ter alguns conhecimentos básicos. Só é necessário fazer um molho de tomate uma vez em uma panela de ferro fundido para perceber que isso não é uma boa ideia, do ponto de vista científico e do ponto de vista do paladar — é bem ruim ver seu molho ficar verde e fermentado. Então, você precisa ter conhecimentos básicos de ciência para cozinhar, e precisa aceitar o fato de que o resultado final pode ser um pouco mais aleatório do que se você estivesse sentado em um laboratório de computadores.

Vadouvan é uma mistura de condimentos de inspiração francesa com cebolinhas-brancas e cebola desidratada. Experimente fazer o seu! Acesse http://cookingforgeeks.com/book/vadouvan/ *— site em inglês — para obter a receita. Para a receita da sopa de abóbora com vadouvan de Lydia, acesse* http://cookingforgeeks.com/book/squashsoup/ *— site em inglês.*

Ingredientes Saborosos por Cultura

Assim como culturas diferentes utilizam ingredientes diferentes para ajustar as sensações básicas de gosto na comida (veja a página 58), os ingredientes utilizados para acrescentar cheiros e aromas também diferem. Especiarias variadas estão disponíveis em diferentes partes do mundo, de acordo com o clima, diferenças geográficas nas plantas e variação das preferências por aromas. Algumas dessas especiarias também mudam os gostos básicos, mas como você pode ver, elas são todas muito aromáticas. Da próxima vez que estiver planejando uma refeição ou um molho, consulte essa tabela para se inspirar!

Caribenha	Pimenta-da-jamaica, coco, coentro, pimentas suaves e ardidas, temperos jerk (principalmente pimenta-da-jamaica e pimentas scotch bonnet), limão, melaço, tomates
Chinesa	Broto de feijão, pimenta dedo-de-moça, alho, cebolinha, gengibre, molho hoisin, cogumelos, óleo de gergelim, soja, anis-estrelado, pimenta sichuan
Francesa	Folhas de louro, manteiga, manteiga, mais manteiga, cebolinha, alho, cebolinha-branca, salsinha, estragão, vadouvan
Grega	Pepino, dill, alho, limão, hortelã, azeitonas, orégano, salsinha, pignoli, iogurte
Indiana	Semente de cardamomo, pimenta-de-caiena, coentro, cominho, ghee, gengibre, semente de mostarda, cúrcuma, iogurte
Italiana	Anchovas, vinagre balsâmico, manjericão, raspas de limão, funcho, alho, suco de limão, hortelã, orégano, flocos de pimenta calabresa, alecrim
Japonesa	Gengibre, mirin, cogumelo, cebolinhas-brancas, soja
Latino-Americana	Pimenta dedo-de-moça, coentro, molhos (dependendo da região), sofrito (cebolas fritas com legumes e ervas), tomates
Norte da África	Amêndoas, anis-estrelado, coentro, canela, cominho, tâmaras, gengibre, harissa, páprica, limões, açafrão, sementes de gergelim, cúrcuma
Sudeste da Ásia	Pimenta-de-caiena, coco, molho de peixe, combava, capim-limão, lima, pimenta tailandesa
Espanhola	Alho, páprica, pimentas brandas e fortes, xerez, açafrão
Turca	Pimenta-da-jamaica, cominho, mel, hortelã, nozes, orégano, salsinha, páprica, pimenta vermelha, tomilho

A pimenta-preta (pimenta-do-reino), fruto de um arbusto originalmente cultivado no sul da Índia, tem uma história longa e documentada, e é usada por quase todas as culturas. A forma como o fruto é processado resulta em diferentes sabores.

Grãos de pimenta-preta são produzidos fervendo ligeiramente e depois secando a fruta parcialmente madura.

Grãos de pimenta-verde desidratados — os grãos são uma versão em conserva da fruta não madura e têm um sabor ligeiramente mais suave.

Grãos de pimenta-branca — são os frutos totalmente maduros que foram colocados em salmoura para remover a casca externa preta, o que remove boa parte do sabor apimentado.

Inspiração pela Sazonalidade

Há algo mágico nos morangos do fim da primavera e no milho fresco do verão: sabor! Cozinhar com alimentos frescos dá sabores ótimos às comidas. Limitar a sua lista de compras a ingredientes da estação é uma forma de criar desafios. Eles geralmente são de melhor qualidade e têm sabor acentuado, por isso é muito mais fácil fazer com que os pratos tenham um gosto bom. Outra vantagem de utilizar ingredientes da estação é que a abundância costuma significar preços menores, conforme a lei da oferta e da procura. Os mercados precisam vender as abobrinhas quando chegam da colheita!

Da próxima vez que for ao mercado, informe-se sobre quais frutas e legumes acabaram de chegar e quais estão acabando. Milho é um dos itens mais sazonais onde moro, quase impossível de conseguir fora da estação. Produtos como pêssegos ficam disponíveis no supermercado por quase todo o ano, mas raramente deliciam e quase sempre desapontam. Tente esse desafio culinário; descarte qualquer alimento fora de época. Torta de pêssegos em abril? Não. Mesmo se encontrá-los, eles não terão o mesmo sabor que os da época, e sua torta ficará inevitavelmente será sem graça.

É claro que nem todo ingrediente em um prato é "sazonal". Cebolas de celeiro, maçãs de armazéns e produtos de despensa como arroz, farinha e feijão são alimentos básicos para o ano inteiro. Se estivermos em pleno inverno, encontrar produtos de hortifrúti com um bom sabor pode ser um grande desafio. Há um motivo para que as refeições de inverno em climas frios se baseiem em técnicas culinárias para conseguir produzir sabor. Os pratos clássicos de inverno franceses como o cassoulet (tradicionalmente preparado com feijões e carnes cozidas lentamente) e o coq au vin (frango cozido em vinho) utilizam vegetais estocados e carnes de animais tradicionais. Mas chegou o verão? Um peixe sauté com verduras frescas é maravilhoso. Não posso imaginar comer um cassoulet rico e pesado no meio do verão, mas durante o inverno não há nada melhor.

Temos sorte de viver em uma época com um fornecimento de alimentos surpreendente. Muitas cozinhas são definidas pela sazonalidade e a história do ambiente alimentar associado à região. Os pratos franceses favoritos do século XIX, como o cassoulet e o coq au vin, eram baseados no suprimento de alimentos local. Cozinhas em partes da costa da Escandinávia foram limitadas pela falta de um sistema viário até algumas décadas atrás, então não é nenhuma surpresa que a cozinha nórdica moderna incorpore queijos simples e métodos de preservação como a cura de peixes, ao mesmo tempo em que se afasta das especiarias complexas.

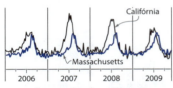

Buscas no Google por "Pêssego"
(Usuários na Califórnia versus Massachusetts)

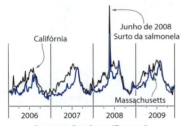

Buscas no Google por "Tomates"
(Usuários na Califórnia versus Massachusetts)

O lugar onde as pessoas vivem e a época do ano mudam o que comem: os dados do Google Trends mostram os volumes de busca para os termos "pêssego" (em cima) e "tomate" (embaixo) para usuários da Califórnia e de Massachusetts. A época de crescimento em Massachusetts começa mais tarde e é bem mais curta que a da Califórnia.

Do lado negativo, nosso suprimento moderno de alimentos significa que não estamos mais limitados pelos ingredientes sazonais, o que torna mais difícil aprender a cozinhar bem. Fazer compras em feiras agrícolas pode ser uma ótima fonte de inspiração sazonal e de ingredientes saborosos e inspiradores. Considere as sopas sazonais das páginas 116 a 118. Comprar abóbora em julho é quase impossível, e eu não faria gaspacho no inverno. O mesmo vale para as saladas sazonais. Uma salada de verão com tomate, muçarela e manjericão (veja a página 114)? Hummm! Uma salada de inverno com erva-doce?! Uma salada de outono com sementes de abóbora torradas e broto de feijão? (Adivinhe quem está com fome agora, enquanto escreve isso!) Compreender os sabores da perspectiva das estações pode ser tão fácil quanto passear pelos corredores de hortifrúti e evocar a inspiração pela exploração discutida na seção anterior se você mantiver os olhos abertos para as possibilidades.

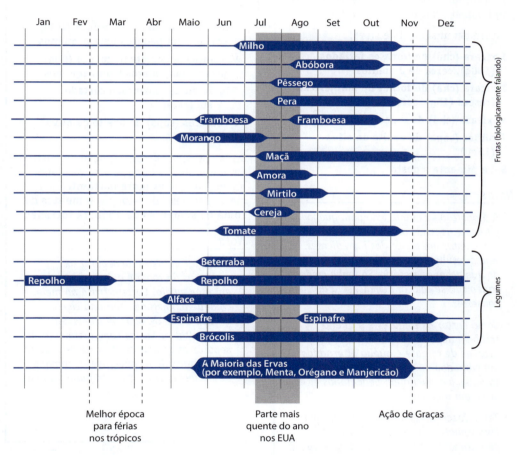

Quadro de sazonalidade para frutas e vegetais na Nova Inglaterra. As frutas têm uma estação mais curta que os vegetais, e apenas alguns vegetais sobrevivem depois da primeira geada. Algumas plantas não conseguem tolerar a parte mais quente do ano; para outras, essa é a melhor época.

Inspiração pela Sazonalidade   **113**

Salada de Tomate, Muçarela e Manjericão Fresco

Manjericão fresco e tomates são melhores na alta temporada, porque os componentes que dão a eles um  sabor excelente exigem tempo quente. Tente essa combinação clássica quando puder conseguir bons tomates. (E se você tiver espírito aventureiro, tente fazer o seu próprio queijo muçarela. Veja a p. 433.)

Misture em uma tigela e sirva:

- 1 xícara (chá) de tomates fatiados (180g), cerca de 2 médios
- 1 xícara (chá) de folhas de manjericão frescas (15g), cerca de 3 ou 4 cabos
- ½ xícara (chá) de muçarela (100g)
- 1 colher (sopa) de azeite de oliva (15ml)
- Sal e pimenta a gosto

Notas

- A proporção de manjericão para queijo e tomate depende de você. Deixe de acrescentar um pouco dos ingredientes, veja o resultado da salada e adicione mais do que achar necessário. Só tenha cuidado com o sal; se colocar demais, será difícil consertar.

- Como cortar os tomates e o queijo também depende de você. Tente fatias grossas de tomate e queijo alternadas em camadas no prato. Ou corte os tomates e o queijo em pedacinhos e sirva em uma tigela.

- Tente fazer a receita duas vezes, uma com tomates convencionais e outra com tomates orgânicos, para observar a diferença que a qualidade dos alimentos faz.

Salada de Erva-doce, Cogumelos Portobello e Parmesão

Bulbos de erva-doce, também conhecida como funcho de Florença, são um ingrediente de épocas frias, normalmente colhidos no outono ou no início do inverno, antes que o inverno fique severo. Essa salada simples é uma excelente combinação de sabores. Corte tudo em pedaços pequenos, use um parmesão de boa qualidade e vinagre balsâmico.

Coloque em uma tigela:

- 1 bulbo pequeno de erva-doce (100g) cortado em pedaços bem pequenos
- ½ cogumelo Portobello médio (60g) picado em pedaços bem pequenos
- 60g de queijo parmesão cortado em lascas
- 2 colheres (sopa) de azeite de oliva (30ml)

Sirva transferindo uma porção da mistura em um prato. Respingue uma pequena quantidade de **vinagre balsâmico** por cima e, se desejar, salpique **sementes de romã** ou **sementes de abóbora torradas**.

Nota

- A melhor maneira de separar as sementes da romã é debaixo da água, em uma tigela. Corte a fruta ao meio, coloque as metades em uma tigela grande cheia de água e use os dedos para soltar os vários compartimentos e separar as sementes. A parte branca da fruta, que não é comestível (chamada de mesocarpo), flutua, enquanto que as sementes afundam.

Escolhas Ecologicamente Corretas de Alimentos

Cozinhar "dentro da estação" é também uma ótima maneira de estar atento ao impacto ambiental, há mais do que sazonalidade envolvida em escolhas boas e ecologicamente corretas. Mas como você sabe o que está comprando?

Vegetais e frutas: menor impacto. Vamos começar pelas notícias boas, com o mais verde dos verdes: seus legumes. Legumes cultivados localmente, combinados com um mínimo de transporte e não embalados são praticamente o melhor que se pode fazer pelo meio ambiente, e praticamente o melhor que você pode fazer para si próprio. O antigo conselho de comer os seus próprios vegetais é também uma boa dica para o meio ambiente.

Frutos do mar: algum impacto. No que diz respeito aos peixes, se os melhores são os criados em fazenda ou os selvagens pescados, depende da espécie do peixe; não há uma boa regra geral. Existem problemas com os dois tipos: alguns métodos de fazendas de pesca geram poluentes ou permitem que os peixes escapem e se misturem às espécies selvagens, enquanto que comer pescados selvagens contribui para a diminuição dos cardumes do oceano (e o impacto de um colapso global na indústria pesqueira devido ao excesso de pesca é uma ameaça real ao sistema de abastecimento de comida). A maior contribuição que pode ser feita é evitar frutos do mar selvagens de espécies que sofrem de excesso de pesca. O *Monterey Bay Aquarium* tem um ótimo serviço chamado *Seafood Watch* (Vigilância de Frutos do Mar), que fornece uma lista das espécies "melhores", "sem problemas" e "a evitar", atualizada com frequência e especificada por regiões geográficas. Para ver as recomendações atuais, acesse http://www.seafoodwatch.org — site em inglês.

Carnes vermelhas: alto impacto. As carnes vermelhas de animais alimentados com milho são ambientalmente caras de produzir: a vaca precisa comer e, se alimentada com milho (em vez de grama), ele precisa ser cultivado, colhido e processado. Tudo isso resulta em maior emissão de carbono por quilo de carne abatida do que para animais menores, como galinhas. E depois temos o combustível gasto no transporte, assim como o impacto ambiental das embalagens. Por algumas estimativas, a produção de um quilo de carne vermelha gera, em média, quatro vezes mais emissões de gases do efeito estufa do que a de um quilo de frango ou peixe. Veja "Food-Miles and the Relative Climate Impacts of Food Choices in the United States" ("As Milhas Alimentares e os Impactos Climáticos das Escolhas Alimentares nos Estados Unidos"), de Weber e Matthews (http://pubs.acs.org/doi/abs/10.1021/es702969f — site em inglês). Isso não quer dizer que todas as carnes vermelhas sejam ruins. Se a carne veio de uma vaca alimentada com capim e criada nas redondezas, ela pode ter tido um papel positivo no meio ambiente ao converter a energia armazenada no capim em fertilizante (isso é, esterco) para outros organismos usarem. Porém, como regra geral, quanto mais pernas o animal tiver, mais nocivo é ao ambiente. (Por essa lógica, centopeias são o mal encarnado.)

O que devo fazer?

Independente de onde você se encaixa no espectro, entre um vegano que só compra coisas locais e um amante de um bom bife, a limitação do consumo é a melhor forma de ajudar o ambiente e a sua saúde (para não dizer o bolso). Escolha comidas com menor impacto ambiental e tenha consciência de desperdícios.

Quando o assunto é proteína animal, dados atuais sugerem que o impacto ambiental total do consumo de peixes é menor que o de frango ou peru, que por sua vez é menor do que o de porco, que é melhor do que comer carne de boi alimentado com milho. Um dos meus amigos segue a política de "não comprar": ele fica feliz em comer, mas não compra. Já soube de outras pessoas que seguem uma variação da dieta "vegetarianos até o jantar": limitam o consumo de carne durante o dia, mas se enchem dela à noite.

Inspiração pela Sazonalidade

Sopa de Primavera de Alface

Sopa de alface foi uma surpresa para mim, principalmente porque nunca vi uma ao comer fora. Ela tem um gosto suculento similar ao da sopa de brócolis e lembra um pouco a vychyssoise, uma sopa de batatas, alho-poró e cebola. Se você já se viu com uma cota de oito pés de alface de uma comunidade agrícola (veja a p. 124) no início da primavera, esta sopa é um ótimo uso para ela.

Em uma panela grande em fogo médio, derreta **2 colheres (sopa) de manteiga (30g)** ou **azeite de oliva**. Adicione:

- **1 cebola média picada (100g)**
- **1 batata média picada (150g)**
- **½ colher (chá) de sal (3g)**

Refogue a cebola e a batata por 5 a 10 minutos. Adicione:

- **4 xícaras (chá) de caldo de galinha ou legumes (1l)**
- **2 dentes de alho picados**
- **½ colher (chá) de pimenta-do--reino moída na hora (1g)**

Deixe ferver e então acrescente:

- **1 pé de alface (400g). Rasgue as folhas ou corte em tiras largas**

Você pode usar outras verduras — rúcula, brotos de ervilha, espinafre — de acordo com o que tiver à disposição. Misture as verduras e cozinhe por alguns minutos até que estejam macias. Para uma sopa mais cremosa, adicione **1 xícara (chá) de leite integral (240ml)** ou **½ xícara (chá) de creme de leite (120ml)**.

Retire a panela do fogo e deixe esfriar por alguns minutos. Bata a sopa no liquidificador ou com o mixer para formar um creme. Adicione **sal** e **pimenta** a gosto e, se desejar, outros condimentos, como **coentro** e **noz-moscada**. Sirva quente (salpique um queijo tipo **cheddar** por cima) ou gelada (cubra com um punhado ou dois de **coalhada seca** e **cebolinha verde**).

Sopa de Inverno de Feijão-branco e Alho

Em uma tigela, deixe de molho por várias horas ou durante a noite:

- **2 xícaras (chá) de feijão-branco desidratado, tipo feijão cannellini (400g)**

Após deixar de molho durante a noite, coe os feijões, coloque-os em uma panela e encha-a de água (tente adicionar algumas **folhas de louro** ou um ramo de **alecrim**). Deixe ferver por pelo menos 15 minutos. Retire a água e devolva os feijões para a panela (se for usar um mixer) ou para o processador de alimentos.

Adicione à panela ou tigela com os feijões e bata até misturar:

- **2 xícaras (chá) de caldo de frango ou legumes (500ml)**
- **1 cebola amarela média picada e refogada (100g)**
- **3 fatias de pão francês, coberto de azeite de oliva e tostado dos dois lados (50g)**
- **½ cabeça de alho descascado, amassado e refogado ou assado (25g)**
- **Sal e pimenta a gosto.**

Notas

- *Não deixe de colocar os feijões de molho e fervê-los. Sério. Um tipo de proteína presente nos feijões — fitohemaglutinina — causa sérios desconfortos intestinais. Os feijões precisam ser fervidos para desnaturar essa proteína; cozinhá-los em baixa temperatura (por exemplo, no modo de cozimento lento) não vai desnaturar a proteína e, na verdade, deixa a situação pior. Se você estiver com pressa, use feijões enlatados comuns; eles já foram cozidos.*

- *Variações: tente misturar um pouco de orégano fresco na sopa. Jogue alguns pedaços de bacon por cima ou rale um pouco de parmesão. Tal como em muitas sopas, deixá-la mais grossa ou cremosa é uma questão de preferência pessoal.*

Cozinha Geek

Gaspacho para o Verão

 O gaspacho é uma arca do tesouro espanhola de tomates e vegetais crus, misturados juntos e servidos frios — perfeito para refeições de verão. Não há combinação errada de ingredientes, contanto que eles sejam cheios de sabor.

Amasse, usando um mixer ou um processador de alimentos:

- 2 tomates grandes sem casca, com as sementes removidas (500g)

Transfira o purê de tomate para uma tigela grande. Adicione:

- 1 pepino sem casca e sementes (150g)
- Milho de 1 espiga grelhado ou cozido e retirado da espiga (125g)
- 1 pimentão vermelho grelhado ou cozido (100g)
- ½ cebola vermelha pequena cortada em fatias finas (30g) (depois deixe um pouco de molho em água e então escorra)
- 2 colheres (sopa) de azeite de oliva (20ml)
- 2 dentes de alho picados ou amassados (5-10g)
- 1 colher (chá) de vinagre de vinho branco ou de champanhe (5ml)
- ½ colher (chá) de sal (3g)

Mexa para combinar. Ajuste o sal a gosto e adicione pimenta-do-reino se desejar.

Notas

- Os pesos nessa receita são para os ingredientes preparados (isso é, após a remoção de sementes, cabos ou caldo de fervura).
- Se você preferir um gaspacho mais homogêneo, amasse todos os ingredientes no final. Ou adicione uma parte dos legumes, amasse, e, então, adicione o resto para obter uma textura meio homogênea, meio espessa. Depende apenas de suas preferências!

- O gaspacho é um prato que depende de ingredientes frescos que invariavelmente apresentam diferenças de sabor. Não existe motivo químico ou mecânico para que essas quantidades tenham sido escritas como foram, então, adicione mais de alguma coisa ou menos de outra; o que você gostar, para se adaptar ao seu gosto. Tente aumentar a receita para adicionar outros ingredientes, como pimentas ou ervas frescas.
- Grelhar ou cozinhar o milho e os pimentões adiciona um sabor defumado à sopa, devido às reações que ocorrem no calor alto, como discutiremos mais adiante neste livro. Talvez você prefira uma versão "crua" dessa sopa. Ou, se gostar realmente do gosto defumado, tente adicionar um pouco de "fumaça líquida" (veja a p. 403) para deixá-lo mais forte.

Sempre que encontrar uma receita que peça por um legume grelhado, tenha o costume de besuntar um pouco de azeite de oliva antes, porque isso evitará que ele seque durante o cozimento.

Como tirar a pele de um tomate

Tenho uma amiga cujo namorado tentou fazer um jantar surpresa para ela com sopa de tomate, mas ele não sabia como tirar a pele. Ela chegou em casa e encontrou-o tentando usar um cortador de legumes, sem sucesso...

Para tirar a pele dos tomates, coloque-os em água fervente por alguns segundos e retire-os com pinças ou uma escumadeira, e depois apenas puxe a pele. Você também pode fazer um corte em "x" na pele antes de colocá-los na água, embora a pele de algumas variedades repuxe de qualquer jeito, contanto que a água esteja fervendo. Experimente e veja se faz diferença!

Inspiração pela Sazonalidade

Sopa de Outono de Abóbora

O outono, com suas colheitas e a recompensa de abóboras e cabaças, é minha estação preferida para a cozinha sazonal. Trate esta receita como um modelo de partida e adicione temperos e outras verduras e legumes para enfeitar.

Bata em um processador de alimentos ou com um mixer:

- 2 xícaras (chá) de abóbora descascada, cortada em cubos e assada (660g) (cerca de 1 abóbora média)
- 2 xícaras (chá) de caldo de frango, peru ou legumes (480ml)
- 1 cebola amarela pequena picada e refogada (110g)
- ½ colher (chá) de sal (3g)

Notas

- Assim como na receita de gaspacho, os pesos servem para os ingredientes preparados e são apenas sugestões. Então, prepare cada item individualmente. Descasque e corte a abóbora em cubos, cubra com azeite de oliva, salpique o sal e asse no forno em temperatura entre 200–220°C até começar a dourar. Quando for amassar os ingredientes, separe um pouco da abóbora e do caldo, prove o purê e veja o que mais é necessário. Quer que fique mais grosso? Adicione mais abóbora. Mais líquido? Adicione mais caldo.

- A sopa por si só é muito básica. Enriqueça com o que você tiver à mão e achar que combina, como croutons de alho e bacon. Ou coloque um pouco de creme de leite por cima, um pouco de amêndoas torradas e amoras desidratadas para dar um clima festivo. E que tal uma colher (chá) de xarope de bordo, algumas fatias finas de carne e um pouco de orégano fresco? Cebolinhas, coalhada seca e queijo cheddar? Por que não? Em vez de comprar os ingredientes para seguir a receita fielmente, tente usar restos de ingredientes de outras refeições para complementar a sopa de abóbora.

- Se estiver com pressa, pode "queimar a largada" com a abóbora colocando-a no micro-ondas. Descasque e corte a abóbora em cubos, usando uma colher para retirar as sementes. Então corte em cubos de 3–5cm, jogue em uma panela de vidro que possa ser posta no forno e no micro-ondas, e aqueça por 4 a 5 minutos. Retire do micro-ondas, cubra a abóbora com azeite de oliva, salpique de leve o sal e asse em forno preaquecido até estar cozida, por cerca de 20 a 30 minutos. Se você não estiver com pressa, pule a parte de descascar: corte a abóbora ao meio, retire as sementes, adicione o azeite e o sal, asse por cerca de uma hora (até ficar macia) e use uma colher para retirar da casca.

Para cortar legumes grandes como abóboras, use uma faca de chef grande e um martelo. Primeiramente, corte uma fatia fina do legume para que fique reto e não role, e, então, martele levemente a faca pelo legume.

118 Cozinha Geek

Dicas de Armazenamento para Hortifrúti Frescos

Manter os produtos de hortifrúti saborosos depende em grande parte de preservar o sabor e controlar o amadurecimento. Há duas variáveis principais que você deve administrar: a temperatura de armazenagem e a exposição ao gás etileno.

A temperatura de armazenamento é a variável mais fácil de controlar. Guarde os produtos maduros e tolerantes ao frio na geladeira; mantenha os não maduros e sensíveis ao frio sobre a bancada ou na despensa. "Queimada" é a gíria da indústria para o dano causado à comida armazenada em lugares muito frios e normalmente acontece abaixo dos 10°C. Frutas tropicais e subtropicais como banana, cítricos, pepinos, mangas e melancia devem ser mantidas fora do refrigerador para que mantenham seu melhor sabor. Alface e a maioria das ervas ficam bem na geladeira, com exceção do manjericão, que deve ser tratado como flores frescas (corte as pontas dos caules e deixe-o sobre a bancada em um vidro, com os caules submersos em água).

A segunda variável de armazenamento, o gás etileno, tem algumas peculiaridades. O gás etileno é gerado espontaneamente pelas plantas, normalmente na parte da fruta, como parte do processo de amadurecimento. Armazenar um produto agrícola que gere gás etileno próximo a outro pode acelerar a velocidade com que o segundo amadurece, mas também pode causar resultados indesejáveis, como mostra a lista a seguir.

Independente do tipo de produto, ele deve ser colhido maduro, no momento em que seus sabores estão plenamente desenvolvidos. O amadurecimento e o desenvolvimento do sabor são dois processos diferentes! Se o produto é colhido cedo demais, nenhuma quantidade de gás etileno pode acrescentar um bom sabor.

Amadurecidas na Presença de Gás Etileno

Para acelerar o amadurecimento, guarde esses itens em sacos de papel longe da luz solar direta, em temperatura ambiente. Nunca guarde frutas que ainda não estão maduras na geladeira, pois a temperatura é muito baixa para que o gás etileno ajude no amadurecimento.

Damascos, pêssegos, ameixas. As frutas maduras são aromáticas e cedem levemente se apertadas um pouco, momento no qual você pode armazená-las na geladeira. Mantenha as frutas não maduras em temperatura ambiente; guardá-las no refrigerador irá danificá-las, deixando-as farinhentas. Evite também armazenar frutas não maduras expondo-as à luz direta do sol ou em sacolas plásticas, o que fará com que soltem líquidos.

Abacates. A fruta madura é levemente firme, mas cede a uma leve pressão. Somente a cor não vai dizer se o abacate está maduro. Guardar abacates cortados com o caroço não prevenirá que fiquem marrons, o que se deve à oxidação e a reações enzimáticas, mas impede que a fruta fique marrom nos locais em que o caroço está. Você pode impedir que ele fique exposto ao ar cobrindo a superfície cortada com filme plástico ou espalhando uma pequena camada de azeite de oliva por cima.

Bananas. Deixe em temperatura ambiente até amadurecer. Para impedir que continuem amadurecendo, guarde na geladeira — a casca ficará marrom, mas a fruta não mudará.

Mirtilos. Embora os mirtilos amadureçam na presença de etileno, seu sabor não melhora com isso. Leia os conselhos para mirtilos e similares mais adiante.

Tomates. Guarde em temperaturas acima de 13°C. Guardar tomates não maduros no refrigerador impede que amadureçam e afeta o sabor e a textura, embora algumas pessoas sintam que tomates completamente amadurecidos não sofrem muito quando resfriados. Se o destino final dos tomates for um molho, você pode cozinhá-los e depois refrigerar ou congelar o molho.

Gosto, Cheiro e Sabor

Inspiração pela Sazonalidade **119**

Batatas. Mantenha-as em locais frios e secos (mas não na geladeira; o frio as deixa adocicadas). A luz do sol pode fazer a casca ficar verde. Caso isso ocorra, retire a casca antes de comer. A cor verde se deve à presença de clorofila, que se desenvolve ao mesmo tempo em que as neurotoxinas solanina e chaconina são produzidas. Já que a maioria dos nutrientes da batata está contida diretamente embaixo da pele, evite descascá-las sempre que possível. (É pouco provável que você morra se consumir a solanina presente em uma batata normal que ficou verde [~0,4mg], mas é possível que tenha uma experiência de trato digestivo bem desagradável pela maior parte do dia. Para uma explicação mais completa, acesse http:// cookingforgeeks.com/book/ solanine/ — site em inglês.)

Negativamente Afetadas pelo Etileno

Guarde-as separadas dos vegetais que produzem etileno.

Aspargos. Guarde os talos, com a parte de baixo enrolada em folha de papel úmida, na parte mais fria da geladeira. Você também pode colocá-los em um copo ou caneca, como flores cortadas. Coma assim que possível porque o sabor diminui com o tempo.

Amoras, framboesas e morangos. Jogue fora qualquer fruta com mofo ou deformada. Coma imediatamente as que estão maduras demais. Coloque as outras de volta no recipiente original, ou disponha-as (sem lavar) em uma tigela rasa coberta com folhas de papel e guarde na geladeira. Para absorver a umidade adicional, coloque uma folha de papel em cima das frutas. Lave-as antes de consumir; lavá-las e guardá-las ajuda o crescimento de mofo.

Brócolis, repolhos, couves, alhos-porós e acelgas. Guarde na parte de resfriamento rápido da geladeira ou em sacolas plásticas furadas, para permitir que qualquer excesso de umidade e etileno escape. O etileno deixa flores e folhas amareladas.

Cenouras. Depois de algumas semanas, o etileno pode fazer com que desenvolvam um sabor amargo. Retire a parte verde. Lave-as, coloque-as em uma sacola e guarde na seção de resfriamento rápido da geladeira. Guardá-las na geladeira preservará o sabor, a textura e o betacaroteno.

Frutas cítricas. O etileno acelera o chamado amarelamento e o apodrecimento, mas não melhora a parte comestível. Para evitar o mofo no armazenamento de meio-termo (de 6 a 8 semanas), guarde em sacos na gaveta de verduras do refrigerador.

Pepinos. No refrigerador ficarão com a superfície mole e apodrecerão rápido. Guarde-os sobre a bancada, mas longe das frutas, já que são sensíveis ao etileno.

Alho. Guarde em local escuro e frio (mas não na geladeira). Você ainda pode utilizar os que estiverem brotando, mas seu sabor não será muito forte. Os brotos podem ser usados cortados como cebolinhas.

Alface e folhas verdes. Veja se nas folhas compradas em grandes quantidades não há insetos. Lave-as, enrole-as em uma toalha ou papel toalha e armazene-as na geladeira em uma sacola plástica com pequenos furos. Se não for usar a alface nos próximos dias, espere para lavar as folhas mais tarde, porque o líquido acelera a deterioração.

Cebolas. O gás etileno pode fazer com que o mofo cresça. Mantenha em espaço seco e gelado longe de luzes fortes. As cebolas ficam melhores em locais que permitem a circulação de ar. Não as coloque perto das batatas, já que as batatas liberam umidade e etileno, fazendo com que elas estraguem mais rapidamente. E não guarde cebolas no refrigerador — elas vão ficar moles e o sabor vai se espalhar para outros alimentos.

Tim Wiechmann e Linda Anctil: Inspiração Sazonal

Tim Wiechmann é chef e proprietário da T.W. Alimentos, em Massachusetts.

Como você planeja um prato?

Começo pelos ingredientes — todos eles devem ser da estação. Já criei um prato que era feito a partir de sobras de queijos dos Pirineus. Está na época de cerejas negras e beterrabas, então, como posso temperar uma salada de beterrabas? Nos Pirineus, eles comem cerejas com queijo de leite de cabra. A maioria das minhas coisas vem de fatos culturais, a partir de viagens e de conhecimento da culinária europeia. Estudo o que as pessoas criam pelo mundo — elas fazem isso aqui e aquilo lá. E essas coisas são feitas há centenas de anos. Tento obter o conhecimento sobre essas coisas, depois vejo os meus ingredientes e faço uma combinação.

Meu cardápio, na verdade, é bem difícil. Tudo passa por um conjunto rigoroso e preciso de parâmetros de culinária. Em certas preparações, o tempo e a temperatura são fundamentais. A observação é fundamental, é assim que se adquire experiência em saber o que parece bom. Se você cozinhar uma cebola, ela muda de cor com o tempo. Existem certos estágios em que ela precisa ser retirada porque o amargor aumenta junto com a caramelização. As cebolas em uma panela alta suarão de forma diferente das cebolas em uma panela larga. Em uma panela alta, elas liberam sua própria água e cozinham de forma uniforme porque a água não desaparece. Temos panelas específicas que são boas para certas coisas — use as cebolas nessa panela; não use aquela panela — mas um cozinheiro novo pegará qualquer uma.

Como você sabe se uma coisa vai dar certo?

Você faz testes. Quando se aprende a tocar piano, ainda não se sabe onde ficam as notas. Você precisa aprender a técnica para depois poder começar a uni-las. Se eu apertar essa nota, ganho esse som; se quero que as cebolas fiquem doces, irei caramelizá-las. A técnica segue o conhecimento. Mantenho um registro das minhas receitas e os tempos para tudo. Por quanto tempo colocar cerejas ou maçãs em um saco plástico e cozinhá-las em um circulador de água — isso você aprende por experiência.

O que eu sempre digo é: "Vá lá e faça!". Toda vez que você cozinha algo — mesmo que queime e acabe no lixo — não é um fracasso, é apenas: da próxima vez não vou queimar isso.

Para a salada de beterraba assada de Tim, acesse: http://cookingforgeeks.com/book/beetsalad/ *(site em inglês).*

Linda Anctil é chef particular em Connecticut.

Como você pensa na experiência visual da comida?

Eu lido com a comida como um designer, mas ela também tem uma função. No final, o gosto precisa ser bom. Algumas vezes, sou inspirada por um ingrediente, um tempero, uma forma ou uma cor, mas a inspiração pode vir de qualquer lugar. Eu geralmente tento incluir um elemento surpresa, seja ele visual ou estimulante dos outros sentidos.

A natureza é fonte constante de inspiração para mim. Eu fui ao jardim colher um pouco de sálvia no inverno passado e senti o cheiro de pinha da minha árvore de Natal nas minhas luvas. Os cheiros se misturaram na minha mente e, de repente, a pinha se tornou algo que eu poderia usar como uma erva. Isso inspirou uma série de pratos que criei usando o sabor da pinha. Fiz um em que preparei camadas de diferentes texturas e sabores, resultando no meu vídeo *"The Winter Garden"* (O Jardim de Inverno — em http://www.youtube.com/watch?v=2bYvapNDIJw). Acho que foi provavelmente o prato mais abstrato e conceitual que já montei, mas realmente capturou toda a sensação de estar a céu aberto em um dia com gelo, neve, geadas e o cheiro de coníferas. Fui a única a comer o prato no fim das contas. Gostei muito. Foi uma expressão muito pessoal para mim.

Você tem alguma sugestão sobre como pensar na apresentação da comida?

Mantenha a mente aberta. Pegue um pedaço de fruta e imagine que você é um extraterrestre neste planeta que nunca a viu antes, e tenha a experiência através dessa visão. Como ela lhe parece? Que cheiro tem? O que você pode fazer com ela? Pense fora dos padrões normais e aproveite a jornada! Você pode observar a comida de qualquer artista ou chef e perceberá que é uma expressão pessoal de quem eles são. Ela conta uma história sobre as experiências dessas pessoas. Esse é um aspecto maravilhoso da culinária.

Para assistir a um dos vídeos de Linda, acesse: http://cookingforgeeks.com/book/winterdish/ *(site em inglês).*

Comida Orgânica, Local e Convencional

A sazonalidade da produção é apenas um dos aspectos a considerar quando for escolher o que comer. E que tal as comidas orgânicas, locais e convencionais? Há várias opiniões e fatos nestes tópicos, e quase sempre os dois se misturam. Alerta de estraga surpresa: a ciência não apoia várias das opiniões levantadas, e há algumas questões filosóficas profundas não relacionadas à ciência aqui.

Alimentos orgânicos são aqueles produzidos segundo regulamentações governamentais que restringem o uso de fertilizantes, pesticidas, herbicidas e hormônios e exigem tratamento humano aos animais. Os produtores de alimentos dos Estados Unidos devem ser certificados de acordo com o NOP, o Programa Orgânico Nacional da USDA, para poderem declarar-se produtores orgânicos; da mesma forma, os negócios na União Europeia devem seguir as regulamentações da Comissão Europeia Geral de Regulamentação de Alimentos e passar por auditorias anuais. (Em nota paralela, os Estados Unidos e a União Europeia usam a mesma definição de orgânico, de modo que as duas regiões possam comercializar esses alimentos.) Graças à demanda atual elevada por alimentos orgânicos, o custo deles é normalmente mais alto: a oferta não teve tempo de se adequar à procura. Os alimentos orgânicos também têm uma carga de custo associada à certificação e à documentação, então alguns produtores menores podem seguir a definição legal, mas optar por não pagar pela certificação, e dessa forma não podem rotular seus alimentos como orgânicos.

Alimentos locais não têm uma definição legal, mas a definição comum é baseada em a quantos quilômetros de distância o alimento foi produzido — normalmente, até "algumas horas de carro". Os "food-hubs" — lugares que atuam como centros de troca para que fazendas e ranchos locais vendam seus produtos para compradores de grandes volumes, como supermercados — estão se tornando comuns rapidamente, e estão reforçando os sistemas de alimentos locais e regionais de uma maneira fantástica. Comer alimentos produzidos localmente tem inúmeros benefícios, incluindo o suporte à economia local, permanecer "dentro da estação" e conectar-se ao suprimento de alimentos em um nível mais profundo (procure na internet pelo site da USDA *"Know your farmer, know your food"*, "Conheça seu fazendeiro, conheça sua comida" — conteúdo em inglês). O termo local não se relaciona a alimentos orgânicos, mas para alguns consumidores há um credo compartilhado de sustentabilidade, segurança alimentar e ambientalismo. Contudo, a produção local não garante essas coisas!

Comidas convencionais são aquelas que não são certificadas para venda sob o rótulo de *orgânicas*. Apesar disso, elas ainda devem atender às regulamentações governamentais. Os alimentos convencionais podem ou não ser locais.

Qual é a diferença no gosto?

A comida orgânica é vista por alguns consumidores como sendo mais autêntica e tem uma aura de possuir um gosto melhor. As diferenças de gosto podem certamente existir entre um pé de alface-romana orgânica e um convencional do seu supermercado, devido a diferenças microclimáticas ou à forma como a produção é cuidada, mas estudos que fizeram comparações de variedades de plantas idênticas cultivadas de modo convencional e modo orgânico encontraram diferença zero em termos de gosto. O uso de pesticidas orgânicos em lugar dos convencionais não leva, por si só, a diferenças no paladar.

Quase sempre pensa-se que a produção local tem um gosto melhor, e tem um efeito de "aura" similar. Para alguns produtos, o sabor irá se perder com o tempo depois da colheita, então a produção local pode vir a ser mais fresca e ter gosto melhor. Mas esse não é necessariamente o caso. Rabanetes, por exemplo, têm gosto melhor quando plantados em climas quentes. Se você vive em um clima mais frio, os rabanetes plantados mais longe terão gosto melhor, e o impacto ambiental deles pode também ser menor se os plantados perto de você dependerem de estufas.

Se essa resposta surpreende você, considere o poder do efeito placebo. Se acredita que algo vai ter um sabor melhor, então ele provavelmente terá. O efeito placebo no gosto parece ser incrivelmente poderoso, como sabem as associações de propaganda alimentícia. Mas os dados não apoiam as crenças que a maioria dos consumidores tem sobre quaisquer diferenças de gosto percebidas.

E a exposição a produtos químicos?

Não importa se você usa alimentos orgânicos ou convencionais, as regulamentações governamentais limitam os níveis de todos os tipos de herbicidas e pesticidas que têm permissão legal para estar presentes nos produtos finais. Ninguém pode ser exposto a pesticidas ou herbicidas acima de certas quantidades, e isso tem sido um grande problema para os trabalhadores rurais. Mas será que é um problema para você? A resposta é complicada.

A exposição a pesticidas e herbicidas orgânicos como uma categoria não foi apontada como mais segura do que a exposição aos convencionais. Algumas substâncias químicas, independente do tipo, são cancerígenas em determinadas concentrações — a dosagem importa, como os químicos gostam de dizer. Os níveis detectáveis de pesticidas em nossos corpos estão bem abaixo de qualquer coisa que se aproxime de tóxico. Para dar números a quanto estamos sendo expostos a pesticidas cancerígenos nos alimentos convencionais, considere o que o doutor Belitz escreveu em *Food Chemistry* (Springer, 2009): "As substâncias químicas naturais que são sabidamente cancerígenas (em uma xícara de café) são quase iguais ao equivalente a um ano dos resíduos cancerígenos de um pesticida sintético."

Os produtos orgânicos foram testados como apresentando níveis mais baixos de pesticidas, mas não como tendo melhor valor nutricional que os produtos convencionais equivalentes. Indivíduos que consomem produtos orgânicos aparecem nos testes como tendo menos níveis de resíduos de pesticidas no sangue. Mas ter um pesticida em sua corrente sanguínea em quantidades mínimas mudaria a saúde geral ou a perspectiva de vida? A incerteza aqui é o motivo pelo qual muitos consumidores compram alimentos orgânicos (principalmente os pais recentes). Há muita coisa que não sabemos sobre as interações químicas de longo prazo entre pesticidas/herbicidas e nossos corpos. Sabemos que todos os pesticidas aprovados são essencialmente seguros, no sentido de que foram bastante estudados. Mas não sabemos, com 100% de certeza, se o impacto deles a longo prazo é absolutamente zero. Provavelmente, não (e como poderia ser?), mas seria um impacto significativo? Pode ser impossível saber. É por isso que considero comprar produtos orgânicos ou convencionais uma questão filosófica — como você se sente em relação à incerteza, quando a comunidade científica descobriu muito pouco para afirmar que há riscos?

Inspiração pela Sazonalidade

E que tal sem substâncias químicas?

Bem, comida é química, então presumivelmente qualquer um que peça isso se refere a químicas adicionadas, como pesticidas. Isso pode parecer uma coisa desnecessária de dizer, mas aprendi que é importante! Por exemplo, uma pesquisa feita em 1999 descobriu que uma em cada três pessoas que responderam acreditava que "tomates comuns não têm genes, mas os geneticamente modificados têm". Se tivessem essa opção, os fazendeiros preferiram não pulverizar qualquer herbicida ou pesticida em suas plantações e os rancheiros prefeririam não usar vacinações e remédios: elas custam dinheiro e tempo.

Melhor custo-benefício?

Comprar alimentos locais ou orgânicos é mais uma questão ética e moral do que científica. Há muito mais do espírito por trás dessas escolhas do que um valor nutricional e a sensação de gosto.

Se você quer comprar produtos locais, eles são normalmente mais baratos: os custos de transporte não são tão altos. Vá além dos supermercados, procure por um mercado de produtores. Os mercados de produtores são uma forma excelente de entender de onde sua comida está vindo e de pensar sobre cozinhar e comer com sazonalidade. Além do mais, o produtor local vai agradecer. Se quiser ir além, veja se pode encontrar uma comunidade agrícola por perto; são cotas fracionadas onde você paga algumas centenas de dólares no começo da plantação e depois recebe uma fração da produção da fazenda e divide os riscos (esperando que não seja um ano sem chuva). Eles são o mais próximo que você pode chegar de seus hortifrúti sem ter que plantá-los, e uma boa maneira de se desafiar na cozinha. (Que diabos você faz com dez pés de alface? Tente a sopa de alface: veja a p. 116.)

Se quiser comprar orgânicos, mas estiver com o orçamento apertado, aqui vão algumas regras gerais de onde estão as maiores diferenças na produção. Para as frutas, se for comer a casca, compre orgânicas. Se for descascá-las, comprar orgânicas parece oferecer pequena diferença. Para os vegetais, pimentão orgânico, aipo, couve e alface provaram ter um nível menor de pesticidas do que os similares convencionais. Para produtos de origem animal com alto teor de gordura como manteiga e carnes gordas, compre orgânicas; muitos pesticidas são lipossolúveis, portanto permanecem no produto final.

Minha opinião pessoal? Estar por dentro de onde vem a sua comida e reservar algum tempo para cozinhar para você e para os outros é mais importante do que saber se a comida é orgânica ou convencional pelas definições legais.

"Abaixo dos níveis recomendados por lei" não significa "100% garantido", não importa se você está comprando orgânico ou convencional. Nos Estados Unidos, a FDA (órgão responsável pelo controle de alimentos e medicamentos) inspeciona menos de 1% dos importados (dados de 2012), e foram encontrados excessos de resíduos de pesticidas em alguns alimentos importados quando testados por pesquisadores independentes. A prática (e os recursos para isso) precisa ser aprimorada.

124   Cozinha Geek

Inspiração de Sabor Computacional

Computador, o que vai bem com chá Earl Grey quente?

A tecnologia não está longe de ser capaz de responder a questões como esta, e isso é maravilhoso! Imagine abrir a porta da sua geladeira, ver algumas sobras de ingredientes da refeição da noite anterior, apertar um botão em um aparelho e dizer: "Mostre receitas que usem frango, coentro e limões". Meu relógio inteligente atual me permite fazer isso!

E que tal mais possibilidades? Encontrar receitas que usem determinados ingredientes é uma coisa, mas e se pudéssemos criar novas receitas, combinações que nunca foram tentadas antes e cheias de sabor? Graças a uma compreensão de como os sabores funcionam e com um número suficiente de dados combinados, isso agora é possível.

Há duas abordagens principais para a inspiração de sabor: a coocorrência de ingredientes e sua similaridade química. Ambas têm vantagens e desvantagens; pesquisas mais recentes que combinam os métodos estão começando a dar frutos. Os computadores são bons em comparar montes de números, e estes métodos definitivamente se beneficiam disso. (Eles são muito bons em fazer exatamente o que foram programados para fazer, não o que *pretendíamos* que fizessem.)

Primeiro, um aviso: escolher sabores agradáveis — que estimulem resposta emocional ou ativem uma memória — está entre a arte e a ciência. Nenhuma equação científica captura o quadro todo, e o que você deseja em um dado momento também pode variar. Mesmo assim, compreender como os "algoritmos de compatibilidade de sabor" funcionam pode organizar seus pensamentos sobre a comida, e os resultados podem ser úteis para cozinheiros inquisitivos e improvisadores.

Coocorrência de Ingredientes

Se os itens A, B e C são combinados em um prato, e um outro usa B, C e D, então existe uma boa chance de que A também funcione no segundo prato. Esses tipos de relações transitórias não têm garantia de funcionar, mas são um ótimo ponto para começar. Digamos que você goste de guacamole e saiba que os ingredientes comuns são abacate, alho, cebola, limão e coentro. Quando fizer uma salada com ingredientes parecidos — digamos, tomate, abacate e cebola —, é razoável imaginar que coentro picado funcionará bem e, talvez, alho amassado em um molho de vinagre/óleo.

E se pegássemos essa ideia e levássemos adiante examinando no computador centenas de receitas e seus ingredientes? Alguns projetos e livros notáveis já fizeram isso, mas ainda é apenas diversão. Pegue algumas centenas de receitas (fáceis o suficiente para um gênio da computação como eu), coloque-as em algum programa que organize os dados e *voilá*! Você vai ter uma matriz de coocorrência que mostra a probabilidade relativa de que um ingrediente apareça com outro. Com alguns ajustes (normalizando os pesos para 0 e 1; usando sal, que liga tudo), os resultados se tornam quase que possíveis de serem lidos. (Veja um arquivo .csv em http://cookingforgeeks.com/book/cooccurrence/ — site em inglês.)

Ingredientes comumente pareados com chocolate, de acordo com a coocorrência em receitas — ele é normalmente usado com amêndoa, banana, manteiga, canela, coco, pimenta, leite e baunilha.

O ingrediente mais comum com que o chocolate é pareado é a baunilha (dando a ela peso 1 na matriz de coocorrência normalizada). O segundo (em meu banco de dados) é o leite (0,320). Amêndoas (0,243), óleo (0,166), creme (0,128) e pecãs (0,121) são os próximos quatro. Ver essa lista não é nenhuma surpresa; o chocolate é comum com baunilha, laticínios e nozes. Que condimentos são normalmente usados com carne? (Pimenta-do-reino, dedo-de-moça, salsinha, tomilho, louro, orégano.) E com frango? (Salsa, tomilho, manjericão, páprica, pimenta-de-caiena, gengibre.) Você poderia estender essa lista vendo diferentes receitas — como a coocorrência de ingredientes muda entre as culturas? ("Computador, ajuste a receita para o estilo Tex-Mex.") Ou através dos tempos? Imagine as possibilidades.

Os dados são tão úteis quanto a capacidade de ver e agir sobre eles, então, a menos que você seja um viciado em planilhas, algo mais é necessário para visualizá-los. Eu construí uma interface simples para ir clicando nos vários ingredientes (acesse http://cookingforgeeks.com/book/foodgraph/ — em inglês). Com o tempo, vai se tornar impossível de usar (ou sair do ar). Há uma expressão, "code rot", que descreve como um software se torna mais "bugado" à medida que o sistema é atualizado e já não é mais 100% compatível com o anterior.

Similaridade Química

Muitas das substâncias que dão aos ingredientes seus sabores podem ser medidas e quantificadas — supondo que se tenha acesso a equipamentos de cromatografia! Coloque uma amostra, separe os componentes e compare os resultados. Certo, certo; essa é uma supersimplificação grotesca. Talvez algum dia em um futuro distante meu relógio possa fazer isso, mas por enquanto não é simples; e mesmo o melhor equipamento de laboratório não é sensível o suficiente para detectar todos os odorantes que podemos cheirar. Por esse motivo, explicarei similaridade química com descrições de odores; vamos usar nossos narizes como detectores químicos. É mais simples do que medir os odorantes diretamente.

Uma maneira de determinar a similaridade é medir diferentes variáveis — digamos, quantidades de componentes ou odores potenciais — e depois comparar os itens de acordo com elas. É um processo de duas etapas: primeiro, descobrir vários números que descrevam um item individual; e, segundo, compará-los entre diferentes itens.

Isso é descrito com mais facilidade com um exemplo. Imagine que um perfil de sabor para um item de comida é o quanto ele cheira nos termos da lista de 146 odores de Andrew Dravnieks (veja a p. 94). Para cada termo na lista, pegue um item de comida e classifique em uma escala de 1 a 5, em que a pontuação 1 indica "absolutamente não cheira como tal" e 5 é "a pura definição da palavra!". Dada uma pera, quanto ela tem de odor "pesado"? 1. E frutado? Talvez um 3? Ou que tal fragrante? Digamos que é uma pera madura, então 4. (O Atlas de aromas completo que Dravnieks criou faz algo similar usando uma coleção de compostos químicos conhecidos.) A primeira etapa de classificação não pergunta se o item e a descrição do odor são compatíveis, apenas quer saber se o odor rotula com precisão o cheiro e o quantifica com um número.

A segunda etapa para a combinação de similaridades compara os valores de diferentes ingredientes, de acordo com a teoria de que ingredientes com pontuações similares podem ser combinados ou substituídos. Dadas as pontuações para os aromas que você sente em uma pera e em uma banana, quanto de coincidência haveria? Você pode fazer um gráfico (quase que um histograma) para os dois, mostrando o quão similar são seus aromas. Faça isso para vários ingredientes, e é fácil mostrar que pera e banana têm mais odores similares do que, digamos, salmão e pera.

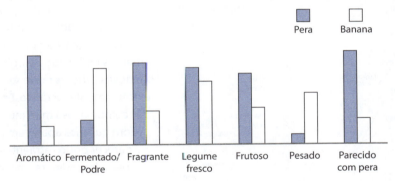

Resultados da enquete online feita com alguns usuários não treinados para votar em quanto pensavam que vários termos sobre odores descreviam bananas e peras (barras mais altas indicam um grau maior de concordância entre a comida e o odor).

Ao contrário da coocorrência de ingredientes, o método da similaridade química pode encontrar combinações que não existiriam tradicionalmente. Você pode imaginar um gráfico combinado que descreve o perfil geral de um prato, mostrando as "frequências" presentes nos cheiros de cada ingrediente. Pense nisso como vários instrumentos em uma peça musical: cada um tem um conjunto de frequências, e uma combinação de todos eles gera a distribuição geral da frequência da música. Quando afinados, as frequências se alinham e se equilibram; desafinados, a combinação de sons pode ser desconfortavelmente dissonante, mesmo se cada som estiver individualmente afinado.

Inspiração de Sabor Computacional

É claro que a analogia da música não é perfeita para os sabores: as mudanças químicas ativadas pelo cozimento ou pelas reações entre comidas modificam o histograma, e a comparação com a música não cobre todas as variáveis dos alimentos, como textura, peso ou sensação na boca. Esse método funciona melhor com ingredientes cujo propósito principal seja transportar odores. Sopas, sorvetes, até mesmo suflês: todos transportam sabores e aromas sem carregar textura ou volume do ingrediente original.

Heston Blumenthal, chef mais conhecido por seu restaurante no Reino Unido, o The Fat Duck, usou uma variedade de combinações de novos sabores: morango e coentro, escargot e beterraba, chocolate e pimenta rosa, cenoura e violeta, abacaxi e certos tipos de queijo "mofados", banana e salsinha. Parece maluquice, mas as pesquisas apoiam essas combinações e elas funcionam nos pratos dele.

Muitos chefs — geralmente os profissionais, mas também não profissionais experientes — visualizam combinações de sabores, fazendo mentalmente algo similar a esse processo. Assim como um compositor imagina cada voz e som em uma peça musical, um cozinheiro experiente imagina o perfil do prato completo, da aparência à textura e aromas. Bons cozinheiros pensam nas notas que estão faltando ou que estão suaves demais para adicionar ingredientes que neutralizem esses valores.

E como descobrir combinações completamente novas, misturas que tradicionalmente nunca existiram? É onde esse método se destaca. Chefs pesquisadores procurando por novas ideias gastam um tempo incontável trabalhando em novas combinações de sabores. Alguns restaurantes 5 estrelas têm cozinhas experimentais, dedicadas ao trabalho de laboratório e desenvolvidas por funcionários com mestrado em ciências naturais como física ou química e graduação em instituições culinárias de primeira linha. Para os restaurantes originais e a indústria de alimentos embalados, surgir com novos sabores pode ser extremamente lucrativo. Enquanto as combinações mais inusitadas com que eles aparecem possam parecer pouco atraentes ou pedir ingredientes incomuns — com que frequência você tem caviar à disposição? —, elas funcionam. Na pior das hipóteses, você vai achar esse tipo de ferramenta uma fonte divertida de inspiração para coisas novas. Experimente!

Ingredientes análogos ao chocolate conforme a similaridade química, agrupados por categoria de alimentos — dos tradicionais aos incomuns.
GRÁFICO REPRODUZIDO SOB PERMISSÃO DE BERNARD LAHOUSSE DA FOODPAIRING.COM.

Tacos de Peixe com Picles e Chutney de Morango

Começo esse capítulo com o dilema de como combinar picles, morangos e tortilhas — uma combinação de ingredientes que não seduz ninguém a correr para a cozinha. Mas e se tivéssemos acesso a um supercomputador que mastigasse as possibilidades? O projeto de pesquisa da IBM, **Chef Watson** *(http://www.ibmchefwatson.com — site em inglês), faz exatamente isso, e provou ser sedutor o suficiente para merecer seu próprio livro de culinária, o* Cognitve Cooking with Chef Watson *(Cozinha Cognitiva com o Chef Watson — Sourcebooks, 2015). Tomo esse desenvolvimento como prova ou de que os computadores estão assumindo o mundo ou de que ninguém mais precisa ter batimentos cardíacos para assinar um contrato de livro — possivelmente os dois.*

O Chef Watson é uma criação curiosa, baseada em analisar a coocorrência de ingredientes em sua base de dados de receitas (atualmente, cerca de nove mil receitas da Bon Appétit*) e a similaridade de componentes químicos entre eles. Quando não são forçadas demais — digamos, começando com ovos e chocolate —, as receitas sugeridas fazem sentido e são suficientemente peculiares para inspirar. Fazer brownies com uma xícara de queijo gruyère no lugar da manteiga? O queijo vai fornecer a gordura necessária, e cream cheese em brownies não é uma novidade. Com mais esforço — picles, morangos e tortilhas —, as sugestões de receitas vão das peculiares às estranhas. Mesmo assim, os resultados ainda são inspiradores; no caso desses três ingredientes, a maioria das receitas sugeridas inclui peixe e toma a forma de tacos. Os morangos compartilham inúmeros componentes odoríficos com os tomates e, sabendo disso, é mais fácil ver como a combinação funcionaria!*

Em uma tigela pequena, prepare o recheio do taco, misturando:

- **½ xícara (chá) de morangos picados, sem as folhas (90g)**
- **¼ de xícara (chá) de picles picados e escorridos (40g)**
- **¼ de xícara (chá) de coentro bem picado (15g)**
- **1 colher (sopa) de vinho branco, vermute seco ou gim (15ml)**

Reserve o recheio.

Prepare **250g de peixe ou frutos do mar como halibute**, **atum ou siri**, cortando em pedaços largos, de 3 a 5cm. Empane os pedaços em farinha de rosca, misturando ¼ **de xícara (chá) de farinha de rosca** com ½ **colher (chá) de sal (2g)** e então enfarinhe-os.

Em uma frigideira em fogo médio, derreta **2 colheres (sopa) de manteiga (30g)**. Uma vez que a manteiga comece a dourar, adicione os pedaços de peixe. Frite por cerca de 2 minutos e então vire os pedaços até que o peixe esteja frito e a farinha de rosca dourada e torrada.

Sirva colocando **uma tortilha** em um prato e recheando com uma porção do peixe e uma pequena porção da cobertura. Esprema **metade de um limão** por cima.

Inspiração de Sabor Computacional

Laboratório: Você Conhece Bem os Seus Sabores?

Você acha que conhece bem os seus sabores? Aqui estão dois grupos diferentes de atividades para desafiar os participantes a pensar sobre o que sentem. O primeiro experimento usa tanto o paladar quanto o olfato e requer um trabalho avançado de preparação. O segundo usa apenas o olfato e evita problemas potenciais de alergias, mas não é tão recompensador.

Primeiro, pegue esse material:

Para o Experimento Nº 1: Sabor (paladar e olfato)

10 copinhos para amostras ou uma forma de gelo com pelo menos 10 compartimentos. (Se você fizer o experimento com um grupo maior, planeje de 6 a 10 pessoas por partida; para um grupo de 36, use 4 formas de gelo e divida as pessoas em 4 grupos.)

Caneta para marcar os copos; se estiver usando formas de gelo, use fita-crepe onde possa escrever.

Pequenas colheres para as amostras para cada participante (se você não se importar com "mergulhos duplos", uma colher por pessoa está de bom tamanho).

Papel e lápis para cada participante anotar seus palpites.

Ingredientes para experimentar. (Alguns deles são um pouco obscuros, mas servem como desafios divertidos para provadores familiarizados com sabores comuns. Se o supermercado da sua vizinhança não tiver todos esses itens, pegue outros que ache que vá funcionar, de acordo com suas vivências e dos provadores.)

- Rabanete branco cozido e picado
- Polenta cozida, picada (alguns mercados comercializam pacotes de polenta cozida que pode ser facilmente picada)
- Avelãs raladas do tamanho de areia grossa
- Pasta de coentro (procure na seção de alimentos congelados; ou compre coentro fresco e use um pilão para fazer a pasta)
- Pasta de tamarindo ou concentrado de tamarindo
- Biscoitos Oreo ralados (tanto o biscoito quanto o recheio; o resultado será um pó preto)
- Manteiga de amêndoas (ou qualquer manteiga de noz que não seja a de amendoim)
- Sementes de cominho • Jicama picada • Purê de amora

Para o Experimento Nº 2: Apenas olfato

15 copinhos plásticos ou de papel (o conjunto deve dar para 30 ou 40 pessoas; para grupos maiores, aumente de acordo).

15 pequenas peças de gaze ou morim para cobrir cada copo; 15 elásticos para prender a gaze ou o morim.

Papel e lápis para cada participante anotar seus palpites.

Ingredientes para cheirar. (Se tiver dificuldade em encontrar algum desses, substitua por algo similar, ou simplesmente deixe-o de fora.)

- Extrato de amêndoas
- Talco de bebê
- Gotas de chocolate
- Grãos de café
- Água de colônia ou perfume (borrifado diretamente no copo ou em tecido)
- Alho amassado
- Limpador de vidros
- Grama cortada

- Limão cortado em gomos
- Xarope de bordo (xarope de bordo de verdade, não aquele "xarope de panquecas")
- Cascas de laranja
- Molho de soja
- Folhas de chá
- Extrato de baunilha
- Restos de madeira (por exemplo, serragem, pontas de lápis)

130   Cozinha Geek

Laboratório: Você Conhece Bem os Seus Sabores?

Preparo:

Experimento Nº 1: Sabor (paladar e olfato)

Com antecedência:

1. Numere os copos de 1 a 10. Se estiver usando formas de gelo, cole uma tira de fita-crepe no comprimento da forma de modo que possa numerar cada compartimento.
2. Corte ou amasse os itens para remover quaisquer dicas visuais sobre o tamanho ou textura normais e transfira para os lugares numerados. Tente manter os itens picados em um tamanho regular, com cerca de 1cm.
3. Cubra as amostras: se estiver preparando os itens com mais de uma hora de antecedência, guarde-os na geladeira.

Quando estiver pronto:

1. Não se esqueça de alertar qualquer um que tenha alergia a nozes ou outros que eles devem se abster de participar.
2. Instrua os participantes a experimentar as amostras e anotar seus palpites. É melhor se todos fizerem a primeira anotação em silêncio! Peça que listem seu primeiro pensamento e, se mudarem de ideia, para listar os palpites adicionais em vez de riscar os anteriores.

Experimento Nº 2: Apenas olfato

Com antecedência:

1. Numere cada copo de 1 a 15.
2. Adicione o item ao copo e cubra com gaze ou morim, prendendo com um elástico ao redor da borda.

Quando estiver pronto:

Passe os copinhos para que os participantes cheirem. A ordem em que vão cheirar as amostras não importa, mas para grupos maiores, é mais fácil passá-los em ordem. Peça aos participantes que anotem seus palpites, mas que não comentem em voz alta.

Hora da investigação!

Esses experimentos usam itens comuns, em sua maioria alimentos que você encontra no supermercado. A maioria dos itens sugeridos provavelmente não faz parte da sua experiência diária, mas, ainda assim, devem ser familiares. Você pode se surpreender com o grau de dificuldade em identificar alguns deles! É surpreendente descobrir o quanto "saber" o que uma comida é — ver a folha de coentro ou ouvir que é um cupcake de chocolate com avelãs — permite que sintamos os sabores que esperamos dela.

Para cada item, pergunte às pessoas quais foram seus palpites. O que o grupo observa sobre os palpites de todos? Alguns itens foram fáceis de adivinhar? Quantas pessoas acertaram os palpites para os biscoitos Oreo e quantas para as comidas menos processadas? Algumas pessoas são melhores em detectar odores do que outras?

Se você estiver interessado em um teste de cheiros "de verdade", os pesquisadores da Universidade da Pensilvânia desenvolveram um teste autêntico de raspadinha chamado de UPSIT. Pesquise na internet por "University of Pennsylvania Smell Identification Test" (Teste de Identificação de Cheiros da Universidade da Pensilvânia).

Inspiração de Sabor Computacional **131**

Gail Vance Civille: Sabor e Aroma

Gail Vance Civille se descreve como uma "geek de sabor e aroma" que começou a trabalhar como uma profissional dos sentidos no centro tecnológico da General Foods e agora é presidente e proprietária da Sensory Spectrum, Inc., em New Providence, Nova Jersey.

Como alguém que é treinado para pensar sobre sabores, gostos e sensações sente esses fatores de forma diferente?

A grande diferença entre um provador treinado e um não treinado não é que o seu nariz ou palato se tornem melhores, mas que o seu cérebro se torna melhor para diferenciar as coisas. Você treina o cérebro para prestar atenção nas sensações que está sentindo e as palavras que são associadas a elas.

Parece que grande parte disso se trata da capacidade de lembrar de coisas que já experimentou. Existe algo que alguém possa fazer para ajudar a organizar o cérebro?

Você pode abrir o seu armário de temperos e ervas, separá-los e cheirar os conteúdos. Por exemplo, a pimenta-da-jamaica tem um cheiro muito parecido com o cravo. Isso acontece porque ela possui óleo de cravos e eugenol. Você dirá: "Nossa, essa pimenta-da-jamaica cheira igual a cravos". Então, da próxima vez, você dirá: "Cravo, ah, mas espere, pode ser pimenta-da-jamaica".

Então é assim que os chefs aprendem a fazer substituições e combinar ingredientes na culinária?

Isso. Tento encorajar as pessoas a fazerem experiências e aprender essas coisas para saberem, por exemplo, que se você estiver sem orégano, deve substituí-lo por tomilho, não manjericão. O orégano e o tomilho são quimicamente parecidos e possuem uma impressão sensorial similar. Você precisa conhecê-los e brincar com eles para saber disso.

Como se faz isso com ervas e temperos?

Primeiro você aprende sobre eles. Pegue-os, cheire-os e fale: "Ah, certo, isso é alecrim". Então, cheire algo diferente e fale: "Certo, isso é orégano" e assim por diante. Depois, feche os olhos, estique a mão, pegue um pote, cheire e veja se consegue identificar o que é. Outro exercício é tentar ver se consegue diferenciar pilhas de coisas parecidas. Você confundirá orégano e tomilho e, acredite se quiser, sálvia e alecrim, porque ambos contêm eucaliptol, que é o mesmo elemento químico e, portanto, têm um perfil de sabor parecido.

E combinar condimentos com frutas, por exemplo, maçã e canela?

Você coloca canela em uma maçã porque ela tem uma parte amadeirada no sabor, como o cabo e as sementes. E a canela tem um componente amadeirado, e tal componente sobrepõe o amadeirado não tão agradável da maçã e dá uma característica de canela doce. É isso que você sente. Da mesma forma, você adiciona alho ou cebolas nos tomates para cobrir a acidez do tomate, da mesma forma que o manjericão e o orégano se juntam ao tomate que tem um toque vínico e bolorento. Juntos, eles criam algo que mostra as melhores partes do tomate e esconde as partes menos agradáveis. É por isso que os chefs combinam certas coisas. Eles vão e misturam, batem, unem e derretem, e criam algo único e diferente e melhor que a soma das partes.

Demora um pouco até se chegar nesse nível porque é preciso se sentir confiante tanto como cozinheiro quanto com sair da receita. Por favor, saia da receita. Vamos tirar as pessoas das receitas e fazê-las pensar no que tem um gosto bom. Prove algo e fale: "Ah, já sei o que está faltando. Tem algo faltando na estrutura total da comida. Deixe-me pensar em como adicionar isso". Eu consigo cozinhar uma refeição e pensar que tem algo faltando no meio. Tenho umas notas altas e talvez um pouco de carne que foi dourada, que tem umas notas de fundo bem pesadas. Penso em sabor como um triângulo. Bom, preciso adicionar orégano ou algo assim. Não preciso de limão, que é outra nota alta, e não preciso de nada caramelizado porque isso é de fundo. Você prova e pensa no que pode adicionar àquilo.

Como alguém prova algo e pensa: "Bom, se eu quisesse fazer isso em casa, o que deveria fazer"?

Eu consigo sentar em alguns dos melhores restaurantes do mundo e não fazer a menor ideia do que estou comendo. Não consigo diferenciar os gostos, eles estão muito ligados. Então, não é apenas uma questão de experiência; é também uma questão da experiência do chef. Se você observar um chef com treinamento clássico francês ou italiano, eles conseguem criar algo enquanto eu coço a cabeça pensando: "Me pegou, não sei o que tem aqui", porque é tudo tão ligado, tão misturado, que não consigo ver as partes. Só vejo o total.

Agora, isso não acontece com a maioria das comidas asiáticas porque elas são projetadas para ser pungentes e explosivas. É por isso que a culinária chinesa não se parece com a francesa e a italiana. Já percebeu isso? Comidas asiáticas têm cebolinha, alho, soja e gengibre, e elas devem explodir na boca. Mas, no dia seguinte, eles estão todos misturados e isso não é tão interessante.

Isso quase sugere que se alguém estiver começando a cozinhar, uma abordagem pode ser ir comer comida asiática e tentar identificar os sabores?

Ah, definitivamente. Esse é um ótimo lugar para começar, e a culinária chinesa é a melhor de todas. Algumas pessoas asiáticas já se sentiram muito ofendidas em aulas em que eu disse isso, e eu expliquei que não, não, não, é assim que deve ser. É assim que a comida asiática é; é pungente, interessante, explosiva

e não é da mesma forma que a comida europeia clássica, especialmente a do sul da Europa.

No caso de um dos pratos clássicos europeus, digamos que você esteja comendo uma berinjela à parmegiana, e está fantástica. Como você tenta adivinhar o porquê disso?

Eu começaria identificando o que sou capaz de identificar. Você diz: "Certo, tenho tomate, berinjela, mas a berinjela parece frita em algo interessante, que não é exatamente óleo de amendoim ou azeite de oliva. O que será isso?". Eu perguntaria para o garçom: "Isso é muito interessante. É diferente da forma que eu geralmente como berinjela à parmegiana. Tem algo diferente no óleo ou na forma como o subchef frita a berinjela que torna o prato especial?". Se você perguntar algo específico é mais fácil conseguir uma resposta da cozinha do que se disser: "Pode me dar a receita?". Isso não vai receber resposta alguma.

Quando pensamos na descrição de gostos e cheiros, parece que o vocabulário que usamos para descrever o gosto tem quase a mesma importância.

É a forma que comunicamos nossa experiência. Se você disser "fresco" ou "tinha gosto de comida caseira", isso pode significar várias coisas. Existem termos mais nebulosos que, digamos: "Você conseguia sentir o gosto da berinjela no molho e no queijo". Isso é bastante específico e, na verdade, "fresco" neste caso quer dizer uma berinjela que acabou de ser frita. Já tive um caso parecido com *ratatouille* em um restaurante. Perguntei ao garçom: "Você pode me dizer se esse *ratatouille* acabou de ser feito?". E o garçom disse: "Sim, ele prepara tudo antes e junta os ingredientes

pouco antes de servirmos o jantar". Quando as pessoas dizem "comida caseira", elas geralmente querem dizer que o gosto não é sofisticado e refinado, mas que parece que foi feita por um bom cozinheiro caseiro. É mais rústica, mas muito bem-feita.

Há alguma vantagem no cozinheiro da casa juntar os ingredientes muito perto da hora em que a refeição será comida?

Ah, não há dúvidas que dependendo da natureza da comida em si existem coisas que são melhores se deixadas por mais tempo na panela. A maioria dos cozinheiros caseiros, de forma intuitiva ou cognitiva, tem um melhor entendimento do que combina com o quê, e de quanto tempo esperar até atingir o seu auge.

Você disse agora pouco: "Precisamos sair da receita". Pode elaborar um pouco mais?

Quando eu cozinho, procuro por sete ou mais receitas. A primeira vez que fiz *sauerbrauten*, cozinhei a partir de, pelo menos, cinco receitas. Você escolhe coisas de cada uma com base no que acha que fica bom e como o sabor deve ser. Penso que a ideia de fazer experiências no seu sentido clássico não tem problema. Os geeks devem gostar de experimentar. Qual é a pior coisa que pode acontecer? Não ficar bom. Não vai envenenar você, e não será nojento; pode não ficar perfeito, mas não tem problema. Quando faço isso, tenho muito mais liberdade de fazer as coisas porque não estou presa a uma lista de ingredientes. A receita é, até onde sei, um lugar para começar, mas não para ser só aquilo, até o final.

Inspiração de Sabor Computacional   **133**

Conteúdo do Capítulo

Cozido = Tempo x Temperatura 136

    Transferência de Calor 139

    Métodos Culinários 141

30°C: Ponto Médio de Derretimento de

Gorduras............................. 148

    Manteiga...................... 154

    Chocolate, Óleo de Coco e

    Temperagem.................. 157

40°C e 50°C: As Proteínas do Peixe e

da Carne Começam a Desnaturar 162

60°C: Fim da Zona de Perigo.................. 170

    Como Reduzir as Chances de uma

    Intoxicação Alimentar 180

62°C: Os Ovos Começam a Ficar Prontos .. 187

68°C: O Colágeno É Desnaturado 195

70°C: Os Amidos Vegetais Quebram 205

154°C: As Reações de Maillard Se

Tornam Perceptíveis 213

180°C: O Açúcar Começa a Caramelizar

Visivelmente..................................... 221

Receitas

Bife Selado, 140

Peixe Assado no Sal
com Limão e Ervas, 147

Faça Você Mesmo: Barra
de Chocolate Amargo, 161

Fraldinha Marinada no
Leitelho, 167

Salmão Refogado em
Azeite de Oliva, 168

Atum Selado com
Cominho e Sal, 169

Bife Tártaro com Ovos
Pochê, 174

Ceviche de Vieiras, 176

Almôndegas Belgas, 185

Creme Inglês, Torta de
Baunilha e Pudim de
Pão, 192

Ovos Cozidos Fáceis de
Descascar, 193

Ovos Mexidos em Fogo
Brando, 194

Ovos de Forno, 194

Bruschetta de Lula , 199

Confit de Pato, 200

Confit de Pato com
Massa, 202

Costelinhas Cozidas em
Fogo Brando, 203

Asparago Rápido Cozido
no Vapor, 208

Verduras Refogadas com
Sementes de Gergelim, 209

Peras Pochê ao Vinho
Tinto, 210

Churrasco de Legumes, 211

Batatas de Frigideira, 216

Pão de Alho Fabuloso, 217

Frango à Borboleta,
Grelhado e Assado, 218

Biscoitos de
Açúcar, Biscoitos
Amanteigados e
Biscoitos de Canela, 224

Calda de Caramelo, 228

Cenouras Refogadas
com Cebola Roxa, 230

Laboratórios

Experimento com
Colágeno, 204

Taxas de Reações
Saborosas —
Encontre o Seu
Biscoito Perfeito, 226

Entrevistas

Doug Powell:
Segurança de
Alimentos, 178

Bridget Lancaster:
Mitos Culinários, 231

3
Tempo e Temperatura

DESDE QUE O HOMEM DESCOBRIU O FOGO E COMEÇOU A ASSAR SEU JANTAR, A HUMANIDADE TEM DESFRUTADO DE UM NOVO UNIVERSO DE SABORES NOS ALIMENTOS. O calor transforma os alimentos ao desencadear reações físicas e químicas nas proteínas, gorduras e carboidratos presentes nos tecidos dos animais e das plantas. Essas reações mudam o sabor, a textura e a aparência do alimento de formas incrivelmente satisfatórias e deliciosas.

As temperaturas com que cozinhamos são apenas catalisadores das reações térmicas. Independente da temperatura de seu forno, é a temperatura do próprio alimento que determina as mudanças que vão ocorrer. Tanto a ebulição quanto a vaporização dependem da água para aquecer, limitando a temperatura da comida ao ponto de ebulição da água e, por outro lado, evitam que as comidas queimem. O refogado e os assados não são limitados pelo ponto de ebulição da água, permitindo temperaturas mais altas e reações adicionais.

Controlar o fluxo de calor em seus ingredientes e conhecer as temperaturas em que as inúmeras reações têm início são suas melhores armas na cruzada pela conquista da cozinha. Os diferentes métodos de aquecimento mudam a rapidez com que os alimentos cozinham, e entender as principais variáveis de tempo e temperatura fornecerá a resposta para aquela famosa questão: *já está pronto?*

Cozido = Tempo x Temperatura

Cozinhar envolve calor, mas o que é calor? Por que não podemos dobrar a temperatura e cozinhar as coisas no dobro da velocidade? E o que exatamente acontece com uma bola de massa de cookie com gotas de chocolate enquanto você a assa?

Quando entra na cozinha, você está involuntariamente se transformando em físico e químico. À medida que a massa de cookie se aquece no forno, as proteínas dos ovos desnaturam (química), a água dos ovos e da manteiga evapora (física), os amidos da farinha derretem (mais física), e o exterior do cookie fica marrom devido às reações de Maillard e à caramelização (mais química). E aí você tem um cookie!

A transformação da água em vapor e o derretimento dos amidos são mudanças que os físicos chamam de *mudanças de fase*: uma substância muda de uma fase (sólida, líquida, gasosa) para outra. Essas mudanças são reversíveis. O vapor pode voltar a ser água; as gorduras podem se solidificar novamente. As reações de caramelização e de Maillard, que deixam os cookies marrons, são *reações químicas*: mudanças nas substâncias que criam diferentes arranjos de moléculas. Às vezes, as reações são reversíveis, mas normalmente não. Você não pode "desqueimar" alguma coisa! A velocidade com que uma reação acontece (ela nunca é instantânea) é chamada de taxa de reação. De maneira mais formal, a taxa é quanto de uma reação ocorre em um dado período de tempo.

Aí está o conceito mais importante desse capítulo: aumentar a temperatura aumenta a taxa de reação. Isso é cinética básica, uma Lei do Universo. Uma reação que acontece vagarosamente em certa temperatura ocorrerá com mais rapidez em uma temperatura maior, pressupondo que quaisquer enzimas e quaisquer reagentes permaneçam inalterados. Por que temperaturas maiores aceleram as taxas das reações, temos a regra prática: *cozido = tempo * temperatura*. A resposta para "Já está pronto?" depende de saber se as reações necessárias já ocorreram, e elas são baseadas nessa equação.

Cozido = Tempo x Temperatura

A questão "Já está pronto?" tem uma resposta teórica baseada no tempo e no calor fornecido. O modelo dinâmico matemático abaixo inclui fatores para a condutividade térmica da carne, bem como as taxas de desnaturação para proteínas como a actina e a miosina. Para saber mais, acesse http://cookingforgeeks.com/book/meatmath/ (site em inglês). Lembre-se de cozinhar até que chegue ao ponto!

$$
\begin{cases}
t_{i(J+1)} = (q_i \cdot \tau dh + 1_m \cdot d\tau \cdot (t_{i(j-1)} + t_{i(j+1)}) + m_c \cdot c_m \cdot h_{i,j})/2 \cdot 1_m \cdot Fd\tau + m_c \cdot c_m \cdot dh \\
K_{1i} = 0.00836 - 0.001402\ pH + 5.5 \cdot 10^{-7} \cdot t^2 \\
K_{2i} = -0.278 + 7.325 \cdot 10^{-2} pH - 3.482 \cdot 10^{-5} \cdot t^2 \\
K_{3i} = 2.537 \cdot 10^{-3} - 1.493 \cdot 10^{-4} \cdot t_i + 2.198 \cdot 10^{-5} \cdot t^2 \\
K_{4i} = 2.537 \cdot 10^{-2} - 9.172 \cdot 10^{-3} pH + 3.157 \cdot 10^{-5} \cdot t_i^2 \\
m_{1t.i} = m_0^b - (m_0^b - m_t^b) \cdot e^{-K1i \cdot t} \\
m_{2t.i} = m_0^b - (m_0^b - m_t^b) \cdot e^{-K2i \cdot t} \\
m_{3t.i} = m_0^b - (m_0^b - m_t^b) \cdot e^{-K3i \cdot t} \\
m_{4t.i} = m_0^b - (m_0^b - m_t^b) \cdot e^{-K4i \cdot t}
\end{cases}
$$

FONTE: M.A.BELYAEVA (2003). "CHANGE OF MEAT PROTEINS DURING THERMAL TREATMENT", CHEMISTRY OF NATURAL COMPOUNDS 39(4)("MUDANÇAS NA PROTEÍNA DA CARNE DURANTE TRATAMENTO TÉRMICO", IN "QUÍMICA DOS COMPOSTOS NATURAIS").

Se você polvilhar açúcar em uma forma de biscoito quente e assá-lo em um forno a 160°C por uma hora, uma porcentagem dele vai reagir — vai caramelizar —, mas lentamente. Polvilhe a mesma quantidade de açúcar em uma forma mais quente, asse a 170°C e a reação vai acontecer quase duas vezes mais rápido, o que quer dizer que vai levar apenas meia hora para chegar ao mesmo ponto de caramelização. Isso pressupõe que o açúcar salta para essas temperaturas imediatamente. Um modelo mais completo inclui o tempo que a comida fria leva para aquecer quando colocada no forno.

Olfato, tato, visão, audição, paladar: aprenda a usar todos os sentidos na culinária. A carne preparada ao ponto fica mais firme e encolhe visivelmente; se cozida além do ponto, vai encolher mais, já que outros tipos de proteínas vão desnaturar. O borbulhar de um molho enquanto cozinha terá um som diferente quando a água estiver quase evaporada. As crostas de pão que passaram por reações de douramento suficientes vão ter um cheiro maravilhoso e a cor mudará para castanho-dourado.

Se temperaturas mais altas aceleram os tempos de reação, por que não aumentar bastante a temperatura e diminuir bastante o tempo? Porque outras reações também vão acelerar, mas não nas mesmas proporções. O cookie de chocolate é um ótimo exemplo: temos água no interior e dourado na superfície. Se você aumentar demais a temperatura, o lado de fora do cookie estará completamente dourado antes que o centro esteja pronto. Outras reações também vão começar a acontecer; por exemplo, as reações relacionadas à queima começam a aumentar por volta dos 200°C. Por outro lado, se você usar uma temperatura muito baixa, o cookie vai secar antes que o lado de fora esteja pronto e tenha o sabor rico que você espera. Tempo e temperatura são uma questão de equilíbrio térmico e químico, como veremos neste capítulo.

Há duas grandes sacadas aqui:

- A variável mais importante na culinária é a temperatura da própria comida, não a do ambiente no qual está sendo preparada. Quando você está assando um frango, a temperatura do forno não determina a taxa em que as reações acontecem, embora determine a taxa com que o frango vai se aquecer. No final, é a temperatura do frango que importa.

- A temperatura da comida determina a taxa de reações, mas diferentes reações acontecem em diferentes taxas, ainda que a temperatura seja a mesma. Mudar a temperatura muda a taxa de reagentes químicos produzidos. O calor leva algum tempo para ser transferido para os alimentos, e isso complica mais o processo.

Muitas mudanças interessantes acontecem com o alimento quando ele é aquecido, e a maioria delas acontece nas gorduras, proteínas e carboidratos do alimento. Este capítulo está organizado com base nas reações listadas na tabela a seguir. É importante ver o quadro geral de temperaturas e reações e as temperaturas das várias técnicas culinárias — essa é uma das minhas tabelas preferidas!

Cozido = Tempo x Temperatura   **137**

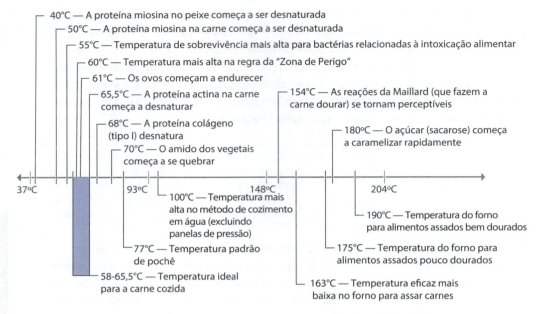

Temperaturas culinárias e temperaturas em que as diferentes reações ocorrem.

Proteínas Naturais e Proteínas Desnaturadas

As proteínas em seu estado natural — em tecidos de plantas ou de animais — são chamadas de "nativas". Elas são construídas a partir de uma grande quantidade de aminoácidos ligados e agrupados em uma forma específica. Pense nas proteínas como uma longa corrente de metal. Ao ser criada, os elos da corrente são ligados, e então a corrente é torcida e organizada de uma forma específica, gerando um formato 3D (chamado de *conformação molecular*).

Aquecer uma proteína muda o formato 3D, desenrolando-a e mudando a forma como a proteína funciona em um processo chamado desnaturação. (É por isso que o calor mata as bactérias!) Uma vez que tenha o formato mudado, a proteína torna-se incapaz de se manter ligada ao que quer que estivesse antes (o que torna a textura dos alimentos mais macia). Ou, devido à nova conformação, ela pode conseguir se ligar a outras moléculas (o que tornará os alimentos mais duros). Não é apenas o calor que pode desnaturar as proteínas no cozimento: ácidos, álcool e até mesmo o batimento mecânico ou o congelamento podem desencadear a desnaturação.

Transferência de Calor

Falamos rapidamente sobre o que acontece com um cookie à medida que assa — a desnaturação das proteínas, a evaporação da água, o douramento do exterior —, mas como ele se aquece? Antes de mergulhar nas reações térmicas na culinária, seria bom vermos como o calor é transferido para os alimentos. É muito complicado com os cookies, então vou falar sobre o preparo de carnes, mas os conceitos são universais.

A ideia de que você pode fritar um bife de qualquer forma até que o interior alcance a temperatura desejada parece fácil demais. Deve ter uma pegadinha. Aqui vão algumas.

A forma como o calor entra em um alimento faz diferença. Muita. O interior da carne chegará ao ponto mais rápido em uma grelha do que em um forno. As leis da termodinâmica dizem o seguinte: toda vez que há diferença de temperatura entre dois sistemas, o calor se transfere do mais quente (o grill) para o mais frio (a carne). Quanto maior a diferença entre os sistemas, mais rápido o calor é transferido (veja o gráfico).

Essa tabela é uma simplificação, obviamente: o gráfico mostra apenas a temperatura no centro da carne e ignora aspectos como bolsões de temperatura resultantes do resfriamento evaporativo. (Consideramos uma carne de vaca esférica aqui, é claro, mas *não* no vácuo.) Se fizermos uma secção nos bifes assim que os centros atingirem 57 °C, veremos grandes diferenças entre as versões grelhada e assada.

Essa diferença de temperatura do centro para as extremidades do alimento é chamada de gradiente de temperatura. Os dois bifes da figura têm gradientes bastante diferentes porque a grelha, mais quente, transfere o calor mais rápido — essa diferença resulta em um "gradiente de prontidão" mais íngreme, e nesse caso, em uma carne cozida demais.

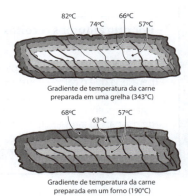

Se a carne passa do ponto, então qual é a vantagem de prepará-la na grelha? Depende de como você gosta da sua carne. Uma carne bem cozida tem uma superfície aromática e dourada — digamos a 154°C — e um interior que fica em algum lugar entre cru e ao ponto. Se você gosta da carne malpassada (52°C), precisa de um gradiente de prontidão mais íngreme, então use um ambiente mais quente e cozinhe-a rapidamente; se gosta de carnes bem passadas (71°C), prepare-as em temperaturas mais baixas por um tempo maior. A maioria de nós gosta das carnes ao ponto (57°C) porque isso produz uma textura que tem a quantidade certa de maciez e umidade.

Bife Selado

Latência refere-se ao fenômeno do cozimento continuado após a comida ser retirada da fonte de calor. Apesar de parecer que isso quebra várias leis da termodinâmica, na verdade, é bem simples: a parte exterior da comida recém-cozida é mais quente que a central, então, a parte exterior transferirá um pouco do seu calor para o centro. A quantidade de resquícios depende do formato da comida e do gradiente de calor, mas, como regra geral, acredito que o calor latente para elementos grelhados seja por volta de 3°C.

Preparar um bife é uma boa maneira de ver a latência em ação. Siga estas instruções e pelo resto do período continue observando o termômetro de testes. Você deverá observar o pico de temperatura no centro, de cerca de 3°C acima, após três minutos do tempo de descanso. Com a experiência você vai aprender a reconhecer quando a carne está pronta, através da visão e do toque, mas, de início, use um termômetro digital.

Aqueça uma panela de ferro fundido em fogo alto. Prepare **um bife com cerca de 2,5cm de espessura**, fazendo cortes a cada centímetro na gordura das bordas para evitar que a carne enrole ao encolher durante a fritura. Coloque o bife na panela e deixe cozinhar por dois minutos. Não cutuque! Apenas deixe selar. Após dois minutos, vire e deixe cozinhar por mais dois minutos. Vire novamente, reduza o calor para médio e deixe cozinhar por cinco a sete minutos, até o meio alcançar 54°C; para bifes mais passados, frite em uma temperatura mais baixa até que o centro do bife esteja a 60°C. O calor latente adicionará alguns graus; estes números foram ajustados para isso!

Deixe descansar por cinco minutos em uma tábua de corte antes de servir. Se gostar, salpique sal e pimenta moída na hora depois de feito. (Não coloque sal antes de fritar. O sal retira o líquido do interior e deixa a superfície mais úmida. Se você quiser mesmo colocar sal antes da fritura, faça isso com uma hora ou duas de antecedência, escorra e seque a superfície antes de fritar a carne. Adicionar pimenta antes da fritura pode deixar um gosto amargo, já que a pimenta vai queimar.)

Consulte a página 180 para uma tabela de temperaturas de cozimento de alimentos comuns, incluindo carnes preparadas em outros graus de cozimento.

Por que algumas receitas começam com fogo alto e depois mudam para médio?

Colocar um bife frio em uma panela quente causa uma queda muito rápida na temperatura da panela, já que o calor é transferido dela para a carne fria. O tempo de recuperação é o tempo que a panela leva para voltar à temperatura original, e é baseado na rapidez com que o queimador a está aquecendo. Queimadores diferentes transferem calor em taxas diferentes, e a massa térmica de sua panela também faz diferença. Começar em fogo mais alto ajuda na queda de temperatura, basicamente fazendo com que o tempo de recuperação seja menor.

Essa regra de temperatura — temperatura mais alta, gradientes mais íngremes — é o motivo pelo qual adequar a temperatura de cozimento correta ao resultado desejado importa. O tempo de cozimento e a temperatura de uma receita precisam ser escolhidos para aquecer as diferentes regiões da comida nos níveis corretos. Eu sei, na teoria, parece simples, mas para que temperatura ajustar o forno? Como diz o ditado: na teoria, não existe diferença entre teoria e prática; na prática, sim. Na prática, é melhor fazer um palpite educado sobre tempo e temperatura e observar se as partes interna e externa do alimento estão corretamente cozidas. Se o lado de fora estiver pronto antes do de dentro — o que você percebe por uma parte queimada do lado de fora ou uma parte central crua —, diminua a temperatura e cozinhe por mais tempo da próxima vez. Para coisas assadas como muffins, diminua a temperatura mais ou menos 15°C e aumente o tempo de forno em 10%; para carnes e vegetais, diminua mais ou menos 25°C e faça os ajustes. Para o oposto, aumente as temperaturas nessas porcentagens e observe o que acontece.

Métodos Culinários

Já escrevi muito sobre diferenças de temperatura e seus gradientes, mas cozinhar tem a ver com transferência de *calor*. Formalmente, calor é a transferência de energia entre dois sistemas por causa das diferenças de temperatura entre ambos. Eu sei, parece confuso — *o que é temperatura, então?!* —, mas um exemplo rápido torna isso mais simples.

Uma caneca de água fervendo tem uma temperatura de 100°C. O aquecimento da caneca é a transferência de energia cinética do queimador para ela, e dela para a água. Adicionar calor — mais energia cinética — à água fervente não muda sua temperatura! Ela permanece a 100°C, mesmo aquecida. O calor a transforma em vapor, para onde a energia cinética é transferida, mesmo que ele e a água estejam à mesma temperatura.

Métodos de cozimento que transferem calor usando água são chamados de *métodos de aquecimento úmido* (ou aquecimento líquido). Todos os outros são chamados de métodos de aquecimento a seco. (Não quero confundi-lo, mas aquecer a caneca de água em um queimador é um *método de aquecimento a seco*, enquanto aquecer algo dentro daquela água pode ser aquecimento úmido, porque utiliza a água fervente.)

Os métodos de cozimento úmido não envolvem calor suficiente para criar sabores provenientes da caramelização ou das reações de Maillard. (Uma exceção é a panela de pressão, que pode ser ajustada para as condições necessárias mantendo a umidade — veja a p. 308.) Você deve optar pelos métodos de cozimento úmido quando quiser evitar esses sabores. Vegetais no vapor não ficarão marrons enquanto cozinham e terão menos mudanças de sabor, o que é legal para itens como brócolis. Às vezes, os sabores do douramento ajudam o prato. A couve-de-bruxelas é normalmente fervida e aquecida. Da próxima vez que prepará-la, corte-a em quatro, cubra-a com azeite, salpique um pouco de sal e asse até que esteja ligeiramente dourada, usando um grill em temperatura média. Preparada dessa maneira, ela não será tão rejeitada!

Métodos de cozimento úmido e seco podem ser agrupados em três categorias de acordo com a transferência de calor: condução, convecção e radiação.

Condução

A condução é o tipo de transferência de calor mais fácil de entender porque é o mais comum: é o que você experimenta quando toca em uma bancada fria ou segura uma xícara quente de café. Na culinária, esses métodos que transferem calor através do contato direto entre a comida e um material quente são métodos de condução.

Jogar um bife em uma panela de ferro fundido quente, por exemplo, faz com que a sua energia termal seja transferida para o bife, mais frio, já que as moléculas vizinhas distribuem energia cinética para equalizar a diferença de temperatura. Quando a parte da carne em contato com a frigideira se aquece, conduz calor para a parte de cima, para as regiões mais frias — de novo, equilíbrio térmico básico.

Materiais diferentes transferem calor em velocidades diferentes — o que é chamado de condutividade térmica —, motivo pelo qual um pedaço de madeira em temperatura ambiente não parece tão frio quanto um de metal à mesma temperatura. Panelas diferentes conduzem calor em velocidades bem diferentes de acordo com os metais de que são feitas (veja a p. 46 para mais detalhes sobre panelas de metal).

A opção de cozinhar em temperatura média também modifica a velocidade de condução: a água quente transfere calor quase 23 vezes mais rápido que o ar quente na mesma temperatura, e 2,5 vezes mais rápido que o óleo — é uma diferença enorme! É por isso que ovos cozidos ficam prontos mais rápido na água fervendo ou no vapor do que em um forno quente e seco. E é por isso também que a umidade pode mudar os tempos que o alimento leva para ficar cozido ou assado — o vapor d'água ainda é água! Umidade mais alta significa mais líquidos no ar, e mais líquidos no ar significam mais transferência de calor. (O gás hélio é um razoável condutor de calor — quase igual ao azeite de oliva —, caso você tenha um tanque de hélio por perto. O hidrogênio também é, mas não recomendo.)

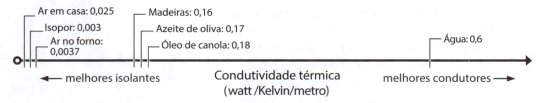

Os óleos transferem calor mais rápido que o ar, porém mais devagar que a água. Mas eles podem ser aquecidos a temperaturas maiores que a água! Isso os torna um método de cozimento rápido com o benefício de serem quentes o suficiente para dar início às reações de caramelização e de Maillard. (Hum, rosquinhas!)

Convecção

Todos os métodos de transferência de calor por convecção — assados, fervuras, cozimento por vapor — funcionam com um material quente e um frio, fazendo com que eles transfiram calor por condução. Tecnicamente, a convecção é um tipo de cozimento por condução, mas apenas indiretamente; é a recirculação de um material que transfere calor para os alimentos.

Nos assados, o ar quente do forno fornece o calor; na fervura e no cozimento por vapor, a água o faz.

Nos métodos de cozimento a seco, o ar quente, o óleo ou os metais transferem o calor. Fritar batatas por imersão se baseia na convecção do óleo para aquecer a batata fria; os cookies são assados no forno principalmente pela circulação de ar quente que aquece a massa fria. Fornos de convecção, que têm um "soprador" dentro para movimentar o ar mais rapidamente, aquecem os alimentos em um tempo cerca de 25% menor e retiram os pontos frios do forno. (Tecnicamente, todos os fornos são de convecção, no sentido de que o calor é transferido pelo movimento do ar quente. Adicionar um ventilador apenas movimenta o ar mais rapidamente.)

> Os próprios alimentos podem transferir calor para eles mesmos através da convecção. Regiões externas de massas de bolo, antes de tomarem forma, vão fluir lentamente em direção ao centro.

Nos métodos de cocção úmida, como a fervura e a vaporização, a água transfere o calor. Ovos pochê e rosquinhas no vapor são cozidos na água ou no vapor d'água, que aumentam a temperatura da superfície do alimento. (Todos os métodos de cocção úmida são considerados convecção, porque a água e o vapor d'água estão sempre se movimentando.) É fácil cozinhar demais os alimentos com os métodos úmidos devido à alta taxa de transferência de calor. Tome cuidado para que a comida não fique muito quente quando cozinhar cortes finos de carne e peixe em líquido! Mantenha seus líquidos em uma temperatura amena, entre 71°C e 82°C.

Qual é a diferença entre vapor e vapor d'água?

Ah, linguagem, como você pode ser complicada. Vapor d'água é fácil: é água em estado gasoso, invisível a olho nu. Vapor, porém, pode significar tanto vapor d'água como gotículas de água condensada suspensas no ar, aquelas coisas que você vê fumegando sobre uma caneca de água fervendo.

Há uma enorme diferença térmica entre vapor d'água e a nuvem de vapor que você vê quando ferve água. A água no estado gasoso carrega uma enorme potência térmica: ela libera 540 calorias de energia por grama de água quando se condensa. Eu preferiria encostar o rosto sobre uma caneca com água fervente, em que a água já se condensou no ar do que debruçar sobre um jato de vapor d'água, que queimaria minha pele ao se condensar e transferir sua energia cinética.

Cozido = Tempo x Temperatura

Radiação

Os métodos de aquecimento por radiação funcionam pela transferência de energia eletromagnética, geralmente micro-ondas ou radiação infravermelha. O calor que você sente quando a luz do sol bate na sua pele é radiação. Na culinária, os métodos de radiação são os únicos em que a energia aplicada aos alimentos pode ser refletida ou absorvida. Alimentos diferentes absorvem ou refletem o calor conforme a interação da energia com suas moléculas. As micro-ondas, por exemplo, são absorvidas muito bem pelas moléculas polares como as da água, mas de uma forma muito fraca pelas apolares como as do óleo. (Para saber mais sobre polaridade molecular, veja a p. 398.)

A radiação viaja em linhas retas: do grill para a comida, ou possivelmente se reflete nas paredes do forno ou na superfície de uma forma de cookie. Você pode usar essa propriedade reflexiva para mudar a forma como algo cozinha. Uma técnica para assar massas de torta, por exemplo, inclui colocar papel-alumínio nas bordas para prevenir que elas cozinhem demais. Da mesma forma, se você observar que uma parte do prato que está preparando está cozinhando rápido demais e a fonte de calor for radiante, coloque um pedaço de papel-alumínio diretamente sobre essa mesma parte para servir como refletor: um truque esperto, digno de quem pensa como um geek.

> Cores escuras absorvem mais radiação, e é por isso que as jaquetas de inverno são pretas e as roupas de verão são claras. Formas de cookies escuras absorvem mais radiação e, assim, conduzem a energia pelo material para o lado de baixo dos cookies, fazendo com que assem mais rápido embaixo. Se os fundos dos cookies estão saindo queimados, diminua a temperatura em 15°C.

Fogões a gás se baseiam na circulação de ar quente, que aquece as paredes do forno; essas paredes então passam a irradiar calor. Se você tem um forno elétrico, o aquecedor libera esse calor diretamente do fundo do forno — isso não é bom para receitas que esperam que o aquecimento seja feito principalmente pela convecção do ar —, e o lado de baixo da comida cozinha muito rápido! É por isso que recomendo com veemência que você deixe uma pedra de pizza na parte de baixo do forno: ela absorve o calor e o difunde, dando a seu forno um perfil de aquecimento melhor. (Veja a p. 36 sobre a calibragem de fornos.)

Qual a diferença entre fornos a gás e elétricos?

Bem, além da fonte de calor, eles assam as coisas de modo diferente, por uma razão sutil: eles lidam de maneira diferente com a umidade. Os fornos a gás normalmente (não sempre) descarregam os subprodutos da combustão — dióxido de carbono, vapor d'água — pela câmara. Isso significa que injetam um fluxo constante de líquidos ao redor da comida que está sendo assada. Eles também estão constantemente descarregando o ar da câmara para o lado de fora — o gás que entra tem que ocupar o lugar de alguma coisa!

Os fornos elétricos, por outro lado, iniciam mais secos — não há gás sendo queimado e gerando vapor d'água —, mas muitos modelos não colocam o ar para fora enquanto a comida assa e solta líquidos — então eles acabam ficando mais e mais úmidos à medida que a água da comida evapora durante o cozimento.

Métodos de cocção listados por tipo de transferência de calor			
	Condução	**Convecção**	**Radiação**
Descrição	O calor passa por contato direto entre dois materiais.	O calor passa através do movimento de um material aquecido para um mais frio.	O calor é transferido através de radiação eletromagnética.
Exemplo	O bife em contato com a panela; a panela em contato com o fogo.	Água quente, ar quente ou óleo se movendo ao longo do exterior do alimento.	Radiação infravermelha do carvão.
Usos	Refogados Selagem	*Métodos de calor seco*: • Assados • Fritura de imersão em óleo *Métodos de calor úmido*: • Fervura • Brasagem/banho-maria • Cozimento por pressão • Fervura lenta/ebulição • Cozimento no vapor	Micro-ondas Assados Grelhados

*Fritura é um método de calor seco, porque o óleo, embora líquido, não é úmido — não há água nele.

Métodos combinados de transferência de calor

As técnicas culinárias invariavelmente combinam vários métodos de transferência de calor. Um cookie em um forno assa em decorrência do ar quente (convecção), da forma aquecida que assa o lado de baixo (condução) e de alguma quantidade de calor que irradia das paredes quentes do forno.

Algumas comidas, como os cookies, ficam melhores quando o calor é transferido de certas direções e em certo ritmo. Às vezes, isso é óbvio. Você pode evitar que os cookies fiquem com o fundo queimado reduzindo a quantidade de calor transferida para eles pela parte de baixo; você pode usar uma forma diferente que não transfira calor tão depressa (cores mais claras, metais diferentes) ou pode forrar a forma com papel-manteiga. Outros pratos já não são tão fáceis de perceber. Tortas e pudins, por exemplo, ficam melhores quando o calor é transferido para eles de baixo para cima; isso impede que o topo fique pronto logo e então rache quando o fundo se expandir. Assá-los em banho-maria ou diretamente em cima de uma pedra de assar ajuda.

Aqui vão algumas ideias para escolher a técnica culinária:

Use várias técnicas.

Minha lasanha favorita começa no forno (convecção) para aquecer o centro e derreter o queijo, e termina no grill (radiação) para dar um dourado delicioso em cima. Se cozinhar por intuição, use técnicas que aqueçam as várias regiões dos alimentos em temperatura correta, misturando e combinando como necessário.

Cozido = Tempo x Temperatura   **145**

Combine a técnica culinária com o formato da comida.

Nos assados, o calor vem de todas as direções, o que é excelente para assar frangos inteiros. Na selagem e nos refogados, entretanto, é transferido apenas por um lado, o que é bom para filés de peixe ou peito de frango. É por isso que viramos as panquecas (no fogão, o calor vem de baixo), mas não os bolos (no forno, o calor vem de todas as direções).

Substitua técnicas culinárias que você não consegue utilizar por outras similares.

Se você não tem uma grelha (irradiação, o calor vem de baixo), use o grill do forno (irradiação, o calor vem de cima), porque é a técnica similar mais próxima (vire a comida, também — a direção em que o calor entra no frango muda as coisas). E se você não tem uma panela de pressão, utilize uma panela com água — ambos são métodos de cocção úmidos.

Experimente trocar as técnicas.

Massa de panqueca, quando frita em imersão, produz algo bem parecido com um churro. Ovos cozinham bem por cima do arroz em uma panela de arroz elétrica — coloque o ovo por cima logo depois que ele tiver acabado de cozinhar. Massa de cookie pode ser assada em uma máquina de waffle. E peras cozidas na máquina de lavar louça? Por que não? (Veja a página 326). Pode não ser convencional, mas o calor não tem que vir de um equipamento culinário convencional.

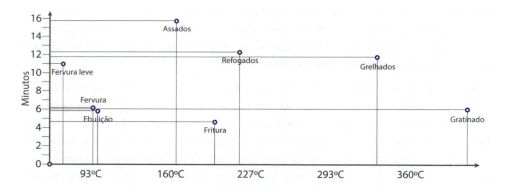

A fritura é a mais rápida; os assados, os mais lentos. Essas marcações mostram a quantidade de tempo que leva para cozinhar o centro de pedaços de tofu de tamanho uniforme de 2°C a 60°C para cada método de culinária. Os materiais das panelas (ferro fundido, aço inoxidável, alumínio) e das assadeiras (vidro, cerâmica) tiveram apenas um pequeno impacto no tempo total para esse experimento com tofu, mas para outros alimentos como, por exemplo, os cookies, eles fazem diferença.

Peixe Assado no Sal com Limão e Ervas

O sal também pode ser usado como uma "camada externa protetora" no alimento durante o cozimento. Ao embalar alimentos como peixes, carnes ou batatas em um monte de sal, você protege sua superfície externa; o sal absorve o impacto de qualquer irradiação e também impede a evaporação, mantendo a comida úmida. Se não for fácil encontrar um peixe inteiro, tente com outros alimentos, como lombo de porco (acrescente condimentos — pimenta-do-reino, canela, pimenta-de-caiena — à mistura de sal) ou mesmo costeletas inteiras.

Pegue **um peixe inteiro, de 1 a 2 quilos**, como um robalo ou truta. Retire as vísceras, lave-o muito bem e adicione algumas **ervas** (alecrim, louro etc.) e **fatias de limão** no interior. Preserve a pele: ela vai impedir que o peixe fique salgado demais.

Prepare uma mistura de sal juntando algumas xícaras de **sal kosher** com a quantidade suficiente de **água** para obter uma pasta maleável. Você pode usar **clara de ovo** no lugar da água — é útil se você está cobrindo algo com um formato mais complicado que o do peixe.

Forre uma assadeira com papel-manteiga (isso vai tornar a limpeza mais fácil) e adicione uma camada fina de sal. Coloque o peixe em cima do sal e depois ajeite o resto do sal em torno das laterais e em cima do peixe. Não precisa o envolver muito. Coloque cerca de 1cm de espessura de sal em todos os lados — o suficiente para evitar o impacto da temperatura na superfície, mas não tanto que o centro do peixe demore muito para alcançar a temperatura necessária.

Asse o peixe em um forno ajustado para 200–230°C por 20 a 30 minutos, usando um termômetro de carne programado para apitar quando a temperatura interna atingir 52°C. Retire o peixe do forno e deixe descansar por 5 a 10 minutos (durante os quais a latência aumentará a temperatura até 54°C). Quebre a camada de sal e sirva.

30°C: Ponto Médio de Derretimento de Gorduras

Todas as generalizações são falsas, incluindo esta.

— Mark Twain

Aqui estamos, diante da primeira faixa de temperatura do capítulo. Mas preciso limpar a casa antes: as faixas de temperatura para reações químicas em alimentos são muito, muito complicadas de definir devido à velocidade de reação. Em termos práticos, os intervalos dados aqui são aplicáveis à culinária. (O colágeno, que veremos mais tarde, tecnicamente desnatura abaixo de 40°C, mas você não gostaria de comer o resultado.) Para as gorduras, estou generalizando o ponto de fusão. É uma generalização falsa, mas, ainda assim, útil para entender a média dos ácidos graxos comuns: muitas gorduras derretem acima da temperatura ambiente, mas abaixo da corporal. (Esse é um dos motivos por que um fabricante de chocolate pode dizer: "derrete na boca, e não na sua mão".)

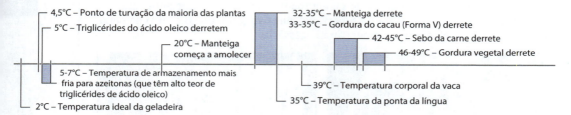

- 4,5°C – Ponto de turvação da maioria das plantas
- 5°C – Triglicérides do ácido oleico derretem
- 20°C – Manteiga começa a amolecer
- 32-35°C – Manteiga derrete
- 33-35°C – Gordura do cacau (Forma V) derrete
- 42-45°C – Sebo da carne derrete
- 46-49°C – Gordura vegetal derrete
- 5-7°C – Temperatura de armazenamento mais fria para azeitonas (que têm alto teor de triglicérides de ácido oleico)
- 2°C – Temperatura ideal da geladeira
- 39°C – Temperatura corporal da vaca
- 35°C – Temperatura da ponta da língua

Gorduras e óleos são essenciais à comida. Eles conferem sabor, como manteiga com sal em um pão ou um bom azeite de oliva na salada. Dão textura, conferindo a cookies e muffins a capacidade de esfarelar e aos sorvetes uma sensação luxuriante na boca. E são usados para cozinhar alimentos, fazendo a condução e a convecção do calor nos refogados e frituras. Mas o que é gordura? Como funciona na culinária e na alimentação? E que diabos são gorduras saturadas, ômega-3 e trans? Para responder a essas questões, precisamos começar pela química.

Gorduras e óleos — gorduras líquidas em temperatura ambiente, então vou chamar apenas de "gorduras" de agora em diante — são um tipo de lipídio chamado *triglicérides ou triglicerídeo*. A palavra *triglicéride* descreve a estrutura química do lipídio, e é esta estrutura que determina as propriedades de uma gordura. Tri quer dizer três, mas o quê? Não são três glicerídeos, mas, na verdade, um com três coisas ligadas a ele. Um glicerídeo começa com uma molécula de glicerol (ele recebe um novo nome quando se liga a certas coisas), então o primeiro passo para entender a gordura é olhar para uma molécula de glicerol.

Uma molécula de glicerol com todos os átomos representados.

Isso é o que os químicos chamam de *estrutura linear*. Você não precisa ser um geek da química para entender isso! Os "O"s são átomos de oxigênio e os "H"s são hidrogênios. As linhas mostram onde os elétrons estão sendo compartilhados entre os átomos. Toda vez que uma linha se dobra ou termina sem ligação (o que não acontece no glicerol), significa que há um átomo de carbono, e normalmente alguns de hidrogênio, também.

Formas de vida baseadas em carbono contêm carbono e hidrogênio — cerca de 1/5 de você é carbono e 1/10 é hidrogênio! Esses elementos são tão comuns que as estruturas lineares não os mostram sozinhos. (Os químicos, como os cozinheiros, têm o seu equivalente para a presunção de que você saberá adicionar uma pitada de sal.)

Eu brinquei com a forma como essa estrutura é desenhada; normalmente, as partes sombreadas não estão aí. Elas mostram o carbono e o hidrogênio que um químico pode inferir pela forma do desenho. O carbono sempre faz quatro ligações, então é por isso que o C central tem apenas um átomo de hidrogênio pendurado nele. O glicerol, o primeiro bloco de construção das gorduras, tem a fórmula molecular $C_3H_8O_3$ — três átomos de carbono, oito de hidrogênio e três de oxigênio —, contando todos os Os, Hs e Cs do diagrama, você terá esse resultado. (A fórmula molecular não diz nada sobre a disposição dos átomos.)

Então este é o primeiro bloco de construção na química das gorduras: uma molécula de glicerol ligada a três coisas. Nas gorduras, essas "coisas" são três diferentes ácidos graxos — cadeias de átomos de carbono com um ácido particular em uma das extremidades (ácido carboxílico), que se liga aos OH do glicerol. É bem simples de entender ao analisar o desenho, veja a aparência de uma molécula de ácido oleico.

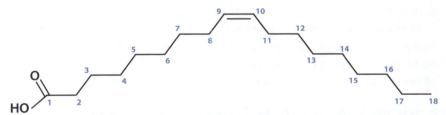

O ácido oleico é uma cadeia com 18 carbonos, com uma ligação dupla entre o 9º e o 10º.

Os ácidos graxos são moléculas simples com apenas duas variações: o tamanho da cadeia e a presença de ligações duplas. O ácido oleico tem 18 átomos de carbono (conte!) com uma ligação dupla entre o nono e o décimo; você pode ver onde uma das linhas foi traçada duas vezes. Uma ligação dupla acontece quando usa quatro elétrons em vez de dois. Se adicionássemos um átomo de hidrogênio ali, aquela ligação dupla se tornaria uma ligação simples, o que mudaria o ácido graxo. (Nesse caso, o ácido oleico se transformaria em ácido esteárico.)

Ligações duplas são o segredo para a compreensão das gorduras. Gorduras saturadas e insaturadas, ômega-3 e ômega-6, trans e até mesmo o ponto de fusão das gorduras: tudo isso é determinado por onde e quantas dessas duplas ligações existem.

Agora você conhece os blocos de construção das gorduras! Três ácidos graxos e uma molécula de glicerol juntam-se para formar as gorduras. (Elas expulsam uma molécula de água quando se ligam — é por isso que os diagramas são um pouco diferentes.)

30°C: Ponto Médio de Derretimento de Gorduras

Gorduras são três ácidos graxos ligados a uma molécula de glicerol. Esta é comum no azeite de oliva, perfazendo de 20 a 25% da gordura nele presente, e é poli-insaturado.

Há muitos ácidos graxos comuns, normalmente entre 8 e 22 carbonos e com até 3 ligações duplas. Qualquer molécula de gordura pode ser uma combinação de ácidos graxos, o que quer dizer que existem centenas de variações possíveis. É isso o que cria tanta complexidade nas gorduras!

Agora que tiramos a química do caminho (não haverá testes, felizmente), podemos responder tudo o que sempre me perturbou sobre gorduras:

Qual a diferença entre gorduras saturadas e insaturadas?

Os ácidos graxos que não possuem ligações duplas entre os átomos de carbono são chamados de ácidos graxos *saturados*. Eles são saturados com átomos de hidrogênio; não há como colocar mais hidrogênio ali. O ácido palmítico, que mostramos no outro gráfico, é saturado. Se um ácido graxo tem apenas uma ligação dupla, ele é chamado de *monoinsaturado* — é possível colocar exatamente uma molécula de hidrogênio no ácido graxo, exatamente onde a ligação dupla está. O ácido oleico, como você viu, é monoinsaturado. Os ácidos graxos com duas ou mais ligações duplas na cadeia são *poli-insaturados*. A mesma definição se aplica às gorduras: o exemplo do gráfico tem duas ligações duplas, o que faz dela uma gordura poli-insaturada. No que diz respeito à saúde, as gorduras insaturadas são normalmente melhores que as saturadas, mas nem sempre. Existem boas gorduras saturadas e insaturadas ruins. As plantas normalmente criam as insaturadas, mas nem sempre (óleo de coco, estou olhando para você); já os animais, as saturadas, mas nem sempre.

O que determina o ponto de fusão de uma molécula de gordura?

O ponto de fusão é determinado pelo formato da molécula, o que você não pode ver na estrutura linear, e por como se agrupam. O formato está relacionado à quantidade de ligações duplas. Os ácidos graxos saturados são extremamente flexíveis — podem se dobrar e girar ao redor de cada uma das ligações de carbono — e eles normalmente se esticam em uma linha reta que se empilha com facilidade para formar sólidos. Os óleos têm mais ligações duplas, que não conseguem girar e por isso perdem o formato, o que torna mais difícil se agruparem. Mais ligações duplas = menos saturados = menor ponto de fusão = mais provável que seja óleo. A forma como as moléculas se agrupam também faz uma diferença enorme. Os triglicérides podem se solidificar em três estruturas cristalinas, cada uma com seu próprio ponto de fusão. (Existem também algumas diferenças técnicas relacionadas à isomeria.) Essas estruturas cristalinas diferentes são a chave para o bom chocolate, o que discutiremos daqui a algumas páginas.

O que é um ácido graxo ômega-3? Ou ômega-6?

Isso é maravilhoso conhecer, dada toda a conversa sobre os seus benefícios à saúde. Os ácidos graxos ômega-3 têm uma ligação dupla no terceiro carbono a partir do último (do lado oposto ao que se liga ao glicerídeo). É isso. Desde que exista pelo menos uma ligação dupla, eles não podem ser saturados, por definição! O ômega-6, como pode imaginar, é um ácido graxo com uma ligação dupla no sexto carbono a partir do último. O ácido oleico é um ácido graxo ômega-9: tente contar nove átomos a partir da direita do diagrama. Seu corpo precisa de ômega-3 e ômega-6, mas não os cria a partir de outros ácidos graxos, por isso são chamados de essenciais. (Isso não significa que mais é melhor!)

E agora, o que é gordura trans?

Trans é um termo em latim para "atravessado" ou "do outro lado", ao contrário de *cis*, o termo em latim para "o mesmo". Uma gordura trans é aquela em que as ligações de carbono estão no lado contrário de uma dupla. As cis têm as ligações de carbono do mesmo lado da dupla, e são muito comuns — a forma como a natureza criou os ácidos graxos que têm ligações duplas. (As bactérias intestinais em animais, na verdade, convertem algumas gorduras cis em trans, mas não muitas. Então, a gordura trans pode, sim, ocorrer naturalmente. A dosagem importa!) Se partir de gorduras poli-insaturadas e hidrogená-las — sim, essa é a gordura hidrogenada que aparece nos rótulos, patenteada lá nos idos de 1902 por um químico alemão —, assim, você estará colocando átomos de hidrogênio dentro dos ácidos graxos, transformando algumas das ligações duplas em simples. Isso aumenta o ponto de fusão, tornando as gorduras sólidas em temperatura ambiente, o que impede que elas migrem pela comida. O ponto de fusão mais alto é o motivo pelo qual usamos manteiga no lugar do óleo em assados; a hidrogenação das gorduras as endurece, tornando-as disponíveis para uma gama maior de aplicações. Mas também é possível fazer gorduras trans durante a hidrogenação, porque alguns processos usados para adicionar átomos de hidrogênio podem também realocar os já existentes. Quando isso acontece, uma gordura trans é criada, com uma estrutura capaz de a empilhar sobre outras gorduras trans. Em grandes quantidades, isso leva a problemas de saúde. (As moléculas são deformadas de uma maneira que podem se juntar.)

Vela feita com um pavio colocado em gordura da carne. Ela é, na maior parte, composta de ácidos graxos esteárico e oleico, por isso é sólida em temperatura ambiente. A gordura é uma grande fonte de energia!

Há uma complicação para os cozinheiros na ciência das gorduras: em animais e plantas, elas são misturas de diferentes tipos de moléculas de gordura. Se você tivesse um recipiente com gorduras feitas apenas de ácido oleico (o azeite de oliva é na maior parte ácido oleico), elas se fundiriam exatamente aos 5°C. Mas há outros ácidos graxos lá dentro, e é por isso que um bom azeite fica turvo, mas não se solidifica guardado no refrigerador — algumas das gorduras se solidificarão, e outras permanecerão no estado líquido.

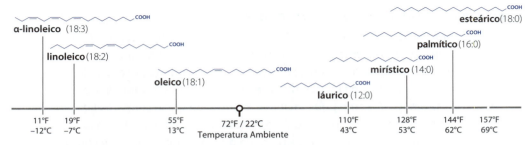

Alguns ácidos graxos comuns e seus pontos de fusão — observe que os pontos de fusão das gorduras saturadas são bem mais altos (as que não têm ligações duplas, mostradas como ":O"), como os das cadeias mais longas.

Por que algumas coisas derretem e outras queimam?

Depende das propriedades dos compostos. A fusão é uma mudança física — do sólido para o líquido, que não muda a estrutura molecular. O queimado, por outro lado, é uma mudança química (normalmente combustão ou pirólise). Algumas substâncias derretem e depois queimam, outras queimam antes de derreter, outras podem ou não derreter ou queimar. Os alimentos são, quase sempre, misturas de substâncias, o que complica tudo. Veja a manteiga: à medida que aquece, primeiro as gorduras derretem, depois, a uma temperatura mais alta, os sólidos do leite queimam.

Gordura	Ácidos graxos comuns				
	Ácido linoleico	Ácido oleico	Ácido láurico	Ácido mirístico	Ácido palmítico
Manteiga	4%	27%	2%	11%	30%
Toicinho	6%	48%	-	1%	27%
Óleo de coco	1%	6%	50%	18%	8%
Azeite de oliva	5–15%	65–85%	-	0–1%	7–16%
Óleo de canola (erúcico alto/ oleico alto)	20%	63%	-	-	4%
Óleo de açafrão (oleico alto)*	16–20%	75–80%	-	-	4,5%
Óleo de açafrão (linoleico alto)	66–75%	13–21%	-	-	3–6%
Gema de ovo	16%	47%	-	1%	23%
Manteiga de cacau	3%	35%	-	-	25%

*Diferentes variedades das mesmas plantas produzem diferentes perfis de ácidos graxos. Por exemplo, o açafrão tem duas variedades: uma rica em oleico, usada na culinária, e outra rica em linoleico, usada em pinturas (similar ao óleo de linhaça). Alguns óleos usam diferentes nomes para distinguir as variedades — canola é uma variedade de colza pobre em ácido erúcico, que recebeu um nome diferente pela indústria. As condições de crescimento também afetam a composição do ácido graxo.

152 Cozinha Geek

Quais São as Várias Temperaturas para as Gorduras?

Ponto de escorrimento

Uma gordura precisa estar pelo menos nesse nível de aquecimento para poder "escorrer" — derretida, mas não completamente líquida. A maioria dos óleos de nozes tem um ponto de escorrimento por volta de 1°C.

Ponto de turvação

Temperatura abaixo da qual uma gordura se torna turva e ainda pode escorrer. Não é algo que se note, a menos que deixe o óleo muito frio — é por isso que o guardamos no armário e não na geladeira. A maioria dos óleos turva por volta dos 4,5°C.

Ponto de fusão

Intervalo de temperatura na qual um número suficiente de moléculas é fundido até a gordura se tornar líquida. Quase todas as gorduras são misturas de ácidos graxos em diferentes formas, então, o ponto de fusão é a temperatura em que ela passa de maleável para líquida. Tipicamente, usamos gorduras sólidas em temperatura ambiente em preparações assadas, e líquidas (óleos!) em saladas e molhos (o ponto de solidificação é geralmente 6°C mais frio).

-4°C: Azeite de oliva
32–35°C: Manteiga
35–45°C: Toicinho
46–49°C: Gordura vegetal

Ponto de Fumaça

Aqui as gorduras começam a se decompor termicamente. Você verá rolos de fumaça saindo da panela, e é a temperatura para fritar alimentos. Óleos não refinados têm matéria particulada que queima, diminuindo o ponto de fumaça.

110°C: Óleo de canola não refinado
177–191°C: Manteiga, gordura vegetal, toicinho
205°C: Azeite de oliva
232°C: Óleo de açafrão
245°C: Manteiga clarificada, ghee, óleo de canola refinado rico em oleico
265°C: Óleo de açafrão refinado

Ponto de Fulgor

Nessa temperatura, a gordura pode pegar fogo, mas não está quente o suficiente para sustentar a ignição. Se você estiver refogando algo sobre um queimador de gás e vir alguns dos vapores se incendiarem ligeiramente, é a isso que está assistindo.

282°C: Toicinho
321°C: Azeite de oliva
332°C: Óleo de canola

Ponto de combustão

Esta é a temperatura em que a gordura mantém a ignição; é importante para velas, mas definitivamente não é bom na cozinha! Se algo pegar fogo, remova da chama e tampe a panela.

352°C: Toicinho
361°C: Azeite de oliva
363°C: Óleo de canola

Ponto de autoignição

Nessa temperatura, uma substância se inflama espontaneamente sem ser acesa. É necessária em motores de carro, mas algo a se evitar na cozinha.

365°C: Etanol (álcool)
427–485°C: Madeira (pinho, carvalho)

30°C: Ponto Médio de Derretimento de Gorduras

Manteiga

A manteiga é uma coisa fascinante. Ao contrário de outras gorduras culinárias, a manteiga não é gordura pura. É uma mistura de gorduras do leite (80–86%) e água (13–19%), com proteínas, minerais, vitaminas hidrossolúveis e qualquer sal adicionado. O sabor extraordinário da manteiga vem dessa combinação inigualável de água misturada à gordura, que é possível devido a como as moléculas de glicerídeo cercam as gotículas de água.

A manteiga também é notável por suas temperaturas de fusão. No refrigerador, mais de dois terços das gorduras são sólidos; se deixada no armário em um dia de verão, apenas um terço permanece sólido. Essa mistura de gorduras sólidas e líquidas faz da manteiga a única gordura plástica natural — deformável e espalhável ao mesmo tempo em que mantém sua forma — em temperatura ambiente. Os ácidos graxos na manteiga (na maior parte os ácidos mirístico, oleico e palmítico) formam diferentes combinações de moléculas, que fundem em temperaturas entre -24°C e 73°C; de acordo com a composição normal, a manteiga amolece aos 20°C e derrete aos 35°C.

Fazer uma boa manteiga é mais complicado do que apenas separar as gorduras da nata através da agitação. Mudanças no tamanho dos glóbulos de gordura da manteiga, de acordo com a rapidez com que o creme é resfriado durante a pasteurização, mudam a textura, assim como a quantidade de água deixada na manteiga batida.

> Para assistir a um vídeo sobre como a manteiga é feita, acesse http://cookingforgeeks.com/book/butter/ (site em inglês).

As gorduras do leite podem também variar quanto à composição de ácidos graxos. Se a nata tem quantidades maiores de gorduras que derretem com o calor do que o normal, então a manteiga será macia. (A proporção de ácidos graxos depende da dieta da vaca; natas de vacas alimentadas com grama têm menos gordura saturada e um ponto de fusão mais baixo.) Vale a pena fazer a sua própria manteiga uma vez para entender o processo, mas, na prática, comprar a manteiga é muito mais fácil e mais econômico. Mas de que tipo? E como guardá-la? Aqui estão algumas dicas:

Manteiga com e sem sal

Manteiga com sal é ótima para comer — você deve conhecer o prazer de espalhar uma generosa camada de manteiga salgada em temperatura ambiente em uma fatia de pão que acaba de sair do forno. Como a quantidade de sal na manteiga pode variar (de 1,5 a 3%), é melhor usar manteiga sem sal na culinária de forma que você saiba a quantidade de sal adicionada. Ao ler "manteiga" em uma receita, inclusive neste livro, use manteiga sem sal. A manteiga salgada tem mais um benefício: o sal inibe a proliferação de bactérias, o que a torna menos provável de estragar quando guardada em temperatura ambiente.

Cozinha Geek

Creme de manteiga versus manteiga cultivada

A manteiga era feita tradicionalmente usando a nata do leite que era removida para uso posterior; quando a nata flutuava para a superfície, já havia fermentado e ficado ligeiramente ácida. (Deixe-a um pouco mais e você terá coalhada!) A maioria dos americanos está acostumada a creme de manteiga, que é feito com nata ainda não fermentada; na Europa e nos outros lugares, deixa-se a nata fermentar parcialmente, criando assim a manteiga cultivada.

Guardando a manteiga

A manteiga ideal é firme o suficiente para manter sua estrutura granular, mas macia o suficiente para ser espalhável, tendo uma textura tecnicamente descrita como cerosa. Isso simplesmente não é possível com manteiga guardada no refrigerador. É seguro guardar a manteiga salgada no armário; use um recipiente que impeça a passagem de luz e limite a passagem de ar, e consuma em duas semanas para evitar o ranço. (O oxigênio pode entrar no ácido graxo e formar ácido butírico — que recebe esse nome da manteiga rançosa!) A manteiga sem sal deve ser mantida refrigerada e colocada para aquecer por uma hora antes do uso; esse passo é essencial para poder misturá-la com o açúcar quando for fazer assados.

Fazendo assados com manteiga

A manteiga sólida vai se misturar em massas de forma diferente da derretida. Misturar manteiga sólida com açúcar cria pequenas bolhas de ar; se a gordura derretida for batida com açúcar, ela recobrirá os grãos de açúcar em vez de formar as pequenas bolhas de ar. Derreter a manteiga também a separa da água, permitindo que ela forme mais glúten do que formaria de outra forma (veja a p. 249). Também, marcas diferentes podem apresentar pequenas diferenças na quantidade de água presente. Isso pode ter impacto sobre assados como tortas: tente usar manteiga mais gordurosa para alimentos assados com ela.

Coalhada caseira (sour cream)

A manteiga cultivada começa com um creme ligeiramente azedo — mas e se você deixá-lo fermentar um pouco mais? Você vai obter coalhada! O sabor e a cremosidade são incomparáveis à que você pode comprar, e é incrivelmente fácil de fazer.

Pegue um frasco de creme de leite, abra e adicione uma colher de iogurte tradicional que contenha lactobacilos. Feche o frasco e agite com suavidade. Se você tiver uma panela de pressão ou elétrica com modo iogurte, coloque o frasco na panela, imerso em 3cm de água, e deixe fermentar por 12 horas; do contrário, fermente o creme deixando o frasco no armário da cozinha por um dia. Guarde a coalhada na geladeira e consuma em uma semana.

30°C: Ponto Médio de Derretimento de Gorduras

Manteiga Clarificada, Manteiga Dourada e Ghee

Para fazer manteiga clarificada é necessário aquecer a manteiga até que toda a água evapore e depois coar os resíduos sólidos do leite, uma forma de clarificação pelo calor. Sem as partes sólidas do leite, a manteiga clarificada terá um ponto de fumaça mais alto, por volta dos 230°C.

Para fazer manteiga clarificada: derreta **1 xícara (chá) de manteiga (230g)** e, se ela for sem sal, **¾ de colher (chá) de sal (5g)** em uma panela em fogo médio, ou em um recipiente coberto no micro-ondas. Você verá a manteiga derretida começar a espumar; é a água evaporando. Depois de alguns minutos, a água terá evaporado e você ficará com manteiga e uma substância esbranquiçada, que são os sólidos do leite. Retire a panela do fogo e derrame com cuidado a gordura, deixando para trás os sólidos, ou coe o líquido em um filtro fino. Você pode usar a manteiga clarificada para fazer peixes sauté, refogar vegetais e para fritar pratos à milanesa e pães como bolinhos ingleses.

Com a manteiga dourada e o ghee você pode levar o processo de clarificação um passo à frente e torrar os sólidos do leite para dar à gordura um sabor aromático e enriquecido. A manteiga dourada deixa os sólidos torrados do leite, o que é ótimo para dar sabor, enquanto o ghee os filtra, o que permite um ponto de fumaça bem mais alto — você pode usar o ghee, mas não a manteiga dourada, para fritar.

O ghee foi usado pela primeira vez na culinária indiana e normalmente é feito de leite de vaca ou de búfala, e às vezes fermentado (como iogurte). É uma solução simples para a falta de refrigeração, e é por isso que é comum na culinária de climas mais quentes. Por que fazer o seu? Os componentes criados pelas reações de Maillard não são estáveis na prateleira. Os produtos da reação do estágio inicial continuam a desnaturar durante semanas no ghee, aumentando a quantidade de ácido acético (pense em vinagre branco) e levando a mudanças de sabor — a feita na hora terá um gosto diferente!

Para fazer manteiga dourada e ghee: comece com as mesmas instruções da manteiga clarificada, mas continue com o processo de cozimento para torrar ligeiramente os sólidos do leite. Fique de olho e remova do fogo assim que começar a ficar dourado. Sólidos do leite mais escuros darão um sabor mais aromático. Se você estiver fazendo ghee, permita que a mistura descanse por 5 ou 10 minutos e depois coe; o tempo de descanso permite que os sabores dos sólidos torrados do leite se dissolvam na gordura.

Tente usar manteiga dourada em assados como panquecas, muffins ou cookies (madeleines!): para manteiga, substitua 85% da manteiga dourada e 15% de água — mais ou menos 7 colheres (sopa) de manteiga dourada (100g) + 1 colher (sopa) de água (15ml) para cada ½ xícara (chá) de manteiga (115g) (se a sua receita pede creme, adicione a água aos ingredientes úmidos). Ou tente usá-la para fazer um molho: derreta a manteiga dourada e adicione um pouco de suco de limão e algumas ervas aromáticas, como sálvia.

Tente usar o ghee em qualquer lugar em que normalmente usaria óleo de alto aquecimento, como, por exemplo, em frituras e assados.

Chocolate, Óleo de Coco e Temperagem

Hummm, chocolate. Doce, amargo; às vezes com nozes, frutas ou pimenta. Ele dá alegria, prazer, e para alguns alivia o mau humor. Seja qual for a forma como você o descreva, ele é delicioso. Não, sério, cientificamente, ele é delicioso. Todas as culturas que foram apresentadas ao chocolate o aceitaram e desejaram, um feito talvez invejado pelo bacon.

Parte do que faz o chocolate maravilhoso é a sua textura e a forma como ele quebra. A textura vem de como o açúcar e as gorduras no chocolate são misturadas (conchagem) e como as gorduras do cacau são derretidas, resfriadas e temperadas — controlando a estrutura cristalina específica enquanto assentam durante o resfriamento. O chocolate temperado é usado para cobrir trufas de chocolate, para mergulhar frutas como damascos secos ou morangos frescos e para cobrir assados e confeitos. É maravilhoso que mudando uma coisa — a forma como os triglicerídeos são agrupados — tanta coisa possa mudar!

Para entender a temperagem, precisamos olhar para o que é o chocolate. O chocolate, basicamente, é feito de manteiga de cacau e sólidos de cacau, ambos derivados das sementes da planta *Theobroma cacao*. O açúcar é acrescentado para adoçá-lo; às vezes outros ingredientes como leite e baunilha também são adicionados para dar sabor. A manteiga de

> Os M&M's foram desenvolvidos em 1940, por Frank C. Mars e o filho Forrest Mars Sr. Durante a Guerra Espanhola (1936–1939), Forrest viu soldados espanhóis comendo chocolate coberto com açúcar como forma de "embalá-lo" e evitar que fizesse sujeira.

cacau — na verdade, gordura de cacau — consiste de triglicerídeos das sementes da planta, na maioria ácidos mirístico, oleico e palmítico (o que é bem próximo da constituição da manteiga, daí a similaridade nos pontos de fusão!). Os *sólidos de cacau* são o que sobra depois que a gordura é removida; moídos e processados, eles se transformam em cacau em pó, um pó escuro e rico que carrega quase todo o sabor do chocolate. O *cacau em pó holandês* é processado para melhorar a solubilidade (ele vai se misturar melhor — é mais hidrófilo) e alterar o sabor. (O processo holandês aumenta o pH do cacau em pó em assados que dependem disso para reagir com o bicarbonato de sódio; veja a p. 277 para saber mais.)

Quando o chocolate é derretido e temperado, são as gorduras do cacau que se fundem. Os sólidos do cacau não derretem, então não é tecnicamente certo dizer "derreter chocolate". Você tempera o chocolate ao derreter e depois seletivamente solidificar os cristais de gordura do cacau. Pode ser um processo trabalhoso e meticuloso. O método tradicional é aquecer o chocolate acima dos 43°C, depois resfriá-lo até os 28°C, e em seguida reaquecê-lo novamente até os 31,5°C ou 32,5°C. Uma vez que esteja a esta temperatura, você deve executar um balanço térmico: muito quente, você perde a temperagem; e muito frio, ele solidifica. Fazer um bom chocolate requer um bom entendimento sobre temperatura, quer você use um bom termômetro ou uma observação cuidadosa (32°C é aproximadamente a temperatura dos seus lábios).

Mas de onde vêm essas temperaturas? A gordura de cacau pode se solidificar em uma estrutura cristalina em seis diferentes formas, de acordo com a maneira como os ácidos graxos são dispostos, e cada uma dessas formas se funde a temperaturas ligeiramente diferentes. A chave para a temperagem é alterar a cristalização das gorduras; uma vez derretidas, elas podem se cristalizar novamente em qualquer uma das seis formas. É por esse motivo que a temperagem funciona. Ela força as gorduras a se solidificarem na estrutura desejada; em um chocolate temperado da forma desejada, de 3 a 8% da massa consiste em "bons" cristais de gordura de cacau.

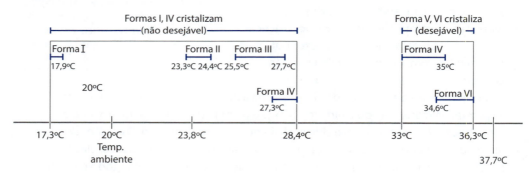

Pontos de fusão dos seis polimorfos da gordura do cacau.

Os bons cristais de gordura de cacau vêm em duas formas, Forma V e Forma VI. (Essa classificação vem de uma pesquisa de 1966; outros pesquisadores os chamam de cristais beta2 e beta1.) Essas duas versões se cristalizam em uma grade estreita, criando uma estrutura firme que dá ao chocolate uma suavidade agradável e um estalo firme quando quebrado. (Isso tem a ver com os triglicérides das formas V e VI, que podem se agrupar com mais força do que as outras.) As outras quatro estruturas cristalinas, as formas I a IV, resultam em uma textura mais quebradiça e calcária.

O chocolate pode estragar (que horror!) se exposto a extremos de temperatura, que convertem os bons cristais para as formas I–IV. Tal chocolate é descrito como *esbranquiçado*, tendo aparência manchada e textura arenosa. O esbranquiçamento acontece porque cerca de um quarto da gordura de cacau ainda está líquida em temperatura ambiente, e com as mudanças sutis na temperatura ao longo do tempo as gorduras líquidas migram para a superfície, recristalizando as gorduras boas no processo. (Se a barra toda se desintegrar, o açúcar se separou da umidade. Derreta a barra, retempere e guarde em um lugar mais seco da próxima vez.)

Como a maioria das gorduras naturais, as gorduras nas manteigas de cacau são uma mistura de diferentes tipos de triglicerídeos (a maioria feita de ácido esteárico, oleico e palmítico). Além disso, as plantas de *T. cacao* não crescem da mesma forma. O chocolate produzido com sementes crescidas em baixas altitudes, por exemplo, terá uma mistura de gorduras com um ponto de fusão mais elevado do que o chocolate de sementes crescidas em altitudes maiores. Mesmo assim, as variações de temperatura são relativamente pequenas, então os intervalos utilizados aqui geralmente funcionam para os chocolates amargos. Chocolates ao leite exigem temperaturas em torno de 1°C mais baixas; os ingredientes adicionais afetam os pontos de fusão das diferentes formas de cristalização. Ao temperar chocolate, veja se ele não tem outras gorduras ou lecitina adicionadas, porque elas afetam o ponto de fusão — mais do que 0,5% de lecitina retarda muito a velocidade de temperagem.

Felizmente para amantes de chocolate do mundo todo, ele tem duas peculiaridades que o tornam bastante agradável. De um lado, todas as formas indesejáveis de gordura derretem abaixo dos 32°C, enquanto as desejáveis se fundem por volta dos 34,4°C. Se você aquecê-lo a uma temperatura entre esses dois pontos, as formas indesejáveis derretem e então se solidificam na desejável. A segunda peculiaridade é uma questão de biologia: a temperatura da sua boca fica entre os 35 e 37°C, logo acima do ponto de fusão do chocolate temperado, enquanto a da superfície da sua mão fica abaixo.

A temperagem tradicional trabalha derretendo todas as formas de gordura no chocolate, resfriando-as a uma temperatura baixa o suficiente para ativar a formação de nucleação (isto é, fazendo com que uma parte da gordura crie "sementes" de cristais, incluindo algumas das formas indesejáveis), e depois elevando-as a uma temperatura alta o suficiente para fundir os cristais de formas I a IV, mas baixa o suficiente para que as formas V e VI se cristalizem. Esse processo de três temperaturas exige um olhar atento e, durante a segunda e terceira etapas, um movimento constante para encorajar a formação de cristais ao mesmo tempo que os mantém pequenos.

O que faz o chocolate empelotar?

Suponha que você foi pego contrabandeando chocolate, *chocolate apreendido* é o que acontece quando uma pequena quantidade de umidade se mistura aos sólidos e à gordura do cacau. Pense em gotas de água se misturando à areia seca: ela se aglomera. Acontece o mesmo com o chocolate. Os sólidos do cacau são como a areia, mas em vez de ar, eles estão cercados por gordura. Aperte um pouco de pó de cacau entre dois dedos secos e esfregue; será macio. Adicione uma pequena quantidade de água e ele empelota; adicione um pouco mais de água, e ele volta a ficar macio. Se o chocolate tiver contato com água, você terá de adicionar mais líquido — entre 20 e 40% do peso, dependendo da quantidade de sólidos de cacau presentes — para a mistura ficar fluida novamente. Você terá um chocolate que não se solidifica, mas perfeito para ganache (veja a p. 281).

30°C: Ponto Médio de Derretimento de Gorduras

Alguns métodos de temperagem pedem a adição de chocolate picado no segundo ponto de temperatura para acelerar a cristalização do chocolate; isso também acelera o resfriamento, o que pode ser útil. Também é possível temperar pequenas quantidades de chocolate já temperado (barras, não flocos de chocolate, que não podem ser temperados — é por isso que são mais baratos), levando-o diretamente a 32°C, tanto com um controle cuidadoso do micro-ondas (ajuste para intervalos de 10 segundos, mexendo a cada intervalo, e certifique-se de que a temperatura não exceda os 33,3°C) como em banho-maria (veja a p. 339).

Para tornar a temperagem mais fácil, use *chocolate do tipo cobertura*; ele é usado para cobrir outros alimentos como frutas ou bolos, e é mais fácil de temperar devido à maior porcentagem de gorduras de cacau. Nos Estados Unidos, a cobertura de chocolate deve ter pelo menos 31% de gordura de cacau (e não de sólidos de cacau!); os Estados Unidos não têm uma definição legal. Com mais gordura de cacau na mistura, é mais fácil obter uma quantidade suficiente para cristalizar corretamente a metaestrutura. Se não conseguir encontrá-lo, ou se gosta de experiências, compre gordura de cacau e não chocolate branco, que tem apenas entre 20 e 25% de gordura de cacau!

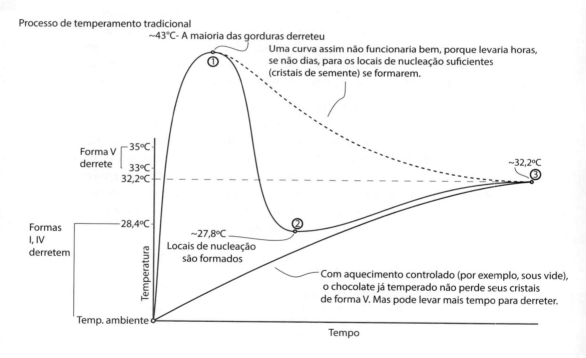

Faça Você Mesmo: Barra de Chocolate Amargo

Uma barra de chocolate amargo tem normalmente 54 a 80% de cacau. Tanto a definição da lei americana de alimentos como a definição da FDA simplesmente agrupam as barras de chocolate amargo e meio amargo ("não menos que 35% do peso"), mas em regra, elas têm 30% de gordura de cacau, 40% de cacau em pó e 30% de açúcar. Quando você vê uma barra de chocolate que diz chocolate amargo 70%, esta é a quantidade de gordura de cacau e cacau em pó. Os 70% de um fabricante podem ser 30% gordura/40% cacau em pó; os de outro podem ser 35%/35%. Como o cacau em pó é amargo — a gordura de cacau tem gosto de algo como gordura vegetal —, uma barra feita com menos cacau em pó e mais manteiga de cacau vai ter um gosto mais doce, ainda que as duas barras sejam de 70%.

O cacau em pó, as gorduras de cacau e o açúcar são misturados em um processo chamado conchagem. Rodolphe Lindt, um empresário suíço, desenvolveu o processo de conchagem de acordo com um equipamento comprado de um moedor de especiarias em 1879. A mistura é mantida aquecida enquanto rola por rebolos em um período que varia entre 6 e 72 horas, sendo que tempos mais longos produzem texturas mais macias, porque quebram os cristais de açúcar e os sólidos de cacau. Para saber como era o chocolate antes do aperfeiçoamento de Lindt, tente fazer a sua própria amostra de chocolate sem conchagem.

Em uma tigela pequena, derreta **1 colher (sopa) de manteiga de cacau (9g)** — usando pedaços pequenos — no micro-ondas ou em banho-maria.

Retire a manteiga do micro-ondas ou do fogo e adicione **2 colheres (chá) de açúcar (10g)** e **2 colheres (chá) de cacau em pó (12g)**. Usando uma colher, mexa bem por 1 ou 2 minutos.

Chocolates sem açúcar geralmente não são conchados (algumas marcas premium fazem a conchagem neste tipo, já que os sólidos de cacau ainda se beneficiam). Se você não encontrar manteiga de cacau, use **7 partes de chocolate sem açúcar** para **3 de açúcar** no lugar.

Se gostar, tempere o chocolate seguindo as instruções de temperatura descritas nessa seção. Transfira para um molde flexível ou para uma forma forrada com papel-manteiga e deixe esfriar no refrigerador.

Você vai notar quando provar esse chocolate que o sabor inicial é adstringente e amargo, seguido por um gosto mais doce, e possivelmente floral, à medida que o açúcar dissolve em sua boca. Se você usar açúcar de confeiteiro, vai obter uma textura mais macia, mas o chocolate não vai ter a mesma sensação na boca que uma barra conchada.

Faça experimentos adicionando outros ingredientes — **nozes torradas**, **canela**, **flocos de pimenta**, **gengibre**, **pedaços de cacau**, **sal marinho**, **café moído**, **folhas de menta**, **bacon**. Todas essas barras de chocolate com sabores que você vê nas lojas são simples de fazer!

Uma vista de perto da diferença entre o chocolate comercial conchado (em cima) e o chocolate feito em casa, sem conchagem (embaixo).

40°C e 50°C: As Proteínas do Peixe e da Carne Começam a Desnaturar

Peixe e carne, preparados adequadamente, podem ser as peças centrais das refeições mais surpreendentes de sua vida. Não quero parecer muito carnívoro, mas minhas melhores recordações alimentares envolvem coisas como o peru de feriado de meu pai ou descobrir o confit de pato pela primeira vez. O que torna uma perna de peru deliciosa é a combinação de seis variáveis: aparência, aroma, sabor, suculência, maciez e textura. Como cozinheiro, você determina os dois últimos fatores através do tempo e da temperatura, e o cozimento adequado fará com que fiquem incríveis. Mas para compreender como chegar lá, temos que olhar para o que é a carne.

Talvez você não tenha pensado nas reações químicas que acontecem em uma peça de carne quando o animal que a fornece é abatido. A mudança principal, sendo direto, é que o animal está morto, o que significa que o sistema circulatório não mais fornece ao tecido muscular o glicogênio do fígado ou o sangue carregando oxigênio. Sem ele, as células do músculo morrem, e o glicogênio preexistente no músculo é dissipado. Os miofilamentos começam a consumir o glicogênio livre, resultando no estado chamado de *rigor mortis* — a rigidez criada pelos miofilamentos que se ligaram.

Em algum ponto entre 8 a 24 horas depois, o fornecimento de glicogênio é esgotado e as enzimas naturalmente presentes na carne começam a quebrar as ligações criadas durante o rigor mortis (*proteólise post-mortem*). O corte antes que esse processo tenha ocorrido afetará a textura da carne, assim como os níveis de glicogênio. O estresse prolongado do animal no abate diminui a quantidade de glicogênio no tecido muscular, causando mudanças no pH pós-abate que levam a uma carne que apodrece mais rápido. Picos de estresse antes da morte (*antemortem*) aumentam o glicogênio no sangue, acelerando o rigor mortis e levando a uma carne pálida e macia ou a um peixe que estraga mais rápido. A forma como um peixe é morto muda a sua textura!

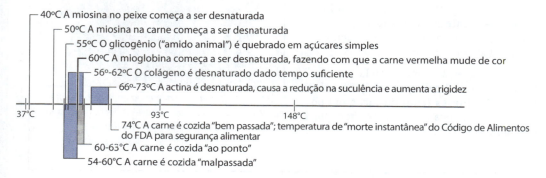

Temperaturas de desnaturação de vários tipos de proteínas (parte superior) e padrões nos níveis de prontidão (parte inferior).

Diferenças causadas pelos processos de corte e manuseio dos animais são bastante notáveis. Painéis sensoriais mostraram que o peito de frango retirado da carcaça antes do rigor mortis tinha uma textura mais dura quando comparado com a carne deixada por mais tempo no osso. (Eu sabia que tinha um motivo para aves assadas inteiras terem um gosto melhor!)

A não ser por fazer compras com sabedoria, você tem pouco controle sobre como peixes e carnes são manuseados antes de chegarem às lojas. Cortes de carne baratos injetados com salmoura, ou peixes mal congelados, vão nutrir, mas não terão uma textura tão boa. Se os seus pratos estão abaixo da média, verifique a qualidade dos ingredientes e evite rótulos com "marinado" ou "aromatizado". Se puder, encontre um peixeiro ou um açougueiro que forneça peixe e carne adequadamente manuseados.

O desafio em cozinhar peixes e carnes reside invariavelmente em cozinhá-los a temperaturas suficientemente altas para matar patógenos, mas baixas o suficiente para não retesar as proteínas. Peixe e animais terrestres são, na maior parte, água (65 a 80%), proteína (16 a 22%) e gordura (1,5 a 13%), com açúcares como o glicogênio (0,5 a 1,3%) e minerais (1%) que contribuem apenas minimamente para a massa.

O quanto as proteínas são cozidas determina a textura — maciez versus dureza e secura — do item cozido. Proteínas da carne dividem-se em três categorias gerais: estruturais, conectivas e sarcoplasmáticas. Ignore as sarcoplasmáticas; elas não têm impacto sobre a culinária como as outras. (Se você treina, é nessas proteínas que trabalha.) As estruturais e conectivas, entretanto, são de grande importância.

Por que Algumas Carnes São Brancas e Outras Vermelhas?

Marketing à parte — *"Porco. A Outra Carne Branca."* —, considera-se que a carne vermelha tem mais proteína mioglobina do que a de frango. O que dá à carne sua cor não é o sangue, mas a proteína. A mioglobina é púrpura; ao se ligar ao oxigênio vira oximioglobina, e fica vermelha. (Agora você sabe por que os modelos de anatomia têm veias azuis e artérias vermelhas!)

O peito de frango tem pouca mioglobina (0,05mg/g), a coxa de frango tem perto de 2mg/g, a carne de porco tem de 1 a 3mg/g, e a carne de boi pode chegar a 10mg/g. Há menos *pigmento*, por assim dizer, na carne de porco que na de boi, e é por isso que ela parece mais clara, mas ela ainda tem mais pigmento que o frango (sinto muito, pessoal da publicidade).

Carnes escuras — pense nas coxas de frango — têm níveis maiores de mioglobina, o que faz sentido: ela fornece oxigênio para o tecido muscular, e para as partes de um animal responsáveis por andar ou bater as asas, mais oxigênio é necessário. A cor da carne também muda conforme a exposição ao oxigênio, os níveis de pH e as condições de armazenamento, e é por isso que carnes cozidas às vezes parecem rosadas enquanto as malcozidas podem ficar marrons.

Aliás, você já deve ter observado carne moída passando de vermelho para marrom, isso se deve à mioglobina não ser exposta ao oxigênio ou à oximioglobina não mais se ligar a ele (um dos íons de ferro na estrutura pode perder um elétron), e converter-se em metamioglobina, que é marrom. De qualquer forma, não é um sinal de deterioração.

40°C e 50°C: As Proteínas do Peixe e da Carne Começam a Desnaturar

As proteínas estruturais (miofibrilares) permitem que os músculos se contraiam. Cerca de 70 a 80% da proteína no peixe são estruturais; para mamíferos terrestres, cerca de 40 a 50%. Quando aquecida, as proteínas dessa categoria se transformam em uma estrutura gelatinosa, e é por isso que a proteína age como uma liga — um ingrediente que mantém os alimentos unidos. Há vários tipos diferentes de proteínas miofibrilares:

- A *miosina* perfaz a maioria das proteínas miofibrilares — cerca de 55% — e é o que na verdade contrai, utilizando o trifosfato de adenosina (ATP) como fonte de energia. Voltando ao rigor mortis, o glicogênio é convertido em ATP para gerar ácido lático como subproduto. A quantidade de glicogênio na carne recém-abatida determina quanto ácido lático será gerado enquanto a miosina é queimada através do suprimento restante de glicogênio.

- A *actina* perfaz em torno de 25% da proteína miofibrilar e se liga à miosina; é essa ligação que transforma as duas em uma máquina que pode contrair um músculo.

- Outras proteínas miofibrilares ajudam a manter a máquina miosina-actina unida. Algumas delas — *titina*, *nebulina* e *desmina* — são quebradas com o tempo pela enzima *calpaína* e mudam a textura da carne, com diferenças notáveis que começam a acontecer uma semana depois do abate e continuam por várias semanas. É por isso que carne velha tem uma textura mais macia.

A terceira categoria de proteínas, as conectivas (*do estroma*), como o colágeno, fornecem estrutura a tecidos musculares como os tendões. Cerca de 3% da proteína no peixe é conectiva — nos tubarões, 10%! Nos mamíferos, elas são cerca de 17%. Compreender o colágeno na culinária é tão importante que falaremos sobre ele em separado mais adiante neste capítulo (veja a p. 195); por enquanto, saiba apenas que cortes de carne com alto teor de colágeno exigem técnicas próprias de cocção.

A quantidade das proteínas estruturais actina e miosina difere por tipo de animal e por região, e as estruturas químicas das proteínas também — a miosina é uma família de proteínas, e os mamíferos evoluíram e têm versões de proteínas diferentes daquelas das criaturas marinhas. A miosina nos peixes começa a se desnaturar em temperaturas mais baixas, aos 40°C; a actina desnatura por volta dos 60°C. Em animais terrestres, que precisam sobreviver a ambientes mais quentes e ondas de calor, a miosina desnatura entre 50 e 60°C e a actina por volta dos 66 a 73°C.

As carnes mais secas e cozidas demais não ficam duras por falta de água dentro da carne; elas são duras porque, em um nível microscópico, as proteínas ficam tão emaranhadas que se tornam duras de mastigar. Aplicar calor às carnes muda a textura porque altera as proteínas em escala microscópica: elas se desnaturam, se soltam e desenrolam. Além da desnaturação e do desenrolamento, regiões de uma proteína recém-expostas podem entrar em contato com regiões de outra e formar uma liga, o que permite que elas se liguem umas às outras. Esse processo é chamado de *coagulação*, e embora ocorra normalmente em cocções que envolvam desnaturação de proteínas, é um fenômeno à parte.

164   Cozinha Geek

Os cientistas alimentares determinaram por meio de pesquisas empíricas ("trabalho total de mastigação" e "preferência de textura total" são os meus termos favoritos) que a textura ideal da carne pronta ocorre quando ela é cozida entre 60-67°C, faixa na qual a miosina e o colágeno terão desnaturado, mas a actina permanece em sua forma nativa. Nessa faixa de temperatura, o peixe estará úmido, mas não seco, e a carne vermelha possui uma cor rosada e seus sucos estarão vermelho-escuro — embora nem sempre.

Embora seja difícil provar, a coincidência de os intervalos de temperatura para a textura ideal serem acima do ponto de desnaturação da miosina e abaixo do da actina sugere fortemente que a textura é baseada no estado dessas duas proteínas. Isso se encaixa tanto para as temperaturas de peixes como de mamíferos, e períodos ampliados de manutenção nessas temperaturas eliminam a possibilidade de que seja apenas um efeito relacionado a tempo e temperatura. Então, se você aprender apenas uma coisa desta seção, que seja isso: miosina desnaturada = gostoso; actina desnaturada = ruim. É claro, também existem outras proteínas em jogo, e mudanças sutis na temperatura vão mudar o impacto da textura, já que estas também desnaturam, mas como a maior parte do tecido muscular é actina e miosina, essas duas proteínas parecem ser a chave para uma boa textura.

A textura de alguns cortes de carne pode ser melhorada através do amaciamento. As marinadas e salmouras amaciam quimicamente a carne, de forma enzimática (com a ajuda de compostos como a bromelaína, uma enzima encontrada no abacaxi, que quebra os tecidos conectivos; ou da papaína, do papaia, que faz o mesmo com os tecidos musculares) ou como um solvente (algumas proteínas são solúveis em soluções salinas). Os amaciantes químicos ativados pelo calor também são às vezes injetados nas carnes empacotadas. A maturação de carnes funciona por fornecer às enzimas naturalmente presentes na carne tempo para quebrarem a estrutura do colágeno e as fibras musculares. A maturação também modifica o sabor da carne: as carnes menos maturadas têm um sabor mais metálico, enquanto as mais maturadas têm um sabor mais forte. O que é "melhor" é uma questão de preferência pessoal. (Talvez alguns de nós sejamos mais sensíveis a gostos metálicos.) Os cortes comercializados normalmente têm de cinco a sete dias, porém, alguns restaurantes usam carnes maturadas de 14 a 21 dias.

Também existem os métodos mecânicos para amaciar, que não tratam tanto de amaciar, mas sim de esconder a rigidez, cortando os pedaços duros em pedaços duros menores. Moer a carne, como é feito com as carnes de hambúrguer, fatia as proteínas conectivas e a estrutura miofibrilar. Cortar o músculo "contra o corte" — perpendicular à direção da estrutura miofibrilar — também funciona, a exemplo do que é feito no bife tártaro ou *steak tartare* (veja a p. 174) e no *London broil*. Algumas carnes são microscopicamente cortadas com o uso de agulhas muito finas, algo parecido com golpeá-las com um grafo repetidas vezes. Como veremos na próxima seção (sobre segurança alimentar), isso tem alguns problemas potenciais.

40°C e 50°C: As Proteínas do Peixe e da Carne Começam a Desnaturar

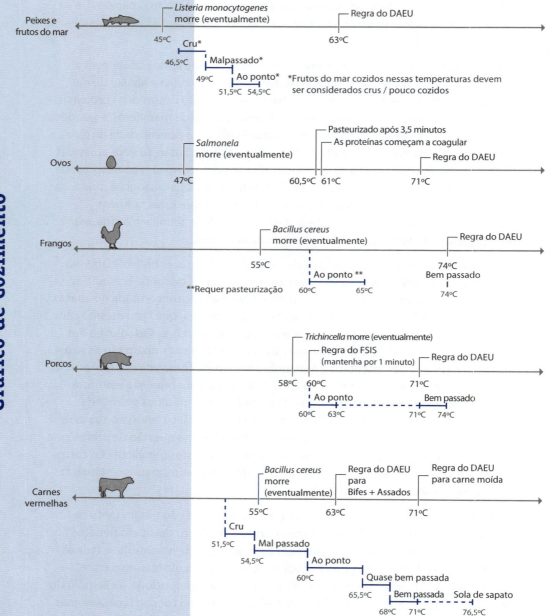

Fraldinha Marinada no Leitelho

A maioria dos cortes de carne é de animais que seguem uma dieta de grãos por alguns meses antes do abate, ao contrário dos que se alimentam de grama. Como resultado dessa dieta de grãos, os cortes como o contrafilé de costela e o filé-mignon têm mais que o dobro de gordura do que aqueles de dieta de grama (em torno de 5,2% de gordura intramuscular em vez dos 2,3%). Não é surpresa que os cortes de bois criados no pasto sejam mais duros!

A maioria dos ingredientes das marinadas não penetra muito na carne, mas os agentes enzimáticos e ácidos, sim, se tiverem tempo para isso. Como regra, moléculas pequenas como os íons de sódio do sal levam aproximadamente 24 horas para percorrer uma polegada dos cortes de carne. É por isso que as receitas baseadas em marinadas pedem por longos períodos de espera — não é apenas uma questão de quão forte a marinada vai ser, mas quanto do tecido será exposto a ela.

Na teoria, usar a marinada certa em cortes de carne extremamente finos, principalmente cortes de boi de pasto, deveria melhorar a textura da carne. Amaciantes enzimáticos são usados em processamento comercial, onde podem ser expostos à carne logo no início do processo de abate o uso caseiro pode levar a texturas moles. O ácido lático, e principalmente o cálcio do leitelho, amaciam a carne e não apresentam esse problema.

Na prática, há muito debate sobre o impacto das marinadas na textura da carne. A observação visual de um pedaço de carne marinado cortado ao meio mostra apenas uma mudança em uma camada externa muito fina, e testes de sabor parecem apoiar essa constatação. Mas as diferenças de textura não são o mesmo que sabor! Claramente, os ácidos e sais penetram nos tecidos: um ceviche de escalope marinado e fatiado ao meio mostra visíveis diferenças. Experimente e veja o que acha.

Coloque em um saco do tipo zip **1kg de fraldinha** e **várias xícaras (chá) de leitelho**, o suficiente para manter a carne submersa quando o saco estiver descansando. Se preferir, adicione ervas e condimentos ao leitelho — tente **raspas de limão** e **alguns dentes de alho fatiados**. Deixe o saco descansando no refrigerador de 8 a 24 horas. Retire a carne do saco, descarte a marinada e sele a carne em uma panela de ferro fundido bem quente por 2 a 3 minutos de cada lado. Corte contra o corte, perpendicular às fibras do músculo, para uma melhor textura.

Esta marinada é boa para outras carnes também. Experimente com frango, deixando-o marinar por pelo menos 12 horas.

40°C e 50°C: As Proteínas do Peixe e da Carne Começam a Desnaturar

Salmão Refogado em Azeite de Oliva

Peixes como salmão e trutas do Atlântico se tornam secos e perdem seus sabores delicados quando cozidos em temperaturas muito altas. O truque para refogar peixes é não cozinhar demais. Refogar o peixe é uma forma fácil de controlar a média de calor sendo aplicada, e é incrivelmente fácil e saboroso.

Coloque um filé de peixe, com o lado da pele para baixo, em uma tigela que possa ir ao forno, grande o suficiente para que ele caiba. Salpique uma pequena quantidade de sal sobre ele. Cubra com azeite de oliva até o filé estar submerso. (Usar uma tigela em que o peixe "encaixe exatamente" diminuirá a quantidade de azeite necessária.)

Coloque em um forno preaquecido, ajustado para fogo médio (160–190°C). Use um termômetro de carne programado para apitar em 46°C. (Malpassado, o peixe vai ser considerado cru, a menos que seja pasteurizado — veja a p. 331 para saber mais.)

Remova o peixe quando o termômetro for ativado, deixando que o calor latente aumente um pouco mais a temperatura.

Notas

- *Tente servir sobre uma porção de arroz integral ou selvagem, com algumas colheres de um refogado de alho-poró, cebolas e cogumelos por cima. (Um pouco de suco de laranja no alho-poró fica muito bom.) Ou sirva com feijão refogado com flocos de pimenta calabresa e arroz branco, com um pouco de molho shoyu espalhado por cima.*

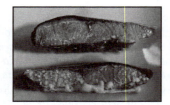

- *O salmão contém uma proteína, a albumina, que gera uma gosma cristalizada branca no exterior da carne, como mostrado na parte de baixo da foto ao lado. Essa é a mesma proteína que sai de hambúrgueres e outras carnes, tipicamente formando "bolhas" levemente cinzas na superfície. Você pode evitar isso colocando o peixe em solução salina de 5–10% (por peso) por 20 minutos, o que ajustará as proteínas. O primeiro pedaço na foto foi salmourado; é possível observar a diferença. Se você salmourar o peixe, não coloque sal quando for cozinhar.*

O salmão contém uma proteína, albumina, que sai da carne e cria uma camada levemente coalhada na superfície do peixe refogado, como mostrado na parte inferior da foto.

Atum Selado com Cominho e Sal

A selagem em panela é um dos métodos de cocção realmente simples que produz um sabor fantástico e também cuida da contaminação de bactérias na superfície, da qual falaremos na próxima seção.

O segredo para conseguir uma crosta dourada bonita é usar uma panela de aço inoxidável ou de ferro fundido, que possui uma massa térmica maior que a maioria dos tipos de panelas (veja na p. 46 com que velocidade os diferentes metais transmitem calor). Ao colocar o atum em uma panela, o exterior será selado e cozinhará rapidamente, ao mesmo tempo em que deixa cru o máximo possível do meio.

Você precisará de **75–100g de atum cru por pessoa**. Corte-o em partes iguais, já que você cozinhará uma ou duas por vez.

Em um prato raso, meça **1 colher (sopa) de sementes de cominho** e **½ colher (chá) de sal (2g)** (preferencialmente sal granulado, como sal maldon) por peça de atum. Em um segundo prato, coloque **algumas colheres (sopa) de óleo estável a temperaturas altas**, como óleo de canola, girassol ou açafrão refinados.

Coloque uma panela de ferro fundido no fogo mais alto possível. Espere a panela esquentar completamente, até começar a sair fumaça.

Para cada porção de atum, passe a mistura de sal/cominho em todos os lados e passe levemente os lados no óleo para cobrir um pouco o peixe.

Sele todos os lados do peixe. Vire para o outro lado quando as sementes de cominho começarem a dourar e a tostar, cerca de 30 a 45 segundos de cada lado.

Faça cortes de 1cm e sirva como parte de uma salada (coloque o peixe sobre folhas verdes variadas) ou como o prato principal (tente servir com arroz, risoto ou macarrão japonês udon).

Notas

- Esse atum é excelente para salada niçoise. Adicione ovos cozidos, feijões-verdes, batatas pequenas, tomates e azeitonas em uma cama de alface, e acompanhe com um vinagrete leve. Bom apetite.

- Tenha em mente que a temperatura da panela diminuirá quando o atum for colocado, então, não use uma peça de peixe maior que a sua panela. Se não tiver certeza, cozinhe o peixe em partes.

- Use sal marinho grosso, não sal grosso (kosher) ou o sal de mesa que você encontra em saleiros. O sal marinho grosso possui grãos grandes que previnem que o sal todo entre em contato com a carne e dissolva.

Cubra todos os lados do atum com sementes de cominho e sal pressionando-o em um prato com a mistura de temperos espalhada.

Certifique-se de que a panela esteja bem quente. Um pouco de fumaça saindo do peixe enquanto ele sela é normal!

O atum selado em panela ficará bem passado nas bordas e terá uma parte bem vermelha no meio, completamente crua.

60°C: Fim da Zona de Perigo

A regra da zona de perigo: não mantenha os alimentos entre 4°C e 60°C por mais de duas horas.

Quando o assunto é comida, sugiro evitar a zona de perigo. O fornecimento moderno de alimentos está mais interconectado e interdependente que nunca. Enquanto escrevo, como meu cereal com iogurte, bananas e amêndoas. O muesli vem da Suíça, o iogurte, da Nova Inglaterra (EUA), as bananas, da Costa Rica, e as amêndoas, da Califórnia (EUA). A única direção da qual a comida não viaja quilômetros é o norte, e isso, provavelmente, se deve ao fato de poucas coisas crescerem no Polo Norte!

Ao mesmo tempo em que é um privilégio ter acesso o ano todo a produtos frescos e a ingredientes internacionais, há um lado negativo: o número de pessoas que podem ser afetadas por um erro na manipulação dos alimentos também aumenta. Um único lote de água ruim borrifado em um campo de espinafre pode deixar centenas de consumidores doentes em todo o mundo antes que a contaminação seja identificada.

A segurança dos alimentos, embora não seja um tópico atraente, é importante, e há alguns aspectos biológicos envolvidos. (Você sabia que alguns parasitas sobrevivem até mesmo em nitrogênio líquido?) Ao contrário do resto desse capítulo — aliás, do livro —, farei uma digressão das ideias divertidas de "como a culinária funciona" e olharei para "como não se matar" pelas próximas páginas. Vou tentar fazer com que seja divertido.

Os principais culpados pelos alimentos não serem seguros são as bactérias e os parasitas, além do manuseio inadequado. Outros aspectos, como vírus, bolor e contaminantes também são preocupantes, mas são mais fáceis de manejar. Você pode transmitir vírus se não lavar as mãos ou se cozinhar enquanto está doente, e ambos os casos são fáceis de evitar (lave as mãos e não cozinhe para os outros quando estiver doente). Se observar mofo crescendo em alguma coisa, jogue fora (veja na p. 434 uma entrevista sobre mofo). A ideia de que o mofo só está presente a alguns centímetros de onde é visível é errada. Por fim, agentes contaminantes e toxinas são antes de tudo preocupações de produtores de alimentos, por isso, como consumidor, você está fora do círculo. (Se planta seus próprios vegetais, teste seu solo para contaminantes.)

Voltemos ao mundo das bactérias e dos parasitas. As bactérias relacionadas a intoxicações alimentares comuns começam a se multiplicar acima de 4,4°C, e algumas espécies permanecem ativas até os 55°C. Coloque alguns graus como margem de segurança, e você verá por que a zona de perigo mencionada no início do capítulo diz que a comida não deve ser mantida entre as temperaturas de 4°C e 60°C por mais de duas horas. No refrigerador, bactérias e parasitas permanecem viáveis, mas não terão oportunidade de se multiplicar (há exceções). Acima de 60°C, a bactéria não sobreviverá por muito tempo. Contudo, em algum lugar entre essas duas temperaturas, as bactérias fazem a festa.

Como você deve imaginar, o intervalo de tempo dado na zona de perigo é uma grande simplificação do que realmente acontece. A regra limita o espaço de tempo a duas horas pressupondo o pior cenário: alimentos mantidos dentro dessas temperaturas por períodos maiores que esses podem causar doenças se estiverem contaminados com um dos agentes patogênicos mais agressivos: o *Bacillus Cereus*.

Os limites de temperatura estão simplificados de forma rudimentar. Os organismos se reproduzem em temperaturas e faixas diferentes. A salmonela, por exemplo, se multiplica melhor em torno de 37,8°C. (Não admira que tenhamos tantos problemas se ficarmos doentes com ela!)

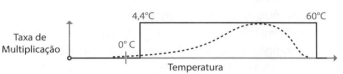

As taxas de multiplicação de bactérias relacionadas à intoxicação alimentar seguem uma curva com uma taxa de reprodução ideal no centro, nada parecida com o que as regras da zona de perigo sugerem.

A bactéria não sai de uma multiplicação inexistente em 4,4°C e vira uma festa completa em 5°C; é uma subida gradual até a temperatura de reprodução ideal. A zona de perigo e as diretrizes de temperatura de cozimento são simplificações, e entendendo o quadro geral você prepara alimentos mais saborosos e seguros.

Para compreender as simplificações dos limites de tempo e temperatura, precisamos falar sobre sorte. Contrair uma doença alimentar é um jogo de probabilidades. Para a *Listeria monocytogenes*, que causa a listeriose e está potencialmente presente no leite cru, você precisa engolir cerca de mil delas. Embora pareça muito, não é: um único gole de leite contaminado pode deixá-lo doente. Não é provável que uma única *E. coli* cause problemas (não que eu queira ser voluntário), mas se considerarmos entre 10 e 100 delas, as chances ficam ruins. Preparar um hambúrguer malpassado reduz a contagem delas, supondo que estejam presentes, mas não as elimina. Os riscos que se dispõem a aceitar — você *realmente* quer aquele hambúrguer malpassado? — exige que conheça as consequências e as probabilidades envolvidas.

Em geral, a consequência de contrair a maioria das doenças alimentares é desinteria — diarreia, vômitos, espasmos musculares e coisas parecidas. Entretanto, para aqueles que estão em um grupo de risco — qualquer um para quem adquirir uma doença alimentar possa levar a maiores complicações —, tais distúrbios podem ser fatais. Se está cozinhando para uma pessoa na terceira idade ou extremamente jovem, grávida ou imunodeficiente, esteja vigilante à segurança alimentar e deixe de lado pratos que apresentam riscos maiores (incluindo, por favor, o hambúrguer malpassado).

As chances de adquirir uma doença alimentar são de uma em seis em um dado ano, e aproximadamente 25% dos casos requerem hospitalização, de acordo com o Centro de Controle e Prevenção de Doenças dos Estados Unidos (CDC). A forma como ficamos doentes com a comida é complicada. Vamos dar uma olhada na *salmonela* especificamente, tendo em mente que os conceitos se aplicam a outros elementos patogênicos, apenas com especificidades diferentes.

A salmonela é surpreendentemente prevalente, infectando dezenas de milhões de pessoas no mundo todo a cada ano. Ela se reproduz em temperaturas entre 7 e 48°C e sobrevive em intervalos ainda maiores. Quando cozida a 71°C, ela morre instantaneamente; isso é, o tempo térmico de morte — o tempo que demora para uma bactéria morrer em uma dada temperatura — é zero.

O USDA publica guias de temperaturas de cozimento para consumidores. Para o frango, que é comumente contaminado com *E.coli* e *Salmonella*, os guias do USDA dizem para cozinhar a 74°C. É um guia baseado em simplicidade, não em preparar um frango deliciosamente saboroso. Depois temos o FDA, que dita leis sobre alimentos. O Código de Alimentos exige que vendedores comerciais cozinhem o frango a 68°C.

Por que a diferença nas temperaturas? Em parte, isso se deve à loucura que é o sistema regulatório de alimentos dos Estados Unidos e às diferenças entre as organizações. (Sério, quem pode dizer quando o USDA, a FDA, o CDC ou a NSA devem estar envolvidos?) Os guias para consumidores supõem alguma margem de erro, enquanto que os grupos comerciais são responsáveis pelos padrões legais, e supõe-se que tenham melhores técnicas e equipamentos de medição.

Depois há a questão do tempo de espera — o tempo que um alimento precisa permanecer em dada temperatura. As exigências do FDA são baseadas no tempo de morte térmica de 15 segundos a 68°C, significando que o frango cozido tem que atingir aquela temperatura e permanecer nela por 15 segundos.

A discussão sobre a taxa de reação do início do capítulo é verdadeira para bactérias e parasitas. Aumentar os tempos de espera aumenta o número de patógenos mortos. Há outro grupo (e outro acrônimo), o Serviço de Segurança e Inspeção de Alimentos da USDA, que publica tabelas de tempos de espera baseados exatamente nisso. Peito de frango cozido a 63°C tem uma textura melhor — está cozido, mas não seco —, mas requer um tempo de espera de 8,4 minutos, algo que o guia do consumidor pressupõe de início que os cozinheiros domésticos não conseguem fazer com segurança (embora com o sous vide seja possível — veja na p. 320). Mas a 66°C, o tempo de espera é de apenas 2,7s — algo que com algum cuidado você pode fazer. Não conte a ninguém, mas é assim que preparo meu frango. Eu me permito uma margem de erro de 3°C, ajustando para 68°C e mantendo-o lá por 3 minutos. (*Shhh!*)

Seguir os tempos de espera envolve mais do que alcançar uma temperatura (embora eu prefira comer em lugares que cozinhem de acordo com instruções simples do que sem nenhuma orientação). Os tempos de espera específicos dependem não somente do tipo de organismo, mas também da comida que está sendo preparada. No caso do frango, que tem um conteúdo menor de gordura e uma superfície

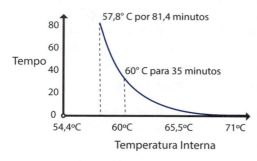

Tempo mínimo de espera para cozinhar frango, de acordo com as recomendações da USDA FSIS (pressupondo frango com 12% de gordura).

mais lisa, 8,4 minutos a 63°C é tempo suficiente para pasteurizar a salmonela. Mas ao preparar carne-seca, a salmonela pode sobreviver a 63°C por 10 horas, provavelmente devido ao resfriamento evaporativo da água da carne conforme seca e às pequenas fissuras na superfície que permanecem mais frescas.

Se os tempos de espera parecem confusos — eram para mim no início —, pense neles como o tempo em uma sauna. Você pode sobreviver, e até mesmo se divertir, ao calor seco, mas se ficar exposto a ele por muito tempo, acaba morrendo. Vá para a sauna enrolado em uma toalha fria e com uma bebida gelada, e sobreviva por mais tempo. O mesmo é verdadeiro para os elementos patogênicos: dada uma exposição suficientemente longa, eles acabam morrendo, mas não instantaneamente, por isso a cocção em temperaturas abaixo das recomendações simplificadas exige que saiba exatamente o que está cozinhando para pasteurizar o alimento corretamente.

A pasteurização, a propósito, é uma mera redução dos patógenos típicos a um nível seguro. Não confunda isso com esterilização, que os elimina completamente. Obviamente, se não existem bactérias de salmonela depois do cozimento, o alimento não vai se tornar infectado espontaneamente, a menos que seja contaminado de novo. Com a pasteurização, os níveis de patógenos caem, mas não necessariamente para zero, por isso se ficarem algum tempo em temperaturas de reprodução, eles podem se reproduzir novamente para níveis alarmantes. Os alimentos esterilizados — atum enlatado, leite irradiado — não têm patógenos presentes e quando selados de maneira adequada podem ser mantidos em temperatura ambiente indefinidamente.

Os tempos de espera para pasteurização dependem da rapidez com que o elemento patogênico morre em uma temperatura específica e de quantos deles precisam ser mortos, de acordo com a diferença entre a pior possibilidade e níveis aceitáveis de contaminação. Os cientistas usam o termo reduções de log_{10} para falar de pasteurização, em que uma redução de log_{10} é uma redução de dez milhões de vezes. No caso da salmonela, as recomendações especificam uma redução de $7log_{10}$, o que significa que apenas 1 em 1 milhão de bactérias devem conseguir sobreviver.

Se podemos cozinhar os alimentos para reduzir o número de elementos patogênicos, porque não cozinhar novamente alimentos que acidentalmente ficaram fora do refrigerador, em que os patógenos podem se reproduzir novamente? Às vezes, as bactérias em si não são o problema, mas as toxinas que produzem. Apesar de a culinária praticada de forma correta poder reduzir seguramente a contagem de bactérias, as próprias toxinas, como as produzidas por *B. cereus*, podem ser estáveis no calor e permanecer nos alimentos cozidos.

Vamos dar uma olhada nos tempos específicos e temperaturas na próxima seção. Para mais informações sobre elementos patogênicos nos alimentos, consulte o *Bad Bug Book*, da FDA. Acesse http://cookingforgeeks.com/book/badbugbook/ para obter o link atual — site em inglês.

60°C: Fim da Zona de Perigo   **173**

Bife Tártaro com Ovos Pochê

Para alguns, a ideia de um bife tártaro é a de uma iguaria; para outros, é nauseante. Preferências alimentares à parte, o carpaccio — carne crua em fatias finas — e o steak tartare ou bife tártaro — carne crua moída — são surpreendentemente deliciosos e interessantes por uma perspectiva científica. Eles são baseados no amaciamento mecânico pelo corte dos tecidos musculares, e um bom exemplo de como manusear alimentos com segurança.

Minha técnica aqui, um tratamento com água fervente, remove 99% de qualquer bactéria que possa estar presente na superfície. Como diz o velho adágio da ciência dos alimentos: não existe comida segura, apenas comida mais segura. Quando mergulhada em água a 83,4°C, a E. coli é reduzida em 99,4% (uma redução de 2,23log) depois de 10 segundos, e 99,9% (uma redução de 2,98log) depois de 20 segundos — muito bom, mas ainda não é 100%. Se você não come ovo pochê — porque pode conter salmonela, pelo menos nos Estados Unidos —, então não deveria comer o bife tártaro. Se você topa, então experimente. Pode ficar surpreso com como é bom!

Para cada porção aperitiva, você vai precisar de **100g de filé ou contrafilé**. Para 4 pessoas, pegue uma peça de 450g. Não compre carne moída. Certifique-se de que o corte de carne não tenha sido amaciado mecanicamente (perfurado, cortado); pergunte ao açougueiro. Tenho sorte que o meu deixa a carne maturar por duas semanas e faz os cortes na parte da frente da loja, então sei o que estou comprando.

Coloque a carne em uma vasilha grande e encha com água suficiente para cobri-la. Retire a carne e aqueça a água até aproximadamente 83,5°C. Mergulhe-a por 10 a 20 segundos, depois remova e enxugue com toalha de papel. A carne deve estar cinza. (Curiosidade: a cor reverterá parcialmente com o tempo.)

Guarde a carne no freezer em um prato por 30 minutos, dando tempo a ela para se firmar, de forma que fique mais fácil cortá-la.

Depois que a carne estiver firme — não deixe congelar! —, use uma faca bem afiada para cortá-la à *brunoise* — pequenos cubos de mais ou menos 0,3cm. Comece cortando a carne em fatias finas, depois corte as fatias em tiras e, por fim, corte-as em cubinhos. Transfira a carne para uma tigela e tempere a gosto com **sal marinho** e **pimenta**.

Fãs de bife tártaro têm fortes opiniões sobre como prepará-lo e sobre o que deve acompanhá-lo. Se você quiser uma ideia inicial, adicione um pouquinho de **suco de limão**, **mostarda** e **azeite de oliva** a gosto.

O bife tártaro é quase sempre servido com uma gema crua no centro; eu gosto de usar um ovo pochê. A gema ainda estará mole, mas é uma apresentação mais acessível para pessoas que não gostem da ideia de uma gema de ovo crua. Coloque uma porção individual do bife tártaro em um prato e modele em forma arredondada. Coloque o ovo pochê por cima (veja a p. 193) e sirva com **batatas chips**.

Por que a Comida na Despensa Não Estraga?

Os patógenos precisam de mais do que uma temperatura ideal para se multiplicarem. Muitos alimentos são passíveis de armazenamento pelo baixo teor de umidade (biscoitos, itens secos, óleos, até mesmo geleias), mas há outras variáveis também importantes. Aqui está uma lista das seis variáveis a observar para evitar o crescimento de micróbios. Se alguma delas estiver fora dos limites, o alimento não dará espaço ao crescimento de bactérias.

Os *calcivírus* — família de vírus da qual o norovírus é o mais conhecido — recebem muita atenção atualmente, e com razão. Geralmente são transmitidos de um indivíduo doente preparando comida para outras pessoas. Se passar uma noite "de rei no trono" — com diarreia, vômito, calafrios e dor de cabeça —, há 50% de chance de que possa agradecer ao norovírus. Se estiver com esses sintomas, não cozinhe para os outros.

C = Comida

Bactérias precisam de carboidratos e proteínas para se proliferar. Mas elas ainda podem estar presentes. Água engarrafada, por exemplo, não é material orgânico que propicie o crescimento.

A = Acidez

As bactérias sobrevivem em certos limites de pH. Se o meio for ácido ou básico demais, suas proteínas são desnaturadas. Conservas em vinagre são passíveis de armazenamento porque são muito ácidas. Para geleias caseiras, é difícil saber se a acidez é baixa o bastante, a menos que siga exatamente uma receita comprovada.

T = Temperatura

Se estiver frio demais, as bactérias hibernam. Quente demais, morrem. A maioria dos parasitas, porém, é eliminada com o congelamento — para frutos do mar -20°C por 7 dias —, mas, como as bactérias, morre no calor excessivo.

T = Tempo

As bactérias precisam de tempo para se multiplicar em quantidade suficiente que sobrecarregue nossos corpos. Para alimentos de prateleira, temperatura e tempo não são fatores limitantes.

O = Oxigênio

As bactérias se reproduzem se houver oxigênio suficiente, ou, para bactérias anaeróbicas (como a *C. botulinum*), se não houver. Tenha em mente que as sacolas fechadas a vácuo não são necessariamente desprovidas de oxigênio. Alimentos em óleo são completamente desprovidos de oxigênio, então, se fizer óleos infundidos ou temperos não ácidos utilizando alho, ervas ou pimentas, guarde-os no refrigerador e utilize em até 4 dias.

U = Umidade

As bactérias precisam de água. Os cientistas alimentares usam uma escala de atividade da água, uma medição da água presente em certo material (de 0 a 1). As bactérias precisam de um valor de atividade da água de 0,85 ou maior para se multiplicar.

Curiosidade: o Botox é feito de uma toxina produzida pelo *C. botulinum*, e ela é a substância mais tóxica conhecida. Uma pequena dose de 250ng — 1/120.000 de um grão de arroz — pode até matar.

60°C: Fim da Zona de Perigo

Ceviche de Vieiras

Esse ceviche de vieiras é um prato simples de preparar e surpreendentemente refrescante em um dia quente de verão. Também é um bom exemplo de como os ácidos — nesse caso, suco de limão-siciliano e galego — podem ser usados na culinária.

Em uma tigela, misture:

- ½ xícara (chá) de limonada (130ml)
- ¼ de xícara (chá) de suco de limão (60ml)
- 1 cebola vermelha pequena cortada o menor possível (70g)
- 2 colheres (sopa) de cebolinhas-brancas cortadas em fatias finas (20g ou 1 legume)
- 2 colheres (sopa) de azeite de oliva (18ml)
- 1 colher (sopa) de ketchup (15g)
- 1 dente de alho picado ou espremido (7g)
- 1 colher (chá) de vinagre balsâmico (4ml)

Adicione e mexa para misturar:

- 500g de vieiras lavadas e secas

Guarde na geladeira, mexa novamente após duas horas e armazene durante a noite para dar tempo suficiente de o ácido penetrar nas vieiras. Adicione sal e pimenta a gosto.

Notas

- Corte uma das vieiras ao meio após duas horas. Você deverá ver um anel externo branco e um centro translúcido. O anel externo é a parte que teve tempo de reagir com o ácido cítrico, mudando de cor enquanto as proteínas são desnaturadas (assim como aconteceria se fosse aplicado calor). Da mesma forma, após marinar por um dia ou dois, uma vieira cortada deve mostrar uma seção transversal completamente branca.

- Tenha em mente que o pH da marinada é importante. Pelo menos 15% do prato deve ser suco de limão-siciliano ou galego, partindo do princípio que o restante dos ingredientes não é extremamente básico. O suco de limão-galego ou taiti é mais ácido que o suco de limão-siciliano (pH de 2,0–2,35 versus 2,0–2,6).

- Adicione pequenas quantidades de ervas como orégano à marinada, ou tomates cereja e coentro ao prato final (depois de marinado).

Qual a eficácia do suco de limão para se livrar das bactérias?

Para bactérias em frutos do mar, o limão é bastante eficaz. Para citar a literatura especializada: "Em tempos de epidemia de cólera, o consumo de ceviche preparado com suco de limão era uma das formas mais seguras de evitar a contaminação com o (vibrião) *cholerae*." (L. Mata, M. Vives, e G. Vicente (1994) — in Extinction of Vibrio Cholerae in Acidic Substrata: Contaminated Fish Marinated with Lime Juice (Ceviche)", Revista de Biologia Tropical 42(3): 472–485).

Cozinhando com Ácidos

O calor não é o único elemento que pode desnaturar as proteínas e matar patógenos. Uma proteína mantém seu formato natural devido ao equilíbrio de forças que puxam e empurram a estrutura molecular. Adicionar um ácido ou base desequilibra essas forças. Os íons de um ácido ou de uma base puxam a estrutura da proteína e mudam as cargas elétricas, fazendo com que a proteína modifique sua estrutura. Para pratos como o ceviche — frutos do mar marinados com limão —, o ácido do suco de limão causa uma mudança no nível molecular semelhante ao calor da cocção. Essa mudança não acontece apenas na superfície; se marinado por tempo suficiente, as soluções ácidas e básicas penetrarão completamente no alimento.

O ceviche é um exemplo clássico disso. O *Vibrio cholerae* — uma patogenia comum vinda de frutos do mar — morre rapidamente em ambientes com nível de pH abaixo de 4,5, mesmo em temperatura ambiente. Ou considere o arroz branco cozido para sushi, em que é acrescentado vinagre de arroz. Sem o vinagre de arroz, o arroz cozido deixado em temperatura ambiente se torna o campo de procriação perfeito para *Bacillus cereus*: é úmido, em temperatura ideal e possui nutrientes suficientes para as bactérias comerem. Mas diminua o nível de pH do arroz adicionando vinagre suficiente — para cerca de 4,0 — e ele fica completamente fora do limite aceitável para que as bactérias cresçam. É por isso que a preparação correta de arroz de sushi é fundamental nos restaurantes: a falta de ajuste dos níveis de pH pode resultar em clientes doentes.

Por que o arroz fervido em água não elimina as bactérias?

a fervura elimina, sim, as bactérias, mas apenas temporariamente. Algumas bactérias, como a *B. cereus*, se reproduzem através de esporos resistentes ao calor e que sobrevivem à fervura. Como os esporos são altamente prevalentes no solo e na água, é praticamente impossível se livrar deles. E também, a menos que você esteja usando uma técnica como o enlatamento, os elementos patogênicos podem ser reintroduzidos no alimento pela contaminação cruzada depois que são resfriados.

60°C: Fim da Zona de Perigo   177

Doug Powell: Segurança de Alimentos

Doug Powell é professor do Departamento de Medicina Diagnóstica e Patobiologia da Universidade Estadual do Kansas. O seu blog, "barfblog: musings about food safety and things that make you barf" (blogvômito: pensamentos sobre a segurança dos alimentos e coisas que te fazem vomitar), pode ser acessado em http://barfblog.com (conteúdo em inglês).

Existe uma tensão entre a segurança e a qualidade na culinária? Em caso afirmativo, existem métodos para alcançar as duas coisas?

Segurança e qualidade são duas coisas diferentes. A qualidade é algo que as pessoas adoram discutir, seja no caso de vinhos, ou comida orgânica, ou como foi cultivada, e as pessoas falam sem parar sobre isso. Meu trabalho é garantir que elas não vomitem.

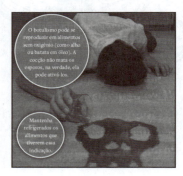

Para aqueles que cozinham em casa, é fácil observar a diferença na qualidade. Imagino que seja mais difícil ver a diferença na segurança até o dia em que ficarem doentes.

Existem vários benefícios nutricionais em ter um fornecimento de frutas e legumes frescos durante o ano todo. Ao mesmo tempo, a dieta rica em frutas e legumes é a principal causa de intoxicações alimentares na América do Norte porque eles estão frescos, e tudo que encoste neles tem um potencial de contaminação. Então, como balancear os riscos potenciais com os benefícios? Tenha ciência dos riscos e aplique programas de segurança, começando na fazenda.

Se analisarmos as tendências de cânceres na década de 1920, aqueles mais predominantes eram os de estômago. As pessoas só comiam picles, vinagre e sal durante o inverno. Hoje em dia, eles estão praticamente erradicados devido aos alimentos frescos. Agora é preciso prevenir a contaminação da fazenda para a cozinha porque mais comidas são ingeridas frescas. Existem alternativas para essas coisas. No preparo de hambúrgueres e frango, existe a questão de cozinhar completamente e validar isso com o uso de um termômetro, porém, a maioria dos riscos é associada com contaminação cruzada. As batatas são cultivadas na terra, os pássaros defecam nelas e o cocô de passarinho é cheio de salmonela e campylobacter. Quando você leva uma batata para a sua cozinha ou uma operação de serviços alimentares, ela está carregada de bactérias que se espalham por toda parte.

Qual é o tempo normal entre a ingestão e os sintomas?

Cerca de um a dois dias para salmonela e E. coli. Para coisas como listeria, pode ser de até dois meses. Para hepatite A é um mês. Você provavelmente não consegue se lembrar do que comeu ontem ou anteontem, então, como lembrar do que comeu há um mês? Acho milagroso o fato de que uma manifestação consiga ser rastreada até a fonte. No passado, se cem pessoas fossem a um casamento ou a um funeral, todas comeriam a mesma refeição. Todas apareceriam na emergência dois dias depois e teriam um cardápio comum que os investigadores poderiam analisar. Hoje em dia, através das digitais do DNA, isso é mais fácil. Se alguém no Tennesse, em Michigan e em Nova York ficou doente por algum motivo, são retiradas amostras e as digitais do DNA são testadas. Existem computadores que funcionam 24 horas por dia, juntamente com seres humanos, procurando essas correlações. E eles podem dizer que essas pessoas ao redor do país têm a mesma bactéria e comeram a mesma comida.

Lembre-se da contaminação do espinafre em 2006. Mais de 200 pessoas ficaram doentes, e isso aconteceu nos EUA. Como chegaram a essa conclusão? Porque possuíam a digital do DNA e conseguiram achar a mesma digital do DNA na E. coli em um saco de espinafre na cozinha de alguém. Então, conseguiram achar a mesma digital do DNA em uma vaca próxima à fazenda de espinafre. Foi um dos melhores casos com evidências conclusivas. Normalmente, não se conseguem tantas provas.

O que fazer sobre isso não é muito claro, mas, ao se observar a maioria das infestações, percebe-se que, geralmente, não é um ato da natureza. Normalmente, ocorrem violações tão absurdas de regras sanitárias que fazem você se perguntar como as pessoas não ficaram doentes antes. No caso de várias infestações de produtos agrícolas frescos, a água de irrigação continha fezes humanas ou animais, e essa água é usada no cultivo de colheitas. Essas bactérias existem naturalmente. Poderíamos ter algumas precauções regulatórias, mas, o que podemos fazer, matar todos os pássaros? No entanto, podemos minimizar o impacto.

Quando os fazendeiros fazem colheitas, eles lavam os vegetais em um sistema de água clorada que reduz a carga bacteriana. Sabemos que vacas, porcos e outros animais carregam essas bactérias e ficarão contaminados durante o abate. Então, tomamos precauções para minimizar os riscos tanto quanto possível, porque quando você levar a carne para casa e fizer um hambúrguer, sabemos que cometerá erros. Eu tenho um doutorado e cometerei erros. Quero o número de bactérias tão baixo quanto possível para não deixar o meu filho de 1 ano doente.

Existe uma contagem específica de bactérias que é necessária para sobrecarregar o sistema?

Depende dos micro-organismos. Com algo como salmonela ou campylobacter, não sabemos as doses certas da curva de resposta. Trabalhamos de trás para frente quando surge uma epidemia. Se for algo como uma comida congelada, é mais fácil obter uma boa amostra porque se ainda estiver no congelador de alguém poderemos descobrir mais. Coisas como a salmonela

ou campylobacter precisam de um milhão de células para acionar uma infecção. No caso da *E. coli* O157 é preciso de apenas cinco.

É preciso levar em consideração o nível letal da bactéria. Em 10% das vítimas, a *E. coli* O157 acabará com os seus rins e algumas morrerão. Com a listeria, 30% morrerão. A salmonela e a campylobacter tendem a não matar, porém não são muito divertidas. Todos esses detalhes contam. Uma mulher grávida é 20 vezes mais suscetível à listeria. É por isso que elas são alertadas para não comer frios, salmão defumado e comidas de pronto-consumo refrigeradas. A listeria cresce na geladeira e elas são 20 vezes mais suscetíveis, e isso pode matar os seus bebês. A maioria das pessoas também não sabe disso.

Existe algum recado específico que você queira dar aos consumidores sobre segurança alimentar?

Isso não é diferente de outras coisas como dirigir alcoolizado ou qualquer outra campanha: tenha cuidado. A mensagem principal sobre a comida na nossa cultura atual é dominada pela pornografia alimentar. É só ligar a TV para encontrar vários programas culinários e essas pessoas falando e falando sobre comida. Nada daquilo tem a ver com segurança. Se você for ao mercado, consegue comprar 40 tipos diferentes de leite e 100 tipos de legumes diferentes cultivados de formas diferentes, mas nenhum diz que é livre de *E. coli*. Os comerciantes têm relutância em fazer propaganda sobre a segurança alimentar porque as pessoas pensariam: "Meu Deus, todas as comidas são perigosas!". Tudo que precisam fazer é ler o jornal e saberão que sua comida é perigosa.

Muitas das regras que eu encontro falam da zona de perigo de 4–60°C.

Muitas dessas regras não fazem sentido algum. A zona de perigo é boa e é importante não deixar os alimentos nela, mas, ao mesmo tempo, a zona não é muito detalhada. As pessoas aprendem com histórias. Apenas dizer para alguém: "Não faça isso com a sua comida" não funciona; elas respondem: "Sim, certo, por quê?". Eu posso contar várias histórias sobre por que fazer ou não alguma coisa. As regras não mudam o que as pessoas fazem e é por isso que pesquisamos o comportamento humano, como fazer com que as pessoas façam o que elas devem fazer. Como Jon Stewart disse, em 2002, se você acha que aqueles avisos nos banheiros ("Funcionários devem lavar as mãos") estão livrando a sua comida de xixi, você está errado! O que queremos fazer é criar avisos que funcionem.

Estou curioso para saber como são os seus avisos.

Temos alguns bons! Nosso favorito é a imagem de uma caveira cercada por alface! A da pessoa que morre por um suco de cenoura também é muito boa.

60°C: Fim da Zona de Perigo

Como Reduzir as Chances de uma Intoxicação Alimentar

Não faz muito tempo, ouvi um peixeiro em um mercado (que não será nomeado para proteger os culpados) dizer a um cliente que não havia problema em usar o salmão que estava sendo vendido para fazer sushi. Uma vez que o peixe não estava marcado como "previamente congelado" e estava em contato direto com outros peixes na vitrine, não havia uma garantia real de que estaria livre de parasitas e bactérias perigosas, duas das maiores preocupações dos consumidores sobre a segurança dos alimentos. O que um cliente deve fazer diante do sumiço de peixeiros de verdade?

Primeiro, comece a entender onde os riscos estão. Nem todos os hortifrutigranjeiros e carnes possuem os mesmos riscos de patogenias alimentares. A salmonela, por exemplo, tende a aparecer em animais terrestres e legumes manuseados de forma imprópria — é mais provável que você a contraia por não lavar direito seus vegetais —, enquanto bactérias como *Vibrio vulnificus* aparecem em peixes de água salgada de estuários de marés, como o salmão selvagem. Peixes de águas profundas, como o atum e alguns peixes de criadouro, como o salmão, são menos preocupantes. Poucos se lembram de coisas tão específicas, mas existem regras amplas que cobrem a preparação da maioria dos alimentos, a não ser o preparo do sushi.

A forma mais segura de prevenir as intoxicações alimentares é evitar a contaminação cruzada cozinhando de maneira adequada. Ah, contaminação cruzada, que terrível você é. Ela é mais problemática do que uma carne malpassada! Lave as mãos, lave as mãos, lave as mãos, e não as seque naquela toalha suja.

Quanto às temperaturas, o USDA recomenda cozinhar os alimentos de acordo com as temperaturas necessárias para matar instantaneamente os patógenos que possam estar presentes. O USDA recomenda que se troque o prazer pela segurança, e quando eu estiver aposentado e comendo em um cruzeiro ou me recuperando no hospital, é isso que vou querer. Mas e no resto do tempo? O resultado de usar as temperaturas sugeridas são alimentos cozidos demais.

Recomendações do USDA para o consumidor:

63°C: Peixes e crustáceos
63°C: Carne de boi e similares
71°C: Carnes moídas
71°C: Ovos
74°C: Aves e miúdos

Supondo que você tenha um bom termômetro digital, seguir as recomendações do tempo de espera pasteuriza adequadamente os alimentos e, ao mesmo tempo, evita que cozinhem demasiadamente. Como mencionei, a US FSIS publica tabelas de tempo de espera; procure na internet por "*FSIS time-temperature guidelines*".

E se você quiser "consumir carnes cruas ou malpassadas" como aquelas que somos desencorajados a consumir? Dependendo dos ingredientes, você deve manuseá-los com sabedoria e então entender onde estão os riscos nos vegetais, carnes e frutos do mar. Segue um resumo para cada um desses tópicos.

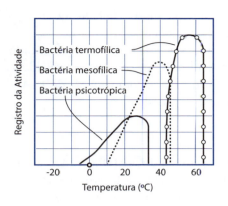

Temperaturas de cozimento seguras dependem de que patógenos podem estar presentes e das zonas de temperatura de sobrevivência. Poucas bactérias que causam intoxicações alimentares são psicotróficas — crescem no frio —, é por isso que a refrigeração acaba com elas. (Listeria é a exceção.) A maioria das bactérias é mesofílica — mais ativa em temperaturas próximas à corporal — e felizmente apenas algumas são amantes do calor — ou termófilas (por exemplo, a campylobacter).

GRÁFICO BASEADO EM E. ANDERSEN, M. JUL, E H. RIEMANN (1965), "INDUSTRIEL LEVNEDSMIDDEL-KONSERVERING," COL. 2, KULDEKONSERVERING, COPENHAGEN: TEKNISK FORLAG).

Evite a contaminação cruzada

Esponjas e toalhas são vilãs conhecidas pela contaminação cruzada. Você limpa uma bancada suja, enxágua a toalha em água quente e sabão, e torce. Uma hora depois, você a pega, limpa outra bancada e bum! Você acaba de espalhar uma bela camada de bactérias pelo lugar todo: sua água não é quente o suficiente para matar os patógenos. Ou você lava as mãos com água quente e sabão depois de manusear ingredientes crus — mas daí as seca em uma toalha em que tocou enquanto estavam sujas, e bam!

Use toalhas de papel para secar as mãos e limpar respingos, e mantenha uma pilha de toalhas e panos de prato limpos para que possa colocar o atual para lavar depois de cada refeição. Lave as esponjas e depois coloque-as no micro-ondas por 2 minutos na potência alta, ferva-as por 5 minutos, ou ainda lave-as na lavadora de pratos semanalmente.

Não é necessário dizer: mantenha tábuas de carne separadas para alimentos crus e cozidos. Você pode forrá-las com plástico para um descarte rápido — ou mesmo usar as embalagens da própria carne, se tomar o cuidado de não cortar através delas.

Mantenha a comida fria

Já checou a temperatura do refrigerador? Ela deve estar abaixo de 4°C (de preferência de 1 a 2°C) de modo que os alimentos se resfriem depressa e estraguem devagar.

Embora o cozimento mate a maioria das bactérias, existe a chance de que algumas sobrevivam ou retornem via contaminação cruzada. Existe também a possibilidade de que esporos resistentes ao calor ainda estejam por ali. Se forem presenteados com um limite correto de temperatura e tempo, poderão se reproduzir e atingir níveis inseguros. Coloque as sobras no refrigerador na mesma hora, e não as deixe lá esperando pela limpeza pós-refeição. A exceção para isso é se você tiver uma grande quantidade de comida quente, caso em que deve deixá-la esfriar até os 60°C e então colocá-la em uma banheira de gelo para que esfrie rapidamente antes de colocá-la no refrigerador.

Se tiver de deixar alimentos fora da geladeira por algum tempo — leite na mesa para uma refeição tranquila, salada de batata para um piquenique no parque —, mantenha-os frios. Coloque os recipientes de líquidos em uma tigela com gelo picado e use sacos de gelo para manter frios outros recipientes. Se sua comida foi preparada de maneira adequada e resfriada, pode usar a zona de perigo como guia — de 2 a 4 horas de exposição, tudo bem, mas além disso existem riscos.

Lave os hortifrúti

Qual foi a última vez que você limpou a gaveta de vegetais do seu refrigerador? Eu sei. (Também sou pecador!) Guarde vegetais e legumes em sacos plásticos e lave-os antes de comer. Você pode também vaporizá-los para matar rapidamente os patógenos. Use um recipiente com a tampa quase fechada e uma pequena quantidade de água dentro da panela; a tampa mantém o vapor em contato com os vegetais.

A contaminação de frutas e vegetais pode acontecer antes da compra, tanto por água contaminada usada na plantação como por outras fontes (fezes de pássaros nos campos!). Raízes — cenouras, batatas, beterrabas — e tudo que tenha contato com o solo devem ser muito bem lavados. Lave tudo muito bem; quem sabe se alguém espirrou naquilo na loja. (Eu sei, é nojento, mas depois de ler o artigo da *Reddit* sobre o que os funcionários de self-service nunca comem... bem, você não vai querer saber.)

Use cortes de carne "intactos e inteiros"

A gíria industrial "peça inteira, intacta" descreve peças de carne cujo interior está intocado, o que significa que não foram moídas ou amaciadas mecanicamente — esfaqueadas ou agulhadas com um montão de pequenas lâminas para cortá-las microscopicamente. As peças inteiras de boi, porco e cordeiro são excelentes para uma culinária deliciosa: a contaminação é limitada à superfície, então basta um selamento rápido ou imersão em água fervendo e você está a salvo para comer o interior totalmente cru. Bife tártaro? Absolutamente seguro com cortes de peças intactas.

Mas essas duas palavrinhas (ok, palavrões) "amaciada mecanicamente" devem fazer você dar uma pausa. Cerca de um em cada quatro bifes é mecanicamente amaciado, o que o faz menos duro, mas também empurra a contaminação da superfície para o seu interior. Infelizmente, não é possível ver os microcortes, e o que é mais frustrante, as leis de rótulos não exigem que as etiquetas digam se a carne foi amaciada mecanicamente. Grupos de advogados vêm tentando há vinte anos; até agora, apenas o Canadá exige a etiqueta. Além de conhecer o seu açougueiro, não existem meios de determinar se aquela peça de carne é intacta ou não. Cuidado, consumidor!

Cozinhe carnes moídas até estarem bem passadas

Carnes moídas como hambúrgueres estão expostas, significando que a contaminação de superfície terá sido moída com a carne. O USDA pede que cozinhemos carnes moídas até os 71°C. Caramba, esta temperatura é também alta o suficiente para a

182   Cozinha Geek

maioria das proteínas se desnaturarem, fazendo com que o hambúrguer fique seco. Já que a gordura ajuda a esconder a secura da carne, o uso de uma carne moída com mais gordura produzirá um hambúrguer mais suculento. Procure uma com 85% de carne e 15% de gordura; se usar carne magra moída, o hambúrguer ficará seco.

Mudança de cor não é um indicador exato de preparo. A mioglobina, a oximioglobina e a metamioglobina tornam-se cinza por volta de 60°C, e podem permanecer rosadas em 71°C com pH próximo a 6,0. Use um termômetro digital para carnes e frangos!

É possível cozinhar hambúrgueres malpassados com segurança. Se estiver disposto a moer sua carne, compre uma peça inteira e processe-a de acordo com as mesmas instruções dadas na receita do bife tártaro (veja a p. 174). Caso contrário, procure por carne pasteurizada a frio (irradiada) ou cozinhe-a pelo método sous vide (p. 320) para pasteurizá-la você mesmo (mais ou menos 30 minutos para um hambúrguer de 1,5cm de espessura, a 61°C). Se você tem o equipamento, o melhor hambúrguer que já comi foi cozido pelo método sous vide e levemente frito e polvilhado com sal.

Escolha peixes e frutos do mar conforme for prepará-los

A maioria dos parasitas nos frutos do mar não infecta humanos, e cozinhando-os você também cozinha os parasitas. No entanto, o *Anisakis simplex* e as tênias (cestoides) são preocupantes. Pratos cozidos — com temperatura interna de 63°C — possuem pouco risco desses parasitas. E embora comê-los não pareça apetitoso, se estiverem mortos não há com o que se preocupar além do fator mental. (Pense na proteína extra.)

Frutos do mar crus e pouco cozidos são outra questão. Bacalhau, halibute, salmão malpassados? Sashimi ou peixe defumado? São todos hospedeiros potenciais de nematódeos, cestoides e fascíolas. Mas, como a maioria dos animais, poucos parasitas sobrevivem ao congelamento. As exceções são os *tricomonas*, que sobrevivem congelados em nitrogênio líquido; felizmente, não são encontrados na comida. Escolha peixes previamente congelados para o preparo em baixas temperaturas.

Para congelar ou pasteurizar peixes, siga estas instruções — se tiver nitrogênio líquido ou gelo-seco, faça o congelamento rápido para uma melhor textura:

> *Código de Alimentos de 2005 do FDA, Seção 3–402.11: "Antes do serviço ou venda em forma de pronto para o consumo, peixes crus, crus marinados, parcialmente cozidos ou parcialmente cozidos e marinados devem ser: (1) congelados e armazenados em temperatura de -20°C ou menos por no mínimo 168 horas (7 dias) em um congelador; [ou] congelados em -35°C ou menos até ficarem sólidos, e armazenados em -35°C ou menos por no mínimo 15 horas..."*

A segunda preocupação com peixes são as bactérias. Apesar de o congelamento eliminar parasitas, não mata bactérias; apenas as coloca "no gelo". (Por isso que pesquisadores armazenam amostras de bactérias em -70°C para estudos futuros.) Felizmente, a maioria das bactérias nos peixes é detectada como contaminação de superfície devido ao manuseio impróprio, então uma rápida selagem as erradicará.

60°C: Fim da Zona de Perigo   **183**

Lave as tampas das latas antes de abri-las — e o abridor também! A lâmina entra em contato com o alimento enquanto está cortando a lata.

Se o seu mercado vende peixes crus e "para sashimi", a diferença entre os dois estará no manuseio e cuidado relacionado às chances de contaminação de superfície, e, na maioria dos casos, os peixes para sashimi devem ter sido previamente congelados. O FDA não define o que significa de fato "para sashimi" ou "para sushi", mas menciona explicitamente que o peixe que não for destinado a ser completamente cozido antes de servir deve ser congelado antes do consumo. Alguns tipos de atuns e peixes criados em cativeiro (alimentados apenas com rações sem parasitas vivos) são isentos da necessidade de congelamento, já que os parasitas que causam preocupação não são encontrados nessas espécies.

Parasitas são para peixes o que bactérias são para vegetais: comeu vegetais, comeu bactérias; comeu peixe, comeu parasitas.

Felizmente para os amantes de ostras, o US FDA exclui os moluscos bivalves da exigência de congelamento. As ostras podem ser portadoras do *V. vulnificus*, que é indetectável na mesa. O número de casos relatados de infecção por *V. vulnificus* aumenta entre maio e outubro (*V. vulnificus* se sente melhor em águas quentes), então, cuidado, consumidor, e se faz parte de um grupo de risco, evite as ostras cruas. (Sinto muito, mãe!)

Alimentos Malpassados Seguros

E se cozinhar para alguém que não pode correr os riscos dos alimentos malcozidos, mas que insiste em um hambúrguer malpassado ou um peixe cozido *mi-cuit* — semicozido e com uma textura deliciosa? Há algumas opções para eliminar os patógenos sem cozinhar demais as proteínas.

No caso do peixe, dê uma chance ao congelamento. Procure por "previamente congelado" nas etiquetas. Algumas lojas vendem peixes congelados bizarros — moles, sem graça e desalentadores —, mas isso não se deve ao fato de o peixe ser congelado. (Tecnicamente falando, o congelamento faz, sim, com que algumas proteínas se desnaturem; mas a adição de glutamato inibe essa desnaturação.) Alguns dos melhores chefs de sushi no Japão usam atum congelado rapidamente porque ele é excepcionalmente bom. Congelado no mar logo depois de pescado (em uma pasta de nitrogênio líquido e gelo-seco), o atum não tem tempo para deteriorar. Use algumas marcas diferentes, já que a qualidade varia; descongele durante a noite na geladeira para uma melhor textura.

Quanto às carnes, peças inteiras são mais fáceis de manusear: sele o lado de fora e está tudo sob controle. Se quiser preparar carne moída como hambúrgueres malpassados, procure por produtos "pasteurizados a frio"; eles são irradiados (procure por "tratados com irradiação" na etiqueta) ou processados com pasteurização eletrônica. Vários vendedores online de carne especializados vendem carnes pasteurizadas a frio. Se não encontrá-las no mercado local, procure por "irradiada" no campo de busca de produtos.

Almôndegas Belgas

A carne moída é toda exposta, nada intacta, e é por isso que precisa ser cozida em temperaturas mais altas do que as peças inteiras e intactas. Há uma razão para que lanchonetes, hospitais e companhias aéreas não sirvam hambúrgueres malpassados: o potencial para intoxicação alimentar é muito grande. Mas as almôndegas, que normalmente são cozidas com antecedência, são sempre bem cozidas e deliciosas.

Há apenas uma maneira errada de fazer uma almôndega, e é não cozinhá-la bem. Do contrário, os temperos e o modo de servir são inteiramente a seu gosto. Toda cultura tem alguma forma de prato com almôndega que combina várias carnes moídas com especiarias. As almôndegas belgas, ballekes, são feitas com uma combinação de carne moída, carne de porco moída, cebolas e farinha de rosca, o que está a meu gosto. Qualquer mistura de carnes funciona; verifique apenas que haja gordura suficiente na que quer que você use, ou as almôndegas vão sair duras e secas. Quanto aos temperos, fica a gosto pessoal. Tente adicionar bacon, erva-doce, pimenta dedo-de-moça, ou o que mais lhe inspirar.

Prepare um prato forrado com plástico para as almôndegas ainda não cozidas.

Em uma tigela grande, misture:

1 cebola média bem picada (110g)

½ xícara (chá) de farelo de pão (45g) (1 fatia de pão)

2 colheres (sopa) de orégano (8g)

1 colher (chá) de sal (6g)

Adicione:

1 ovo grande (50g)

250g de carne de porco moída

250g de carne de boi moída (85% carne/15% gordura)

Utilizando os dedos, misture os ingredientes. Misturar com colher não funciona bem; além disso, irá moer a carne ainda mais.

Forme almôndegas — gosto das minhas com cerca de 5cm de diâmetro, mas se for usá-las em sopa, faça menores — e transfira para um prato. Lave as mãos e a tigela logo em seguida.

Em uma panela em fogo médio, derreta **2 colheres (sopa) de manteiga (30g)**. Quando estiver derretida, use pinças para colocar metade das almôndegas na panela, cuidando para não enchê-la. Frite as almôndegas, virando-as em intervalos de alguns minutos, até que todo o lado de fora esteja marrom-escuro. Lave as pinças uma vez que o lado de fora das almôndegas esteja todo marrom.

Depois que as almôndegas estiverem seladas, adicione molho à panela — **2 xícaras (chá) de molho de macarrão (480ml)** deverão enchê-la — e cozinhe em fogo brando. Do contrário, continue fritando as almôndegas em fogo médio ou finalize-as em forno médio-alto.

Cozinhe até que o termômetro digital colocado no centro das almôndegas mostre a temperatura de 71°C. O modelo que tenho tem um cabo longo e modo de alarme, então eu o ajusto para bipar em 68°C para que eu saiba quando o alimento está quase pronto.

> Nos Estados Unidos, o "hambúrguer" pode ter adição de gordura da carne. A carne moída, não.

Tempo e Temperatura

60°C: Fim da Zona de Perigo

Dicas de Armazenagem para Alimentos Perecíveis

Frutos do Mar. São provavelmente os itens mais perecíveis com os quais você lidará. O ideal é que sejam consumidos no dia da compra. Mais um dia ou dois são aceitáveis, mas depois disso enzimas e bactérias de deterioração começam a quebrar os compostos de amina, resultando naquele cheiro indesejável de peixe.

> **Curiosidade científica:** Peixes vivem em ambientes com mais ou menos a mesma temperatura que a sua geladeira. A atividade específica de algumas enzimas é muito maior nos peixes do que nos mamíferos em tais temperaturas. Ao colocar frutos do mar no gelo, é possível obter mais tempo para aumentar a energia de ativação necessária para tais reações. A carne já está bem longe de suas temperaturas de reação ideais, de forma que alguns graus a mais ganhos pelo armazenamento no gelo não fariam muita diferença.

Carnes. Siga a regra "compre até, use até". A data de "compre até" é a data em que o mercado ainda considera o produto seguro para venda. (Não que você deva seguir à risca, mas não é como se a carne fosse ficar verde e malcheirosa a partir de 0h01min do dia seguinte.) A data de "use até", como você pode imaginar, é o prazo recomendado para cozinhar a comida. Se você possuir um pacote de frango que diz para consumir até hoje, cozinhe hoje, mesmo que não pretenda consumi-lo. É possível guardar o produto cozido por mais alguns dias.

Sempre guarde carnes cruas na parte de baixo do refrigerador. Isso reduz a probabilidade de contaminação cruzada porque qualquer líquido que escorra da carne não vai pingar em outros alimentos, como nas verduras, que são comidas cruas. Armazenar carnes debaixo de outros alimentos é uma exigência do código de saúde em estabelecimentos comerciais — isso é muito importante!

Se não puder cozinhar o peixe ou a carne comprados antes ou na data de "use até", congele. Isso afetará a textura, mas, pelo menos, a comida não será desperdiçada. Alimentos congelados são seguros indefinidamente, mas as enzimas presentes na carne continuarão ativas e mudarão a textura para pior, de modo mais perceptível entre os 3 e 12 meses.

> Congelar a carne não mata as bactérias. É preciso que ela seja exposta à radiação e congelada por mais de um mês a -18°C para que as bactérias em carnes contaminadas com salmonela se tornem inviáveis. Essa é uma boa informação, mas não é muito útil, a não ser que você tenha uma câmara de radiação por perto.

Frutas e legumes. A forma como você processa e armazena frutas e legumes tem um impacto no amadurecimento e no sabor, e também pode adiar o aparecimento de mofo. Consulte a p. 119 para dicas de armazenamento de produtos sazonais de hortifrúti.

62°C: Os Ovos Começam a Ficar Prontos

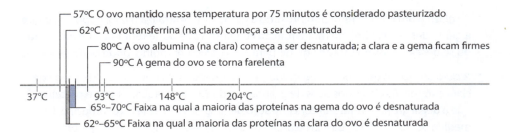

Temperaturas importantes para ovos.

A tradição dos ovos é provavelmente maior do que a de qualquer outro ingrediente. Usados em alimentos salgados ou doces, quentes e gelados, no café da manhã e no jantar — e por todas as culturas. Agem como liga para bolos de carne e seus recheios; como agentes de crescimento em suflês e guloseimas; e emulsificantes em molhos como a maionese. Os ovos fornecem estrutura em pudins e corpo aos sorvetes. E isso sem mencionar o seu sabor e as pequenas alegrias de um ovo de fazenda frito com perfeição.

Os ovos têm uma parte clara e uma escura, e unem o mundo da culinária — não surpreende que sejam incríveis! Da próxima vez que você quebrar um ovo em uma panela, preste atenção ao que vê. Deve haver quatro partes visíveis junto com a casca: a gema, uma parte espessa da clara perto da gema, uma pequena porção de clara mais aguada perto da borda e, em algum lugar, uma coisinha retorcida branca chamada *calaza*. Cada parte tem sua própria função:

- A *casca* é uma maravilha da engenharia: um formato para o pintinho recém-nascido escapar, ao mesmo tempo em que o protege do mundo exterior. (Se você não se importar em desperdiçar um ovo, segure um na palma da mão, envolva-o com os dedos e aperte-o em cima da pia. É preciso um aperto forte para quebrá-lo!) Logo abaixo da casca estão duas membranas, feitas principalmente de colágeno. A casca e as membranas devem permitir que o ar entre e saia para que o pintinho possa respirar, enquanto mantém os patógenos do lado de fora. Segundo estimativas, a casca de um ovo possui mais de 17 mil furos microscópicos! A cor da casca tem a ver com a raça da galinha e não tem impacto sobre o gosto ou a nutrição.

- A *gema*, ao contrário do que eu pensava quando criança, não é de onde o animal vem. As gemas são cerca de metade água, metade nutrientes; os nutrientes são dois terços lipídios, um terço proteína, além de muitos micronutrientes lipossolúveis. Ela adquire a cor laranja da pigmentação da ração das galinhas. Gemas mais escuras parecem mais atraentes, mas na verdade não indicam melhores propriedades nutricionais se comparadas às mais claras. Estruturalmente, a gema é composta de várias camadas de gordura depositadas ao redor do centro em círculos quase que concêntricos.

As camadas são difíceis de ver, mas se você cozinhar um ovo-de-avestruz — um empreendimento caro que fiz apenas uma vez — vai poder retirar as várias camadas de gordura da gema cozida.

- A *calaza* é um cordão retorcido próximo à gema que centraliza o ovo, impedindo que a gema desça. Ela não tem muita função culinária. Você pode retirá-la com um garfo, ou se desejar ovos no estado líquido para algo como um molho, pode peneirá-la.

- A *clara grossa* é o que você vê agarrado à gema quando frita um ovo, e é chamada de clara externa. As claras dos ovos de galinha são de 88 a 90% água; o resto é proteína. O que a deixa grossa é uma alta concentração de uma das proteínas, a ovomucina. Uma medida de qualidade se baseia na altura da clara grossa quando o ovo é quebrado, e como tudo em comida, isso tem sua medida específica: unidades Haugh, em homenagem ao inventor Raymond Haugh.

- A *clara fina* é mole e existe em dois lugares: na parte exterior, perto das membranas da casca, e na interna, ao lado da gema. Ela é o que você vê como uma poça líquida ao redor da clara grossa quando olha na frigideira. Assim como a parte grossa da clara, a fina é composta por água com algumas proteínas. Ovos mais velhos têm mais parte fina, já que a grossa se desestrutura com o tempo (e é medida em Haugh).

O desafio de cozinhar ovos está em saber como essas partes do ovo se modificam ao longo do tempo e a forma como as diferentes proteínas reagem ao calor. O ovo é um sistema complexo e dinâmico que está mudando constantemente: a parte grossa da clara se desestrutura, o ar entra e sai da casca, a água evapora — ele não é uma pequena cápsula do tempo perfeita, congelada no tempo e no espaço.

A principal mudança nos ovos à medida que envelhecem é o pH. A galinha deposita dióxido de carbono dentro da clara quando ele é formado, o que dá a ela um pH entre 7,6 e 8,4. Ao longo de várias semanas — ou em alguns dias em temperatura ambiente —, o dióxido de carbono sai da solução e migra pelos poros da casca, o que eleva o pH da clara para 9,1 a 9,3. As mudanças no pH fazem com que a parte grossa da clara se desestruture, aumentando o volume da clara fina.

As mudanças de pH fazem com que os ovos mais velhos sejam mais fáceis de descascar quando cozidos; a membrana interior liga-se com menos força à clara. Se você tem a sorte de ter suas próprias galinhas, deixe os ovos descansarem por

Qual a maneira certa de quebrar um ovo?

Bata-o na pia, e não na borda da tigela. A casca do ovo quebrado em uma superfície plana terá pedaços maiores que não serão empurrados para dentro dele. Ovos quebrados em bordas agudas têm maior probabilidade de que lascas de casca entrem neles, que depois acabam dentro da tigela e terão de ser retiradas. (Se isso acontecer, use a metade da casca quebrada como uma colher para "pescar" as lascas.)

Errado *Certo*

188 Cozinha Geek

alguns dias em temperatura ambiente antes de cozinhá-los; vaporizá-los também os deixa mais fáceis de descascar. A mudança de volume da clara fina causada pelo pH leva a mais anéis de clara flutuando ao fazer ovos pochê; coá-los é mais fácil do que usar vinagre (veja a p. 193 para dicas).

Agora vamos à parte complicada e fascinante de cozinhar ovos: as proteínas nas diferentes partes do ovo respondem a várias taxas de calor. A clara e a gema são compostas de diferentes tipos de proteínas, e cada qual começa a se desnaturar em diferentes temperaturas e velocidades. Vamos falar um pouco das proteínas; isso vai ajudar a entender a fantástica foto e a tabela que acompanham essa discussão.

No estado nativo, você pode pensar nas proteínas como pequenas bolas enroladas. Elas tomam esse formato porque partes da estrutura molecular são hidrofóbicas (têm "medo" de água). Alguns dos átomos que formam a proteína são repelidos eletromagneticamente pela carga polar da água. Devido a essa aversão à água, estes átomos fazem com que a estrutura da proteína se enrole sobre si mesma.

Conforme a proteína recebe energia cinética — normalmente do calor, mas também da energia mecânica (por exemplo, quando você bate as gemas) —, as regiões hidrofóbicas das moléculas se desenrolam. Essa estrutura aberta pode se ligar a outras proteínas, envolvendo-as e coagulando para uma estrutura conectada. É por isso que ovos cozidos são firmes e não fluídos.

Uma das proteínas mais sensíveis ao calor nos ovos de galinha é a ovotransferrina, que começa a desnaturar por volta dos 61°C e perfaz 12% da proteína da clara. (Outras espécies, como os patos, botam ovos com diferentes formas e proporções de proteínas; mas vou me ater aos de galinhas.) Outra proteína, a ovalbumina, responde por 54% da proteína da clara e desnatura em temperaturas mais altas, ao redor de 80°C. Outras proteínas da clara desnaturam entre essas temperaturas, e há muitas delas que mudam de textura no intervalo de 19°C entre a ovotransferrina e a ovalbumina e levam a muitos resultados possíveis (do aguado ao cremoso até o duro e quebradiço). Esse intervalo é o que torna preparar ovos pochê um desafio divertido: não é muito difícil, mas não é moleza também.

Nativa

Desnaturada

Coagulada

As regiões hidrofóbicas das proteínas em seu estado nativo (acima) permanecem enroladas para evitar a interação com os líquidos ao seu redor. Sob calor, elas se desnaturam (centro) e se desenrolam enquanto a energia cinética supera o nível mais fraco de energia gerada por moléculas de água e regiões da proteína que repelem umas às outras. Após serem desnaturadas e abertas, as partes hidrofóbicas da proteína que antes não ficavam expostas podem interagir e se ligar a outras proteínas (embaixo).

62°C: Os Ovos Começam a Ficar Prontos

As proteínas das gemas têm um intervalo de temperatura mais estreito que as claras. Gemas moles começam a se firmar entre 65°C e 70°C, embora alguns utilizem temperaturas menores com tempos de cozimento maiores. (É tecnicamente possível cozinhar as gemas mais firmes do que a clara devido às diferenças nas curvas de velocidade de reação.)

A desnaturação das proteínas do ovo, como você pode imaginar, é uma mudança baseada na velocidade de reação. Elas não se desnaturam instantaneamente assim que atingem uma temperatura mágica, e essa temperatura muda quando estão misturadas a outros compostos. Além disso, os relatos dos pesquisadores de temperaturas são quase sempre baseados no isolamento de proteínas, e não no cozimento de um ovo — portanto, recomendo cautela aos chefs! E não é só a temperatura que causa desnaturação: bater as claras também. (Falaremos disso mais tarde — veja a p. 292.)

> Uma galinha normal, de galinheiro (ou seria de quintal?), colocava apenas 84 ovos por ano um século atrás. Contudo, na virada do milênio, as melhorias na reprodução e na alimentação aumentaram esse número para 292 ovos por ano — aproximadamente 3,5 vezes mais.

Os ovos sairão com claras com uma textura cremosa e macia quando cozidos acima de 61°C por tempo suficiente para desnaturar algumas das proteínas. Se aquecer um ovo acima dos 70°C por tempo suficiente, a clara terá uma textura firme e fatiável — boa para sanduíche de ovo. Acima dos 80°C e por tempo demais, as claras vão ficar borrachudas (presumivelmente pela desnaturação das proteínas). As proteínas das gemas também vão ficar cozidas demais, e o resultado será uma gema seca e desagradável. (Além disso, você vai terminar com uma superfície cinza na gema já que os componentes de enxofre da clara vão se misturar com a gema.) Às vezes uma foto vale mais que cem palavras, então veja a foto de ovos cozidos por diferentes tempos e temperaturas.

Ovos pouco cozidos ou bem cozidos são normalmente preparados em água quase fervendo ou por vaporização. Cozinhá-los por 7 ou 8 minutos vai resultar em um ovo pouco cozido e de 11 a 12 minutos, em um belo ovo bem cozido. Temperaturas menores

Quando a receita pede um ovo, que tamanho você deve usar?

Por padrão, use ovos grandes, a menos que esteja na União Europeia, caso em que deve usar ovos médios quando estiver preparando receitas americanas. As diferentes regiões utilizam diferentes definições para o tamanho dos ovos (o peso inclui a casca).

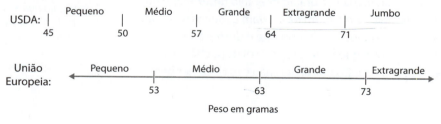

vão aumentar o tempo de cozimento, mas funcionam bem — e para ovos menos cozidos são muito melhores. Se você tiver um aparelho que mantenha o ovo em uma temperatura precisa na água, cozinhando por mais ou menos uma hora a 62°C, você terá um ovo cremoso, e a 64°C o resultado será algo bem próximo do ponto.

Quando o assunto são ovos, tempo e temperatura são uma questão bastante complicada. Eu brinco que um curso completo na faculdade poderia ser dado utilizando apenas ovos. Há muitos outros detalhes nos ovos: a rapidez com que as proteínas desnaturam muda a textura (desnaturação mais rápida resulta em uma estrutura gelatinosa da clara); as claras são um dos únicos dois ingredientes alcalinos na cozinha padrão (o outro é o bicarbonato de sódio); e, é claro, o que veio primeiro (o ovo — os répteis estavam por aí bem antes das galinhas). Espécies diferentes de aves têm suas próprias peculiaridades — as claras de ovos de pata, por exemplo, são mais difíceis de bater, mas adicionar um ácido, como suco de limão, melhora o processo. Eu poderia falar sem parar sobre ovos, mas então eu teria de mudar o nome deste capítulo...

Por que alguns países refrigeram os ovos e outros não?

Os ovos são refrigerados para evitar uma infecção por *Salmonella enteritidis*, mas não porque foram lavados! Sim, lavar a casca de um ovo prejudica a cutícula, possibilitando a entrada de uma bactéria, mas a rota mais provável de ovos infectados por salmonela passa pela galinha que os colocou: galinhas infectadas com a *S. enteritidis* podem infectar os ovos durante a formação. Refrigerar os ovos impede que a bactéria se multiplique, diminuindo as chances de que um ovo sortudo caia do seu lado azarado.

A *S. enteritidis* começou a aparecer em ovos nos Estados Unidos nos anos 1970, perto da época em que outras variedades de salmonela que estavam matando galinhas foram erradicadas. Os cuidados com a criação e a vacinação das galinhas evitam a infecção. Se as galinhas em sua área são livres de *S. enteritidis*, guardar os ovos na geladeira não é necessário, embora isso dobre seu tempo de validade.

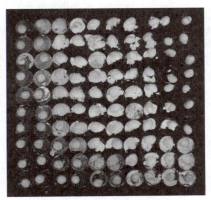

Ovos cozidos por diferentes tempos (eixo Y) e temperaturas (eixo X), de 6 a 60 minutos e de 57°C a 72°C.

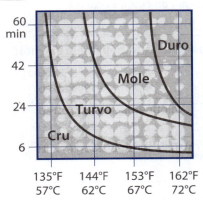

Uma tabela de tempo e temperatura da foto dos ovos. As proteínas ficam prontas em velocidades diferentes em diferentes temperaturas; os ovos vão ficando mais turvos à medida que as proteínas mais sensíveis se desnaturam antes que estejam pouco cozidos (moles) ou bem cozidos (duros).

62°C: Os Ovos Começam a Ficar Prontos

Creme Inglês, Torta de Baunilha e Pudim de Pão

Os antigos romanos descobriram isso há muito tempo: gemas de ovos misturadas com creme e algo doce é delicioso. O crème anglaise ou creme inglês, as tortas recheadas e o pudim de pão são melhorias sucessivas da ideia original, e todos são baseados em ovos para a textura e o sabor.

O creme inglês é também a base para o sorvete de baunilha. Congele-o em uma máquina de fazer sorvete, ou veja a p. 361 para maneiras mais criativas de fazê-lo. Ele também faz ótimas rabanadas — mergulhe fatias grossas de pão na mistura por 10–15 minutos, depois frite-as em manteiga em fogo médio–baixo por 3 a 5 minutos de cada lado.

Em uma tigela, bata bem:

- **4 gemas grandes de ovos (80g)**
- **1 xícara (chá) de leite (240ml)**
- **1 xícara (chá) de creme de leite (240ml)**
- **1 colher (chá) de extrato de baunilha (10ml); opcionalmente adicione raspas de ½ fava de baunilha cortadas no comprimento**
- **¼ de xícara (chá) de açúcar (50g)**

Creme inglês: Aqueça a mistura em uma panela em fogo médio até que alcance 77°C, o ponto em que cubra as costas

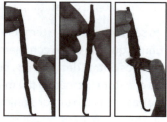

Abra a fava com uma faca e depois utilize uma colher para retirar as sementes de baunilha.

de uma colher de metal. Cuidado para não sobreaquecer; você pode terminar com ovos coalhados.

Creme de ovos: Para fazer creme de ovos, derrame a mistura em ramequins pequenos ou copinhos que possam ir ao forno e coloque-os em uma assadeira. Adicione água suficiente para cobrir os ramequins até a metade e asse em forno a 160°C de 45 a 60 minutos.

Pudim de pão: Para fazer pudim de pão, fatie **meio filão de pão (250g)** em cubos de 1 a 2cm — cerca de 4 xícaras. Experimente usar um pão com passas e canela para um sabor extra, ou adicione **¼ de xícara (chá) de frutas secas (40g)** e **1 colher (sopa) de canela (8g)** à mistura. Transfira os cubos para uma forma ou para tigelinhas individuais. Adicione a mistura do creme inglês e asse em forno a 160°C por 30 a 60 minutos. Verifique se o creme de ovos está pronto chacoalhando a forma e vendo se ele mantém o formato.

O que é half-and-half (meio a meio)?

Half-and-half é uma expressão americana para designar metade leite, metade creme. Nos Estados Unidos, o *half-and-half* contém de 10,5 a 18% de gordura do leite. Você pode fazer o seu próprio *half-and-half* misturando leite e creme. Para uma tabela de níveis de gordura em diferentes tipos de leite e creme, veja a p. 300.

O sorvete *superpremium* — o sorvete de melhor qualidade vendido em mercados — tem de 10 a 16% de gordura. Se você estiver usando o creme inglês para fazer sorvetes, procure por gordura entre 12 e 22% (por peso). Esta receita tem cerca de 12% de gordura; use creme integral em vez de *half-and-half* para uma versão com 22% de gordura.

Ovos Pochê

Você pode preparar seus ovos pochê com horas de antecedência, o que faz deles uma excelente opção para o café da manhã ou um lanche com os amigos. Deixe-os ligeiramente malcozidos e guarde-os em uma tigela com gelo; quando for usá-los, reaqueça-os por um minuto em uma panela de água quente.

- As **penugens da clara**, o refugo ralo da parte de fora de um ovo mal escaldado, provêm da camada externa fina da clara misturada com água quente enquanto o ovo está escaldando. A camada externa tem uma baixa concentração de ovomucina, a proteína que deixa a clara grossa. Há uma solução simples para evitar as penugens da clara: coe o ovo em uma peneira fina ou escumadeira antes de escaldar (girar a água para criar um vórtice e colocar o ovo no centro da panela também ajuda, mas escaldar um ovo por vez é tedioso).
- O *sabor*, no meu dicionário, é o motivo pelo qual sal e vinagre devem ser adicionados à água. Um ovo escaldado em água pura fica sem tempero e sem gosto; adicionar sal melhora muito, muito, o sabor do ovo escaldado (1 a 3% de solução salina). O vinagre quase sempre é usado para resolver o problema das penugens, e realmente ajuda, mas também confere um sabor que eu não faço questão. Contudo, se gostar do sabor, adicione vinagre.
- **Gemas no ponto certo** são criadas pelo tempo e temperatura corretos. Cozinhe ovos à temperatura ambiente em água quente (82 a 88°C) por 2 ou 3 minutos; diminua se gosta deles escorrendo, aumente se preferir mais firmes.

Ovos Cozidos Fáceis de Descascar

Quando escrevi a primeira edição de Cozinha Geek, incluí uma solução esperta para criar ovos saborosos e fáceis de descascar. Dar um susto nos ovos em água quente por 30 segundos deixa a tarefa fácil; depois cozinhá-los em água fria até quase ferver termina de aprontá-los com uma textura mais agradável. Desde então, descobri — bem, redescobri — que vaporizá-los é bem melhor. Quando o ovo é vaporizado, a casca se quebra em duas partes.

Certifique-se de que os ovos tenham alguns dias de idade — ou, pelo menos, que os ovos tenham um pH mais alto. Se tiver sorte de ter ovos bem frescos, eles serão mais difíceis de descascar.

Se preferir, faça um pequeno furo na parte de baixo da casca, onde fica a bolsa de ar. Isso não faz sentido ao cozinhar ovos em água — ela entrará no ovo e estragará tudo —, mas na vaporização, o furinho impedirá que a casca se quebre porque dará ao ar que está no bolsão uma rota de fuga à medida que o ovo se expande durante o aquecimento.

Ferva 1cm de água no fundo de uma panela, adicione os ovos, cubra com uma tampa e espere 12 minutos. Mantenha o fogo alto durante todo o tempo; o vapor precisa estar constantemente atingindo os ovos para que cozinhem.

Antes de descascar os ovos, deixe-os esfriar. Você não precisa colocá-los em água fria para deixá-los mais fáceis de descascar, mas colocá-los na água fria — não é necessário gelo — fará com que o formato fique mais arredondado (sem o fundo achatado). Você pode descascar os ovos ainda quentes, mas precisará de um pouco de água para soltar a membrana da clara externa.

62°C: Os Ovos Começam a Ficar Prontos

Ovos Mexidos em Fogo Brando

Fazer ovos mexidos é fácil — se você não cozinhá-los demais. Para ovos mexidos tradicionais, use fogo médio — nunca alto! — e retire-os do queimador antes de estarem prontos. O calor latente dos ovos continuará a cozinhá-los.

Esse método de 30 minutos envolve fogo muito baixo, mistura contínua e um olhar vigilante. Demora para ficar pronto, mas depois de não sei quantos anos comendo ovos, é bom cozinhá-los de uma forma diferente. Fazê-los em fogo muito baixo enquanto mexe continuamente quebra o coalho e evapora a maior parte da água, dando a eles um sabor que pode ser descrito como similar ao do queijo ou do creme, e não de ovos mexidos comuns. Experimente sem temperos, até mesmo sem sal, para apreciar o sabor.

Em uma tigela, quebre **dois ou três ovos** e bata completamente até incorporar as claras e as gemas. Não adicione sal ou outros temperos; faça isso apenas com os ovos. Transfira para uma panela antiaderente em um fogo ajustado para o mais baixo possível.

Mexa continuamente com uma espátula de silicone, fazendo "movimentos aleatórios" para que a espátula passe por todos os cantos da panela. E fogo baixo *realmente* significa fogo baixo: não há necessidade de a panela passar dos 71°C. Se a fonte de calor for quente demais, retire a panela do fogo por um minuto para evitar o superaquecimento. Se observar coalhos (caroços de ovos mexidos) se formando, sua panela está quente demais.

Continue mexendo até os ovos chegarem a uma consistência de creme. Quando usei um cronômetro, isso levou cerca de 20 minutos, mas você pode chegar nesse ponto em 15 minutos ou em até meia hora.

Ovos de Forno

Aqui vai uma forma simples de fazer ovos para um brunch ou jantar individual. Improvise! Adicione queijo, ervas e grãos. Tente adicionar alguns flocos de pimenta calabresa na versão café da manhã ou molho sriracha na versão jantar. Você pode preparar o prato com 1 dia ou dois de antecedência e guardá-lo no refrigerador e cozinhá-lo quando for comer.

Em uma tigela individual que possa ir ao forno, adicione:

Versão Café da Manhã:

- **1 xícara (chá) de espinafre fresco picado (30g)**
- **3 colheres (sopa) de queijo muçarela ralado (20g)**
- **3 colheres (sopa) de creme de leite (40ml)**
- **4 colheres (chá) de manteiga (20g)**

Versão Jantar:

- **½ xícara (chá) de tomates amassados (100g)**
- **¼ de xícara (chá) de feijões-pretos (50g) (os enlatados são melhores)**
- **½ xícara (chá) de muçarela ralada (50g)**

Crie um "poço" no meio dos ingredientes, colocando a comida ao redor das bordas da tigela. Quebre **dois ovos** no poço, adicione uma pitada de **sal** e um pouco de **pimenta moída fresca**, cubra com papel-alumínio e asse em um forno preaquecido em 180°C até o ovo ficar pronto, em torno de 25 minutos. (Eu uso um termômetro de carne ajustado para apitar em 60°C, assim posso sair pela casa ou conversar com os amigos sem me preocupar que os ovos passem do ponto.)

Curiosidade: Ovos de codorna pesam em média 9g, enquanto os de pato normalmente pesam 70g. Fiquei feliz por saber que os patos também são oito vezes mais pesados que as codornas (caso você venha a participar do Show do Milhão).

68°C: O Colágeno É Desnaturado

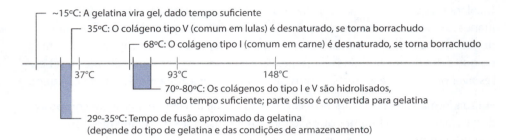

As temperaturas relacionadas à hidrólise e à gelatina resultante.

Quando falamos sobre proteínas animais e desnaturação no início do capítulo, mencionei que o colágeno era tão especial que merecia sua própria seção. E aqui estamos! Primeiro, uma rápida refrescada. As proteínas animais — peixes e frutos do mar incluídos — se agrupam em três categorias: estruturais, conectivas e sarcoplasmáticas. As estruturais são geralmente as mais importantes de manejar na culinária, mas as conectivas são mais importantes para certos frutos do mar e carnes.

Os tecidos conjuntivos de um animal fornecem estrutura e apoio para os músculos e órgãos em seu corpo. Você pode pensar na maioria dos tecidos conjuntivos — fáscia e ligamentos soltos entre os músculos, assim como tendões e ossos — parecidos com reforços de aço: eles não se contraem de forma ativa como o tecido muscular, mas fornecem estrutura para os músculos que podem ser estendidos e contraídos. (Curiosidade: grama por grama, o colágeno é mais duro que o aço.)

O tipo mais comum de proteína no tecido conjuntivo é o colágeno, e apesar de existirem vários tipos de colágeno nos animais, de uma perspectiva culinária, a principal diferença química entre eles é a temperatura na qual são desnaturados. Na culinária, o colágeno aparece de duas formas diferentes: como pedaços distintos (por exemplo, tendões, pele prateada) fora do músculo, ou como uma rede que corre por ele. Independente do seu local, o colágeno é rígido (afinal de contas, é ele que fornece estrutura) e se torna comestível apenas depois de tempo suficiente em temperaturas adequadamente altas.

> Panelas de pressão fazem maravilhas com o colágeno. Já que a taxa de reação para sua quebra depende da temperatura, aumentá-la para 120°C diminui o tempo de cocção em 75%. Veja a p. 308 sobre panelas de pressão.

É fácil lidar com o colágeno existente em partes pequenas: livre-se dele cortando a parte fora. Para cortes de carne que possuem um tecido conjuntivo fino (chamado de espelho), retire o máximo possível e jogue fora. Cortes de filé-mignon, geralmente, possuem um lado com essa camada; retire o máximo possível antes de cozinhar. Peito de frango também possui um pequeno, porém perceptível, tendão conectado a ele. Se estiver cru, é uma faixa branca perolada. Após o cozimento, ela vira aquela pequena coisa branca parecida com um elástico que você pode mastigar para sempre e nunca se satisfazer. Geralmente, esse tipo de colágeno é fácil de achar, e, se você deixar passar, é fácil de perceber ao comer e pode ser deixado no prato.

O colágeno que forma uma rede 3D através do tecido muscular é mais difícil de manusear. A única forma de removê-lo é convertê-lo em gelatina através de modos de cozimento longos e lentos. Sua velocidade de reação é muito, muito mais lenta do que a das outras proteínas da carne. Para entender os desafios culinários e saber resolver problemas eventuais, vamos mergulhar na estrutura molecular do colágeno.

Em sua forma nativa, o colágeno é como uma corda: uma molécula linear composta de três filamentos diferentes que são girados juntos. Esses três filamentos são mantidos juntos por ligações secundárias fracas (mas existem muitas delas!) e estabilizados por um número pequeno de ligações cruzadas, que são mais fortes que ligações covalentes. (As ligações covalentes são ligações em que os elétrons de um átomo são compartilhados com outro.)

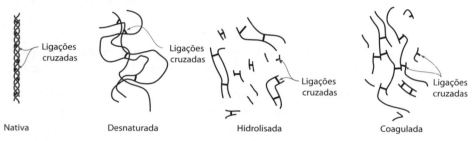

O colágeno em sua forma nativa é uma hélice tripla, unida em sua estrutura helicoidal por ligações secundárias (esquerda) e estabilizada por ligações cruzadas. Sob o calor, as ligações secundárias se quebram e a proteína desnatura, mas as ligações cruzadas entre os ligamentos continuam a manter a estrutura unida (segunda da esquerda). Dados tempo e calor suficientes, os próprios filamentos na hélice tripla se quebram através de hidrólise (terceira da esquerda) e, com o resfriamento, são convertidos para uma rede solta de moléculas (direita) que retém água (um gel).

Além de sofrerem ligações cruzadas, os filamentos também formam uma estrutura helicoidal devido às ligações secundárias entre regiões diferentes das mesmas moléculas. Você pode pensar em algo como uma corda trançada, em que cada filamento se enrola com outros dois. Eles precisam se "enrolar" uns aos outros porque a estrutura interna encontra seu local de descanso ideal nessa forma.

Sob as condições certas — geralmente, exposição ao calor ou aos tipos certos de ácidos — a forma nativa do colágeno é desnaturada, perdendo a estrutura linear e sendo desenrolada em um emaranhado aleatório. Isso acontece devido à energia cinética, que faz vibrar a estrutura e a gira. Com a vibração, a energia eletromagnética, que normalmente prende a estrutura de hélice tripla no lugar, não consegue mantê-la unida. À medida que essa energia aumenta, o colágeno muda ainda mais, apertando-se e encolhendo para um terço do comprimento original. (Só há um modo de a proteína ser nativa, mas vários de ser errada.)

Os ácidos também podem desnaturar o colágeno: suas propriedades químicas fornecem o impulso eletromagnético necessário para romper as ligações secundárias da estrutura helicoidal. É apenas o trançado que desaparece durante a desnaturação do colágeno; as ligações cruzadas continuam no lugar e os filamentos permanecem intactos. Nessa forma, o colágeno é como uma borracha do ponto de vista da ciência material — e por esse motivo você encontrará uma textura... bem, borrachuda.

Recebendo ainda mais calor ou ácido, o colágeno passa por outra transformação importante: os filamentos se partem e perdem a sua estrutura, e, nesse momento, ele não tem mais uma estrutura em escala real. Essa reação é chamada de hidrólise: hidrólise térmica, no caso do calor, ou hidrólise ácida, no caso do ácido. A hidrólise leva algum tempo, devido à quantidade de energia necessária para quebrar as ligações e aos processos envolvidos.

A hidrólise do colágeno não apenas quebra a textura borrachuda da estrutura desnaturada, mas também converte uma parte dela em gelatina. Quando o colágeno é hidrolisado, ele se quebra em pedaços de vários tamanhos, sendo que os menores são capazes de se dissolver no líquido ao redor, criando a gelatina. É essa gelatina que fornece aos pratos como rabada, costelas cozidas lentamente e confit de pato o seu gosto distinto. A gelatina pode também ser extraída para ser adicionada a outros pratos ou para fazer sobremesas e muitos outros produtos.

Já que esses pratos precisam da gelatina para fornecer essa textura maravilhosa, eles precisam ser feitos com cortes de carne com alto teor de colágeno. Tente fazer um ensopado de carne com cortes mais magros e o resultado será uma carne dura e seca. As proteínas actina irão desnaturar (lembre que isso ocorre em temperaturas entre 66–73°C), mas a gelatina não estará presente no tecido muscular para mascarar a secura e a rigidez causada pela actina desnaturada. Não tente "melhorar" seu ensopado de carne com um corte mais caro; não vai funcionar!

"Ótimo" — você deve estar pensando — "mas como tudo isso me ensina quando é necessário cozinhar lentamente uma peça de carne (peixe ou frango)?" Pense sobre a peça com a qual você está trabalhando e de que parte do animal ela vem. Em animais terrestres, regiões que suportam o peso tendem a ter maior nível de colágeno.

Isso faz sentido: as partes que aguentam peso possuem uma carga maior, precisam de mais estrutura, então possuem mais tecido conjuntivo. Entretanto, não é uma regra perfeita, e os cortes de carne geralmente possuem mais de um grupo muscular.

Para animais como peixes, que não precisam apoiar o seu peso na terra, os níveis de colágeno são muito menores. A lula e o polvo são exceções notáveis dessa regra de peso porque o colágeno deles fornece o apoio equivalente às estruturas ósseas

68°C: O Colágeno É Desnaturado

de peixes. O truque para cozinhá-los é dar a eles uma exposição muito rápida ao calor, mantendo as proteínas nativas, ou dar tempo e temperatura suficientes para a hidrolisação. Qualquer coisa diferente das duas opções e você obterá borracha.

Outra regra para o colágeno: animais mais velhos têm níveis mais altos de colágeno. À medida que os animais envelhecem, a estrutura de colágeno tem mais tempo para formar ligações cruzadas adicionais entre os filamentos da hélice de colágeno, o que resulta em uma resistência aumentada. É por isso que galinhas mais velhas são cozidas por mais tempo. (Os franceses chegam até a usar palavras diferentes para galinhas novas e velhas: *poule* e *poulet*.) A maioria dos animais criados para o abate é abatida jovem, então a idade é um fator tão importante quanto o tipo de corte.

Outra regra fácil para o nível de colágeno é observar o preço relativo da carne: já que cortes com alto teor de colágeno dão mais trabalho para cozinhar e acabam com uma textura mais seca, as pessoas tendem a favorecer outros cortes, de forma que os cortes com alto teor de colágeno são mais baratos.

Tente marinar um pequeno cubo de carne em papaia amassado — ele contém uma enzima, a papaína, que age como um amaciador de carne, hidrolisando o colágeno — e depois sinta a textura.

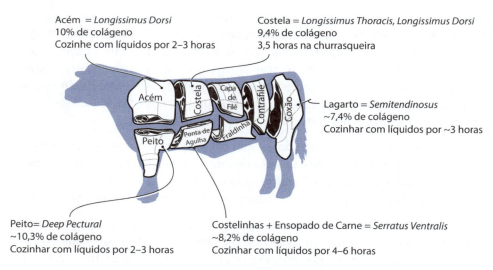

Cortes de carne de partes que dão suporte ao animal terão mais colágeno e precisarão de um tempo maior de cozimento — principalmente músculos do acém, costela, peito e quarto traseiro.

Bruschetta de Lula

A lula foi um mistério culinário para mim por muito tempo. Ou você a cozinha por alguns minutos ou por uma hora; qualquer coisa diferente disso, e ela fica dura, como mastigar elásticos. (Não que eu mastigue elásticos com frequência para saber como são.) Por que é assim?

O colágeno na lula e no polvo é agradável no seu estado nativo ou hidrolisado, porém, não quando desnaturado. São precisos alguns minutos para a desnaturação, então, um selamento rápido na panela mantém o estado nativo (junto com tomates frescos e em uma bruschetta fica delicioso). E a hidrólise leva horas para ocorrer, então um polvo refogado lentamente fica ótimo. Refogar a lula no tomate também ajuda a diminuir os níveis de pH, o que acelera o processo de hidrólise.

Para fazer uma bruschetta de lula simples, comece preparando **um filão de pão francês ou italiano**, cortando-o em fatias de 1cm. Você pode fazer pedaços maiores cortando em viés. (Guarde a parte triangular para comer quando ninguém estiver olhando.) Cubra levemente ambos os lados do pão com **azeite de oliva** (isso normalmente é feito com um pincel, mas se não tiver um, pode dobrar um pedaço de papel e "pincelar" com ele ou jogar **azeite de oliva** em um prato e mergulhar levemente o pão no óleo). Torre o pão. Funciona melhor na grelha (as fatias de pão devem estar em uma distância de 10–15cm do calor). Vire assim que começarem a ficar douradas. Se não tem uma grelha, use um forno ajustado para 200°C. Para quantidades pequenas, uma torradeira também funciona.

Quando o pão estiver tostado, coloque-o em um prato e guarde no forno (com o fogo desligado) para permanecer quente.

Prepare a lula:

500g de lula (uma mistura de corpo e tentáculos ou apenas os corpos)

Corte a lula com uma faca ou, melhor ainda, corte em pedaços pequenos com uma tesoura de cozinha.

Aqueça uma panela em fogo médio. A panela deve estar bem quente para que a lula alcance rapidamente a temperatura ideal. Adicione uma pequena quantidade de **azeite de oliva** — o suficiente para cobrir levemente a panela quando ela for mexida — e jogue a lula na panela.

Use uma colher de pau ou uma espátula de silicone para mexer. Veja quando ela começar a ficar branca — deve ficar sutilmente menos translúcida — e cozinhe por mais 30 segundos. Adicione à panela e misture:

250g de tomates picados (cerca de 2 tomates médios, sem as sementes)

1 colher (sopa) de ervas frescas como orégano ou salsinha (2g)

¼ colher (chá) de sal marinho

Pimenta-do-reino moída a gosto

Transfira o recheio de lula e tomates para uma tigela e sirva com pão torrado.

Use uma tesoura de cozinha para cortar a lula em pedaços pequenos diretamente na panela quente. Adicione tomates e ervas, misture e sirva.

Confit de Pato

O confit de pato — coxas de pato cozidas em gordura — tem um gosto completamente diferente do pato cozido de qualquer outra forma. É como bacon e carne de porco — para citar Homer Simpson, eles vêm de "um animal mágico e maravilhoso".

Um bom confit de pato é suculento, saboroso, macio e dá água na boca, e talvez um pouco salgado. Preparar um pato ao estilo confit tem tudo a ver com converter as proteínas resistentes do colágeno em gelatina.

Como você já deve ter percebido, sou um cozinheiro pragmático. As receitas tradicionais de confit de pato descrevem uma situação longa e cansativa, o que não tem problema em uma tarde de domingo preguiçosa na companhia de amigos e uma garrafa de um bom vinho, mas não vai de encontro à minha ideia de manter as coisas simples.

O segredo do confit de pato está no tempo e na temperatura, não na técnica de culinária em si. O resultado? Você pode fazer confit de pato em uma panela elétrica ou em um forno ajustado para uma temperatura superbaixa. A gordura na qual o pato é cozido também não é importante; alguns experimentos mostraram que o confit de pato cozido em água e, então, coberto em óleo é indistinguível do confit de pato feito da forma tradicional. Independente disso, definitivamente pule a etapa do bloco exótico de gordura de pato; as coxas de pato já são caras o suficiente.

Passe sal na parte de fora das **coxas do pato, uma por pessoa**, cobrindo tanto o lado da pele quanto o da carne exposta. Eu uso mais ou menos **1 colher (sopa) de sal (18g)** por coxa de pato; é preciso cobrir completamente a parte externa.

Coloque as coxas de pato salgadas em uma tigela ou saco plástico e guarde-as na geladeira por várias horas para salmourar. Salgar a carne adiciona sabor e retira um pouco de umidade. Se você estiver com muita pressa, pule essa etapa e cubra as pernas do pato com algumas pitadas de sal. Após salmourar as coxas, lave o sal.

Lembre-se: guarde carnes cruas na parte de baixo da geladeira para que, no caso de pingarem, não contaminem produtos agrícolas frescos ou alimentos prontos para consumo.

A coxa de pato que foi cozida em fogo baixo por muito tempo se desmancha facilmente, já que a maior parte do colágeno e dos tecidos conjuntivos que geralmente unem os músculos não existe mais.

Nesse momento, você pode escolher a fonte de calor.

Método da panela elétrica

Disponha as coxas de pato na tigela da panela elétrica de cozimento lento ou na panela elétrica de arroz. Cubra com **azeite** e ajuste para o modo cozimento lento por pelo menos 6 horas (de preferência de 10 a 12).

Método do forno

Disponha as coxas de pato em uma panela que possa ir ao forno e cubra com **óleo**. Coloque em um forno ajustado para 80°C por um tempo mínimo de seis horas.

As coxas de pato ficarão mais macias com um tempo maior de cozimento. Já fiz porções de 36 coxas durante a noite usando uma panela grande mantida na temperatura ideal em um forno. Se você for fazer porções maiores, lembre-se de que a temperatura central precisa ser de aproximadamente 60°C dentro de duas horas. Nesse caso, aqueça o óleo para 120°C antes de colocá-las. Dessa forma, o óleo quente fornecerá um bom choque térmico para aumentar mais rapidamente a temperatura das coxas de pato frias.

Após o cozimento, a pele do pato ainda estará mole e, honestamente, nojenta. Contudo, a carne deve estar macia e não oferecer resistência ao ser espetada. Você pode remover a pele (sele-a na panela para fazer toucinho de pato!) ou marcá-la com uma faca e então selar a pele ainda no pato para deixá-la crocante.

Se você não for usar as coxas de pato imediatamente, guarde-as na geladeira.

Depois do cozimento, o óleo será uma mistura de gordura de pato e seu óleo inicial. Ele pode ser usado para refogar legumes e fritar batatas.

Notas

- *As receitas tradicionais pedem por gordura de pato em vez de azeite. Uma das vantagens da gordura de pato é que, ao esfriar em temperatura ambiente, ela solidifica, envolvendo e selando as coxas de pato em uma camada esterilizada de gordura, quase da mesma forma que algumas geleias são preservadas com lacre de cera. Se você vivesse na França há um século, isso seria uma ótima forma de conservá-las para um longo inverno, porém, com a invenção da refrigeração e dos mercados modernos, não há necessidade da gordura de pato para armazenar a carne de forma segura pelos poucos dias que pode durar. Use o azeite. É mais barato e saudável.*

- *Se você colocar o óleo e o líquido em outro recipiente, uma camada de gelatina ficará separada no fundo após esfriar. Use-a! Experimente colocá-la em sopas.*

Confit de Pato com Massa

Prepare duas coxas de pato no estilo confit, como já foi explicado. Isso pode ser feito com antecedência e armazenado no refrigerador. Se não estiver com paciência de esperar um dia, veja se o seu supermercado vende confit de pato pronto, ou, se tiver uma panela de pressão, use-a para cozinhar as coxas com mais rapidez.

Em uma panela grande, ferva **água com sal** para preparar a massa.

Prepare a carne de pato retirando a **carne de duas coxas**, descartando os ossos e a pele ou guardando-os para fazer caldo. Em uma panela, refogue ligeiramente a carne em fogo médio para dourá-la.

Adicione ao refogado:

- 800g de tomates picados
- 225g de molho de tomate enlatado
- De ¼ a ½ colher (chá) de pimenta-de-caiena

Cozinhe os tomates e o molho por 5 minutos. Enquanto o molho está cozinhando, adicione à água fervente:

- 150g de pasta longa — de preferência pappardelle ou espaguete

Quando a massa estiver cozida, coe (mas não enxágue) e misture ao refogado da panela. Mexa e adicione:

- 2 colheres (sopa) de orégano fresco ou folhas de tomilho (2g ou 2 ramos)
- ½ xícara (chá) de queijo parmesão ralado (50g)
- ¼ xícara (chá) de queijo muçarela ralado (30g)

Para retirar as folhas, segure firme junto ao fim da planta...

... e corra os dedos em direção à base do ramo.

Notas

- Você pode achar mais fácil transferir a mistura de pato para a panela de macarrão e prepará-la ali, porque sua frigideira pode não ser grande o suficiente. Ao servir, você pode ralar queijo parmesão por cima e salpicar mais orégano ou folhas de tomilho.

- O segredo dessa receita é a combinação dos ingredientes: a pimenta-de-caiena é equilibrada pelas gorduras e açúcares do queijo, as gorduras do pato são balanceadas pelos ácidos dos tomates, e os compostos aromáticos voláteis das ervas frescas dão uma energia a esse prato que é simplesmente deliciosa. Se o mundo fosse acabar amanhã, seria a minha escolha para esta noite.

- Quando você for separar a carne do pato de uma coxa gelada (do refrigerador), a gordura vai estar esbranquiçada e escorregadia; a carne estará mais escura e mais filamentosa. Quando tiver dúvidas, se ela parecer saborosa, provavelmente está. Já que a carne vai ser dourada, não inclua as partes escuras e molengas — isso é gelatina — porque ela vai derreter e depois queimar quando a água ferver.

- Quando for arrancar tomilho fresco do ramo, tenha cuidado para não acabar colocando o próprio ramo na comida. Ele é lenhoso, duro e nem um pouco agradável. Para arrancar as folhas, agarre a ponta do ramo com uma das mãos e corra os dedos da outra mão em direção à outra ponta do ramo, no sentido contrário ao crescimento das folhas.

Costelinhas Cozidas em Fogo Brando

As costelinhas e outros cortes com alto teor de colágeno não são difíceis de trabalhar, apenas precisam de mais tempo na temperatura em que o colágeno possa ser hidrolisado. É por isso que devemos cozinhar esse tipo de carne "devagar e lentamente". Utilize uma panela elétrica de cozimento lento ou uma forma refratária para assá-las por várias horas — é maravilhoso para os meses frios do inverno!

(Embora seja mais rápido usar uma panela de pressão, nem todos a têm, e mesmo que você tenha, não vai conseguir ver o que acontece na textura da carne enquanto cozinha.)

Essa receita é intencionalmente fácil, mas não deixe que isso lhe engane: carnes cozidas lentamente podem ser muito boas, e se estiver cozinhando para uma festa com um jantar, elas dão pouco trabalho para montar a refeição.

Se possui uma panela elétrica de arroz, veja se existe a configuração "cozimento lento". Nesse modo, a panela aquecerá comidas em uma temperatura geralmente entre 77–88°C, que é quente o suficiente para ser livre de contaminação de bactérias e frio o suficiente para não secar a carne.

Se não tiver uma panela de pressão, use um refratário coberto com papel-alumínio para assar as costelinhas, em forno ajustado em 80°C.

Coloque na panela elétrica **um frasco de molho barbecue**. (Estou listando molho industrializado aqui porque é conveniente, o que é parte da proposta do cozimento lento; para fazer seu próprio molho, use a receita da página 405.)

Adicione as **costelinhas**, dispondo-as em uma camada para que o barbecue cubra a carne.

Deixe cozinhar lentamente por, pelo menos, quatro horas (quanto mais tempo, melhor). Tente começar a fazer isso pela manhã, antes de ir trabalhar — a panela elétrica manterá a comida em segurança, e o tempo extra ajudará a garantir que o colágeno seja completamente dissolvido.

Notas

- De preferência, as costelinhas devem ser seladas (em uma panela de ferro fundido) por um minuto ou dois antes de serem cozidas. Isso causará reações de douramento, dando um sabor mais rico ao resultado final.

- Tenha em mente a regra da zona de perigo tratada anteriormente. Não encha a panela elétrica com uma quantidade de carne fria que ela não consiga levar para a temperatura de 60°C em um período de duas horas.

- Tente adicionar outros ingredientes ao molho, ou fazer o seu próprio, se quiser. Costumo colocar mais ou menos uma colher de sopa de vinho do Porto em um pote de barbecue vazio para "limpar" o molho restante, e então coloco a mistura com molho de vinho do Porto na panela elétrica.

Laboratório: Experimento com Colágeno

Tente esse experimento para ver os diferentes estados do colágeno: nativo, desnaturado e hidrolisado. O colágeno vai desnaturar e hidrolisar (dois processos diferentes!) em taxas diferentes de acordo com a temperatura e o tipo específico de colágeno. Mas quanto tempo cada um leva?

Primeiro, pegue esse material:

- 6 amostras pequenas de tecido animal com alta quantidade de colágeno — tente usar fatias de polvo ou 6 pedaços de carne para ensopado cortada em cubos de 1cm. (A carne demora quase o triplo do tempo para cozinhar.)
- 1 xícara (240ml) de óleo de sabor neutro, como o de canola ou vegetal
- Um forno ou panela elétrica
- 2 garfos e um prato
- *Se estiver usando o forno e não a panela:* um refratário

Preparo:

1. *Se está usando o forno:* coloque o óleo no refratário e coloque-o no forno. *Se está usando a panela elétrica:* coloque o óleo no recipiente de cozimento.
2. Ajuste o forno para 95°C ou use a panela de cozimento lento no modo lento ou "manter aquecido".
3. Use um garfo para colocar as amostras no óleo e ligue o timer.

4. *Para tecidos de frutos do mar, como polvo:* após 20 minutos de cozimento, use um garfo para remover uma das amostras e colocá-la em um prato para investigar mais tarde. Repita a cada 20 minutos, removendo outra amostra. *Para tecidos de mamíferos, como carne de boi:* remova amostras a cada uma hora.
5. Depois que todas as amostras tiverem sido removidas, desligue o forno ou a panela elétrica e descarte o óleo depois que tiver esfriado.

Hora da investigação!

Olhe para as amostras do prato — o que você vê? Use um garfo em cada mão para separar as amostras e observe quais delas são fáceis de cortar e quais estão duras.

Crédito extra:

Repita esse experimento tanto com frutos do mar quanto com carne de mamíferos e compare as diferenças nos tempos.

Outra ideia: experimente fazer carne ensopada, removendo uma xícara do ensopado depois de 30 minutos, uma segunda xícara depois de 2 horas e uma terceira depois de 6 horas. Prove um pouco dos pedaços de carne para comparar as diferenças de textura. (Tem filhos? Faça um experimento com vendas para remover o efeito placebo: feche os olhos das crianças e dê a elas duas porções da amostra de duas horas e uma da amostra de 6 horas. Será que elas conseguem descobrir qual é a diferente?)

70°C: Os Amidos Vegetais Quebram

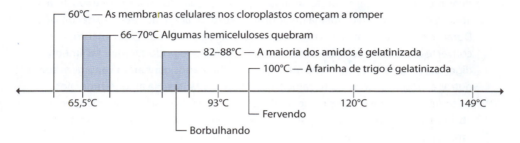

Temperaturas relacionadas a plantas e culinária.

Enquanto a carne é predominantemente proteínas e gorduras, as plantas são compostas principalmente de carboidratos. Diferente das proteínas na carne, que são extremamente sensíveis ao calor e podem rapidamente se transformar em sola de sapato se cozidas em temperaturas muito altas, os carboidratos nas plantas normalmente são menos problemáticos, embora se cozidos em demasia terminarão com uma textura murcha e descolorida.

As células das plantas contêm diferentes compostos de interesse culinário. Como você pode imaginar, cada composto tem diferentes propriedades. Aqui estão cinco das mais comuns e como reagem ao calor:

- A *celulose* dá à parede celular da planta sua estrutura primária. Não é digerível para os humanos na forma crua e gelatiniza em temperaturas tão altas (320 a 330°C) que ignoramos isso ao discutir reações químicas na culinária. (Há evidências de que cozer feijões na panela de pressão quebra um pouco de celulose — exceção à regra.)

- A *lignina* é um material fibroso e filamentar presente em paredes celulares secundárias de algumas células vegetais, como as da madeira. Assim como a celulose, ela não muda muito com o cozimento. Quando aparece, fica presa entre os dentes e a impressão é parecida com a de mastigar madeira (estou falando de você, aspargo). Um talo de aspargo tem grande quantidade de lignina, e é por isso que você deve removê-lo.

- A *hemicelulose*, que não é o mesmo que celulose, é qualquer uma das variedades de compostos de polissacarídeos encontradas nas paredes celulares que unem a celulose e a lignina. Ela é facilmente quebrada por ácidos, bases e enzimas, começando no intervalo de temperatura de 66 a 70°C. Ao cozinhar plantas tenras, é a hemicelulose que temos como alvo, tendo o cuidado de não quebrá-la muito para evitar as texturas murchas. Ao contrário da lignina e da celulose, ela é parcialmente solúvel em água. Estes três compostos compõem a maior parte das fibras alimentares insolúveis e ajudam o corpo a expulsar os refugos do aparelho digestivo.

- O *amido* é o armazenador de energia das plantas e é o que nos dá energia quando as comemos. O amido, na forma nativa, é uma estrutura semicristalina composta de duas moléculas de carboidrato, amilose e pectina. Quando aquecido e exposto à água, a estrutura semicristalina gelatiniza — absorve água, derrete e se decompõe. Durante o aquecimento, ela continua a reter a água absorvida. O cozimento converte a estrutura semicristalina para uma forma que pode ser mais facilmente digerida; essa é a base da teoria que diz que os humanos ganharam vantagem sobre outras espécies quando começamos a cozinhar as plantas. Há alguns intervalos de temperatura envolvidos na gelatinização — uma faixa para que a amilopectina absorva água e uma mais alta para o derretimento da estrutura de amilose, e então uma terceira faixa potencial para o gel que se forma durante o resfriamento. Estas temperaturas dependem das proporções e das estruturas específicas da amilose e da amilopectina, bem como de fatores ambientais, como acidez e alcalinidade do líquido a que estão sendo expostas. Na culinária, a fase que nos interessa depende do modo como o amido está colocado na célula das plantas. Nós nos preocupamos principalmente com a temperatura mais alta, em que a amilose se dissolve, o que normalmente acontece entre 57 e 105°C.

- A *pectina* é a cola que une as paredes celulares, semelhante à forma como o colágeno mantém os tecidos musculares agrupados. Frutas mais firmes adquirem sua estrutura dos componentes da pectina; a casca e o núcleo das maçãs são de 10 a 20% pectina. Estes compostos começam a degenerar quando aquecidos acima de 60°C em condições ácidas (pH de 1,5 a 3,0). Para que a pectina gelatinize em geleias e compotas, a temperatura recomendada é de 103°C (facilmente alcançável com líquidos açucarados). A pectina não é um componente importante na maioria das frutas e vegetais no que diz respeito ao cozimento, mas para fazer geleia é fundamental (veja a p. 419).

Como isso tudo se relaciona ao cozimento de vegetais e frutas? Você pode determinar que temperatura é necessária para cozinhar frutas e vegetais de acordo com a composição deles. O período de tempo e temperatura, a quantidade de umidade no tecido e as condições de processamento terão impacto sobre as temperaturas necessárias, por isso considere as seguintes orientações:

- *Cozinhe raízes e tubérculos* como a batata abaixo de 80°C. Cozinhá-la em temperaturas mais altas produz mudanças adicionais na textura devido ao vapor da água (batatas moles), mas temperaturas um pouco mais baixas são boas, como você pode ver no gratinado de batata. As raízes têm uma porcentagem maior de amilopectina do que os grãos, o que significa que os amidos deles se gelatinizam com mais facilidade (normalmente por volta dos 57 a 70°C). Quando estiver cozinhando, use a faixa de temperatura um pouco abaixo disso para obter tempos de cozimento razoáveis. Raízes e tubérculos contêm umidade suficiente para que você não precise se preocupar em adicionar líquido para o amido absorver durante a gelatinização. É claro, se está trabalhando com um amido extraído de uma planta, ela vai precisar de um líquido para absorver. (Veja a p. 408.)

- *Cozinhe grãos como o arroz* em líquido quase fervendo. Embora a amilopectina se degrade a temperaturas menores, há mais amilose na estrutura dos grãos, e ela não se dissolve até perto dos 93 a 105°C. (Se não está familiarizado com o sous vide — veja a p. 320 —, é por isso que você pode cozinhar vegetais por esse método, mas não grãos.) A maioria dos grãos também não tem água suficiente para gelatinizar — eles são sementes concebidas para sobreviver ao inverno! —, então você deve usar água ao cozinhá-los.

- *Cozinhe frutas firmes* como maçãs por tempo suficiente para que a pectina nas paredes celulares se quebre. A temperatura depende de quão ácida a fruta é; será necessário algo entre 60 e 100°C. Use frutas mais firmes quando for escaldar para evitar que fiquem murchas demais! Da mesma forma, o segredo para grandes tortas de frutas, de acordo com alguns, é misturar duas variedades ou mesmo duas espécies de frutas: uma que seja firme e permaneça intacta quando aquecida, combinada com um segundo tipo, que derreta com o cozimento. Tente combinar uma maçã de assados com uma para sucos, como a Granny Smith e a McIntosh, ou misture tipos: peras como Bosco ou Bartletts com maçãs como a McIntosh, Cortland ou Golden Delicious. (Para mais informações sobre a pectina, veja a p. 419.)

- *Cozinhe frutas e vegetais que têm grandes quantidades de água* em temperaturas moderadas: de 66 a 70°C é suficiente para quebrar a hemicelulose. Folhas verdes menos resistentes, como as de espinafre, podem ficar rapidamente murchas em uma panela com uma pequena quantidade de água ou óleo; até mesmo colocá-las dentro de massas quentes que acabaram de ser escorridas já é o suficiente. Folhas mais resistentes, como as de acelga e couve, devem ter os talos removidos e cozidos em primeiro lugar, já que essas partes da planta têm mais estrutura e precisam de mais degeneração da hemicelulose para ficarem agradavelmente macias.

Há outros compostos em frutas e vegetais que mudam quando aquecidos. Vale ressaltar um em particular: a clorofila. Quando vegetais verdes são cozidos, a cor deles muda do verde-vivo para um marrom apático devido à mudança desse componente. As membranas ao redor dos cloroplastos nas células se rompem com o calor, causando a reação da clorofila e sua transformação em uma molécula diferente (feofitina), que tem uma cor acastanhada. Essa conversão

> Quer refogar vegetais picados e amaciá-los, mas não quer que fiquem marrons? Adicione um pouco de água para diminuir a temperatura, se ela estiver muito quente.

depende do pH e da temperatura, então ambientes mais ácidos aceleram a reação, enquanto temperaturas mais baixas a retardam. Adicionar uma pitada de bicarbonato de sódio à água do cozimento inibe a reação. (Porém, muito bicarbonato causa outras reações — falaremos da química da água no próximo capítulo.) Cuidar para cozinhar em água quente, mas não fervente, e não cozinhá-las demais é a solução tradicional, e transferir rapidamente os alimentos cozidos para a água gelada diminui as temperaturas e estanca as reações. Pessoalmente, peço por cozinhar de menos as vagens e os aspargos — um pouco antes do ponto e eles ainda ficam gostosos, mas, cozidos demais? Eca!

70°C: Os Amidos Vegetais Quebram

Aspargo Rápido Cozido no Vapor

Os fornos micro-ondas fazem um trabalho rápido quando o assunto é o cozimento de legumes mais firmes e vegetais com muito amido. Inhames, batatas e outras raízes respondem bem a alguns minutos de cozimento no micro-ondas. Você também pode vaporizar vegetais nele!

Em um recipiente que possa ir ao micro-ondas, coloque alguns **talos de aspargos** sem as partes inferiores e adicione uma pequena camada de **água** ao fundo. Tampe, mas deixe parcialmente aberto para o vapor poder escapar. Deixe no micro-ondas entre dois e quatro minutos, parando na metade do tempo para ver se está pronto e adicionando mais tempo, se necessário.

Notas

- Essa técnica cozinha o alimento usando dois métodos: irradiação (micro-ondas de energia eletromagnética) e calor de convecção (do vapor gerado pelo aquecimento da água no recipiente). O vapor circula ao redor da comida, garantindo que quaisquer pontos frios (áreas que não foram tocadas pela radiação do micro-ondas) se aqueçam o suficiente para cozinhar a comida e matar qualquer bactéria superficial que possa estar presente.

- Adicione suco de limão, azeite ou manteiga e alho amassado refogado nos aspargos.

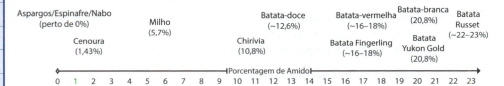

Raízes com alto nível de amido exigem mais tempo de cozimento, e é por isso que cozinhar cenouras é mais rápido que batatas. Níveis mais altos de amido também resultam em texturas mais fofas, como você pode ver na fotografia de duas batatas cozidas, uma com pouco amido (esquerda) e outra com muito (direita).

Verduras Refogadas com Sementes de Gergelim

Verduras como espinafre e as partes mais tenras de plantas de folhas duras como couve cozinham rapidamente — não há muito amido ou fibras para serem quebradas. É tudo hemicelulose!

Em uma panela para refogados ou antiaderente preaquecida em fogo médio, adicione:

- **2 colheres (sopa) de azeite de oliva (26ml) (o suficiente para cobrir o fundo da panela)**
- **1 colher (sopa) de sementes de gergelim (8g)**

Refogue rapidamente as sementes e então adicione:

- **1 maço de acelga, couve ou outras verduras mais duras; com os cabos e fibroses removidos, cortadas em tiras de 2,5cm**

Com o uso de pinças, rapidamente jogue as verduras para cobri-las com azeite. Sua panela deve estar suficientemente quente para as verduras aquecerem rapidamente, mas não quente ao ponto de o azeite queimar. Continue a mexer enquanto cozinha para que as verduras murchem de forma uniforme. Adicione **sal** e **pimenta** a gosto.

Notas

- *Dependendo do seu gosto, aumente a receita adicionando uma dessas combinações:*

  5 dentes de alho picados; suco de meio limão pequeno (cerca de uma colher de sopa)

  2 colheres (sopa) de vinagre balsâmico e talvez uma pitada de açúcar

  1 colher (chá) de vinagre de conhaque, ¼ de colher (chá) de flocos de pimenta calabresa maceradas, 1 lata de feijão cannellini, 3 dentes de alho picados

  ¼ de cebola roxa cortada em pedaços finos e refogada para cozinhar; ½ maçã cortada em pedaços pequenos e cozida; um punhado de avelãs picadas e torradas

- *Cozinhe algumas tiras de bacon, removendo o bacon e refogando o espinafre na gordura liberada por ele, adicionando mais ou menos uma colher (chá) de vinagre balsâmico. Pique o bacon e misture os dois, e opcionalmente adicione queijo gorgonzola (ou de outro tipo). A quantidade dos ingredientes depende apenas das suas preferências, então experimente!*

- *Você pode retirar o cabo e as fibroses de verduras como a acelga suíça segurando-os com uma das mãos e as folhas com outra e puxando-os.*

Quando quiser murchar vegetais, tire-os do fogo antes que estejam prontos. O calor latente terminará o serviço.

Peras Pochê ao Vinho Tinto

Peras cozidas são fáceis, gostosas e rápidas. A maior parte da nossa apreciação pelas frutas vem não apenas do gosto, mas também da textura. Pense em uma maçã que não está mais fresca, ou em uma banana machucada que ficou molenga: sem a sua textura característica, não há atrativos. Mas nem sempre isso acontece. Cozinhar frutas como peras causa mudanças similares na estrutura da polpa da fruta, quebrando as paredes celulares e afetando as ligações entre as células vizinhas para criar uma textura mais macia que é impregnada com o sabor do líquido.

Em uma panela rasa ou frigideira, coloque:

- 2 peras médias cortadas no comprimento (longitudinalmente) em oito ou doze pedaços, com a parte central removida (350g)
- 1 xícara (chá) de vinho tinto (240ml)
- ½ xícara de açúcar
- 1 colher (chá) de extrato de baunilha (5ml)
- ¼ de colher (chá) de pimenta moída

Coloque a panela em fogo baixo a médio, deixando o vinho borbulhar, e então cozinhe as peras por 5 a 10 minutos, até estarem macias. Vire-as na metade do tempo para que os dois lados tenham contato com o líquido. Remova as peras e descarte o líquido. (Você também pode reduzir o líquido a uma calda.)

Notas

- Curiosidade química: o ponto de ebulição do vinho é mais baixo que o da água. A temperatura exata depende dos níveis de açúcar e álcool, e enquanto o vinho borbulha, as proporções mudam. Começará em torno de 90°C. Mas duvido que isso ajude você a evitar que as peras cozinhem demais.

- A pera é uma das frutas que não amadurecem até você parar de prestar atenção, e então, estragam antes de você perceber. Para ajudar o amadurecimento, mantenha as peras verdes em um saco de papel para que o tecido vegetal fique exposto ao gás etileno que elas produzem. Eu não vejo problema em escaldar peras que não estão tão maduras quanto gostaria para comer, porém as suas peras devem estar pelo menos um pouco macias.

- Sirva essa receita com calda de caramelo (veja a p. 228) e sorvete de baunilha. Ou cozinhe outras frutas, como figos frescos, e use outros líquidos. Os figos cozidos em vinho do Porto ou em calda de mel/água com uma pequena quantidade de suco de limão e casca de limão adicionada após serem escaldados são doces e saborosos.

- Você não precisa realmente medir os ingredientes. Contanto que as peras tenham líquido suficiente para serem cozidas, elas ficarão ótimas. Adicione pimenta moída fresca a gosto.

Nunca use pimenta já moída. Ela perde rapidamente os sabores aromáticos complexos — bem antes de chegar às suas mãos — tendo apenas um toque apimentado, mas nada da sutileza de sabores da pimenta em grãos.

Churrasco de Legumes

Grelhar alimentos é tão americano quanto tortas de maçã, o que quer dizer que faz parte da cultura, e suas origens podem ser rastreadas até algum lugar no meio do Oceano Atlântico. Após a Segunda Guerra Mundial, tornaram-se uma tradição norte-americana, quando os donos da Weber Brothers Metal Works criaram o Weber Grill e deram início a um passatempo de quintal.

Qual churrasqueira é melhor, a gás ou carvão, depende do seu uso. As churrasqueiras a gás são mais fáceis de acender se quiser cozinhar um hambúrguer rápido ou tostar alguns legumes. As churrasqueiras a carvão, por outro lado, dão mais trabalho para funcionar, mas criam um ambiente de culinária mais quente que pode levar a um melhor desenvolvimento do sabor (mais reações de Maillard). Independente do que você escolher, a churrasqueira é uma ótima forma de cozinhar itens relativamente finos como fraldinha, hambúrgueres ou legumes cortados. Você também pode cozinhar lentamente itens maiores em uma churrasqueira — eu já aproveitei algumas tardes de verão bebendo com amigos enquanto esperava por um leitão inteiro cozinhar.

A segunda maior diferença entre as churrasqueiras a gás e a carvão é a temperatura. Apesar de o próprio propano queimar por volta de 1.700°C, quando o calor for finalmente dissipado pela churrasqueira, ele esfria para 340°C. Usar uma quantidade generosa, mas razoável, de madeira ou carvão gera uma fonte de calor com uma quantidade de radiação termal muito maior. Quando medi as churrasqueiras de carvão e madeira, encontrei temperaturas por volta de 450°C.

Legumes Grelhados de Verão

Legumes assados na churrasqueira são uma guloseima fantástica e fáceis de fazer. Apesar de ser possível que alguém descubra como fazer espetinhos de pepino/alface funcionar, é mais fácil se manter nos clássicos: escolha legumes mais resistentes com baixo teor de água (por exemplo, **aspargos**, **abóbora**, **pimentões**, **cebolas**).

Corte os legumes em pedaços grandes e coloque-os em uma tigela com uma pequena quantidade de **azeite** e algumas pitadas de **sal**. Você pode ser mais sofisticado com marinadas e molhos, mas se trabalhar com bons produtos agrícolas seria triste esconder seus sabores.

Eu costumo assar hambúrgueres ou qualquer outra carne que esteja fazendo antes, e asso os legumes enquanto a carne descansa. Asse os legumes por alguns minutos, virando na metade do tempo.

Batatas-doces Fritas Grelhadas

Corte a **batata-doce** em fatias.

Cubra o exterior com **azeite** e salpique com **sal marinho grosso**. Coloque na churrasqueira por 10 minutos, vire, asse até ficar macia, cerca de mais 10 minutos. Sirva enquanto quente.

Em vez da cobertura de azeite/sal, faça uma cobertura doce passando nas bordas uma mistura de partes mais ou menos iguais de manteiga e mel derretidos juntos. Ou tente salpicar **flocos de pimenta calabresa** nas bordas cozidas para uma versão picante.

Purê de Batatas com Alecrim

Essa receita simples de purê de batata usa o micro-ondas. Cozinhar uma batata — ou qualquer outro vegetal amiloso — requer a gelatinização dos amidos do vegetal. Para que isso aconteça, duas coisas precisam acontecer: os grânulos de amido precisam ficar quentes o suficiente para derreter, e precisam ser expostos à água para que os grânulos a absorvam e inchem, o que faz com que a textura do tecido mude. Felizmente, há água suficiente presente nas batatas para que isso aconteça sem qualquer intervenção necessária. Tente colocar uma batata-doce no micro-ondas por 5 a 8 minutos e veja — antes, use um garfo para fazer furos nela!

Coloque no micro-ondas até cozinhar, por 12 a 15 minutos:

3 a 4 batatas vermelhas médias (600g)

Após cozidas, corte as batatas em pedaços pequenos que podem ser amassados com as costas do garfo. Adicione e amasse junto:

½ xícara (chá) de creme de leite (120g)

⅓ de xícara (chá) de leite (85g)

4 colheres (chá) de manteiga (20g)

2 colheres (chá) de folhas de alecrim frescas picadas finas (2g)

¼ de colher (chá) de sal (1g) (duas pitadas generosas)

¼ de colher (chá) de pimenta moída (1g)

Notas

- *Para uma versão mais ácida, substitua o iogurte puro por uma parte do creme de leite.*

- *Tipos diferentes de batata possuem diferentes quantidades de amido. As variedades com alto teor de amido (por exemplo, as russets, as marrons com casca dura) ficam mais leves e macias quando assadas e geralmente são melhores para batatas assadas ou purê. Variedades com baixo teor de amido (batatas vermelhas ou amarelas, geralmente, menores e com a casca lisa) mantêm melhor os seus formatos e são mais adequadas para usos nos quais você precise que ela fique intacta, como uma salada de batatas. É claro que ainda existe espaço para a preferência pessoal. Quando se trata de purê de batatas, prefiro uma consistência mais empelotada às batatas cremosas e perfeitamente suaves, geralmente, encontradas em cenas de filmes associadas com o Dia de Ação de Graças, então, normalmente uso batatas vermelhas.*

154°C: As Reações de Maillard Se Tornam Perceptíveis

Você pode agradecer às reações de Maillard pela cor dourada bonita e os aromas deliciosos do peru de Natal, do salsichão das Festas Juninas e da torrada do café da manhã de domingo. Café, cacau e nozes torradas, todos dependem das reações de Maillard para seus sabores. Se você ainda não consegue imaginar os gostos adicionados pelas reações de Maillard, pegue duas fatias de pão branco e torre-as — uma até começar a dourar e a outra até estar bem dourada — e sinta a diferença.

Os sabores complexos, tostados e aveludados gerados pelas reações de Maillard são criados pelos vários compostos formados quando aminoácidos e certos tipos de açúcar se combinam e quebram (redução do açúcar). Nomeadas em homenagem ao químico francês Louis Camille Maillard, que primeiro as descreveu, na década de 1910, as reações de Maillard não foram completamente compreendidas até os anos 1950. Durante a reação, compostos com grupos livres de aminas passam por uma reação de condensação com açúcares redutores. Por exemplo, a carne tem um açúcar redutor, a glucose (que é o açúcar primário nos tecidos musculares), e também contém aminoácidos como a lisina; com o calor, esses dois compostos reagem um com o outro para formar duas novas moléculas.

As reações de Maillard são bem mais complicadas do que as outras reações de que falamos até agora. Uma das duas novas moléculas geradas no início da reação é a velha conhecida molécula de água, mas a outra é uma molécula instável e complicada, que rapidamente passa por outras reações. Essa cascata de reações às vezes gera algumas centenas de compostos, e são esses compostos que criam as cores e os sabores que queremos.

Para complicar as coisas, a molécula gerada pela primeira reação de condensação depende de que compostos deram início a ela. Qualquer composto com um grupo amina livre — aminoácidos, peptídeos ou proteínas — pode se combinar com qualquer composto carbonílico (normalmente reduzindo os açúcares), de modo que a molécula inicial pode tomar muitas, muitas formas. É por isso que o sabor dos subprodutos das reações de Maillard será ligeiramente diferente se você está grelhando um hambúrguer ou assando um pão; as proporções e tipos dos aminoácidos e dos açúcares redutores (por exemplo, glucose, frutose, lactose) presentes nas duas comidas são diferentes. Em outro aspecto ainda, os subprodutos se quebram em diferentes compostos dependendo do pH da solução em que estão, mudando também os sabores — é complexo!

Agora que fiz parecer bastante complicado (e é), como você pode controlar as reações de Maillard e seus aromas e cores? Felizmente, compreendê-las sob a perspectiva de um cozinheiro é bem mais fácil do que pela de um químico. Há quatro maneiras de controlá-las, e compreendê-las requer uma simples explicação das regras químicas sobre taxas de reações.

Obviamente, a falta tanto de aminoácidos como de açúcares redutores impede as reações — ambos devem estar presentes. Há uma regra padrão na química: aumente a concentração de reagentes e a taxa de reação aumentará. É por isso que alguns pães pedem leite como ingrediente, e pincelar ovo por cima de assados adiciona cor. Tanto as proteínas e a lactose do leite como as aminas dos ovos aumentam a quantidade de reagentes e, assim, geram mais sabores e cores baseados nas reações de Maillard. Sem elas, não tem jogo. Se você quer que mais reações de Maillard aconteçam, a coisa a fazer é aumentar a concentração de ingredientes que levam a isso.

A temperatura é a base de outra regra da química relacionada às taxas de reação. A energia de ativação — a quantidade de energia necessária para que uma reação química ocorra — é baseada na energia cinética de uma molécula. Com temperaturas mais altas, há uma chance maior de que uma molécula rompa a barreira de energia necessária para que a reação aconteça — mas ainda é uma probabilidade. Em temperaturas mais baixas, as reações ainda podem acontecer, mas muito mais devagar. (Dependendo do tipo de reação, pode haver um limite mínimo.) Supondo que você esteja cheio de reagentes por perto, aumentar a temperatura do ambiente onde está cozinhando a comida é a maneira mais fácil de acelerar as reações.

O pH do ambiente, que afeta tantas coisas na comida, também muda a forma como as reações de Maillard acontecem. O passo inicial das reações depende de grupos amina livres, mas esses se ligam em condições ácidas. É por isso que adicionar bicarbonato de sódio à cebola acelera o douramento e mergulhar massa de pretzel em uma solução de soda cáustica faz com que ela doure. Há poucos ingredientes alcalinizantes na cozinha — clara de ovos, bicarbonato de sódio —, mas felizmente a maioria deles não tem gosto em pequenas quantidades. Se você quer acelerar o douramento de assados, pincele uma clara de ovo na superfície da massa; para alimentos como cebolas caramelizadas (um termo parcialmente inapropriado), adicione uma pitada de bicarbonato de sódio para acelerar as reações.

A taxa das reações de Maillard também depende da água: nem muita nem pouca. O primeiro passo gera um composto que é facilmente reversível — ele pode ir e voltar entre dois estados e nesse caso é a molécula de água do primeiro passo que pode ser reabsorvida. Quando a molécula de água se liga ao composto, ela impede que o segundo passo da reação aconteça. Se o ambiente é muito molhado, a probabilidade

---

As reações de Maillard não acontecem prontamente em alimentos úmidos. Se você está prestes a selar carne, dê batidinhas nela com uma toalha de papel para retirar a umidade da superfície. Adicionar sal a um corte fino antes do cozimento puxa a umidade para a superfície, que então demora a evaporar quando cozida. Salgue as carnes com bastante antecedência e enxugue-as antes de cozinhar, ou adicione o sal depois de cozidas.

de que a molécula de água fique ligada ao composto aumenta, bloqueando a continuidade da reação. Mas se o ambiente for muito seco, então a reação também não começa — o aminoácido e o açúcar têm de ser suficientemente móveis para se conectarem. (O pico da taxa de reação, no que diz respeito à água, é por volta dos 0,6 a 0,7aw, se você é familiar com a atividade da água; na prática, cerca de 5% de água.) É improvável que mudar a quantidade de água seja a solução para qualquer problema que você encontre na taxa de reação, mas explica a diferença em um teste em que se assa farinha úmida e seca na mesma forma.

Sendo responsáveis por todas essas variáveis, na maioria das aplicações culinárias, os sabores deliciosos e agradáveis das reações de Maillard ainda requerem temperaturas moderadamente quentes. A temperatura de 154°C dada aqui serve como um bom guia para quando as reações de Maillard começarem a acontecer em um ritmo notável, esteja você olhando pelo vidro do forno ou refogando no fogão. Para a maioria dos cozimentos, 180°C é uma temperatura razoável, tanto na frigideira como no forno, para desenvolver esses sabores. Receitas que pedem tempos de cozimento mais prolongados, como um assado mantido no forno por várias horas, podem ser feitas a 160°C. É raro ver receitas pedindo por temperaturas de forno mais baixas do que isso devido à lentidão com que as reações de Maillard aconteceriam. Impedir as reações de Maillard — não é um sabor que você queira sempre, como em suspiros como macarons (veja a p. 294) — é muito simples: certifique-se de que um dos elementos — água, pH ou temperatura — esteja fora dos limites necessários. Na maioria das vezes, isso significa ajustar o forno para uma temperatura bem baixa (digamos, 120°C), que é exatamente o que é feito no caso dos suspiros.

Falaremos sobre outra reação de douramento importante — a caramelização — na próxima seção, mas vale dizer aqui que a caramelização pode privar as reações de Maillard dos açúcares redutores de que ela precisa. Selar carnes em uma panela muito quente carameliza a glucose da carne antes que tenha a chance de reagir com os aminoácidos, então, ao cozinhar carnes, use um fogo médio–alto, mas não muito alto.

As reações de Maillard acontecem abaixo dos 154°C das minhas instruções — só que não com tanta rapidez. Caldos fervendo por muitas e muitas horas e com uma concentração suficiente de reagentes irão lentamente dourar e desenvolver os sabores das reações de Maillard. (Alguns chefs não abrem mão da panela de pressão para fazer caldos; a temperatura mais alta significa reações de Maillard mais rápidas.) É possível até mesmo que as reações de Maillard aconteçam em temperatura ambiente, se tiverem tempo e reagentes suficientes: alguns queijos envelhecidos como o Manchego e o Gouda têm quantidades mínimas de alguns dos subprodutos das reações de Maillard. Acontece em todo lugar, também: os produtos de autobronzeamento trabalham através do mesmo mecanismo.

Batatas de Frigideira

A humilde batata, assim como o ovo, tem um lado escuro (a pele) e um lado claro (o de dentro), e pode ligar as coisas (os amidos). Mas por que as batatas ficam marrons quando fritas? Há muitos aminoácidos e glucose, e também alguma água, o que cria o ambiente necessário para as reações de Maillard. Experimente servir essas batatas com o frango à borboleta (da p. 218) ou como parte de uma refeição (nesse caso, tente adicionar pimenta vermelha, cebolas e pedacinhos de bacon).

Essa receita usa dois tipos de calor: primeiro, a fervura, para aumentar a temperatura de toda a batata e cozinhar os amidos, e, então, o refogado, para aumentar a temperatura do exterior. Você pode cozinhar as batatas no micro-ondas em vez de cozinhá-las na água, mas a água salgada faz um bom trabalho em temperá-las.

Em uma panela de tamanho médio, ferva água salgada e cozinhe por 5 minutos:

3–4 batatas médias cortadas em pedaços pequenos "garfáveis" (700g)

Seque as batatas e transfira-as para uma panela de ferro fundido ou esmaltada em fogo médio. Adicione:

2–4 colheres (sopa) de azeite de oliva ou outra gordura (25–50ml) (restos de gordura de frango, pato ou bacon são ótimos)

1 colher (chá) de sal grosso (6g)

Mexa de vez em quando, virando as batatas para que os lados virados para baixo tenham tempo suficiente para dourar, mas não queimem. Quando a maioria das batatas já estiver dourada em boa parte dos lados, cerca de 20 minutos, diminua o fogo, adicione mais azeite ou gordura, se necessário, e adicione:

2 colheres (chá) de páprica (4g)

2 colheres (chá) de orégano seco (2g)

1 colher (chá) de cúrcuma (2g)

Cozimento parcial (*par-cooking*) — é cozinhar parcialmente um alimento para acelerar o cozimento seguinte — não se trata de sujar ainda mais louça. A etapa de culinária parcial acelera o tempo de cozimento porque a água fornece calor mais rapidamente às batatas. Você pode pular a etapa da culinária parcial e cozinhar as batatas apenas na panela, mas elas levarão cerca de 30 minutos a mais para cozinhar.

Pão de Alho Fabuloso

Alho com manteiga em um pão tostado: o que poderia ser melhor para um amante de alho? O alho tem uma história culinária fabulosa (procure na internet por "Vinagre dos quatro ladrões") e muitos benefícios conhecidos à saúde (da alicina — veja a observação sobre espremedores de alho).

Mas nem mesmo alho e manteiga podem salvar um pão ruim. O pão de supermercado — os filões recém-assados em uma cadeia de supermercados — nunca são tão bons quanto um verdadeiro pão de padaria. Se puder, comece com um pão fabuloso.

Pique — não use espremedor! — **um montão de alho.** Seis dentes (4 colheres [sopa]/60g), ou meia cabeça de alho, não são um exagero; os verdadeiros amantes de alho podem querer mais. Transfira o alho para uma pequena tigela e adicione:

- **4 colheres (sopa) de manteiga derretida (60g)**
- **2 colheres (sopa) de azeite de oliva (30ml)**
- **½ colher (chá) de sal marinho ou sal com alho (2g) (não use se a manteiga for com sal)**
- **2-4 colheres (chá) de salsinha fresca picada (10 a 20g)**
- **1-2 colheres de flocos de pimenta vermelha (opcional)**

Misture os ingredientes para incorporar.

Abra **um filão de pão italiano ou francês** ao meio, formando uma parte de cima e uma de baixo. Coloque o pão, com as duas metades para cima, em uma assadeira com papel-alumínio. Pincele a mistura de alho sobre o pão ou espalhe com uma colher. Asse o pão em forno preaquecido a 180°C por 8 a 10 minutos (ou mais, se quiser um pão de alho mais crocante), e então grelhe no forno até que a parte de cima esteja dourada.

Notas

- *Adicione queijo parmesão ou muçarela por cima. Ou use ervas diferentes como orégano seco no lugar da salsinha, que é tradicionalmente usado devido à crença errônea de que ele corta os odores corporais do alho. Você pode também fatiar o pão ou mesmo cortá-lo em cubos antes de assar.*

- *O alho começa a dourar e tostar entre 125 e 140°C. Se ficar muito marrom, vai ficar com gosto de queimado. Preste atenção ao alho enquanto estiver grelhando o pão.*

Tempo e Temperatura

Quando você deve picar o alho em vez de usar o espremedor?

Eu recomendo espremedores por conveniência; entre uma rápida espremida de alho e sem alho, fico com a espremida rápida. Mas algumas pessoas odeiam a ideia de usar um espremedor porque ele muda o sabor do alho — mas apenas em alguns casos.

O problema do sabor é causado por uma enzima suscetível ao calor (que se degenera quando aquecida) no alho, a alinase. Quando o alho é amassado, a alinase entra em contato com um composto, a aliina, e a converte em outro composto, a alicina. A alicina não tem um cheiro tão bom, o que não surpreende para um composto à base de enxofre. Em 6 segundos, metade da aliina já está convertida em alicina (a alinase é a proteína mais abundante no alho, então a taxa de reação é muito rápida). Fatiar ou picar o alho não mistura a aliina à alinase, e quando o alho é aquecido, a alinase não consegue reagir, então não há alicina. A única forma de evitar essa reação com um espremedor de alho é espremer o alho diretamente dentro de algo como óleo quente. Se está seguindo uma receita que não permite isso, fatie ou pique o alho para evitar a mudança de gosto.

Mas não é só isso. Embora a alicina não tenha um cheiro tão bom, é o único componente no alho conhecido por trazer benefícios à saúde. Sinto muito, pessoal, mas sem aquele cheiro colateral do alho cru ou amassado não há benefícios!

154°C: As Reações de Maillard Se Tornam Perceptíveis

Frango à Borboleta, Grelhado e Assado

Você pode ser do tipo que prefere deixar o açougueiro fazer o seu trabalho, mas vale a pena aprender a fazer um frango à borboleta (também conhecido como frango aberto), mesmo que tenha nojo de carne crua. Preparar o frango à borboleta é chamado de spatchcocking, no Reino Unido, e de crapaudine, na França — pelo menos para pequenas aves grelhadas. É muito mais fácil de preparar do que um frango inteiro! Também é econômico, rendendo de quatro a seis refeições baratas com poucos minutos de cirurgia.

Um frango que já tenha sido limpo por dentro e por fora é topologicamente um cilindro. É basicamente um pedaço grande e redondo de pele e gordura (camada exterior), carne (camada do meio) e ossos (camada interna). Cozinhar um frango inteiro intacto é mais difícil que um frango à borboleta, porque invariavelmente tal cilindro será aquecido de direções diferentes em taxas diferentes. Isso é, a não ser que você tenha uma grelha com espeto giratório, que aquece o exterior de forma uniforme, cozinha o frango de forma uniforme e torna ele gostoso de forma uniforme.

Ao quebrar a espinha do frango, o cilindro é transformado em um frango plano — pele por cima, carne no meio, ossos no fundo. E a topologia de tal superfície é adequada para o calor vindo de uma única direção (como em grelhados), o que significa que é muito mais fácil cozinhar e desenvolver uma pele crocante, dourada e gostosa.

1. Prepare o seu local de trabalho. Eu faço isso em uma assadeira, porque já vou ter que sujá-la de qualquer forma. Abra o frango, removendo os miúdos (jogue fora ou guarde para outra coisa) e pegue um par de tesouras grandes de cozinha. O frango deve estar seco; se não, seque com toalhas de papel.

2. Vire o frango de forma que a entrada do pescoço esteja direcionada para você. Com as tesouras, corte o lado direito da coluna (ou lado esquerdo se for canhoto). Não aplique muita força. Certifique-se de não cortar a coluna em si, mas ao lado.

3. Após ter feito o primeiro corte, vire novamente o frango — é mais fácil para cortar o lado exterior da coluna — e corte o segundo lado.

4. Depois que a coluna for removida (jogue fora ou guarde no congelador para fazer caldos), vire o frango novamente, com a pele para cima e, usando as duas mãos — mão esquerda no peito esquerdo, mão direita no peito direito —, aperte para quebrar o esterno, de forma que o frango fique reto. Você também pode remover a quilha, mas não é necessário. (A quilha é o que une as duas metades do frango à borboleta.)

Agora que já possui um frango à borboleta, cozinhá-lo é simples. Já que a pele está de um lado e os ossos de outro, é possível usar duas fontes de calor diferentes para cozinhar os dois lados até o nível de cozimento correto. Isso é, você pode efetivamente cozinhar o lado da pele até estar dourado pelas reações de Maillard, e, então, virar o frango e terminar de cozinhar até um termômetro de carne ou uma inspeção manual indicar que está pronto.

Passe azeite de oliva na parte externa do frango à borboleta e salpique com sal. (O azeite evitará que a pele seque durante o cozimento.) Coloque o frango em uma grade de grelha na assadeira com a parte da pele para cima. (A grade levanta o frango da assadeira, de forma que ele não cozinhe com os líquidos que saem dele.) Coloque as asas para cima, sobre e abaixo dos peitos de forma que não fiquem expostas ao calor.

Deixe assar em fogo médio por cerca de dez minutos, ou até a pele desenvolver um tom dourado bonito. Mantenha 15cm entre o frango e o elemento de aquecimento do seu forno. Se o seu forno for particularmente forte e partes começarem a queimar, é possível criar um "miniescudo de calor" com papel-alumínio.

Quando o lado da pele estiver dourado, vire o frango (eu uso folhas de papel toalha dobradas em vez de pinças para evitar rasgar a pele). Deixe assar no forno por volta de 177°C. De preferência, use um termômetro de carne ajustado para apitar em 71°C (o calor latente o levará até 74°C). Se não tiver um termômetro de carne, veja se o frango está pronto em mais ou menos 25 minutos, cortando uma coxa e verificando se os líquidos estão claros e a carne parece estar cozida. Se não estiver pronto, junte novamente as duas metades e devolva para o forno, verificando periodicamente.

Notas

- *Algumas pessoas gostam de salmourar os frangos. No mínimo, isso adiciona sal à carne, mudando o sabor. Tente salmourar o frango em solução salina por mais ou menos meia hora (½ xícara/150g de sal, 2 litros de água gelada — outra opção é apenas jogar sal na água até ela ficar saturada). Se for deixar salmourando por mais de uma hora, mais tempo produz um frango mais salgado, armazene na geladeira para manter o frango abaixo de 4°C enquanto é salmourado.*

- *O programa de TV Good Eats, de Alton Brown, tem um episódio sobre frango à borboleta. Ele cria uma pasta de alho/pimenta/casca de limão para rechear embaixo da pele, e assa o frango sobre uma cama de legumes (cenouras, beterrabas, batatas). É uma ótima receita, já que a pasta adiciona muito sabor ao frango e os legumes absorvem os líquidos dele. Para outra variação, experimente colocar alho picado e ervas aromáticas como alecrim sob a pele.*

- *Para mais inspiração, veja o* Mastering the Art of French Cooking, Volume 2, *de Julia Child et al. (Knopf), que possui uma excelente descrição do Volaille Demi-Désossée — frango meio desossado — começando na página 269. Ela remove o esterno (deixando a coluna intacta), recheia o frango (foie gras, trufas, fígado de frango e arroz), costura para fechar e assa. Observar receitas tradicionais — tanto recentes quanto mais antigas — é uma ótima forma de entender melhor a comida.*

154°C: As Reações de Maillard Se Tornam Perceptíveis

Vieiras Seladas

As vieiras são uma dessas coisas surpreendentemente fáceis, geralmente ignoradas. Procure vieiras embaladas a seco — não em líquidos — para evitar que soltem água enquanto cozinham. As congeladas de boa qualidade funcionam bem (certifique-se de que a lista de ingredientes diga apenas "vieiras" para garantir que são embaladas a seco também); descongele-as durante a noite no refrigerador.

Prepare as **vieiras** para serem cozidas secando-as com uma folha de papel e colocando-as em um prato ou tábua de corte. Se as suas vieiras ainda estiverem presas nas bases, retire-as com os dedos e guarde-as para alguma outra função.

> Não sabe o que fazer com os pequenos músculos laterais presos ao corpo principal da vieira (bases)? Frite-os na panela após cozinhar os corpos e coma quando ninguém estiver olhando.

Coloque uma panela em fogo médio–alto. Quando estiver quente, derreta mais ou menos **15g/1 colher (sopa) de manteiga** — o suficiente para criar uma cobertura grossa. Com a ajuda de pinças, coloque as vieiras na panela. Elas devem chiar quando encostarem na panela; se não for o caso, aumente o fogo.

Deixe-as selar até os fundos ficarem dourados, cerca de dois minutos. Não cutuque ou espete as vieiras enquanto elas cozinham; senão você terá interferido na transferência de calor entre a manteiga e a carne da vieira. Quando o primeiro lado estiver pronto (use as pinças para pegar uma e inspecionar o lado cozido), vire as vieiras para cozinhar o outro lado, esperando novamente até ficar dourado, cerca de dois minutos. Ao virá-las, coloque-as em partes da panela que não estavam ocupadas. Essas áreas serão mais quentes e terão mais manteiga; isso ajuda a cozinhá-las mais rapidamente.

Depois de cozidas, transfira as vieiras para um prato limpo para servir.

Notas

- Tente servir essas vieiras sobre uma salada simples — digamos, um pouco de rúcula/mostarda persa misturada com um leve molho de vinagre balsâmico e algumas cebolinhas-brancas e rabanetes picados.

- Se não tiver certeza se as vieiras estão prontas, transfira uma para uma tábua e corte-a pela metade. Se quiser disfarçar o fato de que cortou uma delas, corte todas as partes na metade e sirva-as dessa forma. Isso faz com que você também verifique se todas estão prontas.

- Você pode cobrir as vieiras cruas com migalhas de pão ou outra cobertura leve e rica em amido. Se tiver ervilhas cobertas com wasabi, use um pilão ou liquidificador para moer e transfira-as para um prato para empanar as vieiras.

Experimente amassar ervilhas com wasabi para empanar as vieiras antes de selar.

180°C: O Açúcar Começa a Caramelizar Visivelmente

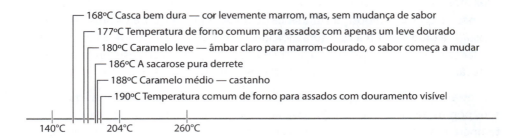

Temperaturas relacionadas com a caramelização da sacarose e assados.

Calda caramelada: deliciosa, carregada de calorias, e feita com o simples aquecimento do açúcar. Diferente das reações de Maillard, que receberam o nome do químico que as descreveu, a caramelização tem o nome do resultado final. A palavra vem do francês do século VXII para "açúcar queimado", originária do latim "cana" (canna ou calamus) e "mel" (mel) — uma boa descrição visual para o açúcar dourado e derretido!

Há várias maneiras de queimar açúcar (além de se distrair enquanto cozinha). A mais simples é com calor seco: em uma panela seca, o açúcar irá se decompor — degenerando-se sob o calor. A estrutura molecular da sacarose se quebra e passa por reações que criam mais de quatro mil compostos. Alguns são marrons (as reações de polimerização insossas mais bonitas já vistas!) e outros têm um cheiro maravilhoso (agradeça à reação de fragmentação pelo cheiro e por alguns gostos amargos).

Aquecer açúcar com água, como nas receitas com método úmido, muda ligeiramente as coisas. Úmida, a sacarose se hidrolisa — uma reação que envolve a absorção de água (daqui em diante "hidro"). Ela se hidrolisa em glucose e frutose, processo chamado de inversão da sacarose. Com o calor, as moléculas rearranjam suas estruturas, expulsam uma molécula de água e se iniciam inúmeras reações químicas. A hidrólise da sacarose é uma reação simples. Mesmo que você não seja bom em química, pode ver que o número de átomos de um lado da equação é o mesmo que do outro:

$$C_{12}H_{22}O_{11} + H_2O = C_6H_{12}O_6 + C_6H_{12}O_6$$
$$\text{Sacarose} + \text{Água} = \text{Glucose} + \text{Frutose}$$

É assim que os confeiteiros fazem xarope de açúcar invertido! A concentração de açúcar, a temperatura e o pH aceleram a reação, por isso algumas receitas de caramelo pedem cremor de tártaro, ele acelera a conversão para glicose e frutose. E como a frutose tem uma temperatura de caramelização inferior (mais sobre isso em um minuto), uma calda úmida deve, em teoria, caramelizar em temperaturas mais baixas e ter uma composição química diferente da seca. A química completa da caramelização ainda é pouco compreendida — embora pesquisadores tenham conseguido descrever algumas das reações, o caminho ainda tem seus mistérios.

Descrever temperaturas para caramelização é complicado devido aos pontos de fusão próximos e às faixas de temperatura de decomposição. A fusão, mudança física, não é o mesmo que decomposição, mudança química. Por definição, a sacarose é uma substância pura: tem uma estrutura molecular específica. Ela se funde a 186°C, uma mudança de estado em que passa do sólido para o líquido. A glucose tem um ponto de fusão em 146°C; a frutose, um ponto relativamente frio de 103°C.

Mas esses açúcares começam a se decompor em temperaturas mais baixas que seus pontos de fusão. A decomposição acontece em uma taxa muito lenta, em temperaturas modestas, e alcança uma taxa notável quando a temperatura aumenta. Para a sacarose, esse ponto de inflexão é perto de 170°C, 16°C abaixo do ponto de fusão. Se muita decomposição acontecer antes que a sacarose seja aquecida até o ponto de fusão, os grânulos de açúcar "aparentemente derretem", para usar a expressão cunhada pelos pesquisadores. Aquecer um grão de açúcar de mesa — moléculas de sacarose (com algumas impurezas!) agrupadas em uma estrutura cristalina — para logo abaixo do ponto de fusão converte algumas das moléculas em outros componentes através da decomposição térmica. O grão de açúcar não é mais uma substância pura! É por isso que ele "aparentemente" se funde abaixo de seu

Como os Cientistas Sabem Quando Alguma Coisa Está Se Fundindo?

Uma técnica comum utilizada é a *calorimetria diferencial de varredura* (DSC). Na DSC, os cientistas monitoram de perto a temperatura de uma amostra em um ambiente fechado enquanto o aquecem, registrando a quantidade exata de energia necessária para aumentar a temperatura a uma taxa constante, e registrando a mudança precisa da temperatura. A DSC captura mudanças de fase (por ex., da sólida para a líquida) e mudanças químicas (como a desnaturação das proteínas ou a decomposição térmica), porque essas mudanças exigem energia térmica, mas não aumentam a temperatura.

Dê uma olhada no gráfico da DSC. Ele mostra quanta energia foi necessária para aquecer uma amostra em temperatura ambiente até seu ponto de fusão, aumentando a temperatura a uma taxa constante ao longo do curso de cerca de um minuto. O gráfico notavelmente começa a subir por volta dos 170°C e depois novamente por volta dos 180°C, e essa é a razão pela qual a caramelização é com frequência descrita nessas temperaturas. Mas note que a linha começa a subir bem antes delas! Aquecer a sacarose a uma taxa menor muda esses dois pontos de inflexão para temperaturas menores; se for aquecida de modo suficientemente lento, a decomposição e a fusão vão aparecer em pontos distintos. Cozinhar açúcar "em fogo brando e lento" ainda irá decompô-lo termicamente; só vai levar mais tempo.

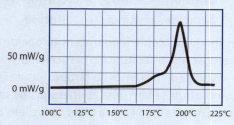

Gráfico da DSC para a sacarose.

ponto de fusão verdadeiro quando aquecido lentamente. O açúcar, como tudo que compõe nossos alimentos, é uma coisa fascinante e complicada.

Quanto ao sabor, a caramelização é como as reações de Maillard, no sentido de que gera centenas de componentes, e eles resultam tanto no douramento quanto em aromas agradáveis. Para alguns alimentos, estes aromas, por mais maravilhosos que sejam, podem sobrepujar ou interferir nos sabores dos ingredientes. Por esse motivo, alguns assados são preparados a 177°C ou até mesmo a 163°C, de modo a não passarem por muita caramelização, enquanto outros alimentos são cozidos a 191°C ou mais para facilitá-la. Ao cozinhar, pergunte-se se deseja que o que está preparando tenha aromas caramelizados, se for esse o caso, ajuste o forno para pelo menos 191°C ou aumente o tempo de cozimento o suficiente para que a reação ocorra. Se perceber que a comida não está saindo dourada, é possível que seu forno esteja descalibrado, então aumente a temperatura.

O amido carameliza?

Não diretamente. O amido é um carboidrato complexo; a caramelização é a decomposição de carboidratos simples, como açúcares. Exposto ao calor por certo tempo, o amido se quebra em dextrina, que é um grupo de moléculas de glucose interligadas. As dextrinas são normalmente usadas como adesivos — aquilo que você lambe para fechar um envelope — e são criadas pelo aquecimento do amido por várias horas. Processos adicionais a convertem em coisas como a maltodextrina (veja a p. 416), mas quase todo o douramento que você vê em alimentos cozidos vem de açúcares (caramelização) e da redução de açúcares com aminoácidos (reações de Maillard). O amido pode ser quebrado em glucose, que irá caramelizar, tanto através de reações enzimáticas como da hidrólise, por isso há exceções. Para ver a diferença, asse um punhado de amido de milho seco, açúcar, e farinha ao lado de versões umedecidas de cada um (para ver como a água muda as coisas), em uma assadeira forrada, a 190°C, por 10 minutos e investigue os resultados.

Temperaturas de assados comuns, divididos entre os abaixo e os acima da temperatura na qual a sacarose começa a dourar visivelmente.	
Assados a 163–177°C	**Assados a 191°C ou mais**
Brownies	Pães Biscoitos de açúcar
Cookies com gotas de chocolate (*macios 10–12 minutos*)	Biscoitos de pasta de amendoim
Pães doces: pão de banana, pão de abóbora, pão de abobrinha	Cookies com gotas de chocolate (*crocantes 12–15 minutos*); temperaturas mais altas significam mais água evaporada
Bolos: bolo de cenoura, bolo de chocolate	Pães de farinha e de milho Muffins

180°C: O Açúcar Começa a Caramelizar Visivelmente

Biscoitos de Açúcar, Biscoitos Amanteigados e Biscoitos de Canela

Qual a diferença entre um biscoito de açúcar, um biscoito amanteigado e um biscoito de canela (snikerdoodle)? Nas quantidades, todos eles são 25% açúcar, 25% manteiga, 44% farinha, 5% ovos e 1% outras coisas. E é esse "1% de outras coisas" que faz toda a diferença. Biscoitos amanteigados não levam nenhum agente de crescimento, enquanto que tanto os biscoitos de açúcar como os de canela levam. Os biscoitos de canela também precisam de cremor de tártaro, que dá a eles um sabor picante e uma textura mais dura.

Os biscoitos são um exemplo perfeito tanto de caramelização como das reações de douramento de Maillard. Algumas pessoas gostam de seus biscoitos pouco dourados; outras gostam deles bem torrados. Pessoalmente, gosto dos biscoitos de açúcar macios e pouco dourados e dos amanteigados dourados.

Em uma tigela pequena, misture **2 ½ xícaras (chá) de farinha (350g)** e **1 colher (chá) de sal (6g)**. Opcionalmente, adicione **½ colher (chá) de fermento em pó (2,5g)**, a não ser que pretenda fazer biscoitos amanteigados. Se estiver fazendo biscoitos de canela, adicione também **2 colheres (chá) de cremor de tártaro (6g)**. Use um misturador ou garfo para incorporar os ingredientes.

Em uma tigela grande, faça um creme com **1 xícara (chá) de manteiga sem sal (230g)** (em temperatura ambiente) e **1 xícara (chá) de açúcar (200g)**. Adicione **1 ovo grande (50g)** e **1 colher (chá) de extrato de baunilha (5ml)** e misture. Se preferir, adicione aromatizantes como **¼ de colher (chá) de extrato de amêndoas (1,25ml)** ou **1 colher (chá) de raspas de limão (2g)**.

Misture metade dos ingredientes secos em uma tigela grande. Repita com o resto dos ingredientes secos. Se tiver tempo, deixe a massa descansar por algumas horas — tradicionalmente, essas massas são firmadas de modo que possam ser enroladas e cortadas em formatos diversos.

Se gostar, prepare açúcar para passar pelas bolinhas de massa, colocando **¼ de xícara (chá) de açúcar (50g)** em um prato pequeno. Para os biscoitos de canela, adicione **1 colher (sopa) de canela (8g)** e misture com o açúcar. Para biscoitos de açúcar aromatizados, experimente adicionar **2 colheres (sopa) de sementes de erva-doce (12g)** ao açúcar. Para biscoitos craquelados, monte um segundo prato com **¼ de xícara (chá) de açúcar de confeiteiro (30g)**.

Para assar, divida a massa em porções de 15g, fazendo pequenas bolas de mais ou menos 2,5cm de diâmetro, e passe-as pelo açúcar. (Você também pode abrir a massa com um rolo e usar cortadores de biscoito — veja a p. 340 para saber como fazer o seu.) Coloque as bolinhas de massa em uma assadeira forrada com papel-manteiga e achate-as usando um garfo ou a palma da mão. Para biscoitos mais macios e leves, asse a 165°C por 10 a 12 minutos; para biscoitos mais crocantes e firmes, asse a 190°C por 10 a 12 minutos. Se gosta dos biscoitos crocantes e mais escuros, tente assá-los a 165°C por 25 a 30 minutos.

Notas

- Se biscoitos de açúcar ou de manteiga não são o que você mais gosta, experimente adicionar aromatizantes à mistura, passando a massa por açúcar e nozes picadas, ou mergulhando os biscoitos assados em chocolate. Para biscoitos com sabor de chocolate, substitua ½ xícara (chá) de farinha (70g) por ½ xícara (chá) de cacau em pó (40g). Para algo mais festivo, passe as bolinhas de massa em açúcar colorido — para fazer o seu açúcar colorido, misture algumas gotas de corante alimentício com ¼ de xícara (chá) de açúcar (50g) em um saco plástico, feche a agite bastante. Ou seja criativo e faça duas porções de massa — uma de baunilha e uma de chocolate, ou duas porções tingidas de cores diferentes — e então enrole as duas juntas para formar um rocambole que possa ser fatiado, com uma massa no centro e outra ao redor.

- Os snikerdoodles modernos são essencialmente biscoitos duros de açúcar polvilhados com canela, mas não foi sempre assim. A receita mais antiga que conheço não usa farinha, o que provavelmente era útil para o cozinheiro do século XIX, que se via sem farinha, mas queria preparar algo gostoso. Se gosta dos biscoitos de canela à moda antiga, dê uma olhada em http://cookingforgeeks.com/book/snickerdoodles/ (site em inglês) e use ovos pequenos (os ovos modernos são maiores).

- Os biscoitos craquelados, quase sempre feitos com massas mais escuras que incluem cacau em pó ou melado, obtêm sua aparência craquelada ao serem passados em açúcar. À medida que o biscoito expande, o açúcar absorve líquido, o que faz com que a superfície fique ressecada e pronta antes que o biscoito tenha se expandido completamente. Para melhores resultados, passe a massa no açúcar duas vezes: primeiro em açúcar refinado e depois em açúcar de confeiteiro.

325°F/160°C   350°F/180°C   375°F/190°C   400°F/200°C

Os biscoitos assados em 180°C ou menos permanecem mais claros porque a sacarose não se carameliza nessas temperaturas quando assada em tempos de forno padrão. Tente fazer duas porções de biscoitos, uma com frutose no lugar do açúcar de mesa para ver que diferença a caramelização faz!

Laboratório: Taxas de Reações Saborosas — Encontre o Seu Biscoito Perfeito

Aqui temos um experimento simples, e os dados são deliciosos! Todos têm uma ideia particular de como seria o biscoito perfeito, e a textura é uma grande parte da perfeição, pelo menos nesse caso. Se gosta do seu biscoito mole por dentro, eles precisam ser assados de forma que algumas das proteínas dos ovos permaneçam cruas. Se gosta deles crocantes, precisam ser assados de forma que a maior parte da umidade evapore. Mas e se quiser um biscoito que seja crocante nas bordas e mole por dentro? É possível — com a combinação certa de tempo e temperatura.

Quase todas as reações na culinária são baseadas na temperatura. Diferentes reações ocorrem em diferentes temperaturas, mas não é tão simples como dizer "essa reação ocorre aos x graus". As reações se aceleram com uma temperatura maior, e muitos dos limites de temperatura para diferentes reações se confundem. Por exemplo, a umidade na massa de biscoito evapora ao mesmo tempo em que as proteínas do ovo na massa atingem o ponto ideal.

Encontrar o seu biscoito perfeito exige testes para descobrir qual combinação exata de tempo e temperatura dará a você as propriedades que prefere. Experimente assar massas de biscoito por tempos e temperaturas diferentes para ver como as reações mudam.

Primeiro, pegue esse material:

- Uma porção de massa de biscoito de cor clara (veja a p. 224 para a massa de biscoito de açúcar, ou use massa industrializada)
- Material para assar os cookies: colher, espátula, papel-manteiga, assadeira, timer e forno
- Duas folhas de papel de carta ou A4 e uma caneta

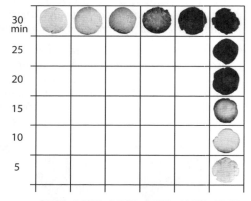

Laboratório: Taxas de Reações Saborosas — Encontre o Seu Biscoito Perfeito

Preparo:

1. Escolha os intervalos de tempo e temperatura com que quer trabalhar. Por exemplo, você pode escolher cobrir um intervalo de temperatura de 150°C a 190°C em intervalos de 12,5°C, e um de tempo de 6 a 21 minutos em intervalos de 3 minutos.

2. Crie uma grade nas folhas de papel, marcando o eixo X com cada uma das temperaturas e o eixo Y com cada um dos tempos. Deixe mais ou menos 6cm entre cada marcação.

3. Asse!

   a) Ajuste o forno para a menor temperatura que escolheu.

   b) Coloque pequenas porções de massa com aproximadamente 15g cada em uma assadeira forrada com papel-manteiga. Se estiver assando em seis tipos diferentes de tempos para cada temperatura, coloque seis bolas de massa na assadeira.

   c) Ajuste o timer para o início do intervalo de tempo (ex.: 6 minutos) e comece a assar os biscoitos.

   d) Quando o alarme apitar, retire um dos cookies e coloque-o na grade no local certo.

   e) Ajuste o timer para o intervalo (exemplo: 3 minutos) e retire outro biscoito quando o timer tocar. Repita o processo até que todos os biscoitos para aquela temperatura estejam assados.

   f) Quando tiver terminado com uma faixa de temperatura, aumente a temperatura do forno para a próxima e espere 10 minutos para que ele se ajuste. (Se está fazendo o experimento em grupo, você pode dividir quem faz cada temperatura, mas certifique-se de calibrar os fornos e usar assadeiras do mesmo material.)

Hora da investigação!

Há duas reações de douramento diferentes que acontecem quando você assa um alimento: as reações de Maillard e a caramelização. O que você nota sobre quanto tempo os biscoitos demoraram para assar até o dourado médio em uma temperatura e na outra? Você acha que poderia fazer uma estimativa sobre o quão mais rápido um biscoito assaria com um aumento de 12,5°C na temperatura?

Analise o cookie assado na temperatura mais baixa, por mais tempo, e compare com a temperatura mais alta e o tempo de forno mais curto. O que você nota sobre as diferenças entre a cor das bordas e do centro? O que poderia causar isso?

O que acha que aconteceria se você mudasse os ingredientes da massa como, por exemplo, diminuísse a quantidade de açúcar ou adicionasse um ácido como suco de limão?

180°C: O Açúcar Começa a Caramelizar Visivelmente

Calda de Caramelo

A calda de caramelo é um desses componentes que parecem complicados e misteriosos até serem feitos, momento em que você se pergunta: "É isso mesmo?". Da próxima vez que for tomar uma tigela de sorvete, servir peras cozidas ou procurar por uma cobertura para brownie ou cheesecake, tente fazer sua própria calda.

Há dois métodos para fazer calda de caramelo: o úmido e o seco.

Método úmido: Este é o método tradicional de preparo, e a única forma de fazer calda de caramelo clara. Adicionar xarope de milho à calda impede que as moléculas de sacarose se cristalizem e empelotem. Se não tiver xarope de milho, tome cuidado para não mexer muito; isso acelera a formação de cristais.

Calda de caramelo feita com o método seco.

Versão de micro-ondas:

O micro-ondas faz o serviço rápido — ele aquece rapidamente a água, que então aquece o açúcar. Em uma tigela refratária clara, aqueça **1 xícara (chá) de açúcar (200g)** e **¼ de xícara (chá) de água (60ml)** por 1 a 3 minutos, prestando atenção à cor do açúcar. Ele vai borbulhar e permanecer claro por algum tempo e então, de repente, começará a ficar marrom — pare o micro-ondas aí! Você pode deixá-lo por mais alguns segundos se quiser um marrom mais pronunciado. Remova a mistura do micro-ondas e adicione bem devagar de **½ a 1 xícara (chá) de creme de leite (120 a 240ml)** (use mais creme para uma calda mais líquida), mexendo para agregar os ingredientes.

Versão de fogão:

Em uma panela, aqueça **1 xícara (chá) de açúcar (200g)** e **¼ de xícara (chá) de água (60ml)**. Se preferir, adicione **1 colher (sopa) de xarope de milho (15ml)**. Deixe a mistura no fogo de 5 a 10 minutos. Durante esse tempo, você vai ver que a maior parte da água evapora. Observe que o som do borbulho muda. Usando um termômetro digital, aqueça a calda de açúcar até 175–180°C, ou observe quando ela começar a adquirir uma cor âmbar. Você pode cozinhar a calda em temperaturas maiores para obter aromas mais ricos, mas para isso o método a seco é mais fácil. Retire a mistura do fogo e adicione lentamente de **½ a 1 xícara (chá) de creme de leite (120 a 240ml)** (utilize mais creme para uma calda mais líquida), mexendo para agregar os ingredientes.

Método seco: *Se estiver fazendo uma calda de caramelo marrom-médio — acima do ponto de fusão da sacarose —, você pode deixar de lado o termômetro, a água e o xarope de milho e pegar um atalho: apenas derreter o açúcar. Certifique-se de que a panela está seca — se houver água nela, isso fará com que o açúcar cristalize quando ela evaporar e ele não vai derreter muito bem.*

Em uma frigideira ou panela grande em fogo médio–alto, aqueça **1 xícara (chá) de açúcar refinado (240g).**

Preste atenção no açúcar até ele começar a derreter, ponto no qual você deve diminuir o fogo. Quando as partes exteriores derreterem e começarem a dourar, use uma colher de madeira para misturar as partes derretidas e não derretidas de forma a distribuir o calor de maneira equilibrada e evitar queimar as partes mais quentes.

Quando o açúcar tiver derretido completamente, retire do fogo e adicione lentamente **1 xícara (chá) de creme de leite (240ml)** (use mais creme para uma calda mais líquida) enquanto mexe para misturar.

Notas

- *Isso é uma bomba de calorias: 1.589 calorias com uma xícara (chá) de creme de leite e uma de açúcar. Mas é gostoso!*

- *Tente adicionar uma pitada de sal ou uma pitada de extrato de baunilha ou suco de limão à calda de caramelo resultante.*

- *Diferentes pontos de temperatura na faixa de decomposição produzem diferentes compostos de sabor. Para um sabor mais complexo, tente fazer duas porções de calda de caramelo, uma com o açúcar pouco derretido e outra com ele mais dourado. As duas porções terão sabores distintos; misturá-los (depois de frios) resultará em um sabor mais complexo e completo.*

- *A sacarose tem calor latente alto — isso é, a molécula de açúcar é capaz de mover-se e agitar-se em muitas direções diferentes. Devido a isso, a sacarose fornece muito mais energia quando passa pela transição de fase líquida para sólida, então pode queimar muito, muito pior que muitas outras coisas na cozinha no mesmo nível de temperatura. Existe um motivo pelo qual confeiteiros chamam isso de "Napalm líquido".*

180°C: O Açúcar Começa a Caramelizar Visivelmente

Qual a Diferença entre Açúcar de Beterraba e Açúcar de Cana?

De uma perspectiva molecular, sacarose é sacarose: ela tem uma estrutura molecular definida e as moléculas de sacarose do seu pote de açúcar são idênticas às do meu. Mas o açúcar de mesa que usamos é apenas na maior parte sacarose. Há alguma coisa em torno de 0,05% a 0,1% de traços de impurezas no açúcar branco refinado, e essas impurezas podem variar de acordo com as condições de plantio e a origem das plantas. Existem também diferenças potenciais na qualidade da estrutura cristalina. Um grão de açúcar é um pequeno cristal de moléculas de sacarose, e assim como o diamante Hope, a estrutura cristalina não é 100% pura. Uma pesquisa de 2004 fez a análise DSC em duas amostras de sacarose e encontrou diferenças notáveis nas taxas de fusão e decomposição.

Quase metade do açúcar dos Estados Unidos vem da cana-de-açúcar, enquanto a outra metade vem da beterraba. Os rótulos do açúcar não precisam identificar de que planta ele é proveniente, e as indústrias produtoras de açúcar afirmam que avaliadores sensoriais treinados não conseguem diferenciá-los. Padeiros e fóruns online discordam, achando o açúcar da cana fortemente preferível ao da beterraba. Um artigo de 2014 da Universidade de Illinois dá suporte à opinião deles: o aroma e o sabor eram claramente diferentes, com 62 avaliadores detectando diferenças entre os dois tipos de açúcar quando usados em pavlova e xarope simples. Contudo, eles não detectaram diferenças entre os dois tipos quando foram usados em biscoitos de açúcar, pudins, chantili ou chá gelado.

Cenouras Refogadas com Cebola Roxa

Refogar vegetais como cenouras cria um sabor agradável de nozes e tostado proveniente tanto das reações de Maillard como da caramelização. Adicionar um açúcar — mel, açúcar mascavo, xarope de bordo — intensifica sabores e cores.

Prepare **1kg de cenouras**: descasque-as — a casca pode ser extremamente amarga, e retirá-las melhora o paladar — e corte as pontas. Se algumas cenouras forem muito mais grossas que as outras, corte-as ao meio. Fatie **1 ou 2 cebolas roxas pequenas (70 a 140g)**, removendo completamente a pele e a raiz.

Pegue um recipiente refratário grande o suficiente para conter uma ou duas camadas de cenouras e cubra-as com uma camada fina de **azeite de oliva** ou **óleo de gergelim**. Adicione **1 colher (chá) de sal marinho (3g)** e as ervas de sua preferência — **cominho**, **canela**, **coentro** e **uma pitada de pimenta-de-caiena**. Acrescente **2 colheres (sopa) de açúcar mascavo ou xarope de bordo (25g)** e **uma colher (sopa) de suco de laranja ou de limão (15ml)** e misture. Transfira as cenouras e cebolas para a panela, misturando-as bem para cobrir todos os lados.

Preaqueça o forno a 220°C. Asse as cenouras por 20 ou 30 minutos, virando-as de vez em quando e retire-as quando estiverem douradas e macias.

Nota

- *Experimente misturar um pouco de salsinha fresca picada ou outra erva aromática depois de pronto.*

Bridget Lancaster: Mitos Culinários

Bridged Lancaster é a editora-executiva de culinária para televisão, rádio e mídia do America's Test Kitchen. Ela é membro do elenco original do show e também participou do Cook's Country, ambos exibidos na TV aberta dos Estados Unidos. Antes de trabalhar no America's Test Kitchen, ela cozinhava em restaurantes nas regiões sul e nordeste dos Estados Unidos.

Como você começou a cozinhar?

Adquiri o hobby de cozinhar com a minha mãe, que cozinha muito bem. Foi nessa época que começou a surgir a comida pronta para consumo, coisas pré-embaladas com "congelado" no final. Minha mãe se negava a comer aquelas coisas. Então tudo — bolos, pães — era sempre feito em casa, com os ingredientes que tínhamos.

Além disso, meu avô trabalhou no exército por anos. Quando ele estava na Coreia, pedia aos outros soldados comidas diferentes que haviam sido enviadas nas embalagens emergenciais. Eles então misturavam aqueles ingredientes e criavam outras comidas, algo especial que era oferecido pelo exército. Acho que ele sempre se interessou em transformar coisas monótonas e chatas em algo especial. Creio que foi daí que me inspirei a não aceitar menos, pensar sempre: "Acho que poderia ficar melhor ainda. Poderia ser mais que isso." E é essa a minha relação com a Cook's (Illustrated).

Uma vez você mencionou que cresceu sem saber que coisas como molho de macarrão vinham em lata. Quando você aprendeu mais sobre culinária, que coisas a surpreenderam mais em ver que as pessoas compravam em vez de fazerem elas mesmas?

Bom, essa foi uma delas, porque você não leva dez minutos para fazer um ótimo molho de macarrão com os ingredientes que tem em casa. O bife Salisbury na sessão de congelados, com purê de batatas congelado? É quase como se tivéssemos virado astronautas e estivéssemos contemplando a comida como algo a consumir em vez de ser uma refeição de verdade.

Sem falar que não existem excelentes produtos industrializados, como boas salsichas ou bons tomates enlatados. Eu uso tomates enlatados durante todo o inverno porque não gosto de comprá-los frescos durante essa estação. São como tomates de isopor vermelho.

Você mencionou que adquiriu o hobby de cozinhar com a sua mãe. Quais são as coisas que você queria ter aprendido com ela, que acha que são difíceis de aprender a não ser que se aprenda com alguém?

O ingrediente mais simples é aquele que "é o que é". Quanto menos você mexer na coisa, melhor.

Acho que faltava entender o passo mágico. Digamos que você coloque brownies no forno — ele entra e, quando sai, mudou totalmente de aparência. O que está acontecendo naquele momento? Eu nunca me fiz essas perguntas. Eu aceitava as coisas do jeito que eram.

Acho que muita gente acredita que seja mesmo uma caixa mágica. Você coloca a massa dentro, põe para assar e, de alguma forma, os cookies saem prontos de lá. Que outros passos mágicos acontecem que as pessoas não percebem ser tão importantes?

Algumas coisas acontecem antes mesmo de entrarem na tal caixa mágica. Uma delas é provavelmente mexer. Pense em massa de bolo, de cookies, de qualquer coisa assada. Antes de entrar na caixa mágica, se você mexer muito, a massa vai ficar dura demais. É o que agora conhecemos como o novo vilão, o glúten. Ele é importante para a estrutura, mas é fácil que ele seja mais ativado e que mais glúten seja formado, então você acaba com um bolo duro em vez de macio.

Com bife, a mágica está na hora de colocar sal. Minha mãe chamava o processo de "marinado",

Tempo e Temperatura

180°C: O Açúcar Começa a Caramelizar Visivelmente

mas agora sabemos que a soja é o ingrediente principal, então é mais algo como "salmourar". É uma salmoura, só que com mais sabor. Ela deixava a carne descansar por meia hora no shoyu, sem nenhum ácido. Depois colocava na grelha, e quando ficava pronta, estava muito saborosa.

Nossos avós não entendiam nada sobre tecido conjuntivo nem das conversas sobre colágeno na gelatina, mas sabiam que se você tivesse cortes duros de carne, conseguiria mudar a estrutura dela para algo diferente, tão diferente quanto massa de bolo comparada com um bolo já assado, simplesmente colocando aquele corte duro de carne no forno, quanto mais tempo e mais devagar melhor. Você realmente muda a estrutura só com a temperatura, o tempo e o quanto demora para o processo ocorrer.

A caixa-preta do cozimento de vegetais: o que as pessoas estão perdendo?

Acho que se pudesse voltar no tempo e pedir que minha mãe assasse alguns vegetais, eu seria menos seletiva. Quando somos crianças, nossas papilas gustativas são muito diferentes e percebemos o amargo antes de qualquer outro gosto.

Quando você assa algo, o amargo vai embora, deixando o gosto mais doce e intenso, mas não amargo. Acho que é a melhor coisa que dá para fazermos com vegetais! Couve-de-bruxelas assada. Agora tem até nos restaurantes! Eles trazem cestas de couves-de-bruxelas assadas e eu começo a rir, morro de vontade de fazer uma pesquisa, andar pelo restaurante perguntando: "Você comia couve-de-bruxelas quando era criança? Não era a pior coisa com que os seus pais o podiam ameaçar?" Agora comemos como se fosse pipoca. Outra coisa

é couve-flor. Acho que, em parte, devemos isso aos vegetarianos, até aos veganos, que queriam algo mais substancial como prato principal. Agora você vê bife de couve-flor: é elaborado, é caramelizado. Pode ser assado ou grelhado, mas você dá os mesmos tratamentos que damos à carne e outras coisas, e olhamos como uma forma de colocar mais sabor e transformar algo que foi apenas um acompanhamento por tanto tempo em alguma coisa mais especial.

É interessante que você faça essa conexão com a culinária vegetariana ou vegana. Existem outros subgrupos que lidam com comida que tenham introduzido coisas novas e interessantes para a população em geral?

Hoje, vemos uma ênfase em grãos diferentes. Não é apenas no vegetarianismo ou no veganismo, mas também nas pessoas com sensibilidade ao glúten. Elas não podem comer cevada. E também não podem comer trigo, é óbvio. Então, estamos vendo um processo de exploração. Algumas coisas são novas — pães feitos com novos grãos ou com uma combinação deles — e também estamos vendo um pouco de uma celebração de coisas que são naturalmente livres de glúten, como o pão de milho do sul. O pão de milho do norte tende a ter tanto farinha como milho, mas o pão de milho do sul é feito apenas com farinha de milho.

Muitas dessas modas começam nos restaurantes, porque você tem alguém entrando e dizendo: "Sou alérgico a laticínios". E depois há algumas culturas em que os alimentos são naturalmente sem laticínios. Pegue várias das comidas tailandesas. Você não vê leite e laticínios. Você vê leite de coco.

Acho que nossa cultura está se tornando mais diversificada, não apenas em sua gente, mas na culinária. Estamos vendo mais disso nos

livros de receitas, nos restaurantes e na comida caseira. Estamos agora experimentando novas cozinhas do mundo todo, que acontece de não usarem glúten ou laticínios, mas elas não foram fabricadas para ser dessa maneira. Você agora vê pessoas fazendo mingaus com leite de coco, em vez do leite normal, ou frapês com diferentes tipos de laticínios.

Quais são os erros comuns que você vê nas pessoas que estão aprendendo a cozinhar?

Provavelmente o erro número um é que elas têm medo do sal. Elas não sabem que o sal adicionado em vários estágios não apenas afeta o gosto como também a textura da comida. Você pensa sobre adicionar cebolas em uma panela que tem óleo ou manteiga — adicione um pouco de sal para secar a umidade, assim consegue obter mais caramelização e mais sabor. O passo mais importante, depois de desligar o fogão, é experimentar a comida. Ajustar os temperos no final. Está um pouco insosso? Será que o sal daria mais vida ao prato?

Número dois, as pessoas olham apenas para o relógio em vez de olhar a parte de baixo daquele peito de frango para saber se está dourado e no ponto certo. Isso dirá a você se está na hora de virá-lo, e não o tempo da receita.

Outra coisa: há o medo do equipamento. A coisa mais segura de se utilizar na cozinha é uma faca muito, muito afiada. A coisa mais perigosa é uma faca cega. E existe o medo do fogão, de certa forma. Vejo as pessoas ajustarem seus queimadores apenas no médio. Elas vão ficar imaginando por que, quando colocam a comida na panela, só fica vaporizada em vez de adquirir uma crosta escura e intensa. Você tem que aumentar o fogo, colocar um pouco de óleo na panela, e deixá-la aquecer até que o óleo comece a esfumaçar. A fumaça é às vezes um sinal de perigo, mas

232   Cozinha Geek

também é uma grande indicação de que a panela está pronta. Eu entendo esse medo, mas o calor nos dá a caramelização e o douramento do alimento.

De onde você acha que vem esse medo da cozinha?

Nós temos medo de fracassar, mas acho que há uma geração ou duas que nós fugimos da cozinha, e o micro-ondas se tornou outra caixinha de surpresa em que quase nenhuma preparação é necessária. As pessoas conseguem comer rápido. Eu sucumbi ao *mac n' cheese* do *Stouffer* preparado no micro-ondas algumas vezes na vida. Muito bom.

Quando você tem medo de alguma coisa, tem de encará-la todos os dias, e o medo passa. Acho que se está cozinhando uma vez ou duas por semana, não quer estragar tudo. Além disso, se comprar bons ingredientes, o choque ainda é maior, então você não quer *mesmo* estragar tudo.

Acho que houve uma geração para quem a culinária era vista como uma prisão. Não quero fazer política, mas nós não queríamos ficar amarrados ao fogão. Várias gerações não tiveram nenhum benefício por ficarem na cozinha. Pense na nonna italiana, sempre colocando alguma coisa dentro desse caldeirão mágico e mexendo, e retirando um molho de carne maravilhoso no final. Nem todos têm essa experiência. Eu acho que estamos fazendo um retorno. Mas quem pensaria que teríamos uma TV para culinária? Sou culpada por ser parte dela. Mas quem no mundo, além de Julia Child, você já pensou que estaria na sua TV, dizendo a você como cozinhar? Talvez Justin Wilson ou Graham Kerr, que Deus os abençoe.

Eu me lembro de ter lido, depois do onze de setembro, que houve um grande aumento na compra de equipamentos de cozinha, porque havia um sentimento de que as pessoas precisavam se confortar. Você precisava da segurança da sua casa. Eu me lembro de ler o artigo e pensar: "Aí está uma daquelas viradas de jogo para algumas pessoas".

Que aspectos da culinária e da ciência surpreenderam você? Coisas que deveriam ter sido fáceis, mas foram difíceis, ou que eram difíceis e se tornaram fáceis?

Acho que aprender exatamente o que você acabou de dizer: as coisas que deveriam ser fáceis são as mais difíceis. Eu agora sei disso, mas foi uma surpresa. Em um dos meus trabalhos como cozinheira, precisei fazer uma omelete para o chef. Pense em uma omelete. Uma omelete deveria ser muito, muito fácil e simples, e esse era o ponto. Mas é duro porque há pouca margem de erro. Uma pequena mudança em um passo pode mudar tudo.

Mas acho que a coisa mais importante é que sempre podemos melhorar — contanto que não sejamos presunçosos. Pense no velho ditado culinário: "Não salgue o feijão". Esse é o meu ditado favorito, porque eu nunca salguei o feijão enquanto crescia porque arruinaria o prato todo. Então descobrimos que, na verdade, você pode salgar o feijão. O sal não só dá sabor ao prato, mas muda a estrutura dele de uma forma que fica mais cremoso.

180°C: O Açúcar Começa a Caramelizar Visivelmente

Conteúdo do Capítulo

Ar, Ar Quente e o Poder do Vapor 236

A Química da Água e Como Afeta Bolos
e Pães.. 240

Você Deve Escolher Sua Farinha, mas
Escolha com Cuidado 246

Tolerância de Erros na Panificação 258

Fermentos Biológicos 262

Em Busca da Pizza Perfeita....... 267

Bactérias 272

Bicarbonato de Sódio 273

A Ciência dos Biscoitos Crocantes
e Macios 282

Fermento Químico em Pó...................... 286

Claras de Ovos.................................... 289

Fazendo o Melhor com Suas Claras
em Neve 290

Gemas de Ovos 297

Chantili... 300

Receitas

Popover no Vapor, 239

Crepes 1–2–3 do Papai, 251

Crackers com Sementes
e Pitas Fáceis de Fazer, 253

Baklava de Chocolate e
Pistache, 256

Saboroso Seitan Assado
com Vagens Picantes, 257

Massa de Torta, 259

Pão sem Sova, 261

Pão — Método
Tradicional, 264

Waffles de Levedura, 267

Massa de Pizza —
Método sem Sova, 271

Panquecas Americanas, 278

Biscoitos de Gengibre, 279

Bolo de Chocolate de
Uma Tigela, 280

Cookie com Gotas de
Chocolate Violador de
Patente, 284

Bolo de Abóbora com
Canela e Passas, 287

Bolinhos do Tim, 288

Merengue Francês e
Italiano, 293

Meu Bolo Predileto:
Bolo de Chocolate ao
Porto, 295

Molho Simples de Vinho
Branco e Queijo, 298

Zabaglione, 298

Suflê de Frutas, 299

Fazendo Chantili, 301

Mousse de Chocolate, 301

Laboratórios

Calibre Seu Freezer
com Água Salgada, 244

Faça Seu Glúten, 254

Chegando à
Segunda Base com
o Bicarbonato de
Sódio, 276

Entrevistas

Jim Lahey:
Panificação, 260

Jeff Varasano:
Pizza, 269

David Lebovitz:
Culinária Francesa
e Americana, 302

4
Ar e Água

É PRECISO COMPREENDER MAIS DO QUE TEMPO E TEMPERATURA PARA ENTENDER O PROCESSO DE ASSAR: AR E ÁGUA TAMBÉM SÃO FUNDAMENTAIS. Embora poucos de nós colocaríamos ar e água na lista de ingredientes, eles são fundamentais para assar alimentos. Tanto os pães quanto os bolos precisam de ar e de umidade para adquirir textura, sabor e boa aparência. O bicarbonato de sódio e o fermento em pó geram dióxido de carbono, que faz com que bolos e pães cresçam. As bolhas de ar presas nas claras de ovos em neve dão volume aos suflês, leveza aos merengues e deixam o pão de ló macio. E o que torna um biscoito de chocolate duro e o outro crocante é apenas a diferença de uma pequena porcentagem de água presente neles depois de assados.

Ao contrário da culinária geral, na qual as composições químicas são quase sempre fechadas desde o início — um chef não pode mudar os tipos de proteínas de um filé ou de um salmão —, a confeitaria precisa de uma proporção bem equilibrada de ingredientes desde o início para acionar as reações químicas que criam os gases e prendem o ar. Alcançar esse equilíbrio, em geral, depende de medidas precisas no início; em outros momentos, faz-se necessária uma atenção cuidadosa com a aparência e o toque da massa à medida que ela cresce. Se você é um cozinheiro intuitivo — que manobra e adapta receitas durante o voo —, você provavelmente gosta de fazer pães. Por outro lado, se é um cozinheiro metódico — alguém que gosta de precisão e prefere um ambiente organizado — ou se gosta de expressar sua afeição através da comida, então assar bolos, tortas e biscoitos provavelmente é a sua praia. De qualquer forma, a ciência por trás de ambos é fascinante.

Neste capítulo, começaremos com uma breve discussão sobre ar, água e farinha, e em seguida falaremos sobre os diferentes ingredientes utilizados para gerar ar em pratos salgados e doces: biológicos (fermentos e bactérias), químicos (fermento em pó e bicarbonato de sódio) e mecânicos (claras de ovos, gemas e chantili).

Ar, Ar Quente e o Poder do Vapor

Se os gregos antigos escrevessem revistas de culinária, provavelmente teriam listado fogo, terra, água e ar como ingredientes. Aristóteles e outros filósofos de seu tempo os consideravam indivisíveis. A prova? Adicionar água ao fogo não aumentava nenhum deles, mas criava uma nova "estrutura", a que eles chamavam de vapor.

Embora os gregos antigos tivessem uma visão simplista da ciência, estavam certos em um ponto sobre a água e o fogo: as propriedades do ar mudam com a temperatura. À medida que a temperatura do ar aumenta, aumenta a quantidade de água nele, em potencial. Isso é sutil, mas importante, o ar — principalmente o nitrogênio e o oxigênio, normalmente apenas 0,5 a 1% vapor d'água — retém mais vapor d'água conforme aquece, *se houver uma fonte de água*.

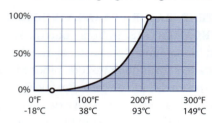

Porcentagem máxima de vapor d'água x Temperatura:

Ambiente quente e úmido significa mais vapor d'água aquecendo sua comida enquanto assa.

O vapor d'água é relevante na culinária pelo que faz quando resfria. Tecnicamente, vapor não equivale a vapor d'água. Em ciência, vapor se refere a gotículas de água suspensas no ar, enquanto o vapor d'água é invisível. Vou usar a definição científica quando falar sobre ciência. À medida que a temperatura diminui, a porcentagem de vapor d'água no ar também. Em dado momento haverá vapor d'água demais dissolvido no ar frio, o que fará com que ele se condense (o chamado *ponto de orvalho*). Você provavelmente pensa em condensação como o que acontece em um copo de chá gelado em um dia quente, mas ela acontece dentro do seu forno também! Uma bola de massa de biscoito fria que entra no forno quente esfriará o ar ao redor dela, e o vapor d'água naquele ar se condensará.

O vapor d'água libera uma imensa quantidade de calor quando se condensa. Quanto mais vapor no seu forno, maior o choque térmico que uma massa fria recebe da condensação, e mais rápido ela se aquece. Um forno quente e seco demorará mais para assar a comida do que um à mesma temperatura, mas cheio de vapor d'água. O vapor é poderoso!

Cozinheiros profissionais utilizam com frequência os *combi steamers* (fornos de vapor combinados) — fornos que controlam tanto umidade quanto temperatura. Talvez isso seja um padrão para fornos domésticos algum dia; até lá, a maioria de nós terá de se virar com garrafinhas de borrifar e panelas de água.

Quando você coloca uma forma cheia de biscoitos no forno, o ar quente aquece a massa de duas maneiras: pela convecção e pela condensação (veja a p. 143 para as definições). A convecção é bem fácil de imaginar: o ar quente do forno circula sobre a superfície da comida fria e a aquece. (Se o seu forno tem um modo "convecção", isso significa que ele tem um ventilador lá dentro que faz o ar circular mais rápido. Utilizar esse modo faz com que a comida asse e seque mais rápido, o que é bom para doces e pães crocantes, mas nem tanto para massas úmidas, tipo bolos, e cremes de ovos.)

É complicado entender a condensação porque, normalmente, não pensamos no vapor d'água em nossas receitas (quando foi a última vez que você viu uma receita que dizia: ajuste o forno para 50% de umidade?). Mudanças na umidade da sua cozinha afetarão a forma como os alimentos cozinham, alterando a velocidade com que se aquecem.

Não há uma umidade universal perfeita. Para conseguir uma crosta grossa e crocante em um pão rústico, ou uma pele torrada em um frango assado, a superfície precisa secar, então você precisa de um forno secador, pelo menos no final do processo. (As reações de Maillard não acontecem com água líquida por perto; veja a p. 213.) Para fazer bisnagas — pães com superfícies macias e de cores claras — você vai precisar de um forno mais úmido. Para massas úmidas como a do guioza vai precisar de ainda mais umidade, como de um vaporizador ou uma máquina de arroz.

Adicionar umidade é fácil: à medida que o forno aquece, adicione uma panela de água em uma prateleira baixa e mantenha-a lá. Ou use um pulverizador de água no forno antes de colocar a comida, tomando o cuidado de não pulverizar a lâmpada (ela pode explodir!). Remover a umidade é mais difícil: um ar-condicionado ou desumidificador na cozinha são as melhores opções.

> Pense sobre a cultura e o clima de onde se originou uma receita. Os padeiros originais não lutariam contra o ambiente; adaptariam as receitas e o resultado desejado ao clima local.

A umidade é mais importante para alimentos que envolvem leveduras. Os fermentos e as enzimas relacionados a elas são todos sensíveis à temperatura: a levedura produz dióxido de carbono com mais rapidez por volta dos 32 a 35°C. Suas reações enzimáticas aceleram à medida que a temperatura aumenta, mas em algum momento as enzimas desnaturam e param de funcionar de imediato. (Enzimas são, em geral, proteínas criadas por um organismo usadas para quebrar outras substâncias; como toda proteína, elas também "cozinham"). O *salto do forno* — o aumento adicional na massa assim que entra nele — depende da rapidez com que a superfície do pão seca, de quanto açúcar as enzimas produzem, e da rapidez com que a massa se aquece (e, portanto, do tempo que as leveduras sobrevivem).

O segundo maior problema que você enfrentará para fazer assados é o clima. Inverno significa menos umidade e temperaturas ambientes mais frias, o que aumenta o tempo que leva para as leveduras agirem (tente deixar a massa crescer em cima do refrigerador ou perto de um aquecedor). O verão traz umidade, o que faz com que os bolos não desenvolvam um "exoesqueleto" forte o suficiente e tendam a desabar (use menos água). Ou pode ser que chova em um dia (100% de umidade, pelo menos em temperatura ambiente), mas na semana seguinte a umidade do ar caia para 50%. Isso é o dobro da diferença na quantidade de vapor d'água, e uma diferença importante na forma como as coisas serão aquecidas, sem nenhuma mudança na temperatura do ambiente ou do forno. Uma atenção cuidadosa à umidade, ao tempo de crescimento e à temperatura ambiente pode resolver muitos mistérios do processo de assar.

Ar, Ar Quente e o Poder do Vapor

> Você já verificou seu forno? Se não, veja a nota "Duas Coisas que Você Deve Fazer pelo Seu Forno AGORA", na página 35.

A outra razão pela qual o ar é tão importante para assar é o volume físico que assume dentro da comida. O ar se expande à medida que se aquece. Como a maioria dos assados se solidifica com o calor, quanto mais ar houver para expandir, mais espaço tomará depois de assado, supondo que as proteínas do ovo dentro da comida ou os amidos da farinha do lado de fora estejam preparados o suficiente para dar suporte a tudo depois de resfriados.

A forma como o ar entra nas massas vai tomar o resto desse capítulo para ser explicada. Receitas que usam *agentes de crescimento* — qualquer coisa que gere gás (leveduras, bicarbonato de sódio) — dependem deles para criar volume com as pequenas bolhas, quase sempre de dióxido de carbono. Qualquer coisa sem um agente de crescimento, como, por exemplo, popovers, merengues e suflês, podem crescer apenas pela expansão do gás já presente ou pela água que evapora e se transforma em gás. Independentemente da fonte, entender e controlar o ar é uma parte importante da ciência de cozinhar bem.

Fazendo a Comida Crescer — Dicas para Conseguir Altura

Quer você esteja acampando no Colorado ou fazendo assados nos Alpes Suíços, a pressão atmosférica mais baixa causada por estar em lugares elevados pode causar todo tipo de dor de cabeça: crostas muito duras, bolos que desabam e, é claro, queimaduras solares por desfrutar do lugar maravilhoso. Aqui estão alguns pontos importantes:

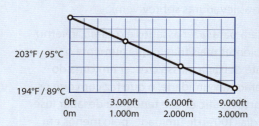

Ponto de ebulição da água x altitude.

As bolhas de ar nas massas se expandem mais — muito mais. Está usando leveduras? Diminua o tempo de fermentação. Os fermentos químicos devem ser diminuídos de 10 a 25%; as claras de ovos devem ser batidas até um ponto um pouco menos firme. Quanto às massas, fazê-las mais robustas ajudará a evitar as grandes bolsas de ar internas; veja as dicas sobre aumento do glúten na página 249 para descobrir como ajustar sua receita.

A água evapora mais depressa, resultando em assados mais secos e em um resfriamento mais evaporativo. Se sua comida não estiver dourando bem, aumente a temperatura entre 10 e 15°C para compensar o aumento no resfriamento evaporativo. Nas massas, compense adicionando aproximadamente mais 10% de água ao volume de ingredientes líquidos.

Adicionar sal à água aumenta o ponto de ebulição — a água saturada de sal ferve em torno de 2 graus acima. Isso também aumenta a temperatura do vapor que sai dela! Se estiver em lugares altos, vaporizando alguma coisa, adicione sal à água para a temperatura subir alguns graus.

Popover no Vapor

Popover é um pãozinho rápido que cresce inteiramente por ação da expansão da água à medida que ela se transforma em vapor. Você pode fazer versões saborosas adicionando queijo e ervas, mas o meu favorito é o que minha mãe fazia quando eu era criança: popover amanteigado, com uma colherada de geleia de morango ou de damasco, que ela servia no café da manhã aos fins de semana.

Os popovers são ocos. Eles são diferentes de quase qualquer outra guloseima assada — um descendente dos pudins de Yorkshire e primo das panquequinhas holandesas. Enquanto a massa é assada, a parte de cima fica pronta antes da interior, e enquanto o interior assa, a água ferve e evapora e é aprisionada pela superfície superior.

Tradicionalmente, eles são feitos em potes especiais para popovers, que são copos estreitos com uma ligeira inclinação e que têm um peso específico, fornecendo boa retenção de calor. Você pode usar também formas de muffin ou ramequins.

Misture em uma tigela ou no liquidificador:

- **1 ½ xícara (chá) de leite integral (355ml)**
- **3 ovos grandes (150g)**
- **1 ½ xícara (chá) de farinha de trigo (210g) (experimente usar metade para uso geral e metade para pães)**
- **1 colher (sopa) de manteiga derretida (15g)**
- **½ colher (chá) de sal (3g)**

Preaqueça o forno e as formas de popovers ou muffins a 220°C.

Unte as formas com bastante manteiga: derreta a manteiga e coloque algumas colheres de sopa no fundo de cada forma. Encha cada copo com cerca de 1/3 a ½ de massa e leve ao forno. Após 15 minutos, diminua a temperatura para 180°C e continue a assar até a parte externa estar no ponto e dourada, por cerca de mais 20 minutos.

Sirva imediatamente com geleia e manteiga.

Notas

- Se gosta muito de doces (ou tem crianças), experimente adicionar açúcar e canela ou manteiga e xarope de bordo.

- Não espie enquanto estiverem assando! Abrir a porta do forno vai diminuir a temperatura do ar, fazendo com que os popovers percam temperatura e um pouco do vapor, fundamentais para o seu crescimento.

- Está curioso para saber como a escolha da farinha afeta o interior e a crosta do popover? Faça duas porções da massa, uma com farinha de uso geral ou para bolos e outra com farinha com mais glúten. Encha metade das formas com uma massa e a outra metade com a segunda, cozinhe-as ao mesmo tempo e veja o que acontece!

O interior oco dos popovers faz com que sejam perfeitos para comer com manteiga e geleia.

A Química da Água e Como Afeta Bolos e Pães

A água é maravilhosamente estranha. Existem muitas curiosidades sobre ela, algumas óbvias (ela se expande em volume em torno de 1.600 a 1.700 vezes quando convertida em gás, por isso faz pães e bolos "subirem") e algumas incríveis (você pode dizer a latitude em que um tomate foi plantado examinando a quantidade de água que ele contém).

A água da torneira não é apenas H_2O. Entre outras coisas, traços de minerais, aditivos como o cloro e gases dissolvidos escorrem da torneira para as suas massas de bolo. Quando o assunto é levedura e formação de glúten (que trato na próxima seção), esses traços minerais e qualquer coisa que mude o pH da água faz diferença. Você pode descobrir que a receita que funciona perfeitamente bem em um local precisará de ajustes quando feita em qualquer outro lugar, devido às diferenças na água.

Primeiro, vamos falar dos minerais. Os resíduos minerais — principalmente cálcio (Ca_2+) e magnésio (Mg_2+) — estão naturalmente presentes na água e são absorvidos quando ela passa por rochas que contêm cálcio e magnésio como, por exemplo, o calcário e a dolomita. Nossos corpos precisam desses minerais: eles estão presentes na água desde tempos remotos. Os suprimentos contidos na água variam com as regiões, com proporções e quantidades diferentes, e essas mudanças têm impacto sobre a comida. (Existem teorias de que os chás do Reino Unido têm origem nas diferenças de resíduos na água e na forma como alteram seus sabores. Por exemplo, a Escócia retira a maior parte de sua água de fontes de superfície como a chuva, enquanto o sudeste da Inglaterra a retira de aquíferos, o que leva a níveis diferentes de traços minerais que interagem com os componentes do chá.)

O termo *dureza da água* se refere às concentrações de resíduos minerais nela dissolvidos. A *água mole* (ou *branda*) tem uma baixa concentração de resíduos, enquanto que a *água dura* tem concentrações altas. Não há uma escala exata para a dureza da água porque a temperatura, a combinação de minerais e o pH mudam a forma como esses minerais interagem com outras coisas (principalmente com o glúten). Pesquisadores geralmente utilizam partes por milhão (ppm) de cálcio como medida, então faremos como eles. À medida que a quantidade de cálcio aumenta, diz-se que a água é mais dura, possivelmente porque os minerais "endurecem" as coisas.

Se você já encontrou uma crosta na torneira — a amargura da limpeza doméstica — pode ser carbonato ou estearato de cálcio. O cálcio da água dura se combina com o dióxido de carbono do ar ou com o ácido esteárico do sabão; o vinagre, sendo 5% ácido acético, vai dissolver essa crosta e resolver o problema.

Como a água dura tem mais cálcio (e geralmente mais magnésio), ela torna o glúten mais duro, menos elástico (elasticidade é a capacidade de retomar o formato original) e menos capaz de expandir, e esses três fatores levam a alimentos assados mais densos. Dependendo da dureza da sua água, você pode precisar ajustar as receitas para fazer as compensações necessárias.

> Água tratada com carbonato de sódio? Sua água terá mais sódio dissolvido e você precisará usar menos sal para compensar os problemas de sabor e textura.
>
> Água tratada com cloro? Deixe-a em uma jarra durante a noite para que o cloro se dissipe e não interfira nos fermentos.

Se a sua água for muito dura — você vai saber, porque os preparados que levam fermento não vão fermentar muito bem, os pães sairão mais densos e os vegetais e feijões ficarão "duros" —, use água filtrada em uma primeira tentativa. Não tem filtro? Ferva a água, o que vai remover qualquer partícula de dióxido de carbono dissolvido e, por outro lado, fazer com que o carbonato de cálcio presente se precipite. Se nenhuma das opções funcionar, e se a receita permitir, veja se cortar o sal ou adicionar um ácido — um pouquinho de suco de limão (ácido cítrico), uma pitadinha de vitamina C em pó (ácido ascórbico) ou um pouco de vinagre (ácido acético) — resolve.

Variação (partes de cálcio por milhão)	Problemas	Soluções
< 60ppm: água branda	Massas moles e pegajosas; vegetais murchos	Aumente o sal
60 a 120ppm: média dureza	Levemente dura	Filtre a água
> 120ppm: água dura	A massa não cresce; fica dura	Aumente o fermento; adicione ácido; diminua o sal; filtre a água

A água muito mole pode resultar em massas pegajosas e se tornar um problema para as leveduras que, assim como nós, precisam de minerais para crescer e se reproduzir. Se você sabe que está adicionando a quantidade certa de água de acordo com as proporções, tente adicionar uma quantidade modesta de sal. Entretanto, se colocar muito sal, vai terminar no campo do "muito dura" no que diz respeito à dureza da água. Além disso, seu pão vai ficar salgado!

E que tal o pH da água?

Se você tem água alcalina (pH acima de 7 — normalmente também dura, mas não necessariamente) e está fazendo assados com levedura, precisa adicionar um ingrediente ácido para compensar. Assados que dependem de fermentação precisam de água com pH abaixo de 7, porque o fermento usa o açúcar como fonte de energia, e o açúcar é criado do amido por enzimas sensíveis ao pH (por exemplo, a amilase da farinha). Da mesma forma, se a sua receita está ficando com bolhas de dióxido

A Química da Água e Como Afeta Bolos e Pães   241

de carbono pelo uso de bicarbonato de sódio como base e sua água é alcalina, você precisa cortar um pouco do bicarbonato; caso contrário, acabará com bicarbonato que não reagiu em seus alimentos preparados no forno, bem como com aquele gosto desagradável do bicarbonato de sabão.

Você não deve ter de lidar com o problema de uma água muito ácida: a Agência de Proteção Ambiental dos Estados Unidos (EPA) recomenda um pH para a água de torneira entre 6,5 e 8,5. No Brasil, a recomendação do Ministério da Saúde é que o pH fique entre 6,0 e 9,5. Para a maioria de nós, o pH da água não é um problema na hora de assar, mas pode vir a ser para aqueles com água muito dura, que normalmente é básica.

(P.S.: Discussões sobre com quanto sal devemos cozinhar o feijão sempre desprezam as diferenças na água: aproximadamente 15% dos cozinheiros têm água muito mole; depois, existe a questão do pH da água. Mais sal faz com que o feijão cozinhe mais rápido; água mais ácida desacelera o cozimento. O que faz com que os feijões fiquem murchos é o excesso de cozimento; feijões que não são colocados de molho com antecedência e são malcozidos causam flatulência. E por falar em água salgada fervente, é verdade que o sal aumenta o ponto de ebulição, mas por tão pouco que não é isso que vai causar uma mudança nos tempos de cozimento. São as mudanças químicas, e não as físicas, que podem fazer isso.)

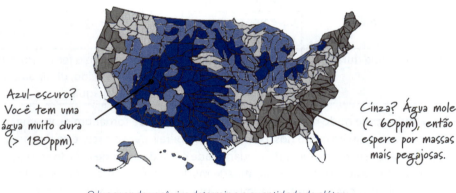

O lugar onde você vive determina a quantidade de glúten que irá se formar em sua massa de pão.

VERSÃO MODIFICADA DO MAPA DA PESQUISA GEOLÓGICA DOS ESTADOS UNIDOS, DEPARTAMENTO DE INTERIOR/USGS.

Como Sherlock Holmes Diria de Onde Vêm os Seus Tomates?

Elementar, meu caro Watson. Isotopômeros, para ser específico. A maioria de nós — inclusive Watson — pensa em um copo de água como sendo H_2O, talvez com alguns traços de elementos, gases dissolvidos e coisas parecidas. A fórmula H_2O significa dois átomos de hidrogênio ligados a um de oxigênio (no caso da água, uma ligação covalente, que vemos na página 196). O que a fórmula "H_2O" não diz é que isótopos desses átomos estão presentes.

O oxigênio, como elemento, é um átomo que tem oito prótons, por isso seu número atômico e lugar na tabela periódica dos elementos. O oxigênio, normalmente, também tem oito nêutrons — esse é o número mínimo de nêutrons para criar um núcleo estável —, por isso os químicos não se dão ao trabalho de escrever a versão expandida, ^{16}O (o dezesseis vem do número de prótons e nêutrons, e ^{16}O lê-se "oxigênio 16").

Em 99,73% do tempo, o O do H_2O é ^{16}O, como no $H_2^{16}O$. Mas e os outros 0,27%? Além do ^{16}O, o oxigênio tem mais dois isótopos estáveis: ^{17}O e ^{18}O, com 9 e 10 nêutrons, respectivamente.

O hidrogênio também tem três isótopos — sem nêutrons, com um nêutron e com dois nêutrons — em que os dois primeiros são estáveis. (Não pergunte sobre o terceiro — ele bebeu demais.) Aquele "simples" copo de H_2O se torna rapidamente uma mistura complexa.

Visto como a água é complicada, é maravilhoso como os supermercados podem conseguir rotular tomates com o mesmo código identificador e mantê-los tão consistentes. E por falar em tomates: as variantes mais leves da água evaporam com mais rapidez do que as mais pesadas (mais nêutrons, mais peso). E, como a evaporação é maior próxima ao Equador, as proporções dos seis isotopômeros no solo se distorcem em relação às variantes mais leves. Com o equipamento certo (um espectrômetro), Sherlock poderia analisar a composição da água de um tomate e dizer em que clima ele foi cultivado. Acrescentando uma análise de traços minerais e depois correlacionando isso às variações geográficas da composição do solo, ele provavelmente seria capaz de dizer o país de origem também. Mesmo o inimigo de Holmes, o professor Moriarty, ficaria impressionado.

$^1H_2^{16}O$: 99,73% ^{16}O — ^1H, ^1H

$^1H_2^{18}O$: 0,20% ^{18}O — ^1H, ^1H

$^1H_2^{17}O$: 0,04% ^{17}O — ^1H, ^1H

$^1H^2H^{16}O$: 0,03% ^{16}O — ^1H, ^2H ← Isso é um hidrogênio sem nêutrons + um hidrogênio com um nêutron + um oxigênio com oito nêutrons.

$^2H_2^{16}O$: 22ppb ^{16}O — ^2H, ^2H

$^3H^2H^{16}O$: um pouquinho só disso ^{16}O — ^3H, ^2H ← O que é uma coisa boa, porque é radioativo...

Ar e Água

A Química da Água e Como Afeta Bolos e Pães   243

Laboratório: Calibre Seu Freezer com Água Salgada

A química da água tem influência sobre muito mais do que a formação do glúten. A adição de sal à água muda não apenas o ponto de ebulição, mas também o ponto de congelamento — isso é conhecido como *abaixamento do ponto de solidificação* ou *abaixamento do ponto de fusão*. Diferentes concentrações de sal diminuem o ponto de solidificação em proporções diferentes. Se é possível calibrar um forno usando a química do açúcar (veja a p. 36), por que não calibrar o freezer com a química da água salgada?

Claro, usar um termômetro para verificar a temperatura do freezer é mais fácil, mas como saber se o termômetro está bem calibrado? Daniel Fahrenheit — o físico alemão — originalmente definia o 0°F como a temperatura de acordo com uma mistura de gelo, água e cloreto de amônio (um sal, assim como o cloreto de sódio). Além disso, assim é mais divertido, e mostra algumas coisas legais sobre como dissolver alguma coisa em água muda a forma como a água se comporta.

Primeiro, pegue esse material:

- Balança digital (opcional, mas preferível)
- Se não tiver balança, um copo medidor e uma colher de chá
- 6 copos descartáveis
- Lápis ou caneta para escrever nos copos
- Sal de mesa
- Um pouco de água
- E, óbvio, um freezer

Preparo:

1. Etiquete os copos com 0%, 5%, 10%, 15%, 20% e 25%, para registrar a concentração de sal em cada amostra.

2. Usando a balança, adicione 100 gramas de água em cada copo. Se você não tiver uma balança, use ½ copo de água (118g), ou se tiver um copo com medida em ml, use-o para medir 100ml de água.

3. Faça as soluções salinas adicionando a quantidade correta. Para a solução de 20% com 100g de água, você deve adicionar 25 gramas de sal, porque uma solução a 20% de sal em água é 80% água e 20% sal. Então, 100g de água / 0,80, o peso total da solução será de 125 gramas.

   - Se você não tem uma balança: 1 colher (chá) de sal normal de mesa pesa 5,7 gramas, então para fazer uma solução a 20% com ½ copo de água (118g), você precisa de:

     1. 118g / 0,80 = 147,5g de peso total...
     2. 147,5–118 = 29,5g de sal...
     3. 29,5g de sal / 5,7g de sal em uma colher (chá) = 5 ¼ de colheres (chá) de sal de mesa para ½ copo de água para uma solução a 20%.

   - Para a solução a 5% em ½ copo d'água, você vai usar aproximadamente 1 colher (chá); 2 ⅓ para a de 10%; 3 ⅔ para a de 15%; 5 ¼ para a de 20%; e 7 para a de 25%.

4. Coloque os copos no freezer e espere que congelem completamente, de preferência por um dia.

Laboratório: Calibre Seu Freezer com Água Salgada

A que temperatura deveria estar o seu freezer?

a FDA recomenda que os freezers sejam ajustados para -18 °C: frio o suficiente para estancar o crescimento de bactérias decompositoras e elementos patogênicos dos alimentos, mas não tão frio que transforme o sorvete em um tijolo ou que nos cause ulcerações por comer coisas como sorvete de menta com chocolate.

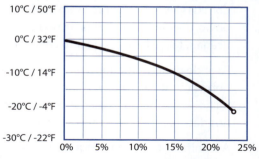

Ponto de congelamento da água com sal de acordo com a concentração de sal.

Hora da investigação!

Depois que as soluções salinas tiverem se equalizado à temperatura de seu freezer, verifique quais estão líquidas e quais estão congeladas.

Você vai notar que um ou dois dos copos estão parcialmente congelados, com uma camada de gelo na superfície e uma coisa como neve derretida por baixo. Congelar água com sal não produz água salgada congelada. Ela cria gelo — a fase sólida da água — e água salgada mais concentrada, diminuindo, assim, o ponto de congelamento do líquido restante. (Deixando claro que o gelo também envolve a separação dos solutos dos solventes, mas isso é história para outro livro.)

Utilizando a tabela mostrada aqui, encontre a faixa de temperatura entre a amostra mais concentrada que tiver alguma água congelada (a temperatura mais baixa de seu freezer) e aquela que permaneceu completamente líquida (a temperatura mais alta de seu freezer).

Se for a sua solução a 10%, então o seu freezer está mais frio que -6°C.

Por que você acha que a tabela para um pouco antes dos 25%? (Ela para em 23,3% de concentração de sal, que congela a -21,1°C.)

Crédito extra:

Para um experimento extra, repita o processo com intervalos de 1% entre a concentração que permaneceu líquida e a que tinha água congelada.

Na realidade, o sal de cozinha não é NaCl puro: há invariavelmente de 0,5 a 1% de aluminosilicato de sódio (sílica) nele. Se você pegar um copo de água, colocar nele sal suficiente e depois deixá-lo descansar por algum tempo, verá a sílica se separar e assentar no fundo do copo. A sílica não recebe muita atenção, e, como é um elemento residual, não é um problema que ela apareça em seu sal. Mas significa que todas as medições de sal deveriam tecnicamente ser ajustadas em aproximadamente mais 1%. Detalhes, detalhes...

Você Deve Escolher Sua Farinha, mas Escolha com Cuidado

Comidas leves e fofas precisam de duas coisas: ar e algo para prendê-lo. Pode parecer óbvio, mas sem uma forma de prender o ar durante o cozimento, os croissants ficariam tão achatados quanto cobertura de torta. Aí que entra a escolha da farinha.

Falando genericamente, a farinha é alguma "coisa" moída: muitas vezes grãos, normalmente de trigo. As farinhas feitas de outros grãos — arroz, trigo-sarraceno, milho — também são usadas com frequência, e as farinhas feitas de sementes e nozes nos dão mais opções, como a farinha de amêndoas, de grão-de-bico e de amaranto.

A farinha de trigo, como ingrediente, tem muitas propriedades que cozinheiros profissionais e industriais precisam considerar, mas a seleção de farinhas disponíveis para o cozinheiro de casa é geralmente limitada a um punhado de plantações baseadas na utilidade, nas quais a principal diferença é a quantidade de glúten que pode ser formada. Quem sabe em breve possamos ver um renascimento da farinha de trigo, assim como tivemos com as maçãs e os grãos de café. (Embora, sério, de quantas variedades de maçãs precisamos?) Até lá, a maioria de nós está fadada a ficar com esse punhado de escolhas, então aqui vai algum conhecimento que pode ajudar você a escolher e trabalhar com a farinha, para que seus pães não virem poeira e saiam voando.

A maioria das farinhas de trigo vendidas nos Estados Unidos é de uso geral, e recebe esse nome porque serve para a maioria dos propósitos. A farinha de uso geral é feita do endosperma do grão de trigo e cria algo em torno de 10 a 12% de glúten por peso quando trabalhada. Ao ler "farinha" na receita, é essa que se deve usar. Em partes da Europa, a farinha é classificada pelo conteúdo de cinzas, uma medição do conteúdo mineral. O conteúdo de cinzas é determinado pela parte do grão usada e em que proporção. O uso apenas dos endospermas garante um conteúdo menor de cinzas e uma farinha mais branca — por exemplo, a italiana "00" ("doppio zero") — e, sendo mais refinada, tem grãos mais finos. Embora não haja garantia de que uma farinha "00" tenha menos proteínas ou de que terá grãos mais finos do que uma com maior quantidade de cinzas, a maioria das farinhas "00" é similar à de uso geral de grão fino.

Alergia ao trigo e sensibilidade ao glúten são coisas diferentes — alguém pode ser alérgico às proteínas do trigo, mas não ter problemas com o glúten em outras farinhas, e vice-versa. Se está cozinhando para alguém com alergia ao trigo, veja a p. 450. Para sensibilidade ao glúten, use ingredientes que não o formem, como arroz, trigo-sarraceno, milho ou quinoa.

Você às vezes verá receitas que pedem por farinha de trigo integral ou farinha para bolos. Na farinha de trigo integral, o farelo e o germe são moídos junto com o endosperma, então a farinha tem mais fibras (farelo!) e cria menos glúten (as proteínas para o glúten vêm antes de tudo do endosperma). As farinhas para bolos e tortas são similares à de uso geral, mas formam menos glúten, porque usam trigo mais macio que tem menos proteínas, e também devido ao processamento químico (branqueamento) que altera a farinha.

O glúten ganha muita atenção na panificação porque é ele que cria estrutura nos alimentos assados. O glúten é criado quando duas proteínas — a glutenina e a gliadina, no caso do trigo — entram em contato para formar o que os químicos chamam de *ligações cruzadas*: ligações entre moléculas que as unem. Na cozinha, os cozinheiros criam essas ligações cruzadas ao adicionar água e depois misturar, mas em vez de falar em ligações cruzadas, eles falam em "desenvolver o glúten". Durante a mixagem, as duas proteínas se ligam à água, e as moléculas de glúten que resultam disso, por sua vez, formam uma membrana elástica e expansível. Essa membrana prende bolhas de ar de ingredientes como a levedura, o bicarbonato de sódio e até mesmo a água para dar aos alimentos assados crescimento e uma textura macia.

Controlar a formação de glúten vai melhorar drasticamente a qualidade de seus alimentos assados. Você quer uma textura mais mastigável? Quer algo com altura e que afunde quando apertado? Então você vai precisar desenvolver glúten suficiente para fornecer a textura e a elasticidade necessárias. Se está tentando criar uma panqueca fofinha, um bolo que esfarele ou um biscoito crocante, você vai precisar diminuir a quantidade de glúten, tanto reduzindo a quantidade de proteínas que o formam como adicionando ingredientes que o interrompam, como manteiga, gemas de ovos e açúcar.

Vamos começar com a parte fácil: controlar a quantidade de glúten mudando a quantidade de proteínas. O trigo é a fonte mais comum de glúten e cria a maior porcentagem dele. Cepas diferentes de trigo têm diferentes concentrações das proteínas glutenina e gliadina, de acordo com o clima do plantio; então, variar a fonte de trigo varia a quantidade de proteína na farinha. Outros grãos, como o centeio e a cevada, têm as proteínas necessárias, mas em quantidades menores. As farinhas feitas com milho, arroz, trigo-sarraceno e quinoa não formam glúten.

A massa filo é uma massa sem levedura usada em tortas como a Baklava. É feita misturando farinha e água e dobrando-a e abrindo-a com o rolo repetidamente para formar glúten. Ela é fina como papel: as folhas que verifiquei tinham 0,175mm de espessura. A massa filo permanece flexível enquanto úmida, mas torna-se quebradiça quando seca. Tome cuidado para não deixá-la secar quando trabalhar com ela e use um borrifador com água para umedecê-la quando necessário.

Mudar a variedade do trigo, a forma como é moído ou misturá-lo com farinhas sem trigo muda a quantidade de glúten existente que apreende ar. Se está acostumado a trabalhar com a farinha de uso geral, substituí-la pela integral ou por farinhas de outros grãos vai reduzir a quantidade de glúten e deixá-lo com um pão menos fofo (pode ser que ainda fique saboroso!). Mudar para farinha para pão (comece com 50% por peso e adicione um pouco mais de água) vai aumentar a quantidade de glúten, resultando em um pão com mais altura.

E se quiser o sabor de certo tipo de farinha (digamos, farinha de trigo integral ou de trigo-sarraceno), mas precisar de mais glúten? Você pode adicionar seitan, uma farinha de trigo que teve o gérmen e o amido retirados, e que contém 70% de glúten. Se quiser trocar a farinha de uso geral pela integral, substitua 10% da farinha (por peso) por seitan para devolver a quantidade certa de glúten. (Se substituir a farinha integral pela comum, use água extra — o gérmen e o farelo irão absorvê-la — ou diminua a quantidade de farinha; de qualquer forma, deixe a massa descansar pelo dobro do tempo.)

Escolher o tipo certo de farinha é a maneira mais fácil de controlar quanto glúten haverá em seus assados. Use farinhas de trigo com maior quantidade de proteínas necessárias para criar mais glúten; use farinhas de trigo mais suaves ou outros tipos para reduzi-lo. A outra maneira é mais complicada, mas às vezes necessária: impedir que a glutenina e a gliadina formem ligações cruzadas, ou quebrar essas ligações depois de formadas.

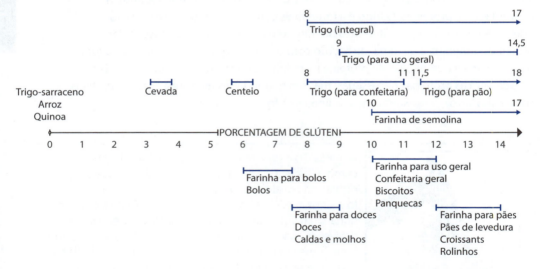

Níveis de glúten de vários grãos e farinhas comuns. Além do trigo, tanto a cevada como o centeio formam quantidades notáveis de glúten, embora o centeio também contenha substâncias que interferem na habilidade de formar glúten.

Por que biscoitos são comidas do sul e o pão de forma vêm do centro-oeste?

Climas mais frios favorecem tipos de farinha com mais glutenina e gliadina. A farinha, digamos, na França, não será idêntica àquela que cresce nos Estados Unidos, e cada região terá uma farinha diferente. O lugar de onde vem a farinha muda suas propriedades. Já que cada moinho usa uma farinha diferente, tente usar marcas variadas.

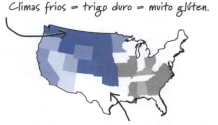

Considere essas dicas para lidar com os níveis de glúten:

Use gorduras e açúcares para reduzir a formação de glúten.

Os biscoitos esfarelam e os bolos são macios graças à gordura e ao açúcar, que impedem que o glúten se forme. Óleo, manteiga e gemas acrescentam gordura às massas e impedem as ligações cruzadas, enquanto o açúcar é higroscópico e absorve a água antes que o glúten o faça. Se seus alimentos não estão saindo do forno com uma textura crocante desejável, um ajuste possível é aumentar as gorduras (por isso "um ovo mais uma gema") ou açúcar (se não ficar muito doce).

Use a agitação mecânica e o tempo de descanso para desenvolver o glúten.

A agitação mecânica (ou sova) — junta fisicamente as proteínas e aumenta as chances das ligações cruzadas se formarem e, assim, aumenta a quantidade de glúten. O tempo de descanso também o desenvolve, dando à glutenina e à gliadina a chance de eventualmente sofrerem ligação cruzada enquanto a massa se move de forma sutil. É por isso que a receita de pão sem sova da página 261 funciona.

Não misture demais.

Muita sova enfraquece o glúten. Misturar a massa o desenvolve no início, mas depois de alguns minutos, as enzimas da farinha farão com que ele se quebre. Já parou para pensar por que algumas receitas dizem para misturar "só até incorporar" (muffins) e outras dizem "misture por alguns minutos" (pães e bisnagas)? Pesquisadores usam o Farinógrafo para verificar a viscosidade da massa à medida que é misturada, e uma olhada nessa tabela explica tudo. Leva aproximadamente um minuto para que uma massa de farinha e água forme glúten suficiente para dar uma textura consistente e parecida com a do pão. Misturar por menos tempo impedirá que a massa adquira essa textura — bom para muffins, mas nem tanto para pães. No outro extremo, misturar por mais do que alguns minutos faz com que as enzimas da farinha quebrem o glúten, que se deteriora abaixo do limite mágico das "500 unidades Brabender". (Uma medida arbitrária de viscosidade.) Essa regra varia dependendo da massa e dos ingredientes, mas é uma boa regra geral.

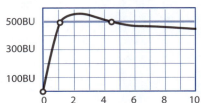

Unidades Brabender x tempo (em minutos) mostram a viscosidade de uma massa enquanto é misturada.

Preste atenção à água.

A quantidade importa: você precisa de água suficiente para que o glúten se forme, mas, se adicionar água demais, as proteínas não se ligam umas às outras. Na massa de pão, tenha como objetivo uma proporção de 0,60:0,65 de água e farinha (aproximadamente 30 a 35% de água por peso); mais do que isso, e você vai ficar com buracos grandes e irregulares, que podem ser legais em pães rústicos, mas não em pão de sanduíche. Farinhas com mais glúten absorvem um pouco mais de água, então ajuste a quantidade. Devido ao resfriamento evaporativo, massas com muita água ficam soladas e com problemas na superfície, resultando em bolos murchos; se acontecer isso, diminua os ingredientes. Você encontrará problemas similares se a umidade estiver muito alta, então reduza os ingredientes úmidos nesse caso também.

Ingredientes como açúcar, farinha e sal absorvem a umidade atmosférica, por isso mudanças na umidade alteram a quantidade de água que levam para a receita. O ideal é que você os compre e armazene em recipientes herméticos; caso contrário, em dias úmidos, reserve mais ou menos um quinto de seus ingredientes líquidos e adicione aos poucos o necessário para conseguir consistência.

Preste atenção aos minerais e ao sal.

O glúten também precisa de um pouco de cálcio ou magnésio dos minerais dissolvidos na água; você pode contrabalançar a falta ou o excesso ajustando a quantidade de sal na massa. Quanto ao sal, existe espaço para manobra, mas nos pães, tente manter o sal entre 1% e 2% do peso total para um bom crescimento. Finalmente, tenha cuidado com os níveis altos de pH: se a sua água for alcalina, adicione um ácido (vitamina C, suco de limão, vinagre). (Veja a p. 240 para saber mais sobre o impacto da água nos alimentos preparados no forno.)

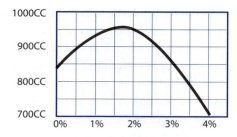

Volume do pão (cc) x porcentagem de sal (NaCl).

Crepes 1–2–3 do Papai

Meu pai fazia às vezes esses crepes 1–2–3 — que têm esse nome devido à proporção dos ingredientes — antes de nos levar para a escola. (Por que não fazemos essas coisas antes de irmos para o trabalho?)

Os ovos, e não a farinha, dão a estrutura aos crepes, então tente usar farinhas diferentes. Na França, é comum usar trigo-sarraceno em crepes saborosos (que são também, por coincidência, livres de glúten). A farinha de trigo-sarraceno acrescenta um sabor maravilhoso e robusto aos crepes.

Bata ou amasse até incorporar completamente, por cerca de 30 segundos:

- **1 xícara (chá) de leite (240ml) (de preferência integral)**
- **2 ovos grandes (100g)**
- **⅓ de xícara (chá) de farinha (45g)**
- **Uma pitada de sal**

Deixe descansar por pelo menos 15 minutos, de preferência por mais tempo.

Comece com uma panela antiaderente em fogo médio, aquecendo-a por 30 segundos ou até uma gota de água evaporar se jogada nela.

Manteiga: Pegue um tablete de manteiga com a embalagem parcialmente puxada para trás, e usando a parte ainda coberta como um cabo, passe uma pequena quantidade de manteiga na panela.

Limpe: Use uma toalha de papel para tirar o excesso de manteiga na superfície da panela. A panela deve parecer quase seca; você quer uma camada bem fina de manteiga, não marcas visíveis.

Despejo: Despeje a massa enquanto mexe a panela: jogue cerca de ½ xícara/60ml de massa em uma panela de 25cm, ajustando conforme necessário (coloque massa suficiente para cobrir o fundo de forma uniforme). Ao jogar a massa com uma das mãos, use a outra para manter a panela no ar e mexê-la de forma que a massa escorra e se espalhe pela superfície da panela. Se ainda puder retirar massa da panela após mexer, está colocando demais. Se colocar pouca massa, você pode adicionar mais para preencher os espaços. É também este o momento de verificar a temperatura da panela: ela deve estar quente o suficiente para que a massa desenvolva uma aparência de renda: pequenos furos se formam no crepe enquanto o vapor sobe pela massa. Se os seus crepes ficarem muito brancos, aumente a temperatura.

Vire: Espere até o crepe começar a ficar marrom nas bordas, use uma espátula de silicone para levantá-las ao redor da circunferência. Isso liberará as bordas do crepe para que ele saia da panela. Pegue essa pontinha com cuidado e gire-o com as duas mãos. Deixe o crepe cozinhar do outro lado por mais ou menos meio minuto.

Vire de novo: Isso deixará o lado mais bonito no exterior do crepe terminado.

Adicione os recheios: Você pode fritar ovos ou derreter queijo deixando a panela no fogo durante essa etapa (adicione o recheio por cima do crepe frito). Ou remova o crepe para um prato, retire do calor e depois recheie. Depois de recheado, dobre-o em 4 ou enrole-o como um charuto.

Algumas sugestões para o recheio:

- Queijo, ovos e presunto
- Cream cheese, endro e salmão defumado
- Vegetais refogados e queijo de cabra
- Açúcar e suco de limão
- Bananas e chocolate
- Frutas frescas com ricota
- Recheio de torta com chantili

Moa Sua Farinha

Moer farinha é bem mais fácil do que você imagina: pegue um pouco de grãos de trigo — que são sementes de trigo descascadas, com farelo, gérmens e endosperma ainda intactos — em uma loja de produtos naturais, passe-os por um moedor, e você obtém farinha fresca.

Por que se dar ao trabalho? Bom, para começar, o gosto é mais fresco; os compostos voláteis no trigo ainda não tiveram tempo de quebrar. Você também terá muito mais controle sobre o tipo de moagem e os tipos de grãos usados. E existem as vantagens para a saúde. A maioria das farinhas de trigo integrais precisa passar por um processo de aquecimento dos gérmens para evitar que fiquem rançosos, e esse processo afeta também algumas das gorduras na farinha.

Como ponto negativo, a farinha recém-moída não produz glúten tão bem quanto a mais antiga. Para pães mais rústicos, isso não é um problema, mas não é tão bom se quiser fazer um macarrão integral (no qual o glúten ajuda a manter a massa unida). É claro que você sempre pode adicionar farinha com glúten para aumentar os níveis de glúten ou usar um melhorador de massa, mas isso acaba com a proposta de fazer "do zero", pelo menos para mim.

Existem algumas opções de moedores. Se tiver um mixer, verifique se o fabricante disponibiliza uma peça para moer. Se achar que essa é uma boa opção, saiba que isso pode forçar bastante o aparelho. Ajuste-o para uma velocidade lenta e moa os grãos em duas fases, uma primeira para picá-los e depois para moer de forma fina. Se não tem mixer, ou não se importa em pagar um pouco mais e dedicar algum espaço a isso no armário, procure na internet por moedores de grãos.

É possível moer outros grãos no moedor, como arroz e cevada. Porém, grãos muito úmidos e itens com maior teor de gordura como amêndoas ou cacau não funcionam: eles entupirão o moedor. (Experimente usar um processador para isso.)

Mais uma coisa: não espere conseguir moer coisas como farinha para bolos. Esta tem o farelo e o gérmen removidos, e é alvejada com gás de cloro para ser maturada. A maturação — o processo no qual a farinha é envelhecida —, eventualmente aconteceria de forma natural devido à oxidação, mas o tratamento com o gás de cloro a acelera. Ele também modifica o amido na farinha, de maneira que ela possa absorver mais água durante a gelatinização (veja a página 408 para saber mais sobre a gelatinização de amidos) e enfraquece as proteínas na farinha, reduzindo a quantidade de glúten que pode ser formado. Adicionalmente, a clorinização diminui a temperatura de gelatinização, por isso, misturas que incluem sólidos — nozes, frutas, gotas de chocolate — funcionam melhor porque há menos tempo para os sólidos afundarem antes que os amidos sejam capazes de gelatinizar ao redor deles. Fazer as coisas do começo é divertido, mas tem suas limitações.

Grãos de trigo.

Primeira fase: picados de modo grosseiro.

Segunda fase: moagem fina.

Crackers com Sementes e Pitas Fáceis de Fazer

Se você quer uma viagem culinária experimental, comece com a ideia de "três partes de farinha e uma de água", assadas em forno quente por dez minutos, repetindo meia dúzia de vezes, e acabará por redescobrir o que os antigos egípcios fizeram pela primeira vez: pão achatado (pita). Fazer crackers e pita é mais fácil do que você pensa. Muito fácil.

Os crackers e sua versão não cortada, os pães achatados, às vezes são feitos com fermentos — pita e biscoitos água e sal, por exemplo, usam levedura —, enquanto outras vezes não usam fermentação. As versões sem fermento levam alguns minutos para misturar e assar, por isso o simbolismo religioso no Pessach do Judaísmo e na Eucaristia Cristã. Não obstante o simbolismo, eles são rápidos de preparar: 20 minutos, do início ao fim.

Você vai ver que esses crackers são mais crocantes do que os similares feitos com fermentos — trate-os como veículos para coberturas.

Em uma tigela, meça:

- 1 xícara (chá) de farinha para pão (140g)
- ⅓ de xícara (chá) de água (80ml)
- ½ colher (chá) de sal (3g) (não use sal grosso, porque não mistura bem)
- 2 colheres (chá) de azeite de oliva (10ml)
- 2 a 4 colheres (sopa) de sementes e ervas (opcional; tente partes iguais de sementes de papoula e de gergelim)

Utilize uma colher e misture para formar uma massa rústica. Ela será um pouco seca. Pegue-a com as mãos e sove por um minuto ou dois. Divida ao meio, separe metade para a segunda fornada.

Em uma mesa enfarinhada, abra a massa em uma tira de aproximadamente 15cm de largura e o mais comprida possível. A massa deve ser aberta o mais fina possível; tente deixá-la com alguns milímetros de espessura. Se seus biscoitos saírem duros, abra-a mais fina.

Com uma faca, corte a massa em quadrados ou tiras — ou deixe sem cortar para obter um biscoito grande em forma de pão achatado.

Alfinete a massa com os dentes de um garfo (isso impede que as bolhas de ar inchem os biscoitos), depois transfira-os para uma assadeira.

Asse a 200°C, de 10 a 12 minutos, até que estejam ligeiramente dourados. Se os biscoitos saírem borrachudos, asse por mais alguns minutos.

Notas

- *Se as sementes e ervas tostarem bem, então funcionarão bem nos biscoitos. Experimente sementes de gergelim, de papoula, erva-doce, pimenta-do-reino, alecrim, e todas as combinações.*

- *Não consigo resistir a colocar um non sequitur aqui: em tecnologia, um cracker é alguém que entra em um sistema de forma ilícita, enquanto um hacker é alguém que "pensa como um geek" e usa as coisas criativamente fora do propósito original.*

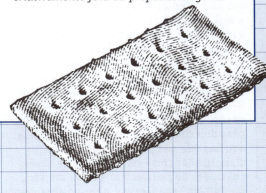

Laboratório: Faça Seu Glúten

Primeiro, pegue esse material:

- 1 xícara (chá) de farinha de uso geral (140g)
- 1 xícara (chá) de farinha para pão (140g) (opcional, mas legal para comparar com a farinha de uso geral)
- 1 xícara (chá) de farinha para bolos e confeitaria (140g)
- 3 tigelas pequenas (uma para cada amostra de farinha)
- Uma jarra de água
- Colher
- Balança digital

Falamos sobre como fazer a sua própria farinha (veja a página 252) e sobre como o glúten é importante na confeitaria (veja a página 246). Mas como os pesquisadores descobrem quanto glúten há nas diferentes variedades de farinha? Tente este experimento simples para separar e "ver" quanto glúten há nos vários tipos de farinhas.

Embora a farinha de trigo seja utilizada principalmente por suas proteínas e amidos, vale a pena parar e observar o que mais existe nela:

Amido: 65–77%

Proteínas: 8–13%

Água: ~12%

Fibras: 3–12%

Gorduras: ~1%

Cinzas: ~1%

Os dois principais componentes da farinha são as proteínas (principalmente a glutenina e a gliadina) e o amido. Há uma faixa de variação nas porcentagens, porque os climas de cultivo mais quentes levam a níveis mais baixos de proteínas e níveis maiores de amido. A fibra é similar aos amidos, no sentido de que ambos são carboidratos — *sacarídeos* para os bioquímicos —, mas nossos corpos não possuem um mecanismo para digerir todas as formas de sacarídeos; aquelas que não podemos digerir são classificadas como fibras (algumas vezes, chamadas de *polissacarídeos sem amidos*). Quanto às cinzas, esse é o termo abrangente dado a constituintes minerais como cálcio, ferro e sal.

Preparo:

1. Meça quantidades iguais das farinhas e coloque nas tigelas. Adicione em torno de ¼ de xícara (60g) de água em cada tigela, de forma que possa mexer a farinha com a ajuda da colher e formar uma bola úmida e pegajosa.

2. Coloque mais água nas tigelas, até que as bolas fiquem cobertas, e deixe descansar por pelo menos 30 minutos (também pode ser durante a noite). Esse período de descanso permite que o glúten se desenvolva (em confeitaria, esse processo é chamado de *técnica da autólise*).

3. Depois que a bola foi deixada de molho, retire os amidos apertando e amassando a bola sob a água com as mãos. Você notará que a água ficará extremamente turva; isso é o amido saindo da bola. Se suas tigelas forem pequenas, troque a água quando necessário ou faça esse processo na água da torneira. Continue trabalhando a farinha por alguns minutos até que ela apresente uma qualidade bem elástica. Isso é o glúten.

4. Pese o glúten que você separou e compare os pesos. *Suas bolas de glúten pesarão mais do que a porcentagem de glúten da farinha devido à água absorvida.*

254   Cozinha Geek

Laboratório: Faça Seu Glúten

Hora da investigação!

Qual a diferença de porcentagem de peso entre as três bolas de glúten? (Embora o peso inclua a água absorvida, a proporção de peso entre as bolas de glúten ainda estará de acordo.)

Como isso se compara com o que você esperava, de acordo com as diferenças nas proporções de glúten entre os diferentes tipos de farinhas? Por exemplo, como a farinha para pães tem aproximadamente 13% de glúten e a farinha para confeitaria tem aproximadamente 8%, é esperado que uma bola de glúten feita com farinha para pães pese 1,62 ($^{13}/_8$) vezes mais do que a bola feita com farinha para confeitaria.

O que você acha que acontece se fizer esse experimento com outros tipos de farinha, principalmente aqueles usados na culinária sem glúten como, por exemplo, de trigo-sarraceno? Se usar farinha de trigo integral, você vai notar umas coisas marrons e arenosas. Por quê?

Crédito extra:

Assar as bolas de glúten em temperatura baixa (120°C) por algumas horas as secará, resultando em puro glúten. Divida o peso das bolas de glúten assadas pelo peso da farinha com que você começou para ter uma boa aproximação da porcentagem de glúten.

Você pode colocar uma bola de glúten dentro de um copo com álcool a 70% para separar as proteínas glutenina e gliadina. A gliadina formará filamentos longos, finos e pegajosos, e a glutenina terá a aparência de borracha.

Farinha de uso geral | Farinha para pães | Farinha de trigo integral

Você Deve Escolher a Sua Farinha, mas Escolha com Cuidado

Baklava de Chocolate e Pistache

A massa filo é fácil de trabalhar e pode ser usada para criar texturas espetaculares. A baklava, uma sobremesa do centro-leste dos Estados Unidos, é tipicamente feita alternando camadas de massa filo e uma mistura de nozes, e depois coberta com uma calda à base de mel.

Minha versão aqui é enrolada como charuto para fazer um rolo, que será fatiado depois de assado, e servido com chantili e raspas de limão. Não economize nesses dois ingredientes — eles dão equilíbrio ao sabor de uma maneira incrível!

Descongele **1 pacote de massa filo** de acordo com as instruções da caixa (normalmente, algumas horas no refrigerador e uma hora fora; planeje com antecedência!); você vai precisar de 6 a 9 folhas (algumas extras, caso alguma se rasgue).

Preaqueça o forno a 180°C.

Em uma panela, toste **1 xícara (chá) de pistache picado (100g)** e **1 xícara (chá) de nozes, pecãs ou amêndoas (100g)** até que estejam começando a dourar.

Transfira as nozes para uma tigela pequena e misture os seguintes ingredientes, mexendo até que a manteiga derreta:

- ¼ **de xícara (chá) de açúcar (50g)**
- **2 colheres (sopa) de manteiga sem sal (30g)**
- **1 colher (chá) de canela (2g)**
- **Uma pitada de sal**

Em outra tigela pequena, **meça 60g de chocolate amargo picado**.

Derreta ½ **xícara (chá) de manteiga (115g)** em uma pequena tigela ou copo de medida.

Coloque uma folha de filo em uma tábua grande de cortar. Usando um pincel ou espátula de silicone (ou dois dedos), espalhe uma camada fina de manteiga derretida sobre toda a folha. Coloque uma segunda folha de filo por cima, e pincele outra camada fina de manteiga sobre ela.

Usando ⅓ da mistura de nozes, faça uma tira de 5cm de largura ao longo do lado pequeno da massa filo. Espalhe ⅓ do chocolate picado por cima da mistura de nozes. (Misturar o chocolate e as nozes antes derrete o chocolate.)

Dobre com cuidado o lado da massa filo com as nozes, começando a formar o rolo. Pincele o lado de baixo exposto com uma camada fina de manteiga, enrole de novo, passando manteiga e enrolando até que a massa esteja completamente enrolada.

Transfira o rolo para uma assadeira, cubra novamente com manteiga, e repita o processo com as folhas de filo e os recheios restantes.

Asse de 15 a 20 minutos, até que esteja dourado.

Enquanto a baklava está assando, faça uma calda. Em uma pequena panela, ferva:

- ½ **xícara (chá) de açúcar (100g)**
- ¼ **de xícara (chá) de água (60ml)**
- **1 colher (sopa) de mel (40g)**
- ¼ **de colher (chá) de canela (0,5g)**

Remova do fogo e adicione o **suco de ½ limão pequeno**, aproximadamente 1 colher de sopa.

Prepare aproximadamente **uma xícara (chá) de chantili adoçado** (veja a p. 301).

Para servir, corte o rolo de baklava em pedaços de 5 a 8cm. Coloque um pedaço em um prato, derrame a calda por cima, e adicione uma boa colherada de chantili ao lado. Enfeite com algumas pitadas de raspas de limão.

Saboroso Seitan Assado com Vagens Picantes

O seitan, rico em proteínas vegetais do glúten e, portanto, um alimento básico nas refeições vegetarianas e veganas, vale um lugar no repertório ampliado de todo chef. Ele é feito utilizando o glúten da farinha (veja a página 254 para aprender como fazer o seu próprio glúten). Você pode fazer muitas texturas e sabores diferentes de seitan variando a quantidade de água, ajustando os temperos e mudando o método de cozimento. Fazê-los no forno resultará em um seitan mais firme; vaporizado ou fervido, ele terá uma textura mais macia. Tente este saboroso seitan assado — rico em umami, o que o deixa com um gosto parecido com o de carne — como uma introdução para fazer a sua própria "carne falsa".

Misture em uma tigela grande:

- ¾ de xícara (chá) de água (180ml)
- 2 colheres (sopa) de molho shoyu (30ml)
- 1 colher (chá) de massa de tomate (5g)
- ½ colher (chá) de pasta de alho, ou 1 dente amassado e cortado em fatias finas (5g)

Adicione e use uma colher para misturar até obter uma massa grossa e elástica:

- 1⅓ de xícara (chá) de farinha com glúten (160g) (também chamada de farinha de trigo vital)

Cubra uma forma refratária com uma camada fina de **azeite de oliva**. Molde a massa de uma forma achatada e coloque na forma refratária. Cubra com alumínio e asse a 160°C por 60 a 75 minutos, até que o lado de fora esteja parcialmente dourado. (Corte ao meio pra verificar: se você vir um centro "úmido", não está pronto. Se não tiver certeza, ou se quiser fazer testes com a textura, retire um pedaço, asse o restante por mais algum tempo e compare. Pessoalmente, eu gosto mais dele mais bem assado do que mal-assado.)

Enquanto o seitan está assando, prepare as vagens.

Em uma panela pequena, ferva **1 litro de água** com **2 colheres (sopa) de sal (35g)**.

Prepare uma frigideira com **uma camada fina de azeite** e adicione **½ colher (chá) de pimenta vermelha em flocos (0,5g)**.

Retire os talos de **2 punhados de vagens frescas (200g)** e retire as "linhas" fibrosas. Coloque-as na água fervente. Após 2 ou 3 minutos, dependendo de como prefira as vagens, retire-as com a ajuda de uma pinça ou coe, e então transfira-as para a frigideira. Ajuste o fogo da frigideira para alto e refogue-as levemente por outros 2 ou 3 minutos. Adicione o **suco de um limão pequeno** e mexa para misturar.

Para servir, fatie o seitan em tiras e sirva com as vagens.

Tolerância de Erros na Panificação

Em bolos e tortas, a tolerância de erro nas medidas — o ponto até onde pode fugir das quantidades usuais e ainda assim obter um bom resultado — é mais apertada do que em muitos pães e pratos saborosos. As menores mudanças na proporção entre farinha, água, açúcar e gordura podem alterar o resultado final de alimentos assados.

Sem água suficiente, a glutenina e a gliadina não formarão o glúten de maneira correta, o que é bom para broas, biscoitos e massa de tortas, mas ruim para alimentos ricos em glúten, como o pão. Mas água demais também trará problemas: o pão fica com grandes bolsas de ar e os bolos não assam corretamente e desmoronam.

Da mesma forma, se adicionar menos gordura vegetal em biscoitos ou massa de torta, mais glúten poderá se formar, resultando em uma massa dura. Se usar muita gordura vegetal, contudo, as massas crescem pouco e ficam baixas. Foi daí que veio o nome *shortbread* (pão baixo, em inglês), que na verdade parece mais um biscoito.

Considere os ingredientes para as duas receitas de massa de torta a seguir.

Joy of Cooking (Torta de 20cm)			*Torta da Martha Stewart (Torta de 25cm)*		
100%	240g	Farinha	100%	300g	Farinha
60%	145g	Banha	–	–	(sem banha)
11,25%	27g	Manteiga	76%	227g	Manteiga
25%	59g	Água	19,7%	59g	Água
0,8%	2g	Sal	2%	6g	Sal
–	–	(sem açúcar)	2%	6g	Açúcar

Os números na primeira coluna são as "porcentagens do confeiteiro", que normalizam as quantidades para a quantidade de farinha por peso; a segunda coluna apresenta o peso em gramas suficiente para uma torta.

Comparando as duas receitas, você pode ver que a proporção entre farinha e gorduras é de 1:0,71 para 1:0,76, e que a *Joy of Cooking* pede mais água.

No entanto, manteiga não é a mesma coisa que gordura vegetal; a manteiga é composta por 13 a 19% de água, e a gordura vegetal é apenas gordura. Com isso em mente, leia as receitas mais uma vez: a versão de Martha Stewart pede 76g de manteiga (por 100g de farinha), para cerca de 64g de gordura; a *Joy of Cooking* pede 69g de gordura por 100g de farinha. A quantidade de água é mais ou menos igual entre as duas considerando a água na manteiga.

> Para receitas com margens de erro apertadas — normalmente tortas, raramente pães — **sempre use uma balança digital**. Essa mudança terá grande impacto sobre o resultado.

Ao seguir uma receita que não indica a quantidade de farinha, é preciso adivinhar quantos gramas por xícara o escritor pretendia que você usasse. Se a receita veio dos Estados Unidos, use 140g como um palpite inicial; se é de origem europeia, tente 125g.

Massa de Torta

Existem dois tipos principais de massa de torta: a flocosa (como a massa podre) e a farelenta. Amassar a gordura na farinha até ela diminuir muito e usar um pouco mais de água resultará em uma massa mais flocosa, adequada para massas de torta pré-assada; mexer a gordura até obter uma consistência de farinha de milho resultará em uma massa mais resistente à água, farinhenta e que esfarela, mais adequada para ser usada em receitas em que seja recheada antes de assar.

Essa receita faz massa suficiente para o fundo e para cobrir uma torta, chamada de duas crostas. Se você estiver fazendo uma torta aberta, isso dará para duas tortas — você pode guardar uma no refrigerador por alguns dias.

Siga uma das receitas da página 258 e meça e misture a farinha e o sal em uma tigela ou na tigela de um processador de alimentos. Corte a manteiga em cubinhos (1cm) e a adicione. Se estiver usando gordura vegetal, adicione também.

Leve a tigela ao congelador por 15 minutos. Refrigerar os ingredientes faz com que a manteiga não derreta, o que evita que a água na manteiga interaja com o glúten na farinha, resultando em uma massa menos farelenta e mais dura.

Se tiver um processador, pulse os ingredientes uma ou duas vezes enquanto adiciona a água — só a quantidade suficiente de água para que a massa se forme. Continue pulsando até que os ingredientes estejam misturados.

Se não possuir um processador de alimentos, use uma batedeira de confeitaria, algumas facas ou seus dedos para agregar a manteiga na farinha, adicionando a água necessária, até que os ingredientes se misturem.

Não tem um rolo? Uma garrafa de vinho funcionará perfeitamente.

Quando a massa estiver com consistência de areia grossa ou bolinhas, jogue-a em uma bancada coberta com farinha, divida-a em duas partes e amasse-a formando dois discos redondos, um para o fundo e outro para a parte de cima.

Use um rolo, estique a massa, dobre-a e estique novamente, repetindo até a massa ter sido comprimida e possuir estrutura suficiente para ser transferida para a forma de torta.

Massa de Torta Pré-assada

Algumas tortas, como a de merengue de limão (veja a receita na página 411), pedem que a massa de torta seja pré-assada. Para pré-assar uma massa (também chamada de *blind baking*), estique-a, transfira-a para uma forma de torta e cubra-a com papel-manteiga. É preciso assá-la com pesos (não precisa ser nada sofisticado — feijão ou arroz serve, e o papel-manteiga impedirá que o peso grude na massa ou que ela absorva os sabores); caso contrário, a massa da torta escorregará pelas bordas e perderá o formato. Após ter sido assada o suficiente para manter seu formato, remova os pesos da torta para que a massa possa ficar crocante e dourada.

Odeio o gosto de farinha crua; ela queima no fundo da boca. Se você não souber se a massa está ou não pronta, é melhor deixar mais tempo no forno.

Ajuste o forno para 220°C. Asse a massa com os pesos por 15 minutos. Remova os pesos e asse por mais 10 ou 15 minutos, até a casca dourar.

Ao pré-assar — ou cozinhar ligeiramente — uma massa de torta, certifique-se de preenchê-la. De outra maneira, os lados cairão. Cubra a massa da torta com papel-manteiga ou alumínio e encha-a de feijão ou arroz.

Jim Lahey: Panificação

Jim Lahey é amplamente conhecido por popularizar o método do pão sem sova, que ele escreveu em seu livro My Bread: The Revolutionary No-Work No-Knead Method (Meu Pão: O Revolucionário Método Fácil sem Sova — W. W. Norton, 2009). Ele recebeu o prêmio de Panificador Extraordinário da Fundação James Beard, em 2015.

O que levou você a ser um panificador?

Quando visitei a Itália na juventude, fui exposto à comida. Todas as ideias que eu tinha sobre boa comida foram abaladas por esse país aparentemente insular que tinha uma grande tradição na comida, região por região. Quando consegui comer esse pão maravilhoso por si só, isso acendeu um fogo dentro de mim e me deixou empolgado para descobrir como fazê-lo. Os pães em Roma naquela época eram fantásticos; havia ainda um número espantoso de velhos praticantes da panificação. Ao passo que hoje a maioria dos panificadores em Roma depende da refrigeração para conseguir um resultado final decente. Eu sou da escola sem refrigeração.

Como você compararia as culturas americana e italiana em termos da abordagem da comida e da panificação?

Somos uma sociedade extremamente heterogênea, com culturas diferentes e diferentes tradições. Temos comidas que não são necessariamente baseadas em uma tradição particular. Se olharmos para a infinidade de comidas "artesanais" produzidas localmente ou para a popularidade da culinária de diferentes cozinhas, somos um monte de "outros". Eu cresci com vizinhos italianos que compartilhavam suas receitas de almôndegas de família, então eu tenho minhas lembranças de fazer almôndegas com minha mãe gaélica-americana. Temos hambúrgueres nos EUA, mas quem é o criador do hambúrguer?

É espantoso como as comidas mudaram nas últimas décadas.

Em parte, a culpa é da internet, e em outra das viagens globais. Se quiser ver como um filão de pão é moldado, você pode acessar a internet e assistir a centenas de vídeos. É claro, assistir a um vídeo sem nenhuma referência sobre como aquilo deve ficar não quer dizer que você vai ter sucesso em fazer um filão de pão.

Vamos falar sobre pão. O que você quer dizer com ser partidário da escola sem refrigeração?

Bem, é claro, precisamos de alguma forma de refrigeração para guardar e fermentar os alimentos. Eu prefiro, em minha prática de fazer pães, não refrigerar a massa depois que ela for misturada, assim ela não toma espaço no refrigerador.

Então, é mais pragmático, e não porque isso muda o sabor da massa?

Sim, é verdade que se você mantiver a massa a uma temperatura mais fria durante os vários estágios da fermentação, reforça certos sabores que pode perder em temperatura ambiente. A refrigeração dá a você a conveniência de poder acertar com mais frequência do que erra, mas não vai aprender realmente como as coisas fermentam. Eu vejo o ato de fazer pães como uma prática, como ioga ou artes marciais. Se está fazendo pão, e está fazendo isso em temperatura ambiente, tem um aprendizado de trabalho; um senso intuitivo da faixa de temperatura em que a massa precisa permanecer.

A conveniência maravilhosa do fermento seco e do método sem sova é que não importa se você tem esse conhecimento. O que você ganha com a prática é o primeiro passo para entender o poder da fermentação.

Seu pão sem sova, sobre o qual Mark Bittman escreveu no New York Times, colocou muita gente na cozinha para fazer pão.

Foi fantástico, porque eles não precisavam ter essa noção de qual era o arquétipo do pão, que você pode encontrar no interior do Mediterrâneo.

Vamos falar sobre as variáveis na panificação que alguém em casa pode não ter percebido.

A temperatura tem um papel muito importante. Eu vejo isso com a quantidade de levedura que preciso usar e o intervalo de tempo. Atualmente, eu não tenho um bom aquecimento em minha padaria. No inverno, para uma fornada de pão que envolva levedura, eu posso ter que colocar quase seis gramas para cada quilo de farinha. No verão, e isso tudo na mesma fórmula, posso usar um quarto de grama!

Também há mudanças nas propriedades insulares da massa. Quando você a faz, ela não é um líquido e nem um sólido; é uma massa viscosa em algum lugar entre um sólido e um líquido. Ela tem propriedades particulares, certa viscosidade, certa coesão. Mas à medida que começa a fermentar e se tornar uma esponja, as propriedades insulares mudam dramaticamente. No inverno, se está preparando uma fornada grande de massa, digamos, 30 quilos, vai notar uma diferença entre 5 e 8°C da superfície para o centro da massa. Eu tenho que prever como estará o clima para antecipar qual será o curso da fermentação.

Que diferenças, em sua experiência, você esperaria ver entre um pão sem sova e um sovado?

Se houver alguma pigmentação no trigo, a massa sem sova vai reter a pigmentação. Então, na verdade, você vai ver um farelo talvez amarelo, ou rosado, ou amarronzado, dependendo do tipo de trigo que usar. Se sovar a massa mecanicamente, a introdução de oxigênio através do processo de sova vai criar uma cor mais clara, de um efeito clareador. Se colocar os dois tipos de massa lado a lado, verá isso com clareza. Do ponto de vista da textura, o pão sem sova tem uma estrutura de migalhas mais soltas, menos definida.

Já que o pão sem sova depende do tempo para a formação do glúten, será que é possível fazer uma média entre o pão sem sova e o pão sovado padrão para algum tipo de pão com "pouca sova"?

Se você der uma olhada na panificação francesa, depois de misturar os ingredientes, ela remete a essa ideia. A massa pôde absorver água e aroma e começa a despertar, e aí você introduz o sal como um condicionador funcional para a massa. Éric Kayser tem promovido há muito o método de pouca sova, em que a massa não é sovada intensivamente.

Há muita lenda sobre o que as pessoas pensam. No final das contas, nós vamos olhar para o produto final como degustadores. Se for a qualquer supermercado, vai ver que eles não têm cepas especiais de trigo. Eles têm estoques de trigo e você não sabe de onde os grãos vieram, muito menos de quais moinhos.

Eu sempre digo: não é o trigo que faz um grande pão, é o conhecimento do padeiro. Você pode ter o melhor trigo do mundo e mesmo assim fazer um pão de baixa qualidade. E pode ter o que alguns considerariam a pior farinha comercial do mundo e ficar fantasiando sobre uma pequena fazenda "que lhe faz lembrar das encostas da França".

Pão sem Sova

Misture tudo em uma tigela grande até a farinha ter sido completamente umedecida. Isso deve levar entre 15 e 60 segundos. Cubra e deixe descansar em temperatura ambiente entre 12 e 24 horas.

Coloque uma panela de ferro fundido de tamanho médio, um refratário ou um prato de cerâmica e a tampa no forno e preaqueça ambos a 260°C.

Peso	Volume	% do Confeiteiro	Ingrediente
450g	3 a 3 ¼ de xícaras (chá)	100%	Farinha
350g	1 ½ xícara (chá)	78%	Água
8g	1 ¼ colher (chá)	1,8%	Sal
~2g	½ colher (chá)	–	Fermento instantâneo

Enquanto o forno esquenta, transfira a massa para uma superfície coberta com farinha. A massa deve estar quase fibrosa, aderindo à tigela ao retirá-la. Dobre algumas vezes e forme uma bola. Deixe descansar por 15 minutos. Molde rapidamente em um formato redondo e coloque em uma toalha de pano generosamente coberta com farinha. Deixe coberto até dobrar de tamanho. Coloque na panela de ferro fundido preaquecida e asse com a tampa fechada por 30 minutos. Retire a tampa e asse até a casca ficar com uma cor bem dourada, por mais 15 ou 20 minutos.

Tolerâncias de Erros na Panificação

Fermentos Biológicos

Falamos sobre como farinha e água criam o glúten e como ele é maravilhoso para prender o ar. Mas como conseguimos ar para dar início ao processo? Os fermentos com base biológica — principalmente a levedura, mas também bactérias, para alguns pães — são o método mais antigo para gerar ar em alimentos. Presume-se que um padeiro pré-histórico tenha sido o primeiro a descobrir que uma tigela de farinha e água descansando durante a noite (para o desgosto de quem fosse lavar a louça) fermentava. O pão era tão importante no Império Romano que um representante dos padeiros tinha uma cadeira no senado. O uso do fermento começou em uma época ainda mais remota.

> Não há nada mágico sobre as cepas de levedura que usamos além de alguém ter percebido seu sabor e pensado: "Ei, essa tem um gosto muito bom, acho que continuarei usando!". O pão da amizade — a "corrente" dos fermentos — tem sido passado por aí por décadas.

A levedura é um fungo celular que se alimenta de açúcar e outras fontes de carbono para liberar dióxido de carbono, etanol e outros compostos. Esses três compostos tornam o fermento muito útil: o dióxido de carbono faz crescer, o etanol esteriliza e preserva as bebidas, e os subprodutos dão aos pães de massa azeda seu sabor distinto. Através dos anos, "domesticamos" certas cepas através do cultivo eletivo: a *Saccharomyces cerevisiae* — mais conhecida como *fermento de panificação* — é usada para pães; outras cepas são mais úteis na produção de cervejas (geralmente, *S. carlsbergensis*, também conhecida como *S. pastorianus*, que recebeu o nome em homenagem a Louis Pasteur — cara de sorte).

Antes da domesticação das leveduras, os produtores de pães contavam com as leveduras ambientais. No entanto, o "método de roleta russa de levedura" pode não funcionar tão bem na sua cozinha: existem boas chances de você acabar com uma cepa terrível que gerará compostos de fenol e enxofre com um gosto desagradável. É por isso que se deve adicionar uma cepa "inicial"; fornecer uma grande quantidade de uma cepa específica garante que ela se sobreponha a quaisquer outros fermentos biológicos presentes no ambiente. (Se seus pães crescerem muito rápido — você vai saber pelos pães que não crescem e ficam porosos —, diminua a quantidade inicial.)

Como qualquer criatura viva, a levedura prefere viver em uma zona de temperatura específica, e cepas diferentes preferem temperaturas diferentes. A levedura geralmente usada em pães — apropriadamente batizada de fermento de pão — funciona melhor em temperatura ambiente (13–24°C). Na produção de bebidas alcoólicas, as cervejas tipo *ale* e *stout* são feitas com uma levedura parecida com o fermento de panificação; ela também se beneficia da temperatura ambiente. As cervejas lager e steam usam leveduras que fermentam no fundo e que preferem ambientes mais frios, entre 0 e 13°C. Tenha em mente a variação de temperatura que a levedura que estiver usando prefere. Muito frio, a levedura fica letárgica e crescerá com dificuldade; e se ficar quente demais, elas morrem.

262   Cozinha Geek

Verifique Seu Fermento!

Se você observar que suas massas não estão crescendo como esperado, verifique rapidamente o fermento:

1. Meça 2 colheres (chá) de fermento (10g) e 1 colher (chá) de açúcar (4g) em um copo e adicione ½ xícara (chá) de água morna (120ml) (38–40°C).
2. Mexa e deixe descansar por dois a três minutos.
3. Depois do descanso, você deverá observar pequenas bolhas se formando na superfície. Se não for o caso, a levedura está inativa — hora de ir até o mercado.

Em panificação, isto se chama prova (não confundir com o crescimento intermediário, ou com deixar a massa descansar antes de ir para o forno). Se está usando levedura viva, é preciso sempre fazer a prova para amaciar a casca dura ao redor dos grânulos.

Quando for fazer a prova da levedura, use água morna. Se a água estiver abaixo de 38°C, um aminoácido chamado *glutationa* vazará das paredes celulares e deixará sua massa grudenta.

Não se preocupe, a água quente da torneira não vai inativar a sua levedura, a menos que esteja quente demais. A levedura, na verdade, morre apenas cima de 55°C. Uma água não tão quente não deve eliminá-la completamente, apenas diminuir a reprodução. Isso pode ser confirmado ao encher um copo com a água de torneira mais quente possível; só vai demorar um pouco mais para que a levedura entre em ação.

A levedura viva vai borbulhar e espumar (esquerda); a levedura inativa será separada e não criará espuma (direita).

Fermentos Biológicos 263

Pão — Método Tradicional

Se você nunca fez pão antes, uma fornada simples é fácil de fazer, e torná-la perfeita será uma ocupação para muitos anos. Esta é uma daquelas receitas que vale a pena fazer por vários dias seguidos, mudando uma coisa por vez para entender como as alterações modificam o resultado final do pão.

Em uma tigela grande, misture:

- **1 ½ xícara (chá) de farinha para pão (210g)**
- **1 ½ xícara (chá) de farinha de trigo integral (210g)**
- **3 colheres (sopa) de farinha de glúten (25g) (opcional)**
- **1 ½ colher (chá) de sal (2 colheres [chá] se usar sal grosso ou em flocos)**
- **1 ½ colher (chá) de fermento biológico instantâneo (4,5g) (não fermento seco ativo)**

Adicione:

- **1 xícara (chá) de água (240ml)**
- **1 colher (chá) de mel (7g)**

Mexa apenas para misturar — talvez 10 mexidas com uma colher — e deixe descansar de 20 a 30 minutos, para a farinha absorver a água (o que é chamado de autólise).

Depois que a massa descansou, sove-a. Você pode fazer isso em uma tábua de corte, pressionando a massa para baixo com a palma da sua mão, empurrando-a na direção oposta a você, e, em seguida, dobrando-a de volta sobre ela mesma e torcendo-a de vez em quando. Às vezes, eu apenas seguro a massa em minhas mãos e a trabalho, esticando-a e dobrando-a, mas isso é provavelmente pouco comum. Continue misturando a massa até que ela passe pelo "teste de estiramento": retire um pequeno pedaço da massa e estique-o. Ele não deve rasgar; se isso acontecer, continue misturando.

Forme uma bola com a massa e deixe descansar na tigela grande, coberta com filme plástico (borrife com spray antiaderente para evitar que grude), até duplicar de tamanho, normalmente entre 4 e 6 horas. Armazene a massa em algum lugar em que a temperatura esteja entre 22°C e 26,5°C. Se a massa for mantida quente demais — digamos, se você estiver em um clima quente, ou se ficar próxima demais de uma fonte de calor —, ela vai dobrar de tamanho mais rapidamente, então, preste atenção e use o bom senso. No entanto, mais quente — e mais rápido — não é necessariamente melhor: um tempo maior de descanso permitirá um melhor desenvolvimento do sabor.

Depois que a massa crescer, sove-a rapidamente de novo — como uma massagem rápida para retirar grandes bolhas de gás. Se preferir, adicione nozes, ervas ou outros aromatizantes nesse ponto. Molde a massa em uma bola apertada, cubra-a com um pouco de farinha, coloque-a em uma pá para pizza (ou pedaço de papelão), cubra com filme plástico novamente, e deixe-a descansar por mais uma ou duas horas.

A levedura produz ácido acético e lático em diferentes taxas dependendo da temperatura, por isso, temperaturas diferentes de crescimento vão criar sabores diferentes. É por isso que a temperatura de crescimento ideal está entre 22°C e 26,5°C.

Se for mantida muito fria, a massa ficará dura e plana devido à produção insuficiente de gás, o pão final terá migalhas irregulares, furos irregulares e uma crosta muito escura e dura.

Por outro lado, a massa que cresce em um ambiente muito quente ficará seca, sem elasticidade e quebrará quando esticada, e o pão final terá migalhas de sabor azedo, células grandes com paredes espessas e uma crosta pálida ou esbranquiçada.

Enquanto espera para a massa crescer, coloque uma pedra de pizza ou uma pedra de assar em seu forno e ajuste-o para 220°C. (Você deveria ter sempre uma pedra de pizza no seu forno, o tempo todo — veja a p. 35.) Não tem uma pedra de pizza? Use uma frigideira ou panela de ferro fundido virada de cabeça para baixo. Certifique-se de que o forno esteja bem aquecido antes de assar — uma hora completa de preaquecimento não é demais. Pouco antes de transferir a massa para o forno, coloque um copo ou dois de água fervente em uma assadeira ou forma rasa e coloque-a sobre uma prateleira abaixo da pedra. (Use uma forma rasa velha; a água pode deixar um resíduo difícil de limpar.) Como alternativa, use um spray para borrifar o interior do forno uma dúzia de vezes para aumentar a umidade. (Tenha cuidado para não acertar a lâmpada interna: ela pode estourar.)

Com uma faca serrilhada, corte levemente o topo do pão com um "X" e depois coloque-o no forno. Asse por cerca de 30 minutos até que a crosta fique dourada e o pão faça um som oco ao dar batidas no fundo. Na teoria, é possível verificar o cozimento usando um termômetro; a temperatura interna deve estar em torno de 98,5°C, temperatura na qual os amidos na farinha se quebram (veja a página 206). Mas a teoria não funciona muito bem aqui, porque o pão precisa atingir um certo grau de secura também. Checar a temperatura só vai ajudá-lo a evitar que o pão não asse o suficiente, porque vai mostrar que a massa pelo menos atingiu a temperatura desejada. (Eu suponho que o peso daria bons resultados, se você tiver uma balança à prova de temperatura...) Na prática, é melhor aprender a sentir quando o pão acabou de assar: a aparência e a forma como ele soa quando segurado e batido com os nós dos dedos vão dizer mais sobre ele.

Deixe o pão esfriar por pelo menos 30 minutos antes de cortar; ele precisa esfriar o suficiente para os amidos gelatinizarem e cozinharem.

Notas

- *Tente adicionar alecrim, azeitonas, ou cebola picada e refogada durante a segunda sova. Para um pão doce e saboroso, use somente farinha de pão e adicione alguns pedaços grandes de chocolate amargo ou frutas secas.*

- *Para um método um pouco mais complicado, comece com uma esponja: uma pré-fermentação de farinha, água e levedura que permite um melhor desenvolvimento de sabor. Em vez de adicionar toda a farinha e a água juntas no início, misture metade da farinha (210g) com $^2/_3$ (160ml) da água (de preferência, a 24°C — se estiver mais quente, a oxidação terá impacto no sabor) e toda a levedura (4,5g), e deixe crescer até que as bolhas comecem a se formar na superfície e a esponja comece a descer. Quando esse estágio for atingido, misture a esponja com o restante da água (80ml), adicione o restante da farinha (210g) e do sal (9g), e deixe que a mistura cresça conforme as instruções anteriores.*

Por que o pão fica murcho e borrachudo?

Apesar da ciência exata do que faz com que o pão fique velho ainda ser desconhecida, alguns mecanismos diferentes são prováveis suspeitos. Uma ideia é que, ao serem assados, os amidos na farinha são convertidos para uma forma que pode se ligar com a água, mas que é recristalizada lentamente após o cozimento e, ao fazê-lo, libera água, que então é absorvida pelo glúten, mudando a textura das migalhas. E também há a crosta, que retira um pouco de umidade a partir do meio do pão, fazendo com que a textura da crosta mude. Independentemente do mecanismo exato, o armazenamento do pão na geladeira acelera essas mudanças na textura, enquanto o congelamento, não, de modo que é melhor manter o seu pão em temperatura ambiente ou congelá-lo. Torrar o pão acima da temperatura na qual os amidos gelatinizam inverte algumas dessas mudanças.

Ar e Água

Fermentos Biológicos 265

As Quatro Etapas da Levedura na Culinária

Você acabou de adicionar a levedura inicial à massa de pão. O que acontece depois disso?

1. **Respiração.** Uma célula ganha e armazena energia. Sem oxigênio? Sem respiração. Durante essa etapa, a levedura produz energia para poder se reproduzir e também para gerar dióxido de carbono (CO_2).

2. **Reprodução.** A célula de levedura multiplica-se através da germinação ou da divisão direta (fissão) na presença de oxigênio. Os compostos ácidos são oxidados durante essa etapa. A quantidade e a taxa de oxidação dependem da cepa da levedura, e vão resultar em níveis de pH diferentes na comida.

3. **Fermentação.** Depois que a levedura utilizar todo o oxigênio disponível, ela muda para o processo anaeróbico de fermentação. A mitocôndria celular converte o açúcar em álcool e gera CO_2 ("a levedura sofre de flatulência!") e outros compostos no processo. Você pode controlar o nível de crescimento das massas controlando o tempo em que a massa fermenta.

4. **Sedimentação.** Quando a levedura não possui mais opções para gerar energia — não há mais oxigênio e açúcar —, a célula se fecha, mudando para um modo dormente na esperança de que mais oxigênio e alimentos apareçam algum dia.

Embora todas as células da levedura passem por essas etapas, células diferentes podem estar em estágios diferentes ao mesmo tempo. Isso é, algumas células podem estar se reproduzindo enquanto outras estão respirando ou fermentando.

O fermento de panificação existe em três variedades: instantânea, seca ativa e fresca. As versões instantânea e ativa seca foram desidratadas para formarem uma casca protetora de células mortas de levedura que envolve as células ainda vivas. A versão fresca — conhecida como fermento fresco — é essencialmente um bloco de levedura sem casca protetora, com um tempo de armazenamento muito curto (bom, tempo de geladeira). O fermento biológico fresco permanece bom por cerca de duas semanas na geladeira, enquanto o instantâneo pode ser usado por cerca de um ano e o seco ativo por cerca de dois anos no armário. O fermento instantâneo e o ativo seco às vezes são colocadas na seção de refrigerados nos supermercados. Se comprar um pacote grande de fermento instantâneo ou ativo seco (muito mais econômico que os pacotinhos!), guarde-o em um recipiente que possa ser fechado, no refrigerador ou no freezer.

O fermento instantâneo e o seco ativo são essencialmente semelhantes, com duas diferenças. Primeiro, o fermento ativo seco possui uma casca protetora mais espessa ao seu redor. Isso fornece uma maior durabilidade, mas também significa que deve ser umedecido com água antes do uso para amaciar a casca protetora. A segunda diferença é que a quantidade de células de levedura ativas no fermento ativo seco é menor que no instantâneo, já que a casca protetora mais espessa ocupa mais espaço: quando uma receita pede por 1 colher (chá) de levedura seca ativa (2,9g), ela pode ser substituída por ¾ de colher (chá) de levedura instantânea (2,3g), embora a substituição 1:1 também funcione.

O fermento instantâneo é mais fácil de trabalhar: adicione diretamente nos ingredientes secos e misture. A não ser que você tenha motivos para usar o ativo seco ou o fresco, use o instantâneo. Lembre-se de guardá-lo na geladeira!

Waffles de Levedura

A levedura de panificação contém uma série de enzimas, uma delas, a zimase, converte açúcares simples (dextrose e frutose) em dióxido de carbono e álcool. É ela que dá à levedura a capacidade de crescimento. Porém, a zimase não quebra açúcares da lactose, então, massas feitas com leite acabarão com um gosto mais doce. É por isso que algumas receitas de pão pedem por leite e alimentos como waffles têm um sabor forte e doce.

Com pelo menos duas horas de antecedência, preferencialmente na noite anterior, meça e bata para misturar:

- **1 ¾ de xícara (chá) de leite (450ml) (de preferência integral)**
- **½ xícara (chá) de manteiga derretida (115g)**
- **2 colheres (chá) de açúcar ou mel (10g)**
- **1 colher (chá) de sal (6g) (sal de mesa — não grosso ou granulado)**
- **2 ½ xícaras (chá) de farinha (300g) (de uso geral)**
- **1 colher (sopa) de fermento instantâneo (9g) (não ativo seco)**
- **2 ovos grandes (120g)**

Cubra e guarde em temperatura ambiente. Certifique-se de usar uma tigela ou um recipiente grande com espaço suficiente para a massa crescer.

Mexa um pouco a massa e asse em uma forma de waffle conforme as instruções do fabricante.

Notas

- *Na confeitaria, use sal de mesa, não sal grosso ou granulado, já que o sal mais fino se misturará de forma mais uniforme à massa.*

- *Experimente usar mel, xarope de bordo ou extrato de agave (piteira) no lugar do açúcar, e tente substituir farinha de trigo integral ou de aveia por metade da farinha de uso geral.*

- *Se os waffles não ficarem tão crocantes quanto gostaria, coloque-os em um forno preaquecido a 120°C — quente o suficiente para evaporar rapidamente a água, frio o suficiente para evitar a caramelização e as reações de Maillard.*

Em Busca da Pizza Perfeita

Como um livro chamado *Cozinha Geek* não se enveredaria pelos caminhos da pizza? Não importa se você se identifica ou não como um geek, pizza é pizza: divertida de fazer e comer. E você precisa aprender a preparála. É verdade. As pizzas delivery são muito inferiores às que pode fazer em casa. Há sempre um espaço para uma fatia cheia de queijo e tomate — normalmente às 2 da manhã em um fim de semana. E no resto do tempo? Uma vida bem vivida inclui saborear as nuances de uma pizza maravilhosa feita em casa.

Primeiro, a massa da pizza. Embora você possa comprá-la no mercado, acho que o resultado é melhor quando começo do zero. Sou tão a favor de que as pessoas façam sua própria massa que incluí duas receitas: uma de massa de pizza sem sova simples, na página 271, e uma sem fermento, na página 286, para os impacientes (acredite, eu compreendo).

Em segundo lugar, o forno. A temperatura do forno determina como a massa da pizza vai assar. Coloque sua pedra de pizza na prateleira do meio, e então preaqueça seu forno a 190°C para uma massa mais mole ou a 230°C para uma mais crocante (veja a página 370 para pizzas de alta temperatura).

Pré-asse a massa. Pré-assar a massa não faz parte da maioria das receitas de pizza, mas eu sou fã. Assá-la com antecedência evita riscos de ficar com uma massa crua e com recheios queimados.

1 Polvilhe uma área grande da bancada com farinha.

2 Pegue cerca de 450g de massa e forme uma bola, sovando e dobrando. A massa deve estar levemente grudenta, mas não tanto que fique na sua mão. Se estiver grudenta demais, adicione mais farinha passando a massa sobre a que está na tábua de corte.

3 Continue a trabalhar a massa até ela alcançar uma consistência firme, com boa elasticidade quando esticada.

4 Comece a moldá-la em um disco reto e redondo, e então abra-a com o rolo em um círculo ou retângulo.

5 Transfira a massa de pizza para o forno, pegando-a com cuidado e colocando-a na pedra de pizza (use uma pá de pizza ou um pedaço de papelão limpo se necessário).

6 Deixe a pizza assar entre três a cinco minutos, até a massa ficar pronta. Se a massa inchar em algum ponto, use uma faca para fazer um pequeno furo na bolha e use o lado reto da lâmina para empurrar a parte inchada para baixo.

7 Quando a massa tiver pré-cozida, remova-a do forno e coloque-a de volta na tábua de corte.

Coberturas. Adicione o molho e o recheio. A escolha das coberturas é a arte da pizza: uma tela em branco em que você pinta os sabores que deseja. Algumas ideias gerais:

• Você nunca vai errar com uma camada fina de molho de tomate, algumas fatias de uma boa muçarela e algumas folhas de manjericão por cima depois de assada.

• Se não tiver molho de tomate, qualquer coisa, desde uma camada fina de azeite de oliva até um molho branco com queijo funcionará. (Veja o molho Béchamel na p. 105.)

• Para recheios como cebolas e linguiças, refogue os ingredientes antes de colocá-los na pizza. Cozinhar a massa e o recheio separadamente acaba com a dor de cabeça associada à necessidade de que todos os ingredientes fiquem prontos ao mesmo tempo, deixando apenas três objetivos: derreter o queijo para fundir os ingredientes, dourar as bordas e dourar a superfície do recheio.

Cozimento. Termine de cozinhar transferindo a pizza recheada para o forno (usando uma pá para pizza ou, como improviso, um pedaço de papelão) e asse-a até o queijo derreter e a pizza começar a dourar, por cerca de 8 a 12 minutos. Quando estiver na dúvida, asse um pouquinho mais: uma massa lindamente dourada (eu não disse preta) tem uma aparência e gosto ótimos.

268 Cozinha Geek

Jeff Varasano: Pizza

Jeff Varasano se mudou de Nova York para a Georgia, onde a falta de pizzas parecidas com as de Nova York o levou a anos de experimentações — até chegar ao ponto em que ele cortou a trava do seu forno para poder assar pizza em um forno muito quente configurado para o ciclo de limpeza (veja a p. 370). Ele depois largou o emprego como programador C++ e abriu a Varasano's Pizzeria, em Atlanta.

Como é que você saiu de programação C++ para fazer pizza?

Eu me mudei de Nova York para Atlanta. Como várias pessoas que vão para o Nordeste dos EUA, comecei a procurar pela melhor pizza. Vários lugares dizem ter uma pizza como a de Nova York, e você vai lá e pensa: "Hum, será que esses caras já estiveram em Nova York?". Então, eu comecei a cozinhar em casa. No começo, ligava para todos os meus amigos e dizia: "Olha, eu vou fazer pizza hoje à noite. Vai ser terrível, mas, por que você não vem experimentar?" E realmente era muito ruim.

Comecei a fazer experiências. Usei todas as farinhas. Experimentei diferentes métodos de aquecer meu forno. Tentei fazer na grelha. Tentei encapar meu forno com folha de alumínio para reter todo o calor. Então, me mudei para uma casa nova e comprei um forno com um ciclo de limpeza. Eu realmente não sabia o que era um ciclo de limpeza. Eu nunca tinha tido um forno com ciclo de limpeza, mas fui testar e percebi que era basicamente uma incineração dos resíduos. Pensei: "Ah, eu preciso usar isso!". Foi daí que veio a ideia de cortar a trava.

Montei um site (agora em http://www.varasanos.com/PizzaRecipe.html — conteúdo em inglês). Eu realmente não pensei muito nele. Por um ano e meio, o contador marcava cerca de 3 mil visitas e em um dia saltou de 3 mil para 11 mil e meu servidor travou. Percebi que as pessoas estavam visitando a página e daquele dia em diante comecei a receber emails. Foi isso que me fez começar a pensar em desistir dos softwares e ir trabalhar com pizzas.

No processo de aprender a fazer a sua pizza, o que acabou sendo mais importante do que você esperava, e, por outro lado, o que acabou sendo menos importante?

Bem, o que foi menos importante de forma óbvia foi a farinha. Todos procuram por uma peça de equipamento ou ingrediente secreto que possa ser comprado para transformar imediatamente a sua pizza em algo fantástico. Não é assim. Essa foi uma das coisas que eu percebi logo no início. Não há solução mágica. Se olhar para as cinco principais pizzarias na minha lista, você verá que elas usam cinco fornos diferentes: gás, lenha, queima de carvão, elétrico, e, acredite ou não, um forno a diesel. Não apenas eles utilizam combustíveis diferentes, mas também têm formas diferentes, usam diferentes temperaturas, alguns cozinham as pizzas por dois minutos, outros por sete. Então, qual é o segredo? A resposta é que é uma arte, é tudo misturado em um momento certo. Isso é o que eu percebi, que ao aprender o básico e os fundamentos você aprenderá um estilo e uma arte, e que é muito mais difícil de definir. Não vai ser um segredo único.

Vários geeks aprendendo a cozinhar ficam preocupados com pequenos detalhes e não enxergam a situação geral de apenas tentar fazer algo e se divertir.

Sim. Eu sempre gostei de fazer experiências. Mas sempre tive uma maneira diferente de abordar problemas. Eu não faço muitas suposições sobre a forma como as coisas devem ser feitas. A maioria das pessoas acha que saber como as coisas devem ser feitas é a melhor maneira, acaba tentando sempre a mesma coisa, ao passo que eu tenho uma tendência a apenas experimentar uma variedade muito maior de coisas que podem ou não funcionar.

Quando você fica preso em um desses problemas, mesmo que esteja trabalhando com mais variações, como tenta resolver a questão?

Essa é uma pergunta interessante. Deixe-me sair um pouco dela e depois voltar. A maioria das pessoas está familiarizada com o método científico, que é manter tudo exatamente igual e modificar uma variável. Isso me faz lembrar pessoas que tentam resolver apenas um dos lados do cubo de Rubik. A maioria dos bons métodos não envolve apenas um lado. Essa é a última coisa que se deve fazer.

Então, as pessoas ficam presas porque não querem desistir do progresso que pensam que já fizeram. Se quiser sair do primeiro nível, é preciso mudar de metodologia e começar de novo. E é possível observar isso com pizzas.

A arte começa onde termina a engenharia. Engenharia é pegar o que é conhecido e chegar à conclusão lógica. Então, o que você faz quando já aprendeu tudo que podia, mas quer evoluir? Nesse ponto, é preciso abrir sua mente para maneiras de pensar em algo de forma completamente aleatória. Que pode envolver vários passos de uma vez só. Pode acontecer de não ser necessário abandonar uma coisa, mas que tenha que desistir de outras cinco.

Usando pizza como exemplo, sempre que mudo de farinha não posso simplesmente manter a hidratação, porque se mudar a farinha, também terei que mudar a água, ou a massa terá uma consistência diferente. Bem, adivinhe só: ao aumentar a hidratação, a penetração de calor na massa vai ser mais lenta porque mais água precisa ser fervida. Talvez seja necessário também mudar a temperatura do forno. Eu adoraria realizar um experimento controlado para concluir que a Farinha B é melhor do que a Farinha A, mantendo todas as outras variáveis constantes. Mas, no mundo real, tal teste é um tanto sem sentido. É por isso que é uma arte.

Isso faz muito sentido. Eu acho que um monte de geeks por aí diria que essa é uma abordagem multivariada para acabar com pontos ideais de receitas e técnicas de pizza.

Isso mesmo. E você tem que trabalhar com as forças subjacentes e começar a compreendê-las de forma independente, mas, no final, os resultados não vão ser um conjunto de coisas independentes,

eles vão ser um conjunto de coisas interdependentes.

Na primeira fase da resolução de um problema ou de tentar dominar uma habilidade, você descobre que tudo parece completamente dependente e é aí que se tem menos poder. A próxima etapa é tornar as coisas independentes, separá-las e classificá-las. A ideia é segmentar as coisas em técnicas individuais cada vez melhores. O último estágio é aprender a reconectar todas as partes que você separou e reorganizá-las em algo em que as peças são interdependentes em vez de uma coleção de coisas independentes.

Estou no estágio intermediário, e por isso não vejo bem como todas as peças se encaixam. Por exemplo, se nós não deixarmos o aquecedor ligado no restaurante, a massa aquece durante a noite em um ritmo diferente do que normalmente acontece. Eu penso que apesar de não parecer fazer muita diferença, sei que há essa desigualdade de dois graus, então, vou corrigi-la. Vou pensar que voltei ao início, mas não é o caso. E em alguns casos, você não consegue nem saber qual é a diferença. Em um ano, ela será óbvia.

Pode me dar um exemplo?

Um dos ingredientes a que nunca tinha prestado muita atenção — e não percebi o quanto era importante — era o orégano. Eu tenho um jardim de ervas na frente da minha casa e cultivo um pouco de orégano. Não gostava da espécie que eu tinha. Um dia, encontrei uma espécie melhor em um jardim de ervas abandonado. Peguei a muda e coloquei no meu quintal e comecei a usá-la. Então, quando estava pronto para abrir o restaurante, fui procurar por orégano com os meus fornecedores. Trinta e três oréganos depois, eu ainda estava

pensando que nenhum deles era tão bom quanto o do meu jardim.

Você não percebe que há uma diferença a ser resolvida, e é aí que você é pego desprevenido. O orégano que eu realmente gosto só poderá ser produzido na quantidade certa daqui a um ano, assim, estou fazendo experiências; talvez haja uma forma melhor de secar os oréganos da que eu conheço. Se eu receber um orégano novo, talvez possa secá-lo de forma diferente e talvez seja o processo de secagem que fornece algo parecido com o que desejo. Já testei cinco, seis ou até sete formas diferentes de secagem; a secagem aquecida usando uma máquina de desidratação com um ventilador e um pouco de calor sobre o orégano usando desumidificadores e todas essas coisas diferentes.

Então parece que o seu método para superar isso é tentar um monte de coisas diferentes?

Realmente, é, e é engraçado, porque eu gosto de dizer, bem, como você sabe? Já tentei de tudo e muita gente pensa, uau, é incrível que você tenha descoberto isso! As pessoas pensam que existe algum tipo de magia secreta, mas o problema é que quando você chega ao final do que é conhecido, quando chega ao final da engenharia, fica apenas com a sua intuição, tentativas e erros, porém, isso faz com que chegue mais longe do que as pessoas imaginam.

Massa de Pizza — Método sem Sova

Há muito mais coisas importantes para se fazer uma boa pizza do que a massa. Essa receita faz massa suficiente para uma pizza fina de tamanho médio. Provavelmente, será melhor multiplicar essas quantidades pelo número de pessoas para quem você vai cozinhar.

Pese em uma tigela grande ou recipiente de plástico:

1⅓ de xícara (chá) de farinha de trigo (185g)
1 colher (chá) de sal (6g)
1 colher (sopa) de fermento instantâneo (9g)

Com a ajuda de uma colher, misture tudo para distribuir igualmente o sal e o fermento. Adicione:

½ xícara (chá) de água (120ml)

Misture a água usando a colher, de forma que a farinha e a água se incorporem.

Cubra o recipiente com filme plástico e deixe descansar na bancada por, pelo menos, seis horas, de preferência por mais tempo. Quando estiver pronta, transfira a massa para uma superfície polvilhada com farinha e abra-a em formato retangular ou circular. Para uma massa mais rústica, deixe a borda mais grossa e manuseie um pouco para deixar mais bolsas de ar na massa. Para uma massa mais fina, estique-a com o rolo. Siga as instruções padrão para fazer pizzas desse ponto em diante.

Você pode misturar os ingredientes na hora do café da manhã, antes de sair para o trabalho, e a massa estará pronta quando voltar para casa. É o mesmo princípio do pão sem sova (veja a p. 261): as proteínas glutenina e gliadina criarão lentamente ligações cruzadas por conta própria.

Nota

- *Se quiser fazer uma experiência, compre uma cultura de levedura de fermento (que na verdade é uma cultura da cepa de fermento de levedura mais conhecida e a bactéria* Lactobacillus*). A proporção de bactéria na massa influenciará o sabor. Você pode controlar essa proporção deixando a massa descansar por certo tempo na geladeira, quando a levedura se multiplicará, mas a bactéria, não, e um tempo em temperatura ambiente, quando a bactéria contribuirá para o sabor.*

Bactérias

As bactérias são utilizadas em todos os tipos de comidas e podem gerar gases, então não é um salto muito grande imaginar como criar comidas fermentadas por elas. Lamentavelmente, usar bactérias como agentes de fermentação é bastante raro.

A única receita de que tenho notícia é de um pão que cresce com sal, em que uma grande quantidade de sal quente aquece uma tigela durante a noite em climas frios. O pão de sal costumava ser popular em algumas comunidades do centro-oeste dos EUA e foi condecorado: a sociedade de Agricultura do Estado do Iowa premiou a senhora M. L. Harding, de Des Moines, com cinco dólares por seu pão de sal, em 1889. (A última feira do estado a que fui serviu Twinkies, minibolos fritos lambuzados de geleia, por cinco dólares — como os tempos mudaram!)

A fermentação depende da bactéria *C. perfringens*, que gera hidrogênio para o crescimento. Embora um pão inflamável seja estranhamente atraente, o problema é a *C. perfringens*: a mesma bactéria que causa milhões de casos de intoxicação alimentar anualmente. Para ser justo, há várias cepas de *C. perfringens*, e nenhuma doença foi ligada ao pão de sal. Pesquisadores verificaram alguns exemplos de toxinas relevantes e nada encontraram, atribuindo a falta de toxinas àquela cepa específica, mas também destacaram a "possibilidade real" de que outros lotes contivessem a cepa errada. Se quiser experimentar, procure na internet pelo artigo de Harold McGee "The Disquieting Delights of Salt-Rising Bread" (As Delícias Inquietantes do Pão de Sal).

É claro, as bactérias estão presentes na panificação todo o tempo: o *lactobacillus* é o que dá ao pão de massa lêveda seu sabor distinto. Cada espécie cria um sabor diferente, conforme os subprodutos gerados na fermentação. O *lactobacillus* tem outros benefícios: reduz o crescimento de bolor e melhora os aspectos nutricionais.

Fazer pão de massa lêveda é fácil: adicione-a com água a qualquer farinha e sove. Fazê-la, no entanto, demora mais. A massa lêveda inicial — ou *massa mãe* — é normalmente feita arriscando-se com bactérias e leveduras selvagens. Misture partes iguais por peso de água e farinha em um recipiente aberto, cubra com uma toalha para que as moscas fiquem longe enquanto o ar circula, mexa duas vezes por dia, e alimente com algumas colheres de sopa de farinha e água depois de alguns dias. Depois de uma semana, se não cheirar a massa lêveda, tente novamente. A "fermentação selvagem" normalmente funciona, e eu respeito a cultura (perdão pelo trocadilho) de onde vem e seus adeptos.

Massa lêveda inicial

Há uma pequena chance de que a cepa de bactéria que se aloja em uma massa selvagem não seja segura — ela precisa produzir ácido acético suficiente para deixar o pH bem baixo e evitar que outras bactérias coabitem nela. O uso de boas cepas de Lactobacillus e levedura comercial remove esse risco.

Misture **2 xícaras (chá) de água morna (500ml), 1 colher (chá) de levedura (5g), 1 colher (sopa) de açúcar (12g) e ¼ de xícara (chá) de iogurte natural (60g)** (com lactobacilos vivos) e então sove com **2 xícaras (chá) de farinha de trigo (280g)**. Mexa algumas vezes por dia, seguindo o método da fermentação selvagem.

Bicarbonato de Sódio

Enquanto a levedura permite a criação de muitas comidas deliciosas, ela tem dois problemas potenciais: tempo e sabor. Os padeiros comerciais com grandes volumes e aqueles de nós com pouco tempo para brincar na cozinha nem sempre podem esperar o tempo da levedura funcionar. E também existem os aromas e sabores gerados pela levedura, que entram em conflito com os sabores de produtos como um bolo de chocolate. A resposta mais simples para esses problemas é o bicarbonato de sódio:

Um bicarbonato (HCO_3^-) é ligado a uma molécula de sódio — (compostos parecidos usam potássio ou amônia para o mesmo efeito). Quando adicionado à água, o bicarbonato se dissolve e consegue reagir com os ácidos para criar CO_2.

Qualquer um que já tenha feito o projeto da feira de ciências usando vinagre e bicarbonato de sódio para fazer um vulcão sabe que a mistura consegue criar muito gás com muita rapidez (e uma bagunça daquelas!). Porém, na cozinha, o bicarbonato de sódio permanece sendo um dos maiores mistérios para os panificadores. Como ele é diferente do fermento em pó? E como saber qual usar?

A resposta rápida seria algo como: "O bicarbonato de sódio reage com ácidos, então, use-o apenas quando os ingredientes são ácidos". E como uma explicação simples, isso cobre 99% das vezes em que se está cozinhando. Contudo, ele é um pouco mais complicado — ele também reage consigo mesmo quando exposto ao calor — e vale uma pequena escapada para a química. Prometo que será rápida.

O bicarbonato de sódio comprado no mercado é um elemento químico específico: $NaHCO_3$. Se não houver alguma coisa em que o bicarbonato possa se dissolver, ele é um pó branco inerte. Quando umedecido — qualquer ingrediente úmido serve —, o bicarbonato de sódio se dissolve, o que quer dizer que os íons de sódio ficam livres para sair por aí desligados dos íons de bicarbonato.

> O sódio está ali apenas para transportar o bicarbonato para a comida. Ele deixa a comida um pouco mais salgada, e é por isso que os fabricantes de alimentos industriais, em alguns casos, usam coisas como bicarbonato de potássio: o potássio faz bem, e isso evita o sódio para as pessoas em dietas com baixo teor de sódio.

E é aqui que entra a natureza alcalina e básica das coisas. A maioria de nós conhece a escala de pH (o H significa hidrogênio; não é especificado o que o "p" significa, sendo "poder" e "potencial" as melhores alternativas). A escala de pH é uma medida da quantidade de íons de hidrogênio disponíveis em uma solução. As substâncias químicas que afetam a quantidade de íons de hidrogênio podem ser classificadas em uma de duas formas:

Ácidos (pH menor que 7)

Doadores de prótons — isso é, compostos químicos que aumentam a quantidade de íons de hidrônio (H_3O^+: o hidrogênio que se liga a uma molécula de água) na solução.

Bases (pH acima de 7)

Receptores de prótons — isso é, elementos químicos que se ligam a íons de hidrônio, reduzindo a sua concentração disponível em uma solução

O íon de bicarbonato de sódio possui uma propriedade interessante que os químicos chamam de *anfotericidade*: ele pode reagir tanto com um ácido quanto com uma base. Na cozinha, poucas coisas têm um pH básico — claras de ovos, bicarbonato de sódio, talvez a água da sua torneira, e é basicamente isso —, de modo que você pode ignorar a capacidade do bicarbonato de sódio de reagir com bases e pensar nele apenas como algo que reage com ácidos.

Em um copo de água pura com uma colherada ou duas de bicarbonato de sódio não há muitos íons para interação, então, eles apenas flutuam e fornecem um gosto geralmente ruim. Mas, se você adicionar uma colher de vinagre — que é ácido acético — a esse copo, os íons de bicarbonato reagirão com o ácido acético e vão gerar dióxido de carbono. Dependendo da quantidade de bicarbonato com a qual começou, depois de adicionar a colher de vinagre, o copo ficará em um dos três estados (nenhum dos quais envolve estar meio cheio ou meio vazio):

- Íons de bicarbonato ainda presentes, mas sem íons de ácido acético

- Sem íons de bicarbonato, mas com íons de ácido acético ainda presentes

- Sem nenhum íon de ácido acético e de bicarbonato presentes

Na confeitaria, é este último estado — um equilíbrio neutro — que queremos alcançar. Com bicarbonato de sódio demais, o alimento terá um gosto ruim de sabão. Com bicarbonato de sódio de menos, a comida ficará ligeiramente ácida (o que é bom) e não vai crescer (o que provavelmente não é bom — sua comida ficará solada). Para repetir uma das minhas citações favoritas: "A dose faz diferença!"

> O bicarbonato de sódio não precisa de um ácido para gerar dióxido de carbono; o calor também serve. Tente ferver um pouco de água e depois adicionar uma colher de bicarbonato de sódio. O bicarbonato se quebrará e fará espuma.

É claro, não colocamos "bicarbonato de sódio e água" no forno. Tome um gole de água com bicarbonato de sódio se tiver dúvida sobre o porquê. O bicarbonato normalmente é usado em receitas que também usam mais ingredientes ácidos: suco de frutas, leitelho, melaços. Açúcar e farinha são levemente ácidos, mas não o suficiente para merecer a adição de bicarbonato. (Falaremos do fermento em pó na próxima seção). Se fizer uma substituição em uma receita — digamos, você não tem leitelho e vai usar leite comum no lugar —, preste atenção para a mudança de pH correspondente. No caso do leitelho, você vai precisar adicionar uma colher (sopa) de vinagre branco (15ml) ou suco de limão para cada xícara (chá) de leite (240ml) (e reduzir a quantidade a uma colher de sopa); isso vai fornecer os ácidos necessários para reagir com o bicarbonato de sódio. É claro, você vai perder o sabor agradável do leitelho, mas, pelo menos, não vai comer waffles solados.

A quantidade de bicarbonato de sódio a ser usada depende do pH dos ingredientes no seu prato. Para não precisar fazer testes ou calcular o pH (acesse http://cookingforgeeks.com/book/ph-tester/ — conteúdo em inglês), fazer experiências é a forma mais fácil de chegar à proporção ideal: vá aumentando a quantidade de bicarbonato de sódio até atingir o crescimento desejado ou até começar a sentir seu gosto. Se não obtiver crescimento suficiente nesse ponto, adicione fermento em pó. Esse equilíbrio entre os ácidos e o bicarbonato não é um problema com o fermento em pó. A proporção de ácidos para bicarbonato no pó é pré-ajustada pelo fabricante, como veremos na próxima seção.

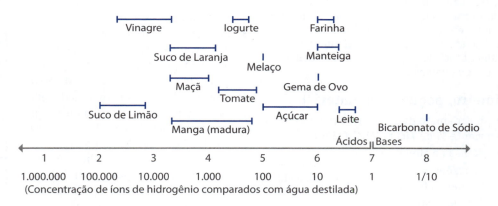

Saber o pH dos ingredientes ajuda você a saber quando usar o bicarbonato de sódio.

Por que algumas receitas pedem para peneirar os ingredientes?

Antigamente, era necessário peneirar os ingredientes para remover cascas, insetos e o que mais fosse parar dentro da farinha, mas isso é passado. E pesar os ingredientes acaba com a necessidade de lidar com as diferenças de densidade. A peneiração ventila a farinha e a mistura rapidamente aos outros ingredientes, mas as duas coisas podem ser feitas com mais facilidade se você misturá-los com uma colher. Se precisar usar a peneira — digamos, para misturar cacau em pó e farinha —, use-a sobre uma tigela.

Laboratório: Chegando à Segunda Base com o Bicarbonato de Sódio

Você provavelmente está esperando uma explicação graciosa sobre bicarbonato de sódio e vinagre, mas isso seria a primeira base: o bicarbonato de sódio é uma base (saturada em água, tem um pH de 8,3), e qualquer estudante da quinta série sabe que combinar bicarbonato de sódio com vinagre branco (~5% de ácido acético) provoca uma reação ácido–base que gera dióxido de carbono, acetato de sódio e água.

O que você não deve saber sobre o bicarbonato de sódio é que ele também reage consigo mesmo. Quando fica muito quente, ele passa por uma *decomposição térmica*, que significa exatamente o que parece: ele se quebra com o calor. No caso do bicarbonato de sódio, ele se decompõe em dióxido de carbono, água e carbonato de sódio (uma segunda base). Mas quanto é quente demais? Isso é o que vamos investigar.

Primeiro, pegue esse material:

- Bicarbonato de sódio: aproximadamente ⅔ de xícara (chá) (150g)
- Folhas de alumínio
- Marcador para rotular as folhas
- Balança digital com 1g de precisão ou melhor

opcional, mas muito útil.

opcional, mas esse experimento se torna mais fácil com a balança.

Preparo:

Vamos colocar o bicarbonato de sódio no forno em cinco temperaturas diferentes para medir como o peso se modifica. Em linguagem de laboratório, as *variáveis independentes* que estamos observando são o peso, a temperatura e o tempo, e a *variável dependente* é a mudança no peso.

1. Faça cinco "recipientes de amostra" de folha de alumínio:
   a) Corte o alumínio em quadrados de 12cmx12cm.
   b) Dobre as pontas de cada quadrado para cima, fazendo uma "panelinha" em miniatura de aproximadamente 10cmx1cm.
2. Utilizando o marcador, rotule os cinco recipientes com as temperaturas listadas na tabela de dados. Você pode fazer apenas duas dessas, se preferir. Ou pode adicionar mais temperaturas, caso em que sugiro tentar qualquer coisa entre 80°C e 260°C.
3. Registre os pesos dos recipientes vazios — eles devem ter cerca de 1g — de modo que possa subtrair o peso do recipiente depois de assar as amostras.
4. Pese 30g de bicarbonato de sódio em cada recipiente de amostra (depois que puser o recipiente na balança, aperte o botão "tara" para zerar o peso). Registre o peso exato do bicarbonato de sódio que você pesou na tabela de dados. Se não tiver uma balança digital, use 6 ½ colheres (chá) de bicarbonato, que pesam cerca de 30g.
5. Coloque o bicarbonato no forno! Ajuste o forno para uma das temperaturas, espere aquecer e então coloque a amostra, dentro de uma assadeira, por exatamente 15 minutos. Retire a amostra do forno, espere esfriar por alguns minutos, e então a pese.

Sinta-se livre para dividir essa etapa entre algumas pessoas, cada uma pegará uma temperatura diferente na faixa entre 90°C e 200°C, e fará um relatório no dia seguinte.

Cozinha Geek

Laboratório: Chegando à Segunda Base com o Bicarbonato de Sódio

Hora da investigação!

Como o peso se modifica de acordo com a temperatura? Marque seus resultados, mostrando o percentual de mudança pela temperatura. (Vou dar um ponto de partida para você com 65°C: 0% de mudança no peso).

À medida que a temperatura sobe, o que você nota sobre o percentual de mudança?

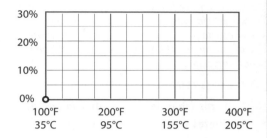

Temperatura do forno	65°C	95°C	125°C	155°C	175°C	205°C
Peso do recipiente vazio	1,01g					
Peso do bicarbonato antes do forno (ou colheres de chá de bicarbonato)	30,09g					
Peso do recipiente depois do forno (ou colheres de chá de bicarbonato)	31,10g					
Se pesado: peso do bicarbonato depois do forno (subtraia o peso do recipiente vazio do peso depois do forno)	30,09g					
Percentual de mudança de peso (para colheres de chá, registre o percentual de mudança em número de colheres)	0%					

Ar e Água

Bicarbonato de Sódio 277

Panquecas Americanas

Com tempo suficiente, a levedura e as bactérias geram sabores que normalmente achamos agradáveis. Mas o que fazer quando você deseja esse gosto agora — ou, pelo menos, daqui a pouco? Você pode pegar um atalho e usar leitelho, que já foi mastigado por bactérias.

Mexa para combinar completamente:

- **2 xícaras (chá) de farinha de pão (280g)**
- **5 colheres (sopa) de açúcar (60g)**
- **1 ½ colher (sopa) de bicarbonato de sódio (7g)**
- **1 colher (chá) de sal (5g)**

Em uma tigela separada, derreta:

- **½ xícara (chá) de manteiga (115g)**

Na mesma tigela que a manteiga, adicione e mexa:

- **2 ½ xícaras (chá) de leitelho (610ml) (morno, para manter a manteiga derretida)**
- **2 ovos grandes (100g)**

Misture os ingredientes molhados com os secos, mexendo com uma batedor manual ou colher. Cozinhe em uma frigideira ou panela rasa antiaderente em fogo médio (caso você possua um termômetro infravermelho, 160–175°C) até dourar, cerca de dois minutos por lado.

Notas

- *Normalmente, você pode criar um substituto para o leitelho adicionando 1 colher (sopa) de vinagre ou suco de limão (15g) a uma xícara (chá) de leite (240g). Isso vai ajustar o pH para quase o mesmo de uma xícara (chá) de leitelho, mas não vai criar a mesma textura ou densidade, então não use esse substituo nessa receita. Se não tiver leitelho, use leite comum e substitua o fermento em pó por metade do bicarbonato de sódio.*

- *Não é preciso passar manteiga na frigideira ou panela antes do cozimento — há manteiga suficiente na massa para as panquecas serem autolubrificantes —, mas, caso você sinta necessidade, retire o excesso de manteiga da panela antes de cozinhar as panquecas. Se houver pontos de óleo na superfície, eles interferirão com as reações de Maillard de douramento.*

- *Retire o leitelho e os ovos da geladeira mais ou menos uma hora antes de usá-los, para deixar que fiquem na temperatura ambiente. Se estiver com pressa, use uma tigela que possa ir ao micro-ondas: derreta a manteiga nela, adicione o leitelho e então coloque-a no micro-ondas por 30 segundos para aumentar a temperatura do iogurte.*

Experimente usar essa massa para empanar frangos. Corte frangos já cozidos em pedaços pequenos, cubra-os com amido de milho, molhe-os nessa massa e frite-os em óleo vegetal a 190°C. O amido ajudará a massa a aderir ao frango. (Não tem amido de milho? Use farinha.) Para uma textura ideal, cozinhe o frango em sous vide, como descrito em "Culinária Sous Vide", na página 320.

Biscoitos de Gengibre

Os fermentos químicos nem sempre são usados para criar comidas leves e fofas. Até itens mais densos precisam de ar para ficar gostosos.

Em uma tigela, misture com uma colher de pau ou batedor elétrico:

- ½ xícara (chá) de açúcar (100g)
- 6 colheres (sopa) de manteiga macia, mas não derretida (80g)
- ½ xícara (chá) de melaço (170g)
- 1 colher (sopa) de gengibre picado (17g) (ou pasta de gengibre)

Em uma tigela separada, misture:

- 3 ¼ de xícaras (chá) de farinha (450g)
- 4 colheres (chá) de gengibre em pó (12g)
- 1 colher (chá) de bicarbonato de sódio (5g)
- 2 colheres (chá) de canela (3g)
- 1 colher (chá) de pimenta-da-jamaica (1g)
- ½ colher (chá) de sal (2g)
- ½ colher (chá) de pimenta-preta moída (2g)

Peneire os ingredientes em uma tigela com a mistura de açúcar/manteiga. (Eu uso um coador para peneirar.) Misture os ingredientes secos e úmidos usando uma colher ou, se não se importar, as mãos. A massa ficará com uma textura farelenta, como areia. Adicione ½ xícara (chá) de água (120ml) e continue a misturar até a massa formar uma bola.

Coloque a massa em uma tábua de corte coberta com algumas colheres (sopa) de farinha. Com o uso de um rolo, abra a massa até ela ter aproximadamente 0,6cm de espessura. Corte com formas de biscoitos ou uma faca e asse-os em uma forma em um forno ajustado para 200°C até que estejam cozidos, cerca de oito minutos. Os biscoitos devem estar levemente inchados e secos, mas não secos demais.

Assar biscoitos é uma boa atividade de férias para se fazer com as crianças.

Cobertura para Biscoitos de Gengibre

Em uma tigela que possa ir ao micro-ondas, misture com um garfo ou batedeira elétrica:

- 3 colheres (sopa) de manteiga macia, mas não derretida (40g)
- 1 xícara (chá) de açúcar de confeiteiro (120g)
- 1 colher (sopa) de leite (15ml)
- 1 colher (chá) de extrato de baunilha (4g)

Adicione corantes, se desejar. Coloque a cobertura no micro-ondas por 15 a 30 segundos — tempo suficiente para derreter, mas não ferver. Isso resultará em uma cobertura na qual os biscoitos podem ser rapidamente mergulhados, com uma camada boa e fina que se adere bem a eles.

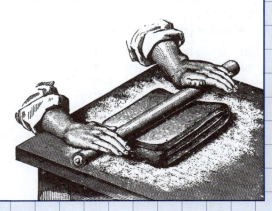

Bolo de Chocolate de Uma Tigela

Eu tenho um problema com misturas para bolos. É claro que as misturas comerciais produzem resultados bastante consistentes — elas usam aditivos alimentares e estabilizadores exatamente calibrados para os outros ingredientes na mistura —, mas, até mesmo para um bolinho rápido de aniversário, é possível fazer um caseiro que tenha o mesmo gosto de chocolate sem ter muito trabalho.

Bolos geralmente são feitos com um método de duas etapas, os ingredientes secos são pesados e misturados em uma tigela, os ingredientes úmidos são misturados em uma segunda tigela, e em seguida os dois são misturados. No método eficiente, todos os ingredientes são misturados em uma única tigela: primeiro os secos (para certificar-se de que foram completamente misturados), depois os úmidos e, por último, os ovos.

Em uma tigela grande ou na tigela maior da batedeira, meça:

- **2 ¼ de xícaras (chá) de açúcar (450g)**
- **2 xícaras (chá) de farinha de confeiteiro ou para bolos (280g) (a farinha para uso geral também serve)**
- **¾ de xícara (chá) de chocolate em pó (70g) (sem açúcar)**
- **2 colheres (chá) de bicarbonato de sódio (10g)**
- **½ colher (chá) de sal (2g)**

Misture os ingredientes secos, depois adicione à mesma tigela e mexa para combinar completamente (cerca de um minuto):

- **1 ½ xícara (chá) de leitelho (360ml)**
- **1 xícara (chá) de óleo de canola (218ml)**
- **1 colher (chá) de extrato de baunilha (5ml)**

Adicione os ovos e mexa para misturar:

- **3 ovos grandes (150g)**

Prepare duas formas redondas de bolo de 22cm ou três de 20cm cobrindo o fundo delas com papel-manteiga. Sim, é realmente necessário fazer isso; caso contrário, os bolos grudarão e se quebrarão quando você tentar removê-los. Borrife o papel e as laterais das formas com spray antiaderente ou unte com manteiga, e em seguida cubra com farinha ou chocolate em pó.

O papel-manteiga não precisa cobrir cada centímetro do fundo da forma. Corte um pedaço quadrado, dobre-o na metade, depois em quatro e depois em oito. Corte a ponta do papel dobrado, desdobre o seu octógono e coloque-o na forma.

Divida a massa nas formas. Experimente usar uma balança para manter os pesos das formas iguais; dessa maneira, os bolos ficarão mais ou menos da mesma altura.

Asse em um forno preaquecido em 180°C até colocar um palito na massa e ele sair limpo, cerca de 30 minutos. Deixe esfriar antes de desenformar e passar a cobertura. Se os seus bolos afundarem no centro, ou a sua massa tinha umidade demais (veja as dicas para assar da p. 249) ou o forno provavelmente estava frio demais (veja o laboratório sobre calibragem do forno na p. 36).

Até confeiteiros profissionais usam palitos de dente para verificar o cozimento. Para brownies, verifique se um palito inserido em 2,5cm de profundidade sai limpo; para bolos, coloque o palito até o fundo.

Notas

- Ao colocar as formas de bolo no forno, coloque-as na grade do meio. Se você tem uma pedra de pizza (o que sempre recomendo), não coloque os bolos diretamente sobre a pedra; coloque-os na grade acima dela.

- Assim como o leitelho, o chocolate em pó é ácido! O chocolate em pó com processamento holandês, no entanto, é alcalinizado — isso é, já teve o seu nível de pH ajustado, saindo de um pH perto de 5,5 para um pH entre 6,0 e 8,0, dependendo do fabricante. Não vá substituindo às cegas o chocolate em pó com processamento holandês por um chocolate em pó normal; parte do bicarbonato de sódio precisará ser trocada por fermento em pó.

Cobertura de Ganache de Chocolate e Expresso

Em uma panela em fogo médio, aqueça **1 xícara (chá) de creme de leite (240g)** até começar a ferver. Retire do fogo e adicione:

- **2 colheres (sopa) de manteiga (30g)**
- **1 colher (sopa) de pó para expresso (5g) (opcional, mas delicioso)**
- **325g de chocolate meio amargo picado. (Você pode usar chocolate ao leite se preferir que fique mais doce)**
- **1 pitada de sal**

Deixe descansar até o chocolate e a manteiga terem derretido, cerca de cinco minutos. Misture para agregar.

Para cobrir o bolo, apenas jogue o ganache ainda quente por cima do bolo frio, permitindo que escorra pelos lados. Isso pode fazer uma bagunça — o que pode servir como desculpa para comer metade do ganache enquanto cobre o bolo.

Para criar uma cobertura mais tradicional, deixe o ganache na geladeira por cerca de 30 minutos, e, então, use uma batedeira elétrica ou mixer para bater até ficar leve e fofo. Cubra cada camada do bolo com o ganache batido e empilhe-as, deixando as laterais expostas.

Notas

- Certifique-se de que seu bolo está frio antes de colocar a cobertura; caso contrário, o calor derreterá o ganache.

- Para uma calda mais intensa, substitua metade do creme de leite por leitelho. Se quiser fazer algo diferente, experimente qualquer coisa que possa ficar boa em uma trufa. A canela é fácil de se pensar, mas por que não pimenta-de-caiena ou lavanda? Ou misture chá-preto ao creme.

A Ciência dos Biscoitos Crocantes e Macios

Uma das maiores vantagens que os cozinheiros amadores têm é o tempo. Os produtos comerciais são feitos com, pelo menos, doze horas de antecedência, normalmente mais, por isso os fabricantes têm de aparecer com truques para imitar o que acontece na sua cozinha. E se pudéssemos aprender esses truques de fabricação e tentá-los em casa?

Crocante

Um biscoito recém-assado — "como a mamãe fazia!" — é crocante por fora e macio no meio. Alguns pesquisadores da UC Davis provaram isso construindo um forno dentro de uma máquina de ressonância magnética, assando biscoitos nele e usando a ressonância para sondar o que acontecia com a água dentro da massa à medida que assava. (Eu adoraria ter uma bolsa de estudos para isso.)

Macio

Uma dúzia de biscoitos e ressonâncias depois, os pesquisadores conseguiram algo: a borda do biscoito seca — em uma proporção notável — conforme assa. Depois de um dia ou dois, contudo, a umidade retorna e ele volta a ter maleabilidade, textura macia, e perde o aspecto de assado na hora. (Uma semana depois, o açúcar recristaliza — e é assim que os biscoitos esfarelam!)

Biscoitos crocantes com gotas de chocolate são incrivelmente difíceis de fazer, pelo menos comercialmente. Mas boa sorte se pretende ligar e pedir dicas aos elfos que fazem os biscoitos em qualquer grande fábrica: isso é segredo, com histórias de espionagem industrial que os romances de Jason Bourne apreciariam. Felizmente para nós, existe um lugar em que a indústria extravasa seus segredos. E, nesse caso, a Patente dos EUA nº4.455.333 tem a resposta. Veja em http://cookingforgeeks.com/book/cookie-patent/ — site em inglês.

Cada patente inclui uma descrição sobre o cenário da invenção, e elas são uma grande fonte para um claro resumo de "como as coisas funcionam". Da leitura de algumas patentes relacionadas a biscoitos, você vai aprender rapidamente que biscoitos macios têm uma concentração de água igual ou maior que 6%, enquanto os crocantes são mais secos. Isso faz sentido — a umidade é a variável-chave na textura. Então, como controlar a umidade em seus biscoitos?

> Verifique os itens nos pacotes de biscoitos crocantes e compare-os com os macios da mesma marca. Na marca que vi, amido de milho e melaços só aparecem nos macios.

Biscoitos crocantes são na verdade os mais fáceis de fazer: prepare uma massa que retenha menos água ou a asse por mais tempo, e o produto final será mais seco. Para biscoitos macios, você precisa fazer com que a massa retenha mais água enquanto assa, mas você não pode simplesmente adicionar mais água na massa (é isso que faz os biscoitos ficarem moles e resulta em biscoitos queimados, com bordas irregulares). Veja algumas maneiras comuns de deixar os biscoitos macios:

Substitua a glicose/frutose por sacarose. Na panificação, o açúcar se dissolve na água dos ovos e na manteiga. À medida que a massa se aquece, a água do açúcar forma uma calda, mas — essa é a chave! — diferentes tipos de açúcares vão absorver diferentes quantidades de água (as soluções saturam em pontos diferentes). As moléculas de sacarose, tendo quase o dobro do tamanho da molécula de frutose e de glucose, não cria uma solução com tanta água. Isso significa que uma massa que utiliza açúcares mais simples irá se ligar a mais água. Muito açúcar branco (sacarose)? Você terá biscoitos crocantes. Mais açúcar mascavo (sacarose, glucose e frutose)? Você terá biscoitos macios. Açúcar de milho? Você terá biscoitos ainda mais macios (é 100% glucose — xarope de milho rico em frutose é diferente do que você compra no mercado). Glucose e frutose são *monossacarídeos* — a forma mais simples de açúcar — e retêm mais umidade, então qualquer um deles serve.

Todo mundo tem uma opinião sobre o quão grudento, macio ou crocante um biscoito deve ser. Uma pessoa insistia em comer biscoitos quase crus, "biscoitos de seis minutos" — assados a 180°C por seis minutos —, enquanto bebedores de leite sérios nem considerariam nada com menos de 15 minutos de forno como biscoitos aceitáveis.

Como regra, para um biscoito de 14g assado a 180°C:

- 7–9 minutos: *grudento*
- 10–12 minutos: *macio*
- 13–15+ minutos: *crocante*

Se seus biscoitos não estão do jeito que gosta, em termos de maciez e crocância, mude o tempo de forno. Com a mesma massa, biscoitos crocantes levarão 25 a 30% mais tempo para assar do que os macios.

Se quiser biscoitos bem crocantes e dourados, diminua a temperatura para 140°C e asse por aproximadamente 30 minutos.

Adicione amido de milho. Ele não se dissolve em água fria, mas gelatiniza à medida que esquenta, absorve água e impede que evapore enquanto assa. (Existe uma patente que adiciona um gel aglutinador à massa — mais uma dica esperta para biscoitos macios.)

Use farinha para pães. O glúten também incrementará a maciez, já que sua natureza elástica faz com que o alimento não se quebre ou rache. Uma farinha com alto teor de glúten ajuda pouco, embora não seja comum em receitas de massa macia; há muito açúcar e gordura nela e eles prejudicam o processo. Derreter a manteiga afeta a variável: a água da manteiga, quando derretida, ajuda na formação do glúten (veja a p. 249 para saber como controlá-lo).

Asse-os por menos tempo. Além de fazer uma massa com mais aderência à água, existe outro truque óbvio para fazer biscoitos macios: não os asse demais! (Resfriar a massa também é uma boa tática, mas é possível apenas assá-la por menos tempo.) Dei uma olhada nos tempos de forno para as primeiras receitas que encontrei online de "biscoitos macios com gotas de chocolate"; o tempo médio foi de 12 minutos e 20 segundos. "Biscoito crocante com gotas de chocolate"? 14 minutos e 55 segundos! (As temperaturas médias foram apenas alguns graus a menos.)

Na realidade, biscoitos macios ou crocantes acabam sendo um ato de equilíbrio desses truques, junto com táticas sutis como ajustar o pH ou, dependendo do tipo de biscoito, incluir umectantes como, por exemplo, passas, que retêm água.

Bicarbonato de Sódio

Cookie com Gotas de Chocolate Violador de Patente

Felizmente para nós, aquela patente (nº 4.455.333) expirou, então o único problema que você encontrará com esses biscoitos será pessoas brigando para saber quem vai comer o último!

A média das receitas de biscoitos macios é ir ao forno por 12 ½ minutos; as receitas de biscoitos crocantes geralmente ficam no forno por 15 minutos. Um biscoito extra crocante do lado de fora e extra macio no interior não pode ser feito mudando o tempo de forno, porque... bem, culpa da física. O truque para esses biscoitos "crocantes por fora e macios por dentro" é fazer duas massas diferentes! Essa ideia veio à minha cabeça depois de ler sobre uma patente dos anos 1980 que usa a mesma técnica.

Prepare duas tigelas. Marque uma como "crocante" e a outra como "cremosa". Em cada tigela, meça:

- ¼ de xícara (chá) de flocos de aveia (30g)
- 1 xícara (chá) de farinha de trigo (140g)
- ½ colher (chá) de bicarbonato de sódio (2g)
- ½ colher (chá) de sal (2g)
- ¼ de colher (chá) de canela (1g)

Depois, *apenas* na tigela "cremosa", adicione:

- 1 ½ colher (sopa) de amido de milho (12g)

Com um fouet, misture os ingredientes de cada tigela.

Pegue mais duas tigelas, e rotule também como "crocante" e "cremosa". Na nova tigela "crocante", adicione:

- ½ xícara (chá) de manteiga sem sal (113g) (ou, melhor ainda, gordura vegetal)
- ⅛ de xícara (chá) de açúcar mascavo (25g)
- ½ xícara (chá) de açúcar branco (100g)

Na tigela "cremosa" vazia, adicione:

- ½ xícara (chá) de manteiga sem sal (113g)
- ½ xícara (chá) de açúcar mascavo (100g)

- ¼ de xícara (chá) de xarope de milho (88g)

Usando um mixer ou batedeira, bata até que estejam incorporadas e macias cada uma das misturas de manteiga e açúcar. Em cada uma das tigelas de manteiga e açúcar, adicione:

- 1 colher (chá) de extrato de baunilha (4g)
- ½ colher (chá) de suco de limão (2g)
- 1 ovo grande (50g)

Misture até que esteja bem incorporado. Adicione os ingredientes secos. Certifique-se de colocar os ingredientes secos certos nos ingredientes úmidos certos. Misture novamente. Em cada tigela, adicione e mexa para misturar:

- 1 ½ xícara (chá) de gotas de chocolate meio amargo (250g)
- ¾ de xícara (chá) de nozes picadas (75g)

Agora, a parte violadora de patente: junte as duas massas de forma que a crocante fique do lado de fora e a cremosa do lado de dentro.

1. Coloque uma colher de sorvete da massa crocante em uma assadeira forrada com papel-manteiga.
2. Usando as costas da colher de sorvete, aperte a bola de biscoito no centro para fazer uma cratera de massa de biscoito, assim como você faz um poço no purê de batata para colocar molho.

3. Coloque uma colherada da massa cremosa dentro da cratera.

4. Una as massas.

Se preferir, adicione uma pitada de sal marinho grosso por cima de cada biscoito antes de assar.

Asse a 180°C, por 10 a 12 minutos, cuidando para não assá-los demais; do contrário, o centro cremoso vai ficar crocante!

Notas

- *Se está acostumado com biscoitos de refrigerador, em vez de seguir o método das duas colheradas, você pode fazer um rolo com a massa cremosa no centro e envolvê-lo com a crocante. Dá um pouco mais de trabalho, mas as bordas dos biscoitos ficarão mais uniformes.*

- *Se não tiver xarope de milho e estiver se coçando para tentar fazer os biscoitos agora, o mel é um substituto em potencial; com 38% de frutose e 31% de glucose, é bem similar ao xarope de milho, já que ambos são monossacarídeos (a sacarose é um dissacarídeo). É claro, o mel dá sabor e cor próprios ao biscoito, mas pode ser interessante, dependendo do tipo de biscoito que fizer. Biscoitos de aveia crocantes e macios, alguém se interessa?*

O que acontece se você achatar uma bola de massa de biscoito antes de assá-la? Ou se usar massa refrigerada ou em temperatura ambiente? Faça, experimente, e veja o que acontece!

Na minha receita de biscoito, achatar a massa fez uma diferença no tamanho apenas na massa crocante. Usar massa refrigerada ou em temperatura ambiente não fez diferença no tamanho, mas mudou a textura.

Bicarbonato de Sódio

Fermento Químico em Pó

O fermento químico resolve o problema do "equilíbrio" de que falei quando descrevi o bicarbonato de sódio. Por incluir ácidos no bicarbonato, o fermento em pó elimina a necessidade de equilibrar a proporção de ingredientes ácidos:

Um sistema de fermentação autocontido que gera dióxido de carbono na presença de água, o fermento químico em pó, por definição, contém bicarbonato de sódio e ácidos que reagem com ele.

Como os ácidos estão misturados ao bicarbonato, os tipos e as quantidades são otimizados. O fermento químico em pó, na sua forma mais simples, pode ser feito com apenas um tipo de bicarbonato e um de ácido. Porém, os fermentos em pó comercializados são mais sofisticados. Cada ácido possui taxas de reação e temperaturas diferentes, então o uso de vários tipos permite um bicarbonato de sódio liberado essencialmente ao longo do tempo. Isso não é apenas uma propaganda esperta: nos assados, se a reação que gera CO_2 acontecer muito devagar, o resultado será denso e ruim. E se acontecer rápido demais, a comida não terá tempo para se ajustar e prender o gás, resultando em bolos desmoronados.

> **Substituto para o fermento em pó**
>
> Misture 2 partes de cremor de tártaro com 1 de bicarbonato de sódio. O cremor de tártaro — bitartarato de potássio — se dissolve na água e libera ácido tartárico ($C_4H_6O_6$), que reage com o bicarbonato.

O fermento em pó com ação dupla — o dos mercados — usa ácidos com ação devagar ou rápida para evitar esses problemas. Os ácidos de ação rápida, como o tartárico, e o fosfato de monocálcio monoidratado podem funcionar em temperatura ambiente; ácidos de ação lenta, como o sulfato sódico de alumínio, precisam de calor e tempo para liberar CO_2.

Contanto que a proporção dos ingredientes nos seus assados seja mais ou menos certa e você os asse em uma variação de temperatura aceitável, o fermento em pó provavelmente não será o culpado de experimentos que deram errado. Os diferentes ácidos utilizados podem transmitir gosto — algumas pessoas acham que o fermento em pó feito com sulfato sódico de alumínio tem um gosto amargo —, portanto, se sentir um gosto ruim, verifique os ingredientes e escolha outro produto. Se obtiver resultados inesperados com fermento em pó comercial, veja se os seus ingredientes têm alto teor de acidez. A acidez tem impacto no fermento em pó; ingredientes mais ácidos precisam de menos fermento. Se isso não der em nada, veja há quanto tempo o fermento foi aberto. Embora os fermentos em pó comerciais contenham amido de milho, que absorve a umidade para aumentar o tempo de validade, as substâncias químicas acabam reagindo entre si. A vida útil padrão é de cerca de seis meses após ser aberto.

> **Massa de pizza sem fermento**
>
> Essa massa rápida é especialmente útil se alguém tiver alergia a leveduras ou se você está morrendo de vontade de comer pizza agora. Misture de 3 a 4 xícaras (chá) (420–560g) de farinha com 1 colher (chá) de sal (6g) e 2 colheres (chá) de fermento em pó (10g). Adicione 1 xícara (chá) de água (240g) e sove para criar uma massa com um nível de hidratação de ~66–75%. Deixe descansar por 15 minutos antes de usar.

286 Cozinha Geek

Bolo de Abóbora com Canela e Passas

Existem dois tipos principais de massa de bolo: bolos de alta proporção — aqueles que têm mais açúcar e água que farinha (ou, por algumas definições, apenas muito açúcar) — e bolos de baixa proporção — que tendem a ter migalhas mais grossas. Para bolos de alta proporção, deve existir mais açúcar que farinha (por peso) e mais ovos que gorduras (novamente, por peso), e a massa líquida (ovos, leite, água) deve ser mais pesada que o açúcar.

Considere esse bolo de abóbora, que é um bolo de alta proporção — 245g de abóbora contém 220ml de água —, você pode descobrir esses valores no Banco de Dados Nacional de Nutrientes do DAEU, disponível online em http://www.nal.daeu.gov/fnic/foodcomp/search/ (conteúdo em inglês).

Em uma tigela, meça e misture bem com uma batedeira elétrica:

- 1 xícara (chá) de abóbora (245g) (em lata ou assada e amassada)
- 1 xícara (chá) de açúcar (200g)
- ¾ de xícara (chá) de óleo de canola (160g)
- 2 ovos grandes (120g)
- 1 ½ xícara (chá) de farinha (180g)
- ¼ de xícara (chá) de uvas-passas (40g)
- 2 colheres (chá) de canela (5g)
- 1 colher (chá) de bicarbonato de sódio (5g)
- 1 colher (chá) de fermento em pó (5g)
- ½ colher (chá) de sal (3g)
- ½ colher (chá) de extrato de baunilha (2ml)

Transfira para uma forma untada e asse em forno preaquecido a 175°C até colocar um palito na massa e ele sair limpo, por aproximadamente 25 ou 30 minutos.

Notas

- Tente adicionar peras desidratadas umedecidas com conhaque. Você também pode separar um pouco das passas e salpicá-las por cima.

- Uma coisa legal sobre bolos de alta proporção é que eles não possuem muito glúten, então não ficam iguais a um pão se você bater demais a massa. Com um peso total de 920g, em que apenas mais ou menos 20g são glúten, não há glúten suficiente presente nesse bolo para dar uma textura similar à do pão. Existe também uma boa quantidade de açúcares e gorduras para interferir no seu desenvolvimento.

Se você for preparar um bolo rápido como esse de abóbora para o final de um jantar, sirva-o diretamente em um prato único ou uma tábua. Além de conferir um ar descontraído e agradável, isso significa menos pratos para lavar.

Bolinhos do Tim

Tim O'Reilly (fundador da O'Reilly Media e editor desse livro) fez para mim esses bolinhos em sua casa quando o entrevistei para a primeira edição. O que Tim não sabia era que aquela era a primeira vez em que eu entrevistava uma pessoa, então tenho boas lembranças da gentileza dele naquele dia de agosto sempre que faço esses bolinhos. Essa receita rende doze bolinhos.

Em uma tigela, meça:

- 2 ½ a 3 xícaras (chá) de farinha (350–420g) (experimente para ver o quanto prefere)
- ½ xícara (chá) de manteiga fria (115g)

Usando um misturador de massas ou duas facas, corte a manteiga na farinha. Quando terminar, a manteiga e a farinha deverão parecer pequenas bolinhas ou ervilhas.

Adicione e misture:

- 3 colheres (sopa) de açúcar (36g)
- 4 colheres (chá) de fermento em pó (20g)
- ½ colher (chá) de sal (3g)

(Nessa etapa, você pode congelar a massa para usar depois).

No meio da massa, faça um "poço" e adicione:

- ½ a 1 xícara (chá) de groselhas (50–100g) (ou uva-passa, se preferir)
- ½ a 1 xícara (chá) de leite (130–260ml) (ou leite de soja; leite de cabra também é ótimo)

Mexa a massa até chegar a uma consistência quase gosmenta. Comece com apenas ½ xícara (chá) de leite (130ml), adicionando mais quando necessário até a massa começar a grudar. Se ficar muito grudento, você colocou leite demais. Adicione mais farinha se começou com pouca. É melhor assar os biscoitos grudentos do que adicionar mais do que um total de três xícaras de farinha: é difícil moldá-los quando estão grudentos, já que grudam muito nos dedos; mas, se colocar farinha demais, eles ficarão duros.

Cubra uma forma com papel-manteiga ou uma folha de silicone antiaderente. Se você não tiver nenhum desses, unte levemente a forma. (Você pode apenas passar o papel da embalagem de um tablete de manteiga.) Usando as mãos, coloque a massa em montinhos espaçados igualmente na forma.

Bolinhos quebradiças? Vire a geleia e coloque-a por cima, em vez de tentar parti-la ao meio.

Asse em 220°C até a superfície dourar, por cerca de 10 a 12 minutos.

Sirva com geleia e, se estiver se sentindo um pouco guloso, com creme de Devonshire (chantili também funciona, daqueles que vêm em spray, faça bolinhas com o chantili sobre os bolinhos).

Notas

- Você pode usar um ralador de queijo para ralar a manteiga na farinha. Resfrie a manteiga por alguns minutos para ela ficar mais fácil de ser trabalhada.

- Tim congela a massa parcialmente misturada, e adiciona o leite e a groselha à massa depois de ela ser retirada do congelador. (A massa congelada tem uma consistência parecida com areia, então, é possível retirar o quanto você quiser.) A vantagem da massa congelada é que você pode assar alguns biscoitos por vez, adicionando leite suficiente para dar uma consistência pegajosa à massa fria. Assim, você tem uma guloseima rápida, especialmente se for do tipo que sempre recebe convidados inesperados. Também entra no espírito de aprender a cozinhar como um profissional: dessa forma nada é desperdiçado e é eficiente!

Claras de Ovos

As claras em neve são o isopor do mundo culinário: além de agir como preenchedoras de espaço em bolos, waffles e suflês e como isolantes em sobremesas como torta merengue de limão, quando assadas demais, têm gosto de isopor também. Metáforas à parte, as claras de ovos são muito mais complacentes do que a maioria dos cozinheiros imagina. Prestando um pouco de atenção na química e fazendo algumas experiências, você pode se tornar um mestre nas espumas de clara de ovo.

As claras em neve funcionam prendendo o ar dentro de um líquido, criando assim uma espuma: uma mistura de um sólido ou líquido ao redor de uma *dispersão* de gás: isto é, o gás (geralmente ar) é disperso através do líquido ou do sólido, não em uma única grande cavidade. O pão é uma espuma sólida; as claras em neve são espumas líquidas.

Ao contrário das leveduras, do bicarbonato ou do fermento em pó, todos dependentes de mudanças químicas, as claras dependem do ar, conforme suas propriedades físicas. Você não pode acrescentar fermentos mecânicos — principalmente claras, mas, como veremos depois, também as gemas e o chantili — a um prato sem considerar o impacto da gordura que eles adicionam. Esses itens podem desequilibrar a proporção entre farinha e água ou entre açúcar e gorduras.

A chave para compreender as claras é entender como as espumas funcionam. Bater as claras transforma-as em uma espuma leve e cheia de ar prendendo as bolhas a uma rede de proteínas desnaturadas. Como as partes das proteínas que compõem as claras são *hidrofóbicas* — têm medo de água —, elas se enrolam e formam bolinhas para evitar a interação. Contudo, batidas em neve, essas regiões das proteínas se chocam com as bolhas de ar e se desdobram, e à medida que isso acontece, elas formam uma camada ao redor da bolha e se prendem ao líquido, criando uma espuma estável.

Há algumas coisas que podem dar errado nas claras em neve: as gorduras interferem na formação da espuma; bater demasiadamente pode levar ao colapso; deixá-las esperando permite que a água da espuma arraste as proteínas conforme escorre. Esses problemas não impactam alguns usos das claras. Se adicionar claras à massa de waffle, por exemplo, qualquer água que escorrer será absorvida. Mas no caso dos merengues, a água formará uma poça ao redor do biscoito enquanto ele assa — e isso não é bom.

Os óleos — principalmente das gemas ou qualquer traço de óleo presente na tigela — impedem que as claras sejam batidas até criar espuma estável porque também são capazes de interagir com as partes hidrofóbicas das proteínas. Embora muitas receitas avisem para não deixar nem uma gota de gema cair nas claras, uma quantidade pequena não vai arruinar a formação de espuma — mas pode mudar a estabilidade das claras antes de assar (existe um artigo antigo que diz que uma gota de gema diminui o volume potencial de uma espuma feita com um único ovo grande de 135ml para 40ml — talvez seja verdade em algumas aplicações industriais, mas quando tentei fazer isso em minha cozinha, nada perto disso aconteceu).

Tome cuidado para não bater as claras demais. Isso formará bolhas cada vez menores, que diminuem a flexibilidade e a elasticidade da espuma e a tornam instável. As claras batidas em ponto de suspiro — quase com a aparência de uma nuvem — não se expandem tanto nos alimentos assados; se passarem do ponto, elas ficam quebradiças.

Há alguns truques para aumentar a estabilidade das claras. Algumas receitas pedem que se adicione açúcar ou cremor de tártaro logo de início. Eles não interferem na formação de espuma de proteína porque não interagem com suas partes hidrofóbicas. Pequenas quantidades de ácidos até estabilizam a espuma e ajudam a assá-la por aumentar a temperatura em que as claras ficam prontas, permitindo uma maior expansão de ar.

Quando o assunto é misturar claras batidas a outros ingredientes, como a uma massa, faça isso com a ajuda de uma espátula. Coloque uma parte das claras em neve sobre a massa e depois as agregue à mistura, revirando a massa mais pesada por cima das claras. Depois que atingem o ponto de neve, é preciso algum esforço para que se desagreguem. Expor as claras à gordura antes de batê-las pode ser um problema, mas depois de batidas elas ficam mais resistentes. Bata uma clara em neve em ponto mole, adicione ½ colher (chá) de azeite de oliva (3g) e continue a bater. Você vai ficar surpreso com o tempo que leva para que o azeite comece a interagir com a espuma, e mesmo nesse momento a espuma permanece, na maior parte, estável.

Fazendo o Melhor com Suas Claras em Neve

As claras de ovo batidas prendem bolhas de ar dentro de uma rede emaranhada de proteínas para criar a espuma, mas a forma como essas proteínas são emaranhadas e como as claras são usadas na culinária muda o volume que elas podem produzir.

A física das espumas da clara é fascinante. Elas são coloides, misturas de substâncias diferentes. Falaremos sobre isso ainda (veja a p. 379), mas, por enquanto, saiba que são dois tipos: espumas líquidas e sólidas. O pão é uma espuma sólida; as claras em neve são líquidas. É o líquido que representa o desafio de fazer boas claras em neve.

As claras em neve apresentam duas variáveis: a *capacidade* (a quantidade de ar que a espuma pode reter) e *estabilidade* (quanto o volume diminuirá com o tempo). A capacidade e a estabilidade são determinadas principalmente pelo tamanho das bolhas de ar, a viscosidade do líquido e a espessura das paredes entre as bolhas adjacentes. Como você controla essas coisas é outro problema.

Ácidos e cremor de tártaro

Assim como o pH das claras muda com a mesma facilidade com que descascamos um ovo cozido (veja a p. 193), ele também muda o volume das espumas das claras. Ovos mais velhos não formarão tanta espuma. A adição de um ácido contorna esse problema, mas diminui a estabilidade. O cremor de tártaro é usado com frequência devido ao gosto suave (tente lamber o dedo mergulhado em cremor de tártaro; terá um gosto levemente azedo depois de alguns segundos); outros ácidos, como o cítrico do suco de limão, também funcionam, mas podem deixar um gosto bastante pronunciado. Sempre que uma receita depender de claras em neve para o volume e você estiver com ovos velhos, adicione uma pitada de cremor de tártaro — $1/8$ de colher de chá (0,5g) por clara de ovo.

Açúcar

O líquido da estrutura da espuma é drenado para o fundo da tigela lentamente devido à gravidade, por isso qualquer coisa que diminua essa drenagem aumentará a estabilidade. A adição de açúcar deixa os líquidos mais viscosos, mas também aumenta o tempo que as claras levam para atingir o volume ideal. Se usar claras em neve em uma receita que pede açúcar, espalhe-o dentre os componentes.

Água

Adicionar mais água às claras diminui a viscosidade, então não é surpresa que sua adição diminua também a estabilidade. Entretanto, a adição de água — até 40% do peso — aumenta a capacidade, o que é útil em receitas cozidas rapidamente.

Escolha da tigela

As gorduras interferem no desenvolvimento das espumas das claras, levando a uma menor capacidade de reter o ar. Como diferentes materiais retêm as gorduras de maneira diferente, o recipiente em que você bate as claras pode alterar o resultado.

Evite as tigelas plásticas. O plástico é tão parecido quimicamente com o óleo que as moléculas de lipídios se prendem a ele e são impossíveis de remover completamente. Bater as claras em tigelas de plástico reduz seu volume, devido ao óleo na superfície da tigela.

Tigelas de aço inoxidável ou de vidro funcionam bem. As gorduras problemáticas não ficarão agarradas a elas, supondo que você as tenha lavado bem. Alguns materiais — como o cobre — reagem com as proteínas da clara de uma forma positiva, resultando em uma espuma mais estável. (A mesma química que torna o aço inoxidável também garante que ele não solte íons metálicos.) Não é um efeito sutil: quando bato as claras em uma tigela de cobre, elas ficam definitivamente mais fáceis de trabalhar. E não é uma característica específica do cobre: o zinco e o ferro têm efeitos parecidos, embora algumas pessoas relatem que eles produzem um matiz avermelhado. Em teoria, qualquer metal nobre, mesmo os pouco reativos como a prata e o ouro, reage com o enxofre das claras. As tigelas de cobre são caras, mas se você bate claras com frequência, provavelmente valerão a pena.

Batendo e Formando Picos

De que forma devo bater?

Se você for bater algo para adicionar ar à comida e criar uma espuma, como chantili ou claras em neve, bata — de preferência à mão! — em um movimento circular para cima e para baixo, pegando e prendendo o ar. Se estiver tentando misturar os ingredientes sem necessariamente acrescentar ar, bata em um movimento circular plano. Isso é especialmente importante para pratos como ovos mexidos, em que a adição de ar realmente reduz a qualidade. Além disso, ao bater, evite movimentos pequenos. Faça com vontade e incorpore um pouco de ar!

Como saber o ponto certo?

Depende da receita. Se ela pede um ponto de *picos flexíveis*, a espuma deve ficar flexível e maleável, mas não deve escorrer do batedor. Se ela pede por *picos firmes*, a espuma deve manter uma forma fixa e definida; o ponto de *picos consistentes* tem a mesma aparência do pico firme, mas deve ser mais firme e mais brilhante. Se você bater demais, o resultado será um *ponto seco*, que se parece com uma nuvem fofa e não vai crescer bem. Eu prefiro bater claras e chantili à mão. Por quê? Porque é menos provável que eu passe do ponto.

Espuma
O ponto de espuma é o estágio ideal para adicionar o cremor de tártaro.

Picos Flexíveis
Melhor hora para adicionar açúcar.

Picos Firmes
Bom para merengues duros.

Ponto Seco
Você bateu demais. Ele não vai crescer bem.

Merengue Francês e Italiano

Existem duas modalidades gerais de merengue: aquela em que o açúcar é adicionado diretamente enquanto as claras de ovos são batidas (merengue francês), e aquela na qual o açúcar é dissolvido antes das claras serem batidas (merengues suíços e italianos — falaremos sobre o italiano aqui, mas eles são semelhantes). A versão francesa tende a ser mais seca (o açúcar é higroscópico, ele absorve a umidade das claras — é por isso que aumenta a viscosidade) e também mais farelenta, e tem a vantagem de ser mais rápido de preparar. A versão italiana tem uma textura mais lisa, quase cremosa; é excelente para cobrir sobremesas.

Note que merengues utilizam claras cruas. Se você se preocupa com a salmonela, é melhor assar o merengue. A versão italiana, mesmo com a calda de açúcar quente, alcança apenas 45°C quando vai ao forno. Ovos pasteurizados a quente não dão boas claras em neve: a pasteurização desnatura um dos complexos de proteínas que dão apoio à estrutura de espuma. Um tempo de batimento aumentado pode produzir uma espuma trabalhável; espero que as claras pasteurizadas a pressão estejam disponíveis para comércio algum dia.

Merengue Francês

Em uma tigela limpa, bata **3 claras de ovos** em ponto de picos flexíveis.

Adicione **¾ de xícara (chá) de açúcar (150g)** — de preferência açúcar de confeiteiro — uma colher por vez, enquanto bate continuamente. Se usar açúcar comum, é preciso bater por mais tempo para garantir que ele seja totalmente dissolvido. Para certificar-se, esfregue um pouco do merengue entre dois dedos (ele não deve estar farelento).

Merengue Italiano

Crie uma calda simples aquecendo **½ xícara (chá) de açúcar (100g)** e **¼ de xícara (chá) de água (60g)** em uma panela a 115°C. Reserve.

Em uma tigela limpa, bata 3 claras de ovos em ponto de picos flexíveis. Lentamente, adicione a calda de açúcar enquanto bate continuamente, para evitar que a calda quente cozinhe as claras.

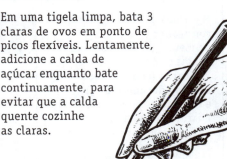

Biscoitos de Merengue e Macarons de Coco

As claras de ovos, quando batidas e combinadas com açúcar, se transformam em uma mistura doce e aerada que pode ser assada nesse estado ou misturada em bases mais pesadas, dando a elas leveza e doçura. O biscoito de merengue francês não é nada mais do que claras de ovos e açúcar que passaram algum tempo no forno. Porém, o açúcar não serve apenas para dar sabor; ele ajuda a estabilizar a espuma da clara de ovo, aumentando a viscosidade da água presente na espuma e diminuindo a rapidez com que é drenada. Esse mesmo efeito quase que dobra o tempo de batimento necessário para que as claras atinjam o mesmo volume que aquelas não adulteradas pelo açúcar. O outro benefício do açúcar é um merengue com uma habilidade maior de suportar o peso de qualquer coisa que seja adicionada à espuma.

Para fazer biscoitos de merengue, comece com uma das receitas de **merengue de clara de ovo — francesa** ou **italiana**. Se quiser, adicione ingredientes de sua escolha ao merengue — **amêndoas moídas**, **gotas de chocolate**, **frutas secas**, **cacau em pó**.

Usando uma colher ou um saco de confeiteiro, coloque porções do merengue em uma assadeira forrada com papel-manteiga. (Não tem um saco de confeiteiro? Sem problemas. Coloque um saco plástico em uma caneca, dobre as bordas do saco sobre a borda da caneca, encha o saco e retire-o da caneca. Corte um dos cantos.)

Macarons de coco são feitos começando com a receita de merengue e adicionando depois o coco. Acrescente **2 xícaras (chá) de coco ralado adoçado (160g)** e coloque as porções da mistura em uma forma forrada com papel-manteiga.

Preaqueça o forno a 140°C; ou, se quiser os macarons levemente dourados, a 160°C. Asse-os por 20 ou 30 minutos, até que estejam se soltando do papel-manteiga.

Não tem um saco de confeiteiro? Sem problemas. Coloque a massa em um saco grande que possa ser fechado e corte um dos cantos.

Meu Bolo Predileto: Bolo de Chocolate ao Porto

Uma das melhores coisas sobre esse bolo de chocolate ao Porto — além do chocolate e do vinho do Porto — é a grande tolerância a erros da receita. A maioria dos bolos com espuma — os bolos que dependem de uma espuma para fornecer ar — é muito leve (pense no pão de ló). A razão pela qual esta receita é tão indulgente é que ela usa espuma sem tentar alcançar a mesma leveza.

Você vai precisar de uma panela pequena, duas tigelas limpas, um fouet e uma forma redonda ou forma com fundo removível de 15–20cm.

Na panela (em fogo baixo), derreta e misture, mas não ferva:

- **½ xícara (chá) de vinho do Porto (125g) (tawny ou ruby)**
- **½ xícara (chá) de manteiga (114g)**

Quando a manteiga derreter, desligue o fogo, retire a panela do fogão e adicione:

- **85g de chocolate meio amargo picado para facilitar o derretimento**

Deixe o chocolate derreter na mistura de vinho do Porto com manteiga.

Em duas tigelas, separe:

- **4 ovos grandes (200g)**

Certifique-se de usar uma tigela de vidro ou metal limpa para as claras, e tenha cuidado para não deixar nem um pouco da gema se misturar à clara.

Bata as claras até chegar a um ponto firme.

Na tigela com as gemas, acrescente:

- **1 xícara (chá) de açúcar granulado (200g)**

Bata as gemas e o açúcar até se misturarem completamente. As gemas e o açúcar devem ficar com uma cor amarelo-claro depois de bater por mais ou menos um minuto. Adicione a mistura de chocolate na mistura de gema de ovo/açúcar e bata bem para misturar.

Usando uma colher de madeira lisa ou espátula plana, adicione à mistura de chocolate e incorpore (mas não mexa demais!):

- **¾ de xícara (chá) de farinha de trigo de uso geral (100g)**

Em seguida, incorpore as claras divididas em três porções. Isso é, transfira cerca de um terço da clara de ovo batida para a mistura de chocolate, incorpore e repita mais duas vezes. Não se preocupe em misturar perfeitamente as claras, embora a massa deva ficar relativamente bem misturada.

Unte a sua forma de bolo com manteiga e forre o fundo com papel-manteiga, de modo a tornar a remoção do bolo da forma mais fácil. Transfira a mistura para a forma e asse em forno preaquecido a 175°C até que um palito ou uma faca, ao espetar o meio, saia limpo, cerca de 30 minutos.

Deixe esfriar por pelo menos 10 a 15 minutos, até que as bordas soltem das laterais, e retire da forma. Polvilhe com açúcar de confeiteiro (você pode usar uma peneira para isso: coloque algumas colheres de açúcar de confeiteiro na peneira e depois sacuda em cima do bolo).

Nota

- *Ao trabalhar com chocolate em bolos e pães, não basta substituir, digamos, 80% do chocolate meio amargo por uma barra de chocolate ao leite. Além das diferenças no açúcar, os dois tipos de chocolate têm quantidades diferentes de gordura de cacau, e as receitas que dependem do nível de gordura deverão ser ajustadas.*

Algoritmo de Corte de Bolo Otimizado para *N* Pessoas

Se você tem um irmão ou irmã, sem dúvida conhece a técnica para evitar brigas durante a divisão da comida: uma pessoa divide e a outra escolhe. ("Você pode dividir o bolo ao meio e comê-lo também!"). Mas, o que fazer se você tiver mais de um irmão ou irmã?

Há uma solução que é um pouco mais complexa. Aqui vai um algoritmo para cortar um bolo redondo para *N* pessoas. Não é perfeito — não use isso para a negociação de loteamentos após pequenas guerras por terrenos —, mas, quando se trata de uma mesa de crianças e um bolo de chocolate grande, ele provavelmente vai funcionar. (No entanto, se for cortar um bolo para os geeks de matemática hardcore, sugiro consultar a literatura especializada. Comece com o Protocolo de Divisão de Bolos sem Inveja — http://www.jstor.org/pss/2974850 [site em inglês] e gaste um tempo estudando isso.)

Apenas uma pessoa corta o bolo, e essa pessoa pode ser um comedor de bolo ou apenas um árbitro. Comece com o bolo na sua frente, junto com uma faca e *N* pratos. Faça o seguinte:

1. Primeiro faça um corte no bolo, como de costume.
2. Explique que passará devagar a faca no bolo enquanto se move no sentido horário em torno do bolo, como alguém que pensa sobre o quão grande a próxima fatia deve ser. Qualquer um — incluindo a pessoa cortando o bolo — pode dizer "pare" em qualquer momento para declarar que eles querem um pedaço de certo tamanho, momento no qual você corta a próxima fatia.
3. Mova lentamente a faca em cima do bolo até que alguém peça para parar.
4. Corte o bolo e dê a fatia para quem pediu. Continue na etapa 3 com os comedores de bolo restantes. (Só para esclarecer, qualquer um que já tenha pedido para parar agora está fora da negociação e não pode pedir mais.)
5. Quando faltar apenas uma pessoa, corte o bolo onde ela quiser, o que pode deixar um pedaço restante.

Uma das coisas agradáveis sobre esse protocolo (um protocolo é semelhante a um algoritmo, porém permite aceitar o comando do usuário depois de ter sido iniciado) é que ele permite que as pessoas que, por qualquer razão louca, queiram fatias pequenas, o façam, tirando-as do caso logo no início, ou seja, se alguém quiser uma fatia maior do que uma divisão *N* igualitária permitiria, isso é possível.

Se alguém for ganancioso e quiser um pedaço grande demais, acaba recebendo a última fatia, que normalmente será a maior. Porém, se duas ou mais pessoas forem gananciosas, elas podem deixar que o árbitro chegue ao final do bolo sem nunca pedir para parar, caso no qual eu sugiro comer o bolo sozinho. Não há garantia de que esse protocolo satisfaça a todos — apenas que os participantes honestos têm proteção contra os desonestos.

Gemas de Ovos

Se os esquimós têm *N* palavras para descrever a neve, os franceses e italianos têm *N*+1 palavras para descrever pratos que envolvem gemas. As gemas de ovos são usadas em quase todas as culturas para muitos propósitos, desde ligar a farinha de pão ao peixe até dar brilho a alimentos assados. O que pode não ser evidente é que as gemas de ovos, assim como as claras, podem ser usadas para criar espumas aeradas porque retêm bolhas de ar.

As gemas de ovos são muito mais complexas do que as claras: elas são aproximadamente 51% de água, 16% de proteína, 32% de gordura e 1% de carboidrato, enquanto as claras são apenas proteínas (11%) e água. Em seu estado natural, as gemas são uma emulsão: uma mistura de dois líquidos que são imiscíveis, ou seja, incapazes de se misturar (pense em óleo e água). A maionese é o exemplo clássico da culinária. Nas gemas de ovos, as gorduras e a água são mantidas em suspensão por algumas das proteínas, que atuam como emulsificantes — compostos que podem conter líquidos imiscíveis em suspensão. Para saber mais sobre a química das emulsões, veja a página 429.

Como as espumas da clara do ovo, as espumas da gema prendem o ar com proteínas desnaturadas que formam uma malha ao redor das bolhas. Porém, ao contrário das claras, bater as gemas não formará espuma; a única maneira de desnaturar as proteínas da gema é através de calor; a temperatura ideal para criação de espuma de gema de ovo é 72°C. Acima dessa temperatura, as proteínas coagulam, resultando em uma perda de ar e afetando a textura.

Fermento Extra

Algumas receitas dependem de mais do que apenas um método de adicionar ar em alimentos. Alguns muffins ingleses e pães chineses com porco assado, por exemplo, usam levedura e fermento em pó. Receitas de waffle, muitas vezes, pedem por claras em neve e fermento em pó. E algumas receitas de mousse pedem por claras em neve e chantili. Se achar que uma receita não está saindo tão leve quanto gostaria, veja se outros métodos de fermentação podem ser adicionados. Se uma receita não requer fermentos químicos, adicionar uma pequena quantidade de fermento em pó geralmente funciona. Ou, se a receita tem ovos, tente separar alguns, bater as claras em neve e misturar a espuma das claras na massa.

Molho Simples de Vinho Branco e Queijo

Esse molho precisa de poucos ingredientes e quase nenhum equipamento — um batedor de ovos, uma tigela e um fogão —, tornando-o um prato fácil de improvisar, mesmo em uma cozinha estranha. (Para saber mais sobre molhos, consulte a página 104.)

A única parte complicada é impedir que os ovos no molho fiquem quentes demais e mexidos. Se você tiver um bico de gás, isso pode ser feito colocando e retirando a panela de um fogo muito baixo. Posicione-se de modo que possa segurar a panela com uma das mãos ao mesmo tempo em que mexe com a outra, sendo necessário movê-la para regular a temperatura. Se você tiver um fogão elétrico, faça um banho-maria: encha uma panela grande com água e coloque a panela com a mistura dentro dela.

Em uma panela, separe **3 gemas**, guardando as claras para algum outro prato. Adicione **¼ de xícara (chá) de vinho branco (60 ml)** e mexa para incorporar. Assim que estiver pronto para começar a cozinhar, coloque a panela no fogo ou em banho-maria e mexa continuamente até que as gemas tenham cozinhado e você tenha espuma vaporizada, com cerca de duas a três vezes o volume original. Isso pode levar de 5 a 10 minutos; tenha paciência, é melhor ir devagar do que rápido demais.

Adicione de **3 a 4 colheres (sopa) de queijo parmesão ralado fresco (15 a 20g)** e bata até misturar tudo. Adicione sal e pimenta a gosto e sirva em cima de um prato principal, por exemplo, peixes com aspargos.

Nota

- *O vinho branco é bastante ácido, com pH em torno de 3,4 (Chardonnay) e 2,9 (Riesling). Já que os ácidos ajudam a prevenir que as gemas coagulem sob o calor, o vinho, na verdade, ajuda a proteger contra a coagulação. (E tome uma taça; isso também ajuda.)*

Zabaglione

Esse prato é fácil, porém, é bom praticar algumas vezes. Felizmente, os ingredientes são baratos!

Zabaglione é a sobremesa equivalente ao molho de vinho branco e queijo, que é feito misturando vinho, açúcar e gemas em fogo baixo; é essencialmente um creme de ovos espumoso, mas sem o leite. E, assim como o molho de vinho branco e queijo, essa é uma ótima receita para saber de cor.

Meça **¼ de xícara (chá) de vinho Marsala (60ml)** e reserve.

> O Marsala — um vinho branco fortificado com álcool extra — é o vinho tradicionalmente usado no zabaglione, mas você pode usar outros tipos de álcool, como Grand Marnier, Prosecco ou vinho do Porto.

Em uma panela, separe as **gemas de 3 ovos**, guardando as claras para outra coisa (merengues!). Adicione **¼ de xícara (chá) de açúcar (50g)** às gemas e bata até misturar.

Leve a panela ao fogo, seguindo as indicações para o molho de vinho branco e queijo. Adicione uma colher (sopa) de Marsala e bata. Continue adicionando ao Marsala uma colher (sopa) de cada vez, mexendo por um minuto entre cada adição. Você quer que as gemas vaporizem e espumem; o calor as ajustará para formar uma espuma estável. Se perceber que as gemas estão ficando mexidas, rapidamente despeje mais do Marsala para resfriar a mistura; não é o ideal, mas vai impedir que você tenha um prato inteiro de ovos doces mexidos em suas mãos. Quando o creme começar a formar picos flexíveis, retire do fogo e sirva.

Tradicionalmente, o zabaglione é servido com frutas: coloque uma pequena porção em uma tigela ou um copo e cubra com frutas frescas. Você também pode armazená-lo na geladeira por um dia ou dois.

Suflê de Frutas

Você provavelmente está se perguntando o que um suflê está fazendo na seção de gema de ovo, certo? Afinal, é a clara de ovo que é famosa por fazer com que os suflês cresçam. Eu tenho uma confissão a fazer. Eu faço meus suflês doces com frutas usando zabaglione. (Nunca vou ganhar um prêmio James Beard — o Oscar do mundo da culinária.)

Preaqueça o forno a 190°C. Prepare uma tigela de 1 litro para suflê (ou ramekin) — que fará suflê suficiente para duas a três pessoas — untando com manteiga o interior e depois revestindo com açúcar (adicione algumas colheres e, em seguida, gire o prato para trás e para frente para revestir as laterais).

Prepare as frutas:

Morangos frescos, **framboesas** e **pêssegos brancos** funcionam excepcionalmente bem; frutas com sumo, tais como **peras**, podem dar certo, mas a água pode separar durante o cozimento, então, melhor começar com morangos. Lave e seque as frutas. Se usar morangos, tire a parte de cima; se usar pêssegos ou outras frutas, corte-as em quatro e remova os cabos. Reserve cerca de ½ xícara — um punhado — de frutas para colocar em cima do suflê cozido. Prepare um segundo punhado de frutas, novamente cerca de ½ xícara, para cozinhar, cortando em pedaços pequenos; corte os morangos em oito pedaços e os pêssegos em fatias muito finas. (Framboesas desmancham sozinhas.)

Faça o zabaglione:

Comece fazendo um zabaglione: bata as **3 gemas** com **¼ de xícara (chá) de açúcar (50g)** em fogo baixo e acrescente **¼ de xícara (chá) de kirsch (50ml)** — licor de cereja — em vez de Marsala. (Guarde as claras para bater). Depois de adicionar o kirsch, adicione as frutas cortadas em pedaços pequenos e misture, amassando-as totalmente. Você não precisa realmente cozinhar as gemas até elas ficarem cozidas, é preciso apenas mexer e batê-las até obter uma espuma vaporosa, macia e morna. Reserve enquanto prepara as claras.

Bata as claras, misture e leve ao forno:

Bata as claras até um ponto macio, adicionando **uma pitada de sal** a gosto. Misture as claras na base das frutas e transfira a mistura para a tigela de suflê. Asse em um forno até o suflê crescer e a superfície ficar dourada, por aproximadamente 15 a 20 minutos. Retire e coloque o prato de suflê sobre uma tábua de corte de madeira. Polvilhe com **açúcar de confeiteiro**, coloque as frutas separadas por cima (corte morangos ou pêssegos em fatias finas) e sirva imediatamente. Se for um evento informal, é mais fácil apenas colocar o suflê no meio da mesa e dar um garfo para cada um se servir.

Você pode usar essa mesma técnica com o molho de vinho branco e queijo da página anterior para fazer um suflê salgado.

O chantili de lata espuma o dobro do volume (15ml se expandem para 67ml) do chantili batido à mão (15ml se expandem para 34ml), mas também se desmancha em menos tempo.

Bater um chantili com creme de leite de boa qualidade aumenta o seu volume em cerca de 80%, enquanto claras em neve podem aumentar cerca de 600%!

Chantili

Diferentemente dos ovos, nos quais as proteínas fornecem a estrutura para a espuma, o creme de leite precisa de gorduras para fornecer a estrutura da espuma quando batido. Durante o processo de bater, glóbulos de gordura no creme perdem suas membranas exteriores, expondo as partes hidrofóbicas das moléculas — você está despindo uma parte da superfície de cada bolha microscópica de gordura. Essas partes expostas dos glóbulos de gordura se ligam a outros (manteiga!) ou se agrupam ao redor de uma bolha de ar para alinhar a região despida com outra bolha, formando uma espuma estável cheia de ar depois que várias delas tiverem se juntado.

Outra técnica para "bater" o chantili é pressurizá-lo com gás e depois pulverizá-lo. Se já usou uma lata de chantili em spray, estava fazendo chantili desse jeito. O gás se dissolve no líquido e então, quando pulverizado, ele fica saturado de bolhas, formando o creme. Do ponto de vista estrutural, o chantili criado dessa forma é inteiramente diferente das espumas criadas pela batida. Em lugar de um achatamento 3D dos surfactantes que se prendem às bolhas de ar — as "regiões despidas" —, as bolhas de ar do chantili enlatado estão essencialmente em suspensão. O chantili de lata terá aproximadamente o dobro do volume, por peso, do batido, mas é também menos estável e se desmancha com rapidez — os glóbulos de gordura de uma lata pressurizada estão presumivelmente intactos. Falaremos sobre outros usos das espumas criadas por pressão usando batedores de creme na página 313.

Ao trabalhar com chantili, tenha em mente que as gorduras fornecem a estrutura. Se o creme ficar quente demais, derreterá. Certifique-se de esfriar a tigela e o creme antes de bater.

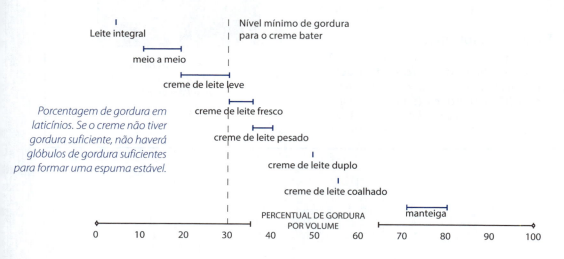

Porcentagem de gordura em laticínios. Se o creme não tiver gordura suficiente, não haverá glóbulos de gordura suficientes para formar uma espuma estável.

Fazendo Chantili

Você pode bater o chantili à mão em menos tempo do que levaria para tirar uma batedeira elétrica do armário. Comece com uma tigela fria (coloque-a no freezer por alguns minutos), e creme de leite fresco ou creme para chantili, e bata até que o creme chegue ao ponto.

Para fazer *creme de chantili*, adicione **1 colher (sopa) de açúcar (12g)** e **1 colher (chá) de essência de baunilha (4g)** para cada **1 xícara (chá) de creme para chantili**.

30 segundos: ainda líquido, mas com pequenas bolhas.

60 segundos: ainda líquido, mas com pequenas bolhas.

90 segundos: creme fino, vai bem com frutas vermelhas.

120 segundos: batido em ponto de picos flexíveis; ponto ideal.

150 segundos: batido além do ponto, com sabor levemente amanteigado.

180 segundos: manteiga batida.

Mousse de Chocolate

Compare os dois métodos a seguir para criar mousse de chocolate. A versão com claras de ovos cria uma mousse cremosa e densa, enquanto a versão com chantili cria uma versão mais firme.

Mousse de Chocolate (versão com claras em neve)	Mousse de Chocolate (versão com chantili)
Em uma panela, aqueça ½ xícara (chá) de creme de leite fresco ou creme de leite pesado (120g) (cerca de 38% de gordura) até um pouco antes de ferver e desligue o fogo. Adicione **115g de chocolate amargo picado** em pequenos pedaços.	Derreta **115g de chocolate amargo** em uma tigela para micro-ondas. Adicione **2 colheres (sopa) de manteiga (28g)** e **2 colheres (sopa) de creme de leite (28g)** e mexa para incorporar. Coloque na geladeira para esfriar.
Separe 4 ovos, colocando duas gemas na panela e todas as claras em uma tigela limpa de vidro ou metal para bater. Guarde as outras duas gemas para uma receita diferente.	Em uma tigela gelada, misture **1 xícara (chá) de creme para chantili ou creme de leite (240g)** com **4 colheres (sopa) de açúcar (50g)** até chegar ao ponto de picos flexíveis.
Bata as claras em neve com **4 colheres (sopa) de açúcar (50g)** até atingir o ponto de picos flexíveis. Bata o creme de leite, o chocolate e as gemas. Agregue as claras em neve à mistura.	Certifique-se de que a mistura de chocolate tenha resfriado até pelo menos a temperatura ambiente (~15 minutos na geladeira). Adicione o chantili à mistura de chocolate. Transfira a mousse para potes individuais e leve à geladeira por várias horas — durante a noite, de preferência.
Transfira a mousse para potes individuais e leve à geladeira por várias horas.	
Nota	*Nota*
• A clara de ovo dessa receita fica crua, então, há uma chance de salmonela. Se você estiver preocupado, use claras de ovos pasteurizados.	• Substitua as 2 colheres (sopa) de creme de leite por 2 colheres de café expresso, Grand Marnier, conhaque ou outro líquido aromatizante.

David Lebovitz: Culinária Francesa e Americana

David Lebovitz foi confeiteiro no renomado Chez Panisse, em Berkeley, Califórnia, por mais de uma década. Desde então, ele já escreveu vários livros bem-sucedidos sobre sobremesas. Acesse seu blog em http://www.davidlebovitz.com (site em inglês).

Como você foi trabalhar no Chez Panisse de Alice Waters?

O *Chez Panisse* é um ótimo lugar para se trabalhar. Dinheiro não é problema quando se trata de encontrar ingredientes, e é uma ótima base de treinamento para cozinheiros. O restaurante realmente dá apoio aos donos e aos cozinheiros, que são muito, muito interessados em criar boas comidas. Quando você entra naquele ambiente, é difícil ir embora. Você vai para outro lugar e começa a trabalhar com um monte de cozinheiros desinteressados que só se importam com quem ganhou no jogo noite passada e com o quão rápido conseguem terminar de fritar seus bifes para sair e tomar uma cerveja.

O conceito do *Chez Panisse* é encontrar bons ingredientes e fazer o mínimo possível com eles. Quando encontrávamos boas frutas, geralmente servíamos uma tigela de frutas ou uma torta de frutas com sorvete; ou se tínhamos um bom chocolate, fazíamos um bolo de chocolate, porém, não um bolo superdecorado, ele não teria muitos toques e truques profissionais. O *Chez Panisse* trata de sabor. Várias coisas sofisticadas não têm um gosto bom, assim, nos preocupávamos mais com o sabor.

Ontem, jantei em um restaurante chique. Eles serviram mousse de chocolate com tapenade como acompanhamento. Alguém pensou: "Azeitonas devem ficar boas nesse prato!". Mas alguém provou? Nojento. Eu queria ir até a cozinha e dizer: "Vocês provaram essa comida? Porque ela é estúpida".

Você trabalhou por anos no Chez Panisse antes de buscar uma educação sobre culinária. O que o surpreendeu quando foi estudar?

Eu não esperava que as coisas não tivessem um gosto bom. Fiz um curso na França sobre como fazer bolos e pensei: "Vamos criar bolos deliciosos". Na verdade, se tratava de criar mousses com gelatina e com purês de frutas congeladas, e tudo era pão de ló, purê de frutas gelatinizadas e decorações. Era interessante, e aprendi alguma coisa, mas são habilidades que não se traduzem no que faço. Mesmo se você usar frutas frescas, essa não é a melhor forma de usá-las. Sou um cozinheiro que se baseia nos ingredientes.

Eu fiz cursos sobre chocolate que foram ótimos; aprendi muito sobre chocolate, como trabalhar com ele, como manipulá-lo. Mas também sou alguém que se interessa em cobrir avelãs maravilhosas com chocolate em vez de abrir um pote de pasta de avelãs e criar um doce a partir disso.

O que você recomendaria para alguém que está aprendendo a confeitar?

A melhor coisa é simplesmente praticar. O negócio sobre a confeitaria é que é tudo muito orientado por receitas. Se você quer aprender a fazer um bolo, apenas faça a receita, e quanto mais fizer, mais aprenderá sobre como as coisas funcionam, como as coisas podem ser modificadas. Você pode adicionar gema de ovo e tornar os sabores mais fortes, ou substituir creme de leite por leite na receita.

Muitos confeiteiros são muito precisos, e temos uma reputação, principalmente no mundo profissional. Um chef já me disse: "Por que vocês são todos estranhos?". Existem muitas pessoas estranhas no mundo da confeitaria, e nós temos a nossa própria dimensão, somos pessoas muito analíticas, no geral. Pensamos muito sobre as coisas, enquanto um cozinheiro de linha faz barulho demais, e os sabores são fortes e ousados; é assar a carne; é fritar os legumes; é grelhar. Existem formas de destacar sabores, mas a confeitaria é algo muito mais delicado, precisa de mais cuidado, de habilidades muito mais sutis.

Quando você cria um doce, como descobre como consegue solucionar problemas quando as coisas não correm como o planejado?

Se você soubesse como resolver o problema, não teria se deparado com ele. Eu crio receitas e escrevo livros, então, quando cozinho as coisas, as faço várias e várias vezes, e se eu realmente empacar, conheço pessoas que podem me ajudar. Posso escrever para um amigo que é professor de confeitaria e dizer: "Estou tentando fazer uma torta de caqui, você já fez uma?" e ele dirá: "Ah, os caquis têm um elemento químico que faz com que tal coisa não aconteça, tente fazer o seguinte...". Os confeiteiros compartilham as coisas, somos uma comunidade unida. Também, grande parte da confeitaria é ciência. Se faço um bolo e quero que ele fique mais molhado e cresça mais, apenas preciso pegar minha calculadora e fazer as contas.

Como você sabe que conta fazer?

Existem fórmulas publicadas que alguns confeiteiros usam. Não sou muito bom em matemática. Michael Ruhlman escreveu um livro fantástico sobre proporções, mas o meu cérebro não funciona dessa forma. Então, eu faço as coisas um milhão de vezes, até funcionar.

Então, a sua abordagem é muito mais prática do que sentar e tentar adivinhar qual é a melhor fórmula?

Isso.

Muitas pessoas são muito analíticas sobre culinária, e querem saber como as coisas funcionam. É um método diferente. É muito parecido com a forma que os europeus se perguntam por que os americanos não desistem de medir tudo em xícaras e colheres, que é uma forma péssima de cozinhar. É inexato e faz com que as pessoas façam uma série de coisas estranhas. Os americanos gostam das xícaras e colheres; isso faz com que se sintam seguros; não vamos abrir mão disso. A culinária é algo instintivo e muitas pessoas analisam demais as receitas. Elas pensam: "Posso fazer esse bolo sem um quarto de colher de chá de extrato de baunilha?" e eu digo: "Certo, bom, pense nisso, o que você acha?". Elas não são burras, apenas não, não sei bem... É como se dissessem: "Se eu tirar 5%

de ar do meu pneu, ainda posso dirigir?", "Sim, mas é melhor se estiver cheio."

Por que você acha que os americanos analisam demais as receitas?

Acho que os americanos vivem nesse espaço estranho em que gostam de ser orientados sobre o que fazer; eles querem uma receita; querem que uma autoridade lhes diga que essa é a receita, não a mude, em vez de dizer: "Espere aí, vamos ver os fatos!". Uma receita pode dizer para assar um frango por uma hora, e alguém dirá que assou por uma hora e ficou seco demais. Bom, seu frango provavelmente tem dois quilos em vez de três. Tem um limite do que pode ser posto em uma receita.

Meu site foi ao ar em 1999, na época em que meu primeiro livro foi lançado, porque eu achava — as famosas últimas palavras — que seria uma boa forma das pessoas entrarem em contato comigo caso tivessem problemas com as receitas. Você não quer que as pessoas digam que as receitas não funcionam; é melhor que elas escrevam para você e digam: "Fiz tal bolo e não deu certo; o que fiz de errado?".

Eu tenho uma receita — na verdade, está no forno agora — de um bolo que só leva um ovo; é a única gordura nele. Uma mulher me escreveu — ela estava tentando consumir menos gordura — perguntando com o que ela poderia substituir o ovo. E eu pensei, uma gema de ovo? Isso dá 5 gramas de gordura para 12 porções. Alguém realmente quis saber isso e fico me perguntando como essas pessoas vão ao banco diariamente, pagam contas, escrevem cheques e trabalham. O que se passa nas suas cabeças?

Acho que não entendi.

Esse tipo de coisa me parece senso comum. Alguém que se preocupa em comer um oitavo ou um doze avos de uma gema de ovo porque está numa dieta de pouca gordura? Não entendo esse pensamento. Se a receita tivesse seis gemas de ovos ou quatro, talvez eu entendesse, mas, é um bolo, é como dizer: "Eu não gosto de chocolate, então, como posso fazer biscoitos de gotas de chocolate sem chocolate?" Desculpe, é assim que as coisas são.

O que você acha das pessoas que sentem a necessidade de ter os equipamentos e brinquedos mais modernos?

Bom, isso é uma questão americana. Quando vou para os Estados Unidos, vejo que todos têm geladeiras para vinhos, cheias de Kendall Jackson Chardonnay. Se você tem um bom vinho, não coloque em uma dessas geladeiras porque elas possuem compressores que balançam. Você está melhor sem elas. A não ser que possua uma geladeira de vinhos muito boa que não balance, é melhor não ter uma. É engraçado ver as pessoas com panelas wok e geladeiras de vinho e todas essas coisas em suas casas. Muitos querem ter a ilusão de cozinhar; querem ter todas essas garrafas de azeite de oliva em cestas nas bancadas, mas, por outro lado, quem precisa dessas coisas?

Parece então que o conselho que você daria seria não ter uma obsessão por equipamentos?

Sim. Você não precisa de todas as panelas do mundo, precisa de apenas três. Para mim, ter um mixer é muito importante; para mim, ter uma máquina de sorvete é importante. Mas você não precisa de uma grelha para Paninis; é possível usar a frigideira e colocar algo pesado por cima, como uma lata de tomates, e pronto.

Ar e Água

Chantili   **303**

Conteúdo do Capítulo

Situações de Alta Pressão......................306

    Panelas de Pressão.............308

    Garrafas para Chantili...........313

Algumas Dicas sobre Como Cozinhar em Baixa Pressão...............................317

Culinária Sous Vide 320

    Equipamento Sous Vide 323

    Culinária Sous Vide e Segurança Alimentar 325

    Tempos de Cozimento para Peixes, Aves, Carnes, Frutas e Vegetais ...329

Fazendo Moldes 340

Como Fazer uma Rosquinha de 250 Quilos 344

Separação de Líquidos...........................347

    Filtragem Mecânica 348

    Centrífugas na Cozinha 351

    Desidratação...................352

Refrescando com Nitrogênio Líquido e Gelo-seco..361

    Fazendo Pós 363

    Fazendo Sorvetes...............363

Cozinhando com Muito Calor 367

    Como Preparar Pizza em Alta Temperatura...................370

Receitas

Moong Dal Khichdi (Arroz com Lentilhas), 311

Carne de Porco Desfiada na Pressão, 312

Mousse de Chocolate, 315

Ovos Mexidos Espumantes, 315

Bolo de Chocolate de 30 Segundos, 316

Maçãs Cozidas na Lava-louça, 326

Ponta de Alcatra Bovina, 335

Costela ou Acém de 48 Horas, 336

Cestinhas de Açúcar para Sorvete, 342

Receita de Donut de Forno, 345

Caldo Branco Básico, 350

Chips Crocantes de Couve ao Forno, 353

Carne-seca 5^3, 354

Sorvete de Chocolate e Goldschläger, 364

Crème Brûlée do Quinn, 368

Laboratório

Separação Através da Cristalização (Palitinhos de Açúcar), 356

Entrevistas

Douglas Baldwin: Culinária Sous Vide, 327

Dave Arnold: Equipamentos Industriais, 358

Nathan Myhrvold: Culinária Modernista, 372

5
Diversão com Equipamentos

COMO SERIA SE VOCÊ TIVESSE SUPERPODERES NA COZINHA? Você sabe, tipo fazer o tempo passar mais devagar? Ou ter visão infravermelha? Ou retirar todo o ar do recinto? Tudo bem, talvez esse último não seja tão fantástico — Homem-vácuo? —, mas coisas interessantes acontecem quando você tem superpoderes sobre as variáveis básicas da culinária. Normalmente, trabalhamos com as variáveis de tempo, temperatura, ar e água (discutidas nos dois capítulos anteriores) em valores moderados: fazer um ovo cozido mole em seis minutos, assar pizza a 230°C ou bater sorvete a -29°C por meia hora. O que acontece quando saímos dos limites conhecidos?

Aumentar a pressão atmosférica muda o ponto de ebulição da água e acelera a velocidade de cozimento dos alimentos. Técnicas e ferramentas de separação, de desidratadores a centrífugas, mudam as texturas e os sabores de várias maneiras. Ou pense na culinária sous vide: essencialmente, um refogado em temperaturas ultrabaixas. Quando aumentamos a variável tempo, temos que diminuir a temperatura para manter as reações dependentes de tempo–temperatura equilibradas. Mas algo fascinante acontece: à medida que diminuímos a temperatura, ela em algum momento precisa atingir a temperatura-alvo do alimento que está sendo cozido. Fica impossível queimá-lo acidentalmente. Isso é fantástico!

E se você usar temperaturas além dos limites do termômetro de cozinha? Sorvete feito com nitrogênio líquido a -196°C preparado em 30 segundos, e é maravilhoso! — os cristais de água não formam agregados grandes, por isso esse método cria o sorvete mais macio que você já experimentou. E a 480°C, uma pizza de massa fina e crocante assa em menos de um minuto, e também é deliciosa! Vejamos que técnicas e criações culinárias divertidas aparecem com o uso de equipamentos que permitem que você brinque com essas variáveis.

Situações de Alta Pressão

À medida que aprendia mais sobre a ciência dos alimentos, fui percebendo como a água é importante! Ela influencia a culinária de muitas formas diferentes: transmite calor através do vapor, dissolve resíduos minerais e, com isso, muda a forma como o glúten é formado e como as leveduras se multiplicam nos pães, e altera texturas de biscoitos (macios ou crocantes) e de alimentos desidratados. A água está em tudo.

Uma variável da água que não muda muito na cozinha é o ponto de ebulição. Adicionar sal pode aumentá-lo em alguns graus, mas o que poderíamos fazer se o aumentássemos ainda mais? Se a maioria das taxas das reações que dependem de calor na culinária quase dobra a cada acréscimo de 10°C, então aumentar o ponto de ebulição da água de 100°C para 110°C deveria, na teoria, diminuir os tempos pela metade e cozinhar arroz duas vezes mais rápido. Se o aumentarmos novamente para 120°C, o tempo de cozimento seria reduzido em até 75%. E é exatamente isso o que acontece quando se cozinha com pressão.

Quanta pressão, você vai perguntar? Existe um tipo fantástico de tabela científica chamada *diagrama de fases*, que mostra a fase de uma substância — sólida, líquida ou gasosa — em várias pressões e temperaturas. Aqui está a da água às várias temperaturas e pressões encontradas normalmente na culinária.

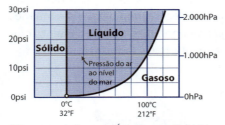

Diagrama de Fases da Água para a Culinária.

Uma rápida explicação sobre como ler isso: considere a linha aos 14,7 psi (1.013hPa — ou hectopascais) como sendo igual a 1 pressão atmosférica, ou aquela que você experimenta ao nível do mar em um dia normal. O ponto de solidificação nessa atmosfera é 0°C; o ponto de ebulição é 100°C. Mova essa linha um pouco para baixo, para 12,1psi (834hPa), o equivalente a uma altitude de 1.609m acima do nível do mar, e você verá porque a água ferve a 95°C em Denver, Colorado. Suba para 30psi (2.070hPa), e *voilà*! A água entrará em ebulição a 120°C. Isso é a ciência por trás do que torna as panelas de pressão fantásticas. Eu sei, eu sei, ficar excitado com a ideia de manter a água líquida a uma temperatura mais alta pode parecer estranho, mas, acredite, você vai adorar o que isso pode proporcionar.

O que mais acontece quando aumentamos a pressão? A água é mais complicada do que sugere esse simples diagrama de fases, porque nada na cozinha é uma substância pura. O sal tem traços de minerais — e provavelmente sílica também. O açúcar refinado não é 100% sacarose; uma colherada de açúcar inclui cinzas, proteínas e impurezas inorgânicas. E a água, até mesmo a destilada e purificada, não é 100% água: há gases dissolvidos nela. Com pressão, podemos dissolver mais gás em líquidos como a água tanto por diversão como para propósitos úteis.

Comida é sempre uma mistura de sólidos, gases e líquidos. (Na verdade, a comida é quase sempre uma mistura de misturas, e descobrir como separá-las tem seus desafios, como veremos mais adiante nesse capítulo.) Falamos sobre a *umidade* — vapor d'água dissolvido no ar — no capítulo anterior, mas como chamamos o ar dissolvido na água? É o que os peixes respiram, mas nem temos uma palavra para isso!

Os gases estão dissolvidos nos líquidos o tempo todo — pense em bebidas com gás, ou nas pequenas bolhas que você vê quando coloca água para ferver — e mudanças na pressão mudam quanto gás pode ser dissolvido. Isso é conhecido como *Lei de Henry*: basicamente, quanto maior a pressão de um gás sobre um líquido, mais solúvel esse gás se torna (ah, ainda não existe nenhuma Lei de Potter. Provavelmente, tarde demais; todas essas leis parecem ter recebido seus nomes há quase 200 anos. O químico inglês William Henry descobriu essa em 1803). Você pode dissolver gases nos alimentos para fazer espumas como o chantili (e o chocolate aerado!) e você pode usar um recipiente pressurizado para fazer coisas malucas como frutas carbonatadas.

Nas próximas seções, vamos ver como cozinhar com panelas de pressão e garrafas de chantili, falar sobre o que são e como usá-las.

Diminuir a temperatura de um líquido aumenta a quantidade de gás que pode ser dissolvida nele. Se você está tentando saturar gás em um líquido, primeiro resfrie o líquido.

Por que a pipoca estoura?

Por causa da pressão! Os grãos de pipoca têm a combinação mágica de uma casca resistente e hermética e um interior úmido (quase 13% de água) que explode quando aquecido. A maioria dos grãos tem essa combinação: amaranto, quinoa e sorgo também explodem. Aumentar a temperatura em um volume fixo também aumenta a pressão, com diferentes resultados.

Abaixo de 150°C

À medida que os grãos se aquecem, a água dentro deles também se aquece. Como a água não pode entrar em ebulição — há pouco espaço para ela se expandir em vapor d'água —, a pressão dentro do grão aumenta.

De 155°C a 170°C

Alguns grãos mais fracos se rompem, mas não há pressão suficiente para explodi-los com muita força, resultando em pipocas pequenas e não tão deliciosas.

177°C e acima

A 135psi — nove vezes a pressão atmosférica! — o grão resistente se rompe. Com a queda na pressão, a água dentro dele entra imediatamente em ebulição e se converte em vapor, expandindo-se em torno de 1.500 vezes e arrastando a camada externa dos grãos junto com ela.

307

Panelas de Pressão

Panelas de pressão são como uma versão do micro-ondas à moda antiga: um equipamento que acelera o cozimento. Nossas avós usavam uma versão manual, basicamente panelas engraçadas com uma tampa que travava quando ia para o fogão. As versões manuais ainda estão disponíveis — agora aperfeiçoadas com válvulas de segurança a fim de prevenir acidentes — e são um investimento compensador para o entusiasta das panelas de pressão. Os fabricantes também fazem unidades elétricas, que podem ser deixadas sem supervisão com segurança, e são essas que sugiro para compradores de primeira viagem. Se você tem uma cozinha pequena, adquira uma com as funções de cozimento lento e cozimento de arroz.

Não é a pressão que muda a forma como o alimento é cozido, mas seu impacto sobre os processos físicos e químicos. O aumento da pressão aumenta o ponto de ebulição da água. Nos métodos de cozimento úmidos, a diferença de temperatura entre o alimento e o líquido aquecido é o que determina a rapidez com que o alimento aquece (veja a p. 139 para saber mais). O aumento da pressão aumenta o ponto de ebulição, mas não é a água fervente que efetua o cozimento — é a maior diferença de temperatura entre o líquido e o alimento, que resulta em uma taxa mais veloz de transferência de calor.

A rapidez com que o calor será transferido depende da temperatura na qual o líquido ferve. Dependendo da fabricação e do modelo, uma panela de pressão aumenta a pressão entre 11 e 15psi (758 — 1.034hPa). (Os laboratórios não certificam unidades acima de 15psi, é por isso que não vemos pressões mais altas que essa.) Você precisará ajustar o tempo de cozimento conforme a pressão em que seu modelo opera!

Os aumentos de pressão são relativos à atual pressão atmosférica do local, então o ponto de ebulição máximo da água é baseado na pressão atmosférica naquele momento mais a pressão adicional que a sua unidade acrescenta. Se você mora ao nível do mar e tem uma panela de pressão, vai conseguir que a água chegue a 29,7psi (2.048hPa) para um ponto de ebulição de 121°C, mas a mil metros acima e com uma unidade que acrescente apenas 11psi (758hPa), você só vai conseguir aumentar o ponto de ebulição para 113°C. Olhe a parte aumentada do diagrama de fases da água da seção anterior, que mostra as pressões mínima e máxima possíveis em uma panela de pressão. Some a pressão operacional de sua panela com a pressão atmosférica de sua altitude para ver com que calor (e com que rapidez!) a comida vai cozinhar.

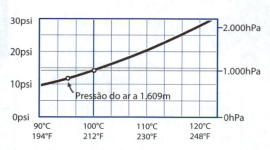

Pressão x Ponto de Ebulição da Água

Descubra sua pressão atmosférica inicial, some a pressão operacional de sua panela e verifique o ponto de ebulição da água para essa pressão absoluta.

Um comentário científico divertido: as reações de Maillard não ocorrem prontamente na maioria dos métodos de cozimento úmidos. Não é que a água iniba a reação; na verdade, é necessário que haja um pouco de água presente no alimento (veja a p. 213). O fator limitante é que a água, quando usada como fonte de calor, impede que as temperaturas necessárias sejam alcançadas, pelo menos em pressão atmosférica. Algumas combinações de aminoácidos e açúcares redutores começarão a passar por reações de Maillard logo acima do ponto de ebulição. Lisina e glucose, por exemplo, se combinam entre 100°C e 110°C em uma solução com um pH entre 4,0 e 8,0, e reagem com muito mais rapidez em faixas mais quentes e básicas. Algumas receitas usam esse truque para criar reações de Maillard em sopas utilizando bicarbonato de sódio, mas não é uma parte significativa da maioria dos cozimentos a pressão. Felizmente, as reações de Maillard não acontecem muito nas pressões utilizadas no cozimento a pressão (você precisaria chegar a quase 70psi/4.800hPa). Se elas acontecessem, as reações nos alimentos seriam de dentro para fora, e acarretariam um gosto terrível — o excesso de uma coisa boa, nesse caso, resulta em um sabor horrível.

Prós

> O cientista francês Denis Papin serviu a primeira refeição feita em panela de pressão por volta de 1679, a um grupo de cientistas em Londres. Chamando-a de *digestor ósseo*, ele serviu ossos preparados sob uma forma gelatinosa (junto com carnes cozidas). Oh, culinária britânica do século XVII...

- Velocidade! Aumentar o ponto de ebulição da água de 100°C para 120°C quadruplica a rapidez com que as reações acontecem e, assim, diminui os tempos de cozimento em 60 a 70% (leva algum tempo para que a comida aqueça; do contrário, a diminuição chegaria a 75%). As panelas de pressão são fantásticas para cozinhar grãos de cozimento lento, legumes (arroz e lentilha em 5 a 8 minutos, em vez de 30), feijões (30 minutos para feijões secos e que não ficaram de molho, até que estejam prontos para servir) e carnes com alto teor de colágeno (costela, carne de porco, todas podem ser feitas em menos de uma hora e de um jeito fácil e delicioso).

- Panelas elétricas são extremamente eficientes em termos de consumo de energia, e são ótimas para preparos de verão, se você quiser algo que normalmente fica no fogo por horas — como carne de porco — mas não quer que sua cozinha vire um forno.

Contras

- Você não poderá mexer na comida para ajustar temperos ou verificar se está pronta enquanto ela é preparada. O que entra na panela no início é o que você retira no final, assim como quando assa um bolo. Se for um cozinheiro intuitivo, que faz ajustes pelo caminho, trate-a como uma forma de cozinhar um componente da refeição.

- Com velocidades de reações maiores, cozinhar demais o alimento vai acontecer com muito mais facilidade. Então é melhor cozinhar um pouco menos e continuar o cozimento "fora da pressão". Anote os tempos de cozimento das receitas. (Use o modo baixa pressão nos vegetais para evitar cozinhá-los demais.) Panelas de pressão diferentes podem apresentar pequenas variações nas pressões, por isso considere os tempos das receitas como ponto de partida e faça anotações.

Situações de Alta Pressão

- As panelas de pressão utilizam água fervente e vapor para a transmissão de calor — é um método de cozimento úmido — e prendem e condensam a maior parte da umidade, o que torna difícil reduzir os molhos. Você pode precisar reduzir os líquidos depois do cozimento. Por outro lado, não economize no líquido: certifique-se de que tenha pelo menos uma xícara ou duas de água na panela; caso contrário, não haverá nada que possa ser transformado em vapor e você vai terminar queimando o fundo do que estiver cozinhando.

As fritadeiras a pressão utilizam óleo em lugar de água para cozinhar a temperaturas ainda mais altas, criando superfícies crocantes e douradas e interiores úmidos em alimentos como frango empanado. Harland Sanders utilizou as fritadeiras elétricas para criar o seu "Kentucky Fried Chicken — KFC", e é por isso que foi um sucesso! Infelizmente, as fritadeiras a pressão são equipamentos industriais; não há uma versão segura para o consumidor comum. Esse é um aparelho que você não deve tentar adaptar: utilizar óleo em uma panela de pressão comum pode derreter os lacres de vedação e causar uma descompressão explosiva, com óleo fervendo espirrando por todo lado.

Dicas e truques

- Se quiser adaptar outras receitas para a panela de pressão, pense em coisas que normalmente cozinham com vapor, como refogados ou qualquer método úmido, e tente cozinhar por um terço do tempo normal. Certifique-se de não encher mais do que dois terços da panela; alguns ingredientes se expandem enquanto cozinham, e bloquear a válvula de escape não é bom. Se estiver utilizando ingredientes que espumam enquanto cozinham — calda de maçã, cevada, aveia, massas —, não encha mais do que um terço da panela. Esteja ciente de que laticínios talham na pressão, por isso adicione qualquer ingrediente à base de leite depois do cozimento.

- Se você tem uma panela convencional, experimente colocá-la sob a água da torneira para resfriá-la rapidamente depois do cozimento; isso é útil ao cozinhar rapidamente ingredientes como vegetais ou polenta, em que o calor residual continuaria a cozinhá-los.

- Muitas panelas de pressão elétricas operam a 12psi (830hPa) em vez de 15psi (1.034hPa), o que significa que os tempos de cozimento para receitas pensadas para pressões ligeiramente mais altas precisam ser aumentados de 15 a 20%. Verifique o manual para saber qual a pressão operacional, e não a faixa de pressão, da sua — os fabricantes tendem a listar as pressões máximas que seus equipamentos alcançam e não falam sobre a pressão real com que eles trabalham.

- Vaporize vegetais e alcachofras utilizando uma bandeja de vaporização para mantê-los acima do nível da água. Você pode também cozinhar pequenas quantidades de comida dessa forma em um vidro pequeno ou tigela de metal — lembre-se apenas de colocar um copo ou dois de água dentro da panela de pressão! Não use recipientes plásticos na panela de pressão; eles vão derreter.

- As panelas de pressão são excelentes para fazer caldos. Guarde os ossos das refeições em um recipiente no freezer. Quando o recipiente estiver cheio, transfira o conteúdo para a panela de pressão, cubra-o com água e cozinhe por 30 minutos. Resfrie e coe o líquido.

- Experimente usar a panela de pressão para fazer sebo ou toicinho: coloque os pedaços de carne gordurosa em um pote, cubra-os com água, adicione um copo d'água à panela de pressão e cozinhe por aproximadamente 2 horas. Deixe a gordura esfriar até que atinja uma temperatura própria para o manuseio, e passe por uma peneira.

Moong Dal Khichdi (Arroz com Lentilhas)

Há milhares de maneiras de preparar o khichdi — um prato indiano que mistura lentilhas e arroz com condimentos. Khichdi pode ser traduzido como "mistura", e é exatamente isso o que ele é. Aqui está uma receita baseada no que comi pela primeira vez, mas faça experiências! Experimente adicionar outros condimentos, como garam masala, erva-doce, cominho ou curry.

Refogue em uma panela de pressão, manual ou elétrica no modo refogar:

- **2 colheres (sopa) de óleo (30g) (manteiga, azeite de oliva, ghee ou óleo de coco)**
- **1 cebola média picada (110g)**
- **1 colher (sopa) de coentro (5g) (inteiro ou picado)**
- **1 colher (sopa) de cúrcuma em pó (7g)**
- **½ colher (chá) de pimenta-de-caiena (1g)**

Não encha mais da metade da panela de pressão quando estiver cozinhando arroz ou grãos, porque eles crescem.

Acrescente e mexa para cobrir, e transfira para a panela de pressão, se necessário:

- **½ xícara (chá) de arroz basmati branco (80g)**
- **1 xícara (chá) de moong dal (feijões amarelos moong) ou de lentilhas vermelhas (190g)**
- **6 a 12 dentes de alho descascados (18 a 36g)**
- **1 a 2 colheres (sopa) de gengibre descascado e picado (6 a 12g)**

Acrescente **3 xícaras (chá) de água (710ml)** e tampe a panela de pressão. Cozinhe por aproximadamente 5 minutos.

Deixe a mistura esfriar, então abra e mexa. Adicione o **suco de um limão** e **sal** a gosto.

Sirva com **coentro** ou **salsinha**.

Na primeira vez que comi khichdi, ele foi servido com muita rúcula fresca, o que deu ao prato um sabor e uma textura bem agradáveis.

Diversão com Equipamentos

Situações de Alta Pressão **311**

Carne de Porco Desfiada na Pressão

Falamos mais cedo sobre o colágeno (veja a p. 195), mas vale a pena dar mais uma olhada para ver que diferença uma panela de pressão pode fazer. O colágeno é uma proteína dura, e carnes com alto teor de colágeno precisam ser cozidas por longos períodos para que seja possível quebrá-lo. As panelas de pressão, como você pode imaginar, aceleram esse processo, transformando um projeto para o dia todo em uma tarefa simples que pode ser levada a cabo depois do trabalho.

Em uma tigela, misture:

- 2/3 **de xícara (chá) de açúcar mascavo bem pressionado (150g) (ou seja, pressione o açúcar na xícara para caber o máximo possível)**
- 1/4 **de xícara (chá) de vinagre de vinho tinto (60ml)**
- 1/4 **de xícara (chá) de ketchup ou molho de tomate (60g)**
- **1 colher (sopa) de páprica (7g)**
- **2 colheres (sopa) de pimenta-do--reino moída na hora (4g)**
- 1/2 **colher (chá) de sal (3g)**
- 1/2 **colher (chá) de coentro moído (1g) (opcional)**
- 1/2 **colher (chá) de pimenta-de-caiena (1g) (opcional)**

Fique à vontade para improvisar e adicionar (ou retirar) quaisquer temperos, depois misture tudo.

Adicione:

- **1,5kg a 2kg de pernil ou paleta de porco, com ou sem osso (certifique-se de que a carne caiba na panela de pressão ou peça ao açougueiro para cortá-la ao meio ou em quatro)**

Remova toda a pele e cubra a carne com os temperos. Transfira para a panela de pressão, adicione o tempero restante e cozinhe na pressão por 45 a 60 minutos (ou talvez mais se sua panela não atingir os 15psi).

Quando acabar de cozinhar, transfira a carne para uma tigela grande, retire o osso (ele deve se soltar com facilidade; caso contrário, cozinhe um pouco mais) e qualquer pedaço de gordura, e descarte (ou guarde para outro projeto culinário como, por exemplo, preparar toicinho, como descrito na página 311). Use dois garfos para separar e desfiar a carne.

Coloque o líquido da panela de pressão na tigela — suficiente para cobrir a carne — e misture para incorporar o molho à carne.

Nota

- Aqui estão algumas ideias do que fazer com a carne de porco desfiada: sirva com pães de hambúrguer, em uma panqueca de batata, em uma baguete cortada ao meio ou com arroz. Misture com chili, use em tacos, utilize como recheio de pizza, coloque em nachos. Ou faça o que faço sempre: pegue um garfo e coma como um porco (desculpe o trocadilho).

Malcozida   *No ponto*

Se as carnes estão saindo duras da panela de pressão (esquerda) é porque estão mal cozidas. Cozinhe por mais tempo e o colágeno vai se quebrar e dar a textura macia da carne desfiada. Se as carnes estão saindo desfiadas, mas secas, então diminua o tempo de cozimento da próxima vez.

Garrafas para Chantili

Estamos todos familiarizados com chantili em uma lata. Uma garrafa para chantili é uma versão reutilizável dela, que você enche com creme ou qualquer outra coisa de que goste. Seu design é simples, mas inteligente: coloque o conteúdo nela, feche a tampa e a pressione usando um pequeno cartucho de gás descartável que fornece tanto óxido nitroso quanto dióxido de carbono para a lata através de uma válvula unidirecional. Presto! Você agora pode aumentar a pressão e dissolver mais gás no líquido, ao mesmo tempo em que descobre algumas técnicas culinárias divertidas.

As garrafas para chantili recebem esse nome de seu objetivo principal: fazer chantili. Com elas, você controla a qualidade dos ingredientes e a quantidade de açúcar usado. Depois de cheias, o chantili fica igual aos comprados prontos em lata. A extensão óbvia é a criação de chantili aromatizado. Acrescente algumas raspas de laranja e um pouco de baunilha em um litro de creme de leite orgânico, tampe, pressurize com um cartucho de gás e pulverize. Experimente uma infusão de chá: coloque um pouco de Earl Grey (bergamota) no creme e transfira-o para a garrafa, ou seja chique e use Lapsang Souchong (chá-preto). (Coe o chá antes de encher a garrafa!) Você também pode reforçar o creme — faça creme de amaretto para colocar no café com quatro partes de creme de leite, duas de amaretto e uma de açúcar refinado.

Mas a verdadeira diversão com a garrafa para chantili é colocar outros líquidos nela. Você pode bater qualquer líquido ou mistura que retenha o ar. Você pode fazer mousse de chocolate instantaneamente com ela. Adicionar um pouco de gelatina ou lecitina (veja a p. 430) aos líquidos dará a eles a capacidade de fazer espuma, produzindo uma leve como espuma de banho comestível e com sabor. Suco de cenoura espumante parece estranho, mas como parte de uma refeição conceitual e moderna pode ser fascinante. Você pode até mesmo colocar massa de panqueca em uma garrafa para chantili (e, sim, alguns empresários já tentaram comercializar "panquecas em lata"). Pelo fato de o conteúdo ser ejetado com pressão, pequenas bolhas pressurizadas vêm junto e se expandem, levando a uma injeção mecânica de ar no líquido. É por isso que o creme se transforma em chantili, embora a espuma gerada não seja tão estável quanto a do creme batido manualmente.

O lado negativo das garrafas de chantili é o custo dos cartuchos de gás descartáveis. Eles são caros, mas, se você for um usuário regular de chantili, a economia a longo prazo vale a pena, sem falar no ganho de qualidade. Se quiser brincar com texturas e sabores na cozinha, é uma opção barata.

Existe uma variedade térmica de garrafas para chantili, feitas de metal, com um centro com isolamento térmico, que é útil para manter o conteúdo frio. Ela é prática se você usá-la apenas para chantili. No entanto, as versões térmicas não podem ser usadas em banhos-maria, o que torna mais difícil fazer espumas quentes ou escaldar parcialmente o conteúdo ao estilo sous vide para cremes à base de ovos. Então fique com uma garrafa não térmica para essa finalidade.

Você também pode usar a garrafa como fonte de pressão. Uma técnica usa um adaptador para conectar o bocal de pulverização da garrafa em um pedaço de tubo de plástico. Preencha o tubo com um líquido quente e ágar ou outro gelatinizante (dos quais falaremos adiante — veja a p. 418), deixe-o assentar e use a garrafa como fonte de ar comprimido para forçar a ejeção do "espaguete".

Não se esqueça de que as garrafas de chantili são recipientes pressurizados, se ignorar a válvula de spray. Os compostos voláteis — a maioria dos odores é volátil; caso contrário, como sentiríamos seu cheiro? — se dissolvem em líquidos mais rapidamente com pressão. Colocar itens com sabor dentro do recipiente (temperos, frutas, pimentas), cobri-los com um líquido (água, álcool, óleo) e pressurizar fará com o que o líquido seja rapidamente infundido com os sabores. E aí você só precisa deixar a pressão sair, com o recipiente em posição vertical; tomando o cuidado de não pulverizar, retire a tampa e passe o líquido infundido por um coador.

Outra coisa a se tentar é usar um cartucho de CO_2 para criar "frutas espumantes" — fruta que foi carbonatada e ficou com uma textura espumante. Tente colocar uvas, morangos ou frutas em fatias, como maçãs e peras, dentro da lata e pressurize. Deixe descansar por uma hora, despressurize e remova a fruta. Não é exatamente uma culinária gourmet, mas é divertido de fazer como um truque de festa. Framboesas espumantes são uma ótima base para uma bebida mista.

Algumas coisas para ter em mente quando estiver trabalhando com uma garrafa:

- Certifique-se de comprar uma garrafa que permita o uso de outros líquidos — alguns fabricantes fazem "minigarrafas" só para serem usadas com creme.
- Certifique-se de que a vedação esteja encaixada e as roscas da tampa limpas ao parafusá-las, a menos que queira massa de bolo, creme ou mistura de panquecas pulverizados a três metros de distância para todos os lados.
- Sempre passe o líquido por um coador (de ~500μm está bom — veja a p. 348) para remover quaisquer partículas que possam entupir os bicos. Você não precisa filtrar creme puro, é claro.
- Ao trabalhar com massas pesadas, dobre a pressurização da lata. Depois de pressurizar com um cartucho, remova-o e pressurize com outro. Você verá que a pressão diminui à medida que espalha o conteúdo, porque o espaço do ar no misturador aumenta à medida que os conteúdos são ejetados.
- Se o líquido não espumar corretamente, verifique se está gelado! O creme não forma espuma se estiver morno. Adicione também um pouco de gelatina, que fornece estrutura. Se não se importa de pegar um atalho, use gelatina com sabor.
- Não use cartuchos de gás feitos para outros propósitos, como os para armas de chumbinho. Eles não são para uso alimentar, e os contaminantes como óleos de fabricação e solventes podem querer aproveitar o passeio.

Mousse de Chocolate

Mousse — palavra francesa para espuma — se refere a qualquer prato, agradável ou doce, que depende da retenção de bolhas de ar para conseguir sua textura característica. Essa é uma mousse de chocolate bem leve, já que o chantili expelido pela garrafa se expande quase o dobro do volume do chantili batido a mão.

Aqueça a uma temperatura suficiente para derreter o chocolate (55°C):

- **1 xícara (chá) de creme de leite (250ml)**

Retire do fogo e misture para derreter:

- **6 colheres (sopa) de chocolate amargo (60g)**
- **¼ de colher (chá) de canela (0,5g)**

Transfira para uma garrafa de chantili e resfrie no refrigerador ou em um recipiente contendo metade gelo, metade água. Certifique-se de que o líquido esteja completamente frio — temperatura de geladeira — antes de pulverizar. Caso contrário, o creme não vai ficar aerado. Se mesmo assim a mousse sair muito fina, agite bem a garrafa por alguns segundos para encorpar o creme.

Pressurize e sirva em taças ou em pratos, como desejar.

Nota

- *Se você obtiver um jato de creme de leite com sabor de chocolate em vez da mousse é porque o creme não está suficientemente gelado.*

Ovos Mexidos Espumantes

Essa espuma de ovo é algo como uma maionese batida, mas incrivelmente leve. Experimente com bife e batatas fritas. Esta receita é baseada em uma receita de Alex Talbot e Aki Kamozawa, que você pode encontrar em http://www.ideasonfood.com (site em inglês) e nas livrarias (Ideas in Food, Clarkson Potter, 2010).

Meça em uma tigela:

- **4 ovos grandes (200g)**
- **5 colheres (sopa) de creme de leite (75ml)**
- **½ colher (chá) de sal (3g)**
- **½ colher (chá) de sriracha (2,5ml) (molho tailandês)**

Usando um mixer de imersão, faça um purê com os ingredientes. Coloque-o em uma garrafa de chantili não térmica e rosqueie a tampa, mas não pressurize. Coloque-a em banho-maria a 70°C e deixe cozinhar até a mistura coalhar parcialmente, em torno de 60–90 minutos. Retire do banho-maria, verifique se os ovos estão apenas parcialmente prontos, e pressurize. Sirva os ovos em pequenas tigelas e os decore, ou use-os como componentes em um prato.

Nota

- *Quando fiz essa receita pela primeira vez, cozinhei muito os ovos por acidente, usando um banho-maria muito quente. Eles cozinharam dentro do recipiente e não foi possível pulverizá-los. Mas foram os melhores ovos mexidos da minha vida — alguma coisa na quantidade de creme e o molho de pimenta...*

Passe os líquidos por um coador quando for encher a garrafa. Eu uso um coador de chá porque é prático, mas qualquer tecido fino vai servir.

Situações de Alta Pressão

Bolo de Chocolate de 30 Segundos

Em uma tigela para micro-ondas, derreta:

100g de chocolate (meio amargo, de preferência)

Adicione e misture bem:

4 ovos grandes (200g)

6 colheres (sopa) de açúcar (75g)

3 colheres (sopa) de farinha de trigo (25g)

Passe a mistura pela peneira para remover os grumos e a chalaça do ovo. Transfira-a para uma garrafa de chantili e pressurize.

Pulverize a mistura em um recipiente de cerâmica untado ou qualquer outra vasilha para micro-ondas, deixando pelo menos ⅓ da parte superior do recipiente vazio. A primeira vez que você fizer isso, eu recomendo que seja em recipiente de vidro transparente, de modo que possa ver o crescimento e a queda do bolo durante o cozimento.

Leve a massa ao micro-ondas por 30 segundos ou até que a espuma fique rígida. Vire em um prato e polvilhe com açúcar de confeiteiro.

Açúcar de confeiteiro é o "bacon" do mundo da confeitaria. Ele vai bem com quase tudo e é ótimo para encobrir imperfeições como quebras ou furos. Neste caso, para cobrir o recheio de chocolate.

Para melhor resultado no sabor, experimente adicionar gianduia (creme de chocolate com avelãs) ou marshmallow: pulverize uma camada fina de massa de bolo, uma colher de recheio no centro, e depois pulverize mais bolo em cima e ao redor do recheio.

Após o cozimento, cubra com chocolate e faça uma pequena espiral branca no topo, e você terá algo como os cupcakes recheados comercializados.

Notas

- *Experimente pulverizar uma camada fina da massa em um prato e cozinhá-la. Retire-a do prato, cubra com uma camada de geleia ou chantili, e enrole-a formando um rocambole de chocolate recheado.*

- *Se não tem uma garrafa de chantili, você ainda pode fazer uma versão bem aproximada. Pesquise na internet sobre "bolo de chocolate de micro-ondas". A garrafa deixa a massa aerada e produz um bolo mais esponjoso e uniforme.*

Bolo de micro-ondas aerado antes (esquerda) e depois de cozido por 30 segundos (direita).

Se seus bolos estão saindo com bolsões densos (imagem à esquerda, um corte longitudinal de um bolo feito com uma única carga) em vez de fofinho e aerado (como no corte à direita), dobre a carga de gás da garrafa: carregue-a uma vez, remova o cartucho gasto e carregue-a com um segundo cartucho.

Algumas Dicas sobre Como Cozinhar em Baixa Pressão

Se uma pressão elevada aumenta o ponto de ebulição e a solubilidade dos gases nos líquidos, então consequentemente a diminuição da pressão atmosférica diminui o ponto de ebulição e pode remover os gases dissolvidos. Mas você pode fazer outros truques divertidos utilizando um sistema a vácuo que cria pressões baixas. Querendo picles *para já*? As bolhas de ar na massa estão arruinando seus bolos ou deixando as sopas turvas? Imaginando como certos restaurantes criam "bifes de melancia" ou como a indústria alimentícia faz doces de chocolate como o *Sufflair* ou sorvetes liofilizados (sólidos)? A reposta para todas essas perguntas está nos sistemas a vácuo, que criam situações de baixa pressão.

- **Picles instantâneos:** Alguns alimentos — tipicamente aqueles que ficam bons em conservas — voltam à forma antiga depois de serem submetidos a um sistema a vácuo e ter a pressão restaurada. Você pode se beneficiar dessa propriedade para retirar líquido do tecido de um vegetal. Esprema uma esponja úmida e o ar sairá; deixe-o sair enquanto a segura debaixo d'água e o que antes era ar será substituído por água. Na culinária, essa técnica é chamada de *flash pickling* (em tradução livre, decapagem rápida). As bolsas de ar microscópicas presentes em alimentos como pepinos e cebolas serão arrancadas e substituídas por salmoura ou outros líquidos, de óleos aromatizados a álcool, e em um processo que demora apenas alguns minutos, em vez de dias. Picles instantâneos!

- **Removendo bolhas de ar:** À medida que a pressão cai, o volume que um gás ocupa aumenta e a densidade do volume diminui. Em um líquido viscoso (por exemplo, sopa, massa de bolo), a diminuição da densidade do ar significa que qualquer bolha de ar presente irá se tornar flutuante. Assim como o ar quente menos denso dentro de um balão faz com que ele suba, devido à diferença de densidade relativa entre ele e o ambiente, as bolhas de ar menos denso nos líquidos tornam-se flutuantes e com maior probabilidade de subirem à superfície. Isso vem da *Lei de Stokes* — que diz basicamente que líquidos viscosos exercem uma força de fricção ao redor de objetos esféricos minúsculos — e o aumento da diferença entre as densidades pode suplantar essa força de fricção. (Balançar ou bater a forma de bolo contra a bancada não removerá as bolhas menores por essa razão.) Sopas e líquidos podem ficar turvos durante o cozimento devido a bolhas de ar microscópicas que se misturam a eles; submetê-los ao vácuo vai clarificá-los porque faz flutuar as pequenas bolhas. Isso não é benéfico apenas pelo aspecto visual; remover as bolhas de ar pode mudar o gosto dos líquidos e a maneira como os cremes com ovos assam.

- **Frutas translúcidas:** No vácuo, as bolhas de ar em frutas como abacaxi e melancia vão se expandir com resultados catastróficos. Pode haver ruptura de células e colapso das paredes celulares; no retorno à pressão atmosférica, estes alimentos podem sofrer um sério caso de descompressão e ficar menores, mais densos e possivelmente mais translúcidos, devido à nova ausência de bolsões de ar que impeçam a passagem da luz.

- **Comidas espumantes:** Você pode injetar bolhas de ar em líquidos e expandi-los devido à diminuição da pressão do ar ao redor deles. O chantili em lata, é claro, é a versão familiar disso: aumente a pressão, dissolva o gás no líquido, e então rapidamente diminua a pressão. O ar dissolvido sai da solução, e nossa amiga, a *Lei de Stokes*, o mantém no lugar (pelo menos por algum tempo, no caso do chantili). Isso também funciona com os sólidos: criar espuma de chocolate, o que foi tentado pela primeira vez em 1930, envolve adicionar bolhas ao chocolate derretido, alterando o tamanho dessas bolhas com mudanças de pressão, e depois deixar o chocolate endurecer. Na indústria, os fabricantes fazem isso aumentando a pressão no chocolate líquido para levar o gás para a suspensão (assim como no chantili), depois rapidamente descomprimem o chocolate para criar espuma e o deixam endurecer. Considerando que mesmo os chefs profissionais não têm câmaras de descompressão, o jeito culinário para fazer isso é usar uma garrafa para chantili para forçar o óxido nitroso para dentro do chocolate derretido, pulverizá-lo, criar vácuo na câmara com o chocolate para fazer com que as bolhas se expandam e depois deixá-lo endurecer.

- **Alimentos liofilizados (congelados a vácuo):** Continuando a série "a água é maravilhosamente estranha", os pontos de congelamento e ebulição da água convergem sob um vácuo suficientemente forte — fenômeno chamado de ponto de sublimação. O diagrama de fases da página 306 mostra um ponto para o qual sólidos, líquidos e gases convergem; em pressões abaixo de 0,008psi (6hPa), o gelo se transforma diretamente em vapor d'água, pulando a fase líquida. A liofilização pode criar resultados fantásticos e também preserva boa parte do valor nutricional e do sabor da comida. Os poucos itens liofilizados comercialmente disponíveis que você pode ter experimentado (como o café instantâneo) podem não ter um gosto tão bom como os alimentos preparados de modo tradicional, mas a técnica é mais importante pelo aspecto econômico e pelos ingredientes usados do que pelo processo de liofilização.

E agora que esperamos ter deixado você entusiasmado para usar o vácuo, como exatamente você poderia fazer isso em casa? Não, o seu aspirador de pó não vai criar vácuo suficiente. (Além disso, é nojento.) Felizmente, já existe um equipamento para cozinha que dá conta do recado: o selador a vácuo. Os seladores a vácuo são tradicionalmente usados por cozinheiros caseiros para selar e guardar comidas. Em vez de guardar comida em recipientes, a comida é colocada em um saco plástico para alimentos, o ar é sugado pela bomba de ar e ele é selado por uma barra que derrete e sela sua abertura. (Algumas unidades usam sistemas de válvulas em lugar das barras de fusão, mas elas não selam tão bem; evite esse tipo.) O benefício? Remover o ar do saco reduz a oxidação das gorduras e minimiza odores que levam à queimadura pelo frio, além do que a comida selada pode ser facilmente descongelada em água antes de ser aberta. A culinária sous vide, que veremos a seguir, também utiliza seladores a vácuo para embalar os alimentos a serem cozidos.

Como Fazer Sua Seladora a Vácuo Aspirar Ainda Mais *(Ou "Como Perder a Garantia em Dois Passos Simples")*

Sob a ação do vácuo, os bolsões de ar microscópicos em alimentos como pepinos e cebolas perdem o ar. Quando retorna à pressão atmosférica, a maioria dos alimentos é rígida o suficiente para manter o formato e puxar de volta o ar, como uma esponja espremida que volta a seu formato natural. Mas e se o alimento estiver submerso quando isso acontecer? O líquido é puxado para dentro, em lugar do ar.

Por que se importar? Porque colocar líquidos nos alimentos dessa forma cria um resultado inteiramente diferente da preparação tradicional de picles, com texturas que absorvem os sabores dos líquidos infundidos neles. Picles instantâneos! Ou, se você preferir transformar um pepino em um Martini comestível, dê uma olhada no vídeo "The Edible Martini" (O Martini Comestível): (http://cookingforgeeks.com/book/flashpickle/ — conteúdo em inglês) do *New York Times* e Dave Arnold.

Profissionais como Dave, que têm câmaras de vácuo comerciais, podem simplesmente jogar qualquer alimento que escolherem dentro de um recipiente com o líquido desejado e fechar a tampa. Para o resto de nós, contudo, gerar um vácuo forte o bastante nem sempre é fácil. Se você tem um selador de comida a vácuo e um anexo para potes herméticos, tente fazer picles instantâneos: coloque algumas fatias de pepino em uma salmoura temperada (metade água, metade vinagre, um pouco de sal e pimenta, e os temperos que desejar) e sugue o ar.

É possível, contudo, que seu selador a vácuo não crie o vácuo necessário. Se esse for o caso e você não se importar

Picles em conserva com um selador a vácuo anexado.

em perder a garantia, existe uma saída. (Eu deveria escrever um capítulo inteiro chamado "Perdendo a Garantia". Talvez algum dia.)

Seladoras a vácuo comerciais têm um interruptor de pressão que faz com que elas parem de sugar o ar e comecem a selar, o que significa que param antes de criar um vácuo poderoso o bastante para fazer bons picles. Mas, se você desabilitar o interruptor de pressão, o equipamento vai continuar a sugar indefinidamente, até que o motor queime.

Para fazer seu próprio sistema de câmara de vácuo, você vai precisar de:

- Uma chave comutadora
- Um pedaço pequeno de fio
- Chave de fenda e cortador de fio
- Um selador a vácuo comercial com anexo para potes

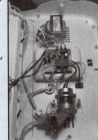

Desparafuse a tampa do selador a vácuo. O lado de dentro deve ter essa aparência.

Ache o interruptor de pressão (no realce, à esquerda). Corte um dos fios que voltam para a placa de circuito e interponha uma chave comutadora (no realce, à direita). Corte um pequeno buraco no plástico e monte a chave de forma que você possa acioná-la pelo lado de fora.

Para utilizar técnicas como a dos picles instantâneos, procure uma seladora a vácuo que permita vedação em potes. Ela tem uma mangueira que se encaixa na tampa e retira o ar de lá de dentro — um pote rígido não deforma e não esmaga a comida como os sacos tradicionais. Normalmente, essas ferramentas são usadas para ampliar o tempo de armazenamento de alimentos por reduzir a exposição ao oxigênio, mas para nossos propósitos elas permitem que você realize muitos dos truques listados (a verdadeira liofilização requer um vácuo muito forte, por tempos prolongados — várias horas — e temperaturas mais baixas do que conseguimos em casa).

Selamento a vácuo não pasteuriza ou esteriliza os alimentos.

a remoção do ar diminui o impacto que as bactérias deterioradoras podem causar, mas aumenta a proliferação de alguns patógenos. A menos que você esteja seguindo instruções específicas para enlatar ou esterilizar alimentos, trate os alimentos selados a vácuo como qualquer outro item perecível: guarde-os no refrigerador e use-os em poucos dias, ou congele-os.

Mais uma observação: se tiver uma câmara de selar a vácuo, você é um felizardo. Elas são unidades de bancada com uma câmara interna que abaixa facilmente a pressão para 10% da pressão atmosférica. Assim como as seladoras comerciais a vácuo, elas normalmente são usadas para selar rapidamente sacos de armazenamento de alimentos, mas operam com rapidez e têm a vantagem de não retirar os líquidos ou espremer o alimento durante o processo (apenas com a repressurização). A maioria dos truques aqui torna-se simples com uma boa câmara a vácuo.

Culinária Sous Vide

Com um nome como sous vide, essa técnica parece francesa, e por uma boa razão: foi o chef francês George Pralus quem a apresentou ao mundo da culinária, na década de 1970. Embora o nome não seja usual para quem não fala francês, a culinária sous vide não é complicada e é uma das técnicas mais úteis de que se teve notícia no mundo da culinária profissional nas últimas décadas.

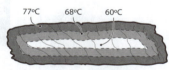

Gradiente de pontos de preparo para os métodos culinários tradicionais.

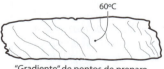

"Gradiente" de pontos de preparo para o método sous vide.

Alimentos cozidos em sous vide não têm variação de temperatura, o que significa que são cozidos de maneira uniforme.

Na técnica sous vide o alimento é imerso em um banho-maria com temperatura precisa e controlada, em que a temperatura da água é a mesma que o alimento a ser cozido deve atingir. Depois de algum tempo, um ovo estará no estágio pochê, por volta dos 62°C. Para cozinhar um ovo pochê sous vide, você o coloca (ainda na casca) em um banho-maria a 62°C e o deixa lá até que proteínas suficientes se desnaturem (por volta de uma hora). Ovos pochê perfeitos! Como veremos, o mesmo conceito se aplica a muitos outros alimentos.

Outro benefício da culinária sous vide é que todo o alimento é cozido à mesma temperatura. Dessa forma, não há variação de cozimento nas áreas interna e externa em alimentos como a carne. A peça inteira do alimento tem temperatura e cozimento uniformes. Com as técnicas tradicionais, cozinhar algo como carne de porco é uma corrida para empatar na linha de chegada: você quer que a parte interna atinja uma temperatura e a externa, outra. Conduzir duas temperaturas diferentes ao mesmo tempo não é difícil, mas requer habilidade. A culinária sous vide separa a tarefa de alcançar essas temperaturas em dois estágios diferentes: primeiro, leva toda a peça de comida à temperatura interna desejada (digamos, carne de porco a 60°C); uma vez que isso seja feito, aumenta a temperatura de superfície colocando o item em uma panela quente ou no grill por um minuto para dourar o exterior através das reações de Maillard.

O nome sous vide (que significa "sob vácuo") refere-se à etapa no processo de cozimento em que os alimentos são lacrados em uma embalagem plástica a vácuo. O uso dessa embalagem que é selada depois de todo o ar ter sido removido permite que o banho-maria transfira calor para os alimentos, sem contato direto da água com eles. Isso significa que a água não interage quimicamente com a comida: o sabor dos alimentos permanece forte porque ela não dissolve nem elimina nenhum componente dos alimentos.

A culinária sous vide não tem necessariamente que ser feita em embalagem plástica. Os ovos, por exemplo, já são selados (se ignorar os poros microscópicos). Se usar plástico for preocupante, use pequenas tigelas de vidro com óleos ou marinadas dentro, com a comida imersa, certificando-se de que o ar não entre. Se usar esse método, certifique-se de que a tigela seja pequena o bastante para que o conteúdo atinja a temperatura rapidamente, por segurança alimentar.

Escolher a temperatura do banho-maria é, na teoria, simples: considere a química do alimento a ser cozido, determine as faixas de temperatura nas quais os elementos sofrem suas diferentes transformações e escolha uma temperatura alta o suficiente para desencadear as reações que deseja, mas suficientemente baixa para não desencadear as que não deseja. Quanto ao tempo, a comida precisa ser cozida por tempo suficiente para que as reações desejadas aconteçam (veja a p. 136). Normalmente, essas faixas de tempo e temperatura são baseadas em certas famílias de proteínas ou polissacarídeos como a pectina e a hemicelulose. Nas próximas páginas, falo sobre faixas de temperatura para culinária sous vide e também sobre dicas para vários ingredientes.

> Sous vide é um nome engraçado; deveria se chamar "cozimento em banho-maria" porque a fonte de calor é a água.

O bife à esquerda foi cozido em sous vide a 60°C. O da direita foi grelhado. Note que o bife sous vide não apresenta o anel de cozimento. Ele é malpassado, do centro até a borda.

Ovos cozinhando em sous vide a 62°C.

> Depois de cozinhar um ovo pelo método sous vide, descasque-o e coloque-o (sem casca!) em uma panela com apenas água fervente. Em seguida, retire-o imediatamente. A água quente rapidamente cozinhará a parte externa do ovo, resultando em aparência melhor e facilidade de manuseio.

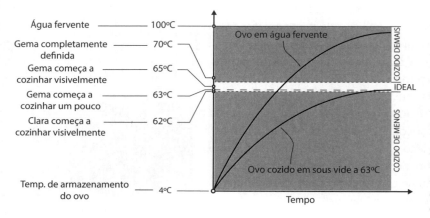

Para alguns, um ovo quente "perfeito" deve ter a gema ligeiramente mole e a clara mais definida. Ovos cozidos em água fervente cozinham demais se a temperatura ultrapassar a faixa "ideal" antes que o ovo seja retirado. No sous vide, a temperatura da água será igual à ideal do ovo cozido, por isso ele não cozinha demais.

Outros pontos sobre a culinária sous vide:

- Você também pode usar outros líquidos em vez de água: óleo, por exemplo, ou até mesmo manteiga derretida. E como as carnes não absorvem gordura da mesma maneira que absorvem água, utilizando algum desses líquidos é possível pular algumas etapas de vedação. Isso pode ser extremamente útil para alimentos de difícil selagem. O chef Thomas Keller, por exemplo, tem uma receita para escaldar lagosta em banho de manteiga e água (*beurre monté*, manteiga derretida e batida com água, que permanecerá emulsionada a uma temperatura mais alta do que somente com manteiga). Mesmo que não esteja usando um banho líquido de gordura, adicionar uma pequena quantidade de líquido dentro do saco vai ajudar a evitar que a comida seja "espremida" e achatada na etapa do vácuo.

- O ar com temperatura controlada tecnicamente também funcionaria bem, porém a taxa de transferência de calor é muito, muito mais baixa do que a da água — quase 23 vezes mais lenta. Dadas as baixas temperaturas envolvidas, um frango preparado em "banho de ar" a 60°C (como a de um forno em fogo brando) levaria tanto tempo para atingir a temperatura certa que estragaria. (Cortes finos de carne, no entanto, aquecem rapidamente — é assim que a carne-seca é feita.) Utilizar um líquido como a água garante que o calor penetre na comida através da condução — o líquido toca o recipiente que toca a comida —, rapidamente.

- A culinária sous vide, entretanto, não funciona para todos os tipos de carne e peixes: as texturas de alguns alimentos se quebram quando expostos à quentura por um período de tempo prolongado. Alguns tipos de peixes quebram devido às reações enzimáticas que normalmente ocorrem em níveis de cozimento tão lentos que não são mencionados nos métodos tradicionais.

Equipamento Sous Vide

O método sous vide requer muito pouco em termos de equipamentos: um aquecedor para manter a temperatura da água, um recipiente para o líquido e um selador a vácuo para embalar os alimentos. Chefs profissionais tendem a usar recirculadores de imersão caríssimos em panelas grandes e seladores a vácuo; felizmente, existem produtos disponíveis para o cozinheiro caseiro experimentar o sous vide.

Há dois estilos gerais de equipamentos sous vide: os "clip-on", que se encaixam na lateral da panela, e os equipamentos independentes, que têm um reservatório bem isolado e com melhor desempenho de energia. Qual deles usar é questão de espaço e preferência. Se você não tem certeza, opte por um clip-on; é mais barato e ocupa menos espaço. Procure na internet ou dê uma olhada em http://cookingforgeeks. com/book/sousvidegear/ — conteúdo em inglês — para sugestões de produtos.

Além dos produtos para consumidores comuns, estão surgindo outros que seguem a lógica sous vide, baseados no "BYOHS" (bring your own heat source, ou, use sua própria fonte de calor). Eles funcionam controlando o calor dos queimadores: coloque um termômetro com sonda em uma panela com líquido ou no recipiente da panela elétrica e o aparelho ajustará o queimador ou a potência do equipamento elétrico para equilibrar a temperatura. Embora não seja tão preciso quanto um equipamento sous vide, que normalmente tem um agitador para circular a água e prevenir pontos frios, o método BYOHS é interessante pela simplicidade e pelo custo, e muitos pratos sous vide preparados dessa forma ficam muito bons. Vamos torcer para que mais equipamentos de cozinha dos principais fabricantes incorporem um termômetro digital — por que não uma porta USB no fogão? —, mas, por enquanto, podemos nos divertir com cortadores de fios e tentar montar nosso próprio equipamento sous vide.

O outro equipamento necessário é algo para embalar o alimento que está sendo preparado. As seladoras a vácuo são normalmente usadas, daí o nome do método culinário. Embalar os alimentos a vácuo impede que as bolhas de ar o isolem ou façam a embalagem flutuar, o que faria com que o lado de cima da embalagem se aquecesse. Se você adquirir um aparelho sous vide, deve ao menos comprar uma seladora a vácuo (certifique-se de comprar sacos para seladora resistentes ao calor!).

Em substituição, você pode usar um saco de armazenamento resselável (sacos para freezer são os melhores). Em um saco como esse, coloque a comida e adicione uma pequena quantidade de marinada, água, ou óleo (isso ajudará a remover as bolhas de ar). Depois mergulhe a maior parte do saco em um recipiente com água morna, deixando apenas a tira de fechamento para fora. Massageie o saco para retirar qualquer bolha de ar e então o sele. Se não quiser usar o saco, use um pote com marinada (sem ar!), desde que ele seja pequeno o suficiente para aquecer rapidamente em banho-maria.

> Certifique-se de que qualquer plástico que vá usar seja resistente ao calor e livre de BPA (Bisfenol-A). A SC Johnson, fabricante dos sacos Ziploc, não usa BPA e afirma que eles suportam até 76°C.

Faça Sua Própria Instalação Sous Vide

Se você é do tipo que gosta de mexer com eletrônica, pode construir um sous vide improvisado comprando algumas peças online e gastando algumas horas na instalação.

Na realidade, os aparelhos eletrônicos necessários para manter a temperatura de um banho-maria são bastante simples: uma panela elétrica básica ou panela de arroz, um termopar e um simples controlador de termostato para ligar e desligar a fonte de calor.

Primeiro, a panela elétrica. Ela servirá como os músculos, sustentando a água e proporcionando a fonte de calor. Pegue uma panela elétrica barata — você precisa de uma que ligue novamente depois da perda de energia. Procure uma que tenha um botão físico; os digitais reiniciam e desligam após o corte e a restauração da energia.

Depois, o termopar. Se você tiver um termômetro de cozinha padrão com sonda (que você realmente deve ter), a sonda — metálica com cabo trançado comprido — é um termopar. Para instalar um sous vide, você precisará de um termopar tipo J, que é feito de materiais que lhe dão uma boa sensibilidade nas faixas de temperatura da culinária sous vide. (Acesse http://cookingforgeeks.com/book/sousvideprobe/ — conteúdo em inglês — para um exemplo.)

E, por fim, o controlador de temperatura. Qualquer interruptor de temperatura com base no termopar vai funcionar; procure um que funcione em 12 volts DC. Pegue um transformador de corrente portátil de 12 volts (adaptador de energia AC/DC) para essa etapa.

Quando tiver todas as peças, é um procedimento relativamente simples realizar a lobotomia da panela elétrica: prenda o termopar nas entradas da sonda no interruptor e conecte a fonte de energia de 12 volts nele, depois corte o cabo da panela elétrica e passe uma das pontas através do interruptor (se preferir, use um fio de extensão em vez de cortar o da panela). Faça um pequeno buraco na tampa e passe o termopar por ele. Certifique-se de usar água suficiente para que o termopar faça contato com ela quando a tampa estiver fechada!

Para assistir a um vídeo que explica tudo isso, acesse http://cookingforgeeks.com/book/diysousvide/ — conteúdo em inglês.

Culinária Sous Vide e Segurança Alimentar

A culinária sous vide produz um frango incrivelmente tenro, um ovo cozido de consistência perfeita e bifes suculentos. No entanto, também pode criar um ambiente fértil para bactérias nem tão suculentas. Aqui estão algumas coisas para atentar:

- O calor envolvido no sous vide é muito baixo, então é possível violar a regra da "zona de perigo de 4 a 60°C" (veja a p. 170) e leis culinárias afins: "Deverás pasteurizar todos os alimentos potencialmente contaminados". As carnes podem ser cozidas a um ponto em que estejam malpassadas — proteínas desnaturadas — sem que tenham atingido a temperatura necessária para serem pasteurizadas (isto é, para inviabilizar a proliferação de bactérias e parasitas). Na culinária sous vide, preste atenção aos tempos de espera para pasteurizar corretamente os alimentos. Um hambúrguer perfeito malpassado pode ser cozido e pasteurizado com os tempos corretos.

- A pasteurização não é instantânea. Quando cozido em temperaturas baixas, o alimento deve ser mantido em temperatura ideal por tempo suficiente para reduzir as bactérias. Os manuais de cozimento especificam a temperatura de 74°C para o peito de frango, porque nela a contagem de bactérias é reduzida tão rapidamente que não há necessidade de abordar o conceito de tempo de espera, e a margem de erros de medição e calibração do termômetro não é motivo de preocupação. O tempo de espera para o peito de frango a 60°C é de meia hora, ou seja, o alimento precisa atingir e manter-se nessa temperatura durante, pelo menos, esse tempo.

- A temperatura mais alta de sobrevivência registrada no *Bad Bug Book* do FDA de um patógeno de origem alimentar é de 55°C para o *Bacillus cereus*, relativamente incomum. Embora essa temperatura esteja abaixo das usadas para cozinhar carnes pelo sous vide, ainda há um problema de segurança: durante a fase de aquecimento, alguns elementos patogênicos podem produzir toxinas perigosas. Para estar seguro, certifique-se de que o centro do alimento alcance a temperatura-alvo dentro de duas horas.

- Para indivíduos preocupados com segurança, o sous vide é um excelente método: você tem as ferramentas para pasteurizar com propriedade. Como regra, mantenha a comida abaixo de 58°C — a menor temperatura no guia de alimentos da FSIS dos EUA — com uma janela de duas horas e por tempo suficiente para pasteurizá-la. **Atenção ao tempo de espera!**

- O sous vide compreende tempo de espera e resfriamento. Na *espera*, o alimento é aquecido e mantido àquela temperatura até que seja servido. No *resfriamento*, ele é aquecido, cozido, e *rapidamente* resfriado para uso posterior. (Utilize um banho de água com gelo para baixar bruscamente a temperatura.) Com o resfriamento, uma quantidade maior de tempo acumulado é gasto na zona de perigo: primeiro enquanto o alimento é aquecido, depois, enquanto é resfriado e, finalmente, quando é reaquecido. Dê preferência ao tempo de espera.

> Você pode manter o alimento acima de 60°C por quanto tempo desejar; na verdade, é mais seguro do que guardá-lo no refrigerador. O lado negativo é que algumas reações, como as de atividade enzimática, continuarão a acontecer, levando a possíveis problemas na textura.

Culinária Sous Vide

Cozinhando na... Lava-louça???

Algumas pessoas levantam as sobrancelhas quando começo a descrever a culinária sous vide. Cozinhar em banho-maria é uma ideia estranha, para início de conversa. Mas lembre-se: cozinhar é aplicar calor, independente da fonte. A culinária sous vide não é o mesmo que ferver o alimento (o que requer que a água esteja em torno de 100°C). Não é o mesmo que cozinhar em fogo brando ou escaldar, quando o ambiente líquido é muitas vezes mais quente que a temperatura-alvo. O sous vide é a aplicação de uma temperatura muito baixa, controlada, igual à que a comida deve atingir.

Considere um pedaço de salmão preparado em cozimento médio, que tem uma temperatura interna de cerca de 52°C. Em banho-maria, a 52°C, uma peça de peixe de 20mm de espessura chegaria à temperatura certa em 30 minutos e, ao contrário do que acontece no cozimento em água, quando mantida por tempo suficiente será pasteurizada.

"Hum, a água da minha torneira tem essa temperatura..."

Eu tentei e funcionou, pelo menos com a minha água da torneira que é superquente: coloque seu peixe (em saco plástico vedado com algum tipo de marinada para retirar os bolsões de ar) em um recipiente na pia, abra a torneira de água quente e mantenha um fio de água lento e constante correndo. Ajuste um timer e verifique periodicamente a temperatura com um termômetro. Não é exatamente econômico do ponto de vista de gastos de água e energia elétrica, mesmo de forma lenta, mas funciona. Cozinhar outros alimentos no estilo sous vide requer água mais quente do que a água da torneira — normalmente acima de 60°C.

Espere aí, você disse 60°C? A lava-louça funciona com essa temperatura!

É isso aí. E já se cozinhou em lava-louças. Pesquise online por "receitas de culinária na lava-louça" — qualquer receita que use o cozimento em água como método tem muita chance de dar certo na lava-louça: salmão, batatas, até mesmo lasanha vegetariana.

Maçãs Cozidas na Lava-louça

As maçãs estão disponíveis o ano todo, mas sinta-se livre para experimentar essa receita com qualquer fruta firme (peras, pêssegos etc.), já que cozinhar as frutas dá a elas um sabor excelente e as deixa mais macias.

Em um saco resistente ao calor ou em um pote pequeno, adicione:

- 1 xícara (chá) de água (240ml)
- 1 xícara (chá) de açúcar (200g)
- 1 colher (chá) de canela (2g)
- ½ colher (chá) de extrato de baunilha (2,5ml)

Misture os ingredientes e adicione:

- 1 maçã sem sementes fatiada em pedaços de 0,5cm de espessura. Você pode descascá-la, se preferir

Sele o saco. Coloque na prateleira superior da lava-louça e a ligue. Sirva as maçãs cozidas com sorvete de baunilha.

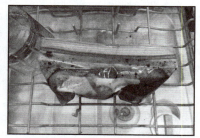

Certifique-se de que o saco está bem selado antes de "lavá-lo"!

Douglas Baldwin: Culinária Sous Vide

Douglas Baldwin é um matemático aplicado da Universidade do Colorado, em Boulder, que, não conseguindo encontrar um bom guia para sous vide, criou o seu próprio: "A Practical Guide to Sous Vide Cooking" (Um Guia Prático de Culinária Sous Vide), disponível em www.douglasbaldwin.com/sous-vide.htm (conteúdo em inglês). Ele também é autor de "Sous Vide for the Home Cook" (Sous Vide para o Cozinheiro Caseiro — ParadoxPress).

Como você ficou sabendo sobre o sous vide e como se envolveu com isso?

Eu estava lendo um artigo de Harold McGee no *New York Times* e ele mencionou o sous vide. No meu pouco conhecimento sobre culinária, nunca tinha ouvido esse termo antes e fiquei intrigado. Então, fiz o que qualquer bom geek faz: acessei o Google e pesquisei. Achei algumas informações, mas não suficientes para satisfazer a minha curiosidade. Procurei as revistas acadêmicas e encontrei uma variedade de informações.

Levei três ou quatro meses para coletar e filtrar os 300 artigos ou revistas que encontrei, e publiquei o primeiro esboço do meu guia online. Também fiz alguns cálculos para descobrir quanto tempo leva para cozinhar coisas e torná-las seguras.

A segurança é um dos grandes temas que surge com o sous vide e eu adoraria falar sobre isso um momento. Mas, primeiro, o que mais o surpreendeu sobre o que esperava na cozinha sous vide?

As pessoas sempre se preocupam com o processo a vácuo, mas essa é realmente a parte menos importante, apesar de o nome sous vide significar "sob vácuo". O que realmente importa é o controle preciso da temperatura.

A precisão de longa duração é importante quando você está cozinhando por dias, porque você não quer variações lentas que causem um cozimento excessivo à sua carne. Contudo, oscilações de curtos períodos na temperatura não são tão importantes porque afetarão somente a parte externa da carne. Enquanto o calor estiver oscilando menos de um ou dois graus e a temperatura média estiver constante, está tudo bem.

Nossa! Cozinhar carnes por dias? Que tipos de carnes realmente precisam cozinhar por esse período de tempo?

Bem, minha favorita é a carne bovina assada por 24 horas a 54,4°C. É deliciosa. Isso transforma um dos cortes de carne bovina menos caros em algo que parece e tem gosto de costela.

Tem a ver com a conversão do colágeno em gelatina. Essa conversão é bastante rápida em temperatura alta, levando apenas de 6 a 12 horas a 80°C para converter tudo completamente — bem, quase tudo. Mas, em baixa temperatura, como 54,4–60°C, pode levar de 24 a 48 horas para as mesmas conversões ocorrerem.

Quando vejo algo como carne ser cozida a 55°C por 48 horas, o alarme soa em minha cabeça. Não existe aqui um risco potencial de bactérias?

Bem, certamente não há risco a 55°C. O elemento patogênico que determina a temperatura de cozimento mais baixa é o *Clostridium perfringens*. A temperatura (de sobrevivência) mais elevada relatada na literatura especializada é de 52,3°C. Então, enquanto você estiver acima da temperatura, não haverá patogenia nos alimentos.

Agora, existe a possibilidade de deterioração ou micro-organismos benéficos em crescimento nessas temperaturas mais baixas de cozimento. Essa é uma das razões pelas quais algumas pessoas selam o alimento antes ou colocam a embalagem a vácuo com o alimento em uma panela de água fervente por alguns minutos para matar quaisquer micro-organismos que possam haver, como lactobacilos. Mas, em termos de segurança, não há preocupação alguma.

O que acontece com carnes como o salmão quando cozidas em temperaturas com variações ainda mais baixas que 55°C?

Se você come salmão cru, então cozinhá-lo por algumas horas a uma temperatura muito baixa, digamos 45°C, não será um problema. Se você não come peixe cru, provavelmente não deverá cozinhá-lo em nada menos do que à temperatura e tempo de pasteurização apropriados.

A maioria dos cientistas e especialistas em segurança alimentar concorda que se deve pasteurizar peixes. Mesmo que o sabor não seja o mesmo ou possivelmente não tão bom, pelo menos você vai se sentir um pouco mais seguro.

A segurança alimentar tem a ver com o controle tanto do risco real como do risco percebido. Muitas pessoas acham que o risco do peixe é muito menor que o da carne de porco, mas, de várias maneiras, é provavelmente o contrário.

Em nosso complexo agroindustrial moderno, nós realmente não sabemos de onde as coisas vêm. Com essa diminuição no conhecimento de onde vem nossa comida, de que campo, como foi processada e como finalmente chega a nossa mesa, eu tendo a tomar a atitude de "pasteurizar tudo e esperar pelo melhor". Embora possa não ser o que todos querem ou gostam de ouvir.

Quais são os riscos e o que se pode fazer na cozinha para atenuá-los parcialmente?

Quando você está lidando com segurança da alimentação, especialmente quando se trata de patogenias, tem que saber três coisas: em primeiro lugar, começando com um baixo nível inicial de contaminação, o que significaria comprar, por exemplo, peixes muito bons e muito frescos, dos quais você sabe a origem; a segunda é evitar o aumento do nível de contaminação e isso normalmente é feito com baixas temperaturas ou ácidos; a terceira é a redução do nível de contaminação, geralmente por cozimento.

O problema é que se você cozinha peixe sous vide a apenas 45°C, você não vai reduzir as patogenias a um nível seguro. Assim, ou você pasteuriza o peixe cozinhando-o a 60°C por cerca de 40–50 minutos ou se certifica de que há pouca patogenia em crescimento e que o peixe tem uma quantidade muito baixa, para começar, através da compra em uma fonte confiável.

Pode-se reduzir o nível de parasitas através de congelamento?

Parasitas, certamente. Embora o congelamento caseiro afete a qualidade do peixe, porque congeladores caseiros simplesmente não conseguem congelar o peixe rápido o suficiente para evitar que grandes cristais de gelo se formem. Agora, é completamente possível comprar peixe de alta qualidade já congelado, ou simplesmente encontrar com seu peixeiro um que já tenha sido congelado por tempo suficiente para eliminar os parasitas.

Mas o congelamento não mata as bactérias das diferentes patogenias alimentares que poderiam preocupar as pessoas, e há sempre o risco de contaminação química, especialmente com mariscos que são colhidos em águas questionáveis.

Como você sabe se algo vai funcionar quando cozinha em sous vide?

Eu realmente nunca sei, mas gosto de vasculhar as revistas de pesquisa em busca de pistas para os processos subjacentes envolvidos. Primeiro, procuro saber se alguém mais já fez isso. Com a riqueza de informações científicas agora disponíveis para nós através da internet, é muito provável que alguém tenha perguntado e respondido a uma questão relacionada. Então eu apenas experimento e adapto para a culinária caseira. O que me surpreende com frequência é que eu posso obter a informação diretamente de uma revista acadêmica e aplicá-la na cozinha.

Cozinha Geek

Ovos Pasteurizados pelo Método Sous Vide

Embora a salmonela seja bastante incomum em ovos crus e as estimativas sejam de alguma coisa em torno de 1 em 20.000 ovos, ela ocorre nas populações de galinhas dos Estados Unidos. Se você quebra algumas dúzias de ovos todas as semanas para fazer omelete no almoço, existe a chance de que você quebre um ovo contaminado. Isso não é um problema se esses ovos forem mexidos — mas e se eles forem pochê?

O risco real da salmonela nos ovos está nos pratos que os utilizam malcozidos, servidos à população de risco. Se você está preparando um prato que contém ovos crus ou malcozidos — salada Caesar, creme de ovos caseiro, maionese, massa de biscoito crua —, você pode pasteurizá-los.

Ovos pasteurizados têm um gosto um pouco diferente e as claras demoram mais tempo para chegar ao ponto de neve, por isso não espere que sejam idênticos aos companheiros crus.

Como a salmonela começa a morrer em uma taxa perceptível aos 58°C e as proteínas dos ovos não se desnaturam até os 61°C, você pode pasteurizar os ovos se os mantiver em uma temperatura entre esses dois pontos. O FDA exige uma redução da ordem de cem mil ($5\log_{10}$), o que você pode conseguir se mantiver os ovos a 61°C por 3 a 5 minutos. Lembre-se de aquecer e *depois* manter os ovos pelos 3 ou 5 minutos.

Tempos de Cozimento para Peixes, Aves, Carnes, Frutas e Vegetais

Embora os princípios gerais do sous vide sejam os mesmos, independentemente do alimento em questão, as temperaturas necessárias para cozinhar e pasteurizar de forma correta dependem do ingrediente que se tem em mãos. Diferentes carnes têm teores diferentes de colágeno e gordura e também diferentes temperaturas de desnaturação das proteínas, como a miosina, dependendo do ambiente de onde o animal veio. A miosina do peixe, por exemplo, começa a desnaturar a partir de 40°C, enquanto a dos mamíferos precisa chegar a 50°C (o que também é bom já que, de outra forma, banheiras quentes seriam uma tortura para nós). Pequenas mudanças na temperatura de cozimento podem trazer melhoras na qualidade. Experimente!

> Os dados para o gráfico desta seção são do "Guia Prático de Culinária Sous Vide", de Douglas Baldwin; veja a entrevista da página 327 para saber mais. Se for utilizar o sous vide profissionamentel, consulte o livro do chef Joan Roca, "Sous Vide Cuisine" (Montagud Editores, 2005).

Peixes e Outros Frutos do Mar

O peixe cozido em sous vide é incrivelmente tenro, úmido e suculento. Ao contrário dos peixes sauté ou grelhados — métodos que podem resultar em uma textura seca e áspera —, os preparados com o sous vide podem ter um toque amanteigado e derretem na boca. Outros frutos do mar, como a lula, também respondem bem ao cozimento em sous vide, embora as temperaturas variem.

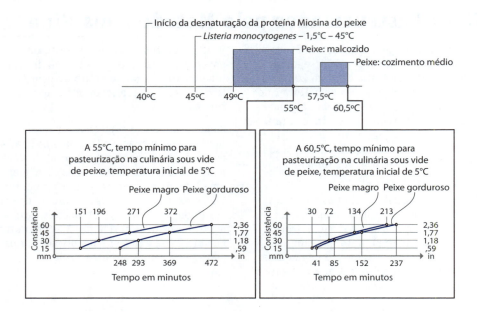

Cozinhar peixe em sous vide é tão simples que você não precisa de uma receita para entender o conceito. As dicas a seguir devem ajudar nessa experiência:

- O peixe malpassado, feito a um nível médio de cozimento (55°C) ou mais, sofre pasteurização por ser mantido em temperatura específica por um período de tempo suficiente (veja o gráfico de tempo X espessura para peixes magros e gordurosos).

- Os peixes magros, como linguado, tilápia, robalo e a maioria dos peixes de água doce, requerem menos tempo para cozinhar e pasteurizar do que peixes como truta do ártico, atum e salmão.

- Para peixes malpassados (ou seja, cozidos em banho-maria regulado a 47°C), a pasteurização não é possível. Assim, se você preparar um salmão a 47°C, esteja consciente de que ele não vai ficar quente o suficiente para matar todos os tipos de bactérias comuns em doenças de origem alimentar (a salmonela, felizmente, não é predominante nos peixes). Cozinhar peixe a 47°C por menos de duas horas não apresenta um resultado pior do que comer o peixe cru, por isso as recomendações usuais para peixes destinados a serem servidos crus ou malpassados são as mesmas: compre peixes tipo sashimi, previamente congelados para eliminar parasitas (veja a p. 180), e não os sirva para indivíduos de risco.

O código alimentar do FDA de 2005 exclui certas espécies de atum e peixes de "aquicultura" (leia-se: criados em fazenda) a partir desta exigência, dependendo das condições do cultivo (veja o Código de Alimentos de 2005 do FDA, seção 3–402.11b).

- Se o peixe ficou com manchas brancas na superfície depois de cozido (proteína albumina coagulada), coloque-o na salmoura da próxima vez. Use uma solução de salmoura de 10% de sal por 15 minutos antes de cozinhar. Isso resulta no processo de precipitação ("salt out") da albumina através de desnaturação.

Sous Vide com Peixe Congelado Pré-embalado

Onde moro, os supermercados vendem peixe congelado embalado a vácuo. Em alguns casos, o peixe, que foi cortado em porções individuais, é congelado já marinado, o que faz disso um sous vide pronto perfeito: já embalado a vácuo; congelado em padrões FDA, matando assim parasitas comuns; minimamente manipulado, congelado e lacrado logo após a pesca, reduzindo as chances de contaminação bacteriana cruzada.

Meu uso favorito do método sous vide — bem, além de fazer jantares deliciosos e fáceis de preparar — é com peixe congelado pré-embalado para fazer o meu almoço diário. Minha rotina é rápida, fácil, barata e gostosa:

1. Coloque o peixe congelado embalado a vácuo no equipamento para sous vide, coloque água quente, e ligue a unidade. (O uso de água já quente significa que não é preciso esperar que o equipamento a aqueça, mas ele ainda estará funcionando para manter a água à temperatura desejada.) Por ser uma porção simples, o tempo que vai levar para o descongelamento é relativamente curto. Lembre-se: a pasteurização começa quando o núcleo dos alimentos atinge a temperatura-alvo. Com ingredientes congelados, é difícil saber quando isso ocorre. Eu cozinho uma porção única de peixe por tempo suficiente para assegurar que tanto o descongelamento quanto a pasteurização aconteçam. E, por causa da flexibilidade do sous vide em longos períodos de cozimento, para a maioria dos tipos de peixes, deixá-los em banho-maria por meia hora a mais não afetará a qualidade.

2. Vá correr. Vá para a academia. Vá fazer algum serviço. Escreva um capítulo sobre peixe congelado pré-embalado em um livro de culinária.

3. Retire o peixe da embalagem, corte e abra o saco, coloque o peixe em um prato com alguns legumes cozidos no vapor e arroz integral, e *voilà*: almoço.

> Se você está preparando uma refeição para reaquecer mais tarde, pode colocar o peixe cozido em um recipiente com alguns legumes congelados, que vão atuar como cubos de gelo, resfriando-o rapidamente.

A qualidade do peixe congelado pode realmente variar. Enquanto o salmão congelado de um fornecedor pode tornar-se mole e desagradável, o mesmo tipo de salmão de outro fornecedor pode ficar úmido, suculento e perfeito. Isso provavelmente acontece devido às diferenças nas técnicas de congelamento: o congelamento rápido causa menos danos aos tecidos, limitando a duração de tempo que os cristais de gelo têm para se agrupar em formas que podem perfurar as paredes das células. Se você já teve resultados ruins com peixe congelado, a culpa é da técnica de congelamento, e não do fato de ter sido congelado.

Culinária Sous Vide

Frangos e Outras Aves

Uma das maiores farsas regularmente impingidas ao prato dos americanos é o frango demasiadamente cozido. O frango adequadamente cozido é suculento, úmido e repleto de sabor. Nunca seco ou farinhento. O problema ao cozinhar frango corretamente é que, a partir de uma perspectiva de segurança alimentar, a pasteurização (redução suficiente das bactérias que causam, por exemplo, a salmonelose) também causa o cozimento em excesso. A pasteurização "instantânea", pedida na maioria das receitas, acontece em 74°C, porém, nessa temperatura, a maioria das proteínas também desnatura, dando ao frango uma textura seca, farinhenta. No entanto, a pasteurização pode ser feita em temperaturas mais baixas *por longos períodos de tempo*. O sous vide, claro, é muito apropriado para isso:

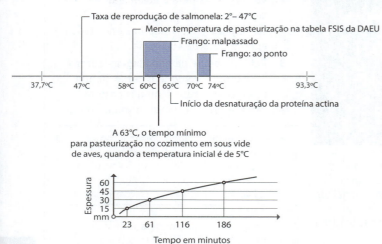

desde que se mantenha o frango no tempo mínimo necessário para pasteurização na temperatura em que se está cozinhando. Mesmo que você o deixe lá por tempo demais, desde que esteja abaixo da temperatura em que a actina se desnatura, o frango permanecerá úmido. Outra vantagem do sous vide!

Sous Vide de Peito de Frango

Assim como acontece com o peixe, você não precisa de uma receita tradicional para o frango sous vide. Aqui estão algumas dicas gerais:

- O frango tem um sabor suave que se adapta bem às ervas aromáticas. Adicione alecrim, folhas frescas de sálvia, suco de limão e pimenta-do-reino, ou outros ingredientes básicos na embalagem plástica. Evite o alho, no entanto, porque tende a dar um sabor desagradável quando cozido a baixas temperaturas. Ao adicionar temperos, lembre-se de que os ingredientes na embalagem serão pressionados contra a carne, por isso o sabor das ervas se potencializará principalmente nas regiões tocadas. Assim, penso que picar as ervas bem fininhas ou fazer um purê com um pouco de azeite funciona bem.

- Tal como acontece com outros ingredientes na culinária sous vide, deixe espaço entre os ingredientes na embalagem a vácuo para garantir a transferência de calor mais rápida, ou coloque porções individuais em embalagens separadas.

Cozimento Lento versus Sous Vide

"Espere um pouco" — você pode estar pensando: "essa coisa de 'sous vide'... Qual é a diferença para o cozimento lento?". Eu pensei que você nunca perguntaria!

Eles não são muito diferentes. Ambos envolvem um recipiente de líquido com uma temperatura suficientemente alta para cozinhar a carne, mas não ferver a água. Entretanto, a culinária sous vide tem duas vantagens sobre o cozimento lento tradicional: a capacidade de manter uma determinada temperatura e minimizar a sua variação.

Em fogo lento, o cozimento de sua comida será feito com temperaturas em torno de 77–88°C. A temperatura exata dos alimentos e a medida de oscilação da temperatura não são tão importantes para a maioria dos pratos de cozimento lento. É por isso que o cozimento lento é quase sempre feito com as carnes ricas em colágeno e com vegetais que aceitam uma ampla faixa de temperaturas de cozimento. Como tratado anteriormente (veja a p. 162), carnes ricas em colágeno precisam cozinhar por mais tempo para que ele se desnature, hidrolise e se transforme em algo palatável.

No entanto, isso não se aplica a carnes que têm baixos níveis de colágeno, tais como peixes, peito de frango e cortes de carne magra. Para esses ingredientes com baixo colágeno, o cozimento é necessário para processar algumas proteínas (por exemplo, a miosina), mantendo outras proteínas nativas (por exemplo, a actina). A diferença de temperatura na qual essas duas reações ocorrem é de apenas 5°C, de modo que precisão e exatidão são importantes. O sous vide ganha de longe, com vantagem.

Tente cozinhar coxas de pato das duas formas. Embale a vácuo duas coxas e faça o sous vide a 77°C. Enquanto isso, prepare um segundo conjunto de coxas em cozimento lento no fogão. Cozinhe por pelo menos seis horas e, em seguida, observe a diferença.

Coxas de pato pelo método sous vide.

Coxas de pato preparadas em cozimento lento.

Carne Bovina e Outras Carnes Vermelhas

Existem dois tipos de cortes de carnes, pelo menos quando se trata de cozinhar: cortes tenros e cortes duros. Os tenros têm baixo teor de colágeno, então cozinha-se rapidamente para atingir uma textura agradável; os duros exigem longos períodos de cozimento para dissolver o colágeno. Você pode usar sous vide para os dois tipos de carne; basta estar ciente de com qual tipo está trabalhando.

Muitas reações químicas na culinária se dão em função de tempo e temperatura. Enquanto as proteínas actina e miosina se desnaturam instantaneamente em temperaturas tradicionais, outros processos, como a desnaturação do colágeno e a hidrólise, levam períodos significativos de tempo nas mesmas temperaturas (o colágeno é uma molécula bastante complicada; veja a p. 162). Como na maioria das reações que dependem da temperatura, a taxa de reação aumenta quando a temperatura sobe, então, enquanto o colágeno dos mamíferos quebra em torno de 68°C, coxas de frango e ensopados são frequentemente cozidos em temperaturas a partir de 77°C. Mesmo assim, o colágeno ainda leva algumas horas para quebrar.

A desvantagem de cozinhar esses tipos de carne utilizando os métodos tradicionais — selando as carnes com baixo teor de colágeno ou fazendo ensopados com as de alto teor — é que outras proteínas também se desnaturam. Cortes com mais gordura podem mascarar a secura — por isso o preço extra pago pela carne com boa gordura marmorizada. Há outra forma, contudo: preparar a carne em um ambiente sous vide vai desnaturar algumas das proteínas (por exemplo, a miosina) e hidrolisar outras (com tempo suficiente, o colágeno), ao mesmo tempo em que deixará outras proteínas intactas, evitando a secura associada aos métodos de cozimento tradicionais. Para cortes de carne com pouco colágeno, os resultados são maravilhosos: carnes perfeitamente malpassadas em menos de uma hora. Para cortes mais duros, contudo, o problema é que a taxa de reação para a hidrólise do colágeno a essa temperatura é tão lenta que o cozimento pode se alongar por dias. Isso não é um problema, tecnicamente, contanto que você não se importe com a espera.

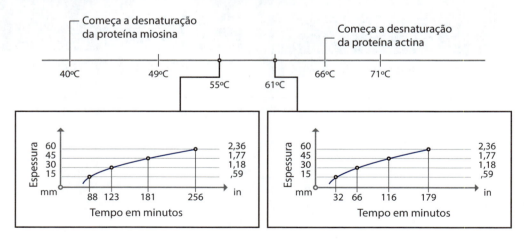

Gráfico de tempo de temperatura para carne bovina e outras carnes vermelhas.

Cozinha Geek

Ponta de Alcatra Bovina

Um dos principais benefícios do sous vide é a capacidade de cozinhar uma peça de carne, do centro até a borda, em um nível uniforme de cozimento. A ponta de alcatra é ótima para demonstrar isso em cortes com pouco colágeno.

Coloque em um saco plástico a vácuo:

- **500g a 1kg de carne cortada em porções individuais (200g)**
- **1–2 colheres (sopa) de azeite (15–30ml)**
- **Sal e pimenta a gosto**

Sacuda o plástico para cobrir todos os lados da carne com o azeite de oliva, sal e pimenta. Feche o saco, deixando espaço entre cada pedaço de carne para que o banho-maria de sous vide faça contato por todos os lados.

Para uma carne ao ponto, cozinhe por 60 minutos em banho-maria a 54°C. Para uma carne mais bem passada, cozinhe a 63°C por 45 minutos. (Veja a página 166 para uma tabela de temperatura.) Retire o saco do banho-maria, faça um corte na parte superior para abri-lo, e transfira a carne para um prato. Seque-a com uma toalha de papel e depois coloque-a em uma panela quente preaquecida, de preferência de ferro. Sele cada lado da carne por 10 a 15 segundos. Para uma melhor selagem, não mexa na carne durante o selamento de cada lado; em vez disso, solte-a na panela e deixe-a descansar enquanto sela.

Você pode fazer um molho rápido usando o líquido gerado no saco durante o cozimento. Transfira o líquido do saco para uma frigideira e faça uma redução. Experimente adicionar uma pitada de vinho tinto ou do porto, um pouquinho de manteiga e um agente espessante, como araruta ou amido de milho.

Notas

- Em aplicações de sous vide, costuma ser mais fácil preparar o alimento em porções e tamanhos individuais antes de cozinhar. Isso não só ajuda na transferência mais rápida de calor para o núcleo da comida (menos distância entre o centro e a borda), mas também facilita ao servir alguns alimentos, especialmente os peixes que se tornam muito delicados após o cozimento. Você ainda pode selar todas as peças no mesmo saco, basta espalhá-las um pouco para permitir espaço entre elas uma vez que o saco é selado.

- Adicionar uma pequena quantidade de azeite ou outro líquido ajuda a deslocar qualquer bolha de ar que exista no saco. As quantidades de óleo e temperos não são particularmente importantes, mas o contato direto entre as especiarias e os alimentos importa. Se você adicionar especiarias e ervas aromáticas, certifique-se de que estejam uniformemente distribuídas por todo o saco; caso contrário, elas transmitirão o seu sabor unicamente aos pedaços de carne com que tiverem contato. Cuidado para não adicionar muito sal, pois parece que ele não deixa as gorduras cozinharem.

Costela ou Acém de 48 Horas

O acém normalmente é cozido lentamente a uma temperatura média em forno ou panela a fim de que o colágeno seja quebrado. Na culinária sous vide, diminuímos a temperatura para 61°C, a temperatura mínima para cozinhá-lo (e evitar que estrague) e ativar a hidrólise do colágeno.

Sele em um saco plástico a vácuo:

- 500g a 1kg de carne com alto teor de colágeno, como acém ou costelas de porco
- 2 colheres (sopa) de molho, como barbecue, molho inglês ou ketchup (30ml)
- ½ colher (chá) de sal (3g)
- ½ colher (chá) de pimenta (1g)

Cozinhe por 24 a 48 horas a 61°C. Abra o saco e transfira a carne para uma chapa ou assadeira e deixe grelhar por 1 a 2 minutos cada lado, para desenvolver reações de douramento na parte externa da carne. Transfira o líquido do saco plástico para uma panela e deixe reduzir para fazer o molho. Experimente refogar cogumelos em uma frigideira com um pouco de manteiga até que comecem a dourar. Em seguida, adicione o molho e deixe reduzir até que fique espesso como uma calda.

Notas

- Se a sua carne tem um lado com uma camada de gordura, faça sulcos na gordura para permitir que a marinada penetre no músculo por baixo do tecido. Para fazer o sulco em um pedaço de carne, risque a camada de gordura com uma faca, criando um conjunto de linhas paralelas com cerca de 0,5cm de distância. Em seguida, faça um segundo conjunto de linhas em ângulo inverso para ficar com a forma de diamante.

- Para sabores adicionais, acrescente café expresso, folhas de chá ou pimenta no saco plástico, junto com qualquer líquido que você use. Líquidos com aroma defumado podem imprimir também um sabor de defumado.

- Se o seu sous vide não tem uma tampa, cuide para que a água não evapore totalmente e queime sua unidade ou a faça desligar sozinha. Uma das técnicas que vi é cobrir a superfície da água com bolas de pingue-pongue (elas flutuam); uma folha de alumínio esticada por cima também funciona.

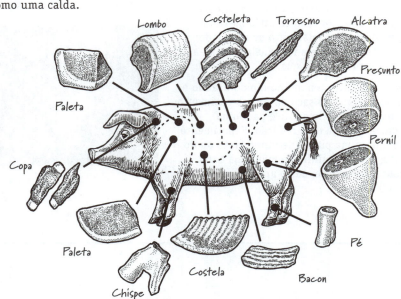

Frutas e Vegetais

Vegetais, assim como o peixe e as carnes, também podem ser preparados com o método sous vide. Ao contrário das proteínas, os amidos dos vegetais não começam a quebrar até que atinjam temperaturas bem mais altas, normalmente por volta dos 82 a 88°C. Para cozinheiros profissionais, para os quais a consistência e as etapas de reprodução exatas são importantes, cozinhar vegetais em sous vide produzirá melhores resultados do que o cozimento em água tradicional.

Para o cozinheiro de casa, entretanto, os vegetais preparados pelo método sous vide levantam uma questão: "Vale a pena?". Se você está cozinhando por sous vide duas partes de uma refeição a duas temperaturas diferentes, vai precisar ou cozinhá-las em sequência ou pagar por dois equipamentos de sous vide. Dá para ver onde quero chegar. Eu confesso que cozinho meus vegetais da maneira tradicional: em uma panela de água quente, tomando o cuidado para não cozinhá-los demais.

Mesmo assim, você deveria tentar cozinhar os vegetais por sous vide para comparar o resultado com o dos métodos tradicionais. Deixar frutas e vegetais em sacos selados mantém os sumos dentro dos tecidos, o que resulta em sabores mais pronunciados. Considere também que as proporções entre açúcares e amidos nas frutas e vegetais variam durante o ano, mesmo que elas sejam da mesma fonte, já que as estações mudam. Espere ter de ajustar os tempos de cozimento conforme a necessidade.

Experimente colocar algumas cenouras descascadas e cortadas ou aspargos em um saco, com azeite de oliva, sal e pimenta; sele-o, e cozinhe os vegetais a 85°C por 10 a 15 minutos. Você pode precisar isolar o equipamento se ele não mantiver a temperatura; cobri-lo com plástico ajuda. Aspargos cozidos a 85°C permanecerão vívidos e verdes; a 95°C começam a murchar.

Além de cozinhar vegetais em sous vide, você pode fazer alguns truques legais com banho-maria. O jeito geek de pensar sobre culinária é considerar a adição de calor a um sistema. A adição de calor não é espontânea: sempre haverá um gradiente, e as diferenças entre as temperaturas de início e de alvo afetam tanto o tempo de cozimento quanto a curva do gradiente.

Essa é a razão pela qual deixamos um bife descansar em temperatura ambiente por 30 minutos antes de grelhá-lo: 30 minutos é um tempo curto para preocupações com as bactérias, mas suficiente para baixar a diferença de temperatura entre o bife cru e o cozido em um terço. Você pode usar um banho-maria causando o mesmo efeito nos legumes: reduzir o delta de calor, mantendo-os em um calor moderado (por exemplo, 60°C) por 15 a 20 minutos, e depois cozinhá-los no vapor ou refogá-los.

Tempos de cozimento a 85°C

Frutas macias (pêssegos, ameixas): de 20 a 50 minutos

Frutas firmes (maçãs, peras): de 25 a 75 minutos

Vegetais tenros (aspargos, erva-doce, ervilhas): de 10 a 60 minutos

Raízes e tubérculos (batatas, beterraba): de 2 a 4 horas

Diversão com Equipamentos

Costumo cozinhar pontas de alcatra ao mesmo tempo em que preaqueço vegetais duros como couve, repolho-chinês, acelga ou outras verduras, utilizando o mesmo banho-maria para ambos: o bife e os legumes. Isso funciona porque os legumes não cozinham na mesma temperatura que a carne. Quando estou pronto para servir o jantar, retiro os vegetais e dou uma refogada rápida em uma frigideira. Como os vegetais já estão quentes, eles adquirem uma textura agradável de cozidos em um minuto ou dois. Então transfiro-os para um prato e, usando a mesma frigideira, dou uma rápida selada na carne para dourar o lado de fora.

Há outro truque engraçado que pode ser feito com vegetais, e para esse você vai definitivamente precisar de um equipamento sous vide. Você já se perguntou por que os legumes em algumas sopas enlatadas são moles, sem forma definida, mas em outras não? Não é por causa das diferenças na variedade das cenouras. Alguns legumes como cenoura, beterraba, mas não a batata, exibem um comportamento contraditório quando pré-cozidos a 50°C: tornam-se "resistentes ao calor", de modo que não desmancham quando são cozidos depois em temperaturas altas. Manter uma cenoura em um banho-maria por volta de 50°C por 30 minutos provoca adesão celular aprimorada, linguagem científica para "as células se fixam umas às outras", o que significa que a cenoura tem menor probabilidade de quebrar e ficar mole quando cozida em altas temperaturas ou guardada por longos períodos.

Tente cozinhar parcialmente vegetais em seu equipamento sous vide ao mesmo tempo em que as proteínas estão cozinhando. Quando estiver na hora de servir a refeição, dê uma ligeira refogada para terminá-los.

Durante o estágio de pré-cozimento, os íons de cálcio ajudam a formar "ligações cruzadas" adicionais entre as paredes de células adjacentes, adicionando mais estrutura ao tecido do legume. Como as texturas moles ocorrem devido à ruptura de células, esta estrutura adicional mantém o tecido do legume mais firme, reduzindo a chance de separação celular.

A solução normal para os legumes moles é somente adicioná-los perto do final do cozimento. É por isso que algumas receitas pedem a adição de legumes tais como cenouras apenas na meia hora final da cocção.

Para uso industrial (leia-se: sopas enlatadas), essa nem sempre é uma opção. Na cozinha de casa, é improvável que você precise usar este truque, mas é uma experiência divertida. Mantenha uma cenoura a 60°C por meia hora e depois misture-a em fogo brando a um molho que contenha cenouras cortadas que não tenham sido termicamente tratadas (para diferenciar as tratadas termicamente das não tratadas, você pode cortá-las em formatos diferentes, como por exemplo, fatie a cenoura ao meio e depois em semicírculos e fatias redondas, se você não se importar que a sua experiência seja óbvia).

Chocolate e Culinária Sous Vide

O banho-maria permite um atalho no trabalho com chocolate: chocolate já temperado não perde a temperagem se você não deixá-lo mais quente que 32°C. As formas desejáveis de gordura não vão derreter (veja a p. 148), então não tem problema. Para derreter o chocolate já temperado, sele-o em uma embalagem a vácuo e mergulhe-o em banho-maria a 32°C (você pode usar um grau ou dois a mais; experimente!). Uma vez que esteja derretido — o que pode levar uma hora mais ou menos —, retire a embalagem da água, seque o exterior e corte uma ponta: um saco de confeiteiro instantâneo.

Se vai trabalhar com chocolate com frequência, o truque do sous vide provavelmente vai se tornar cansativo. Se tiver dinheiro disponível, procure online por máquinas de temperar chocolate. Algumas lojas vendem unidades que combinam uma fonte de calor, um agitador motorizado e um circuito de lógica simples que tempera e mantém o chocolate derretido adequado para tudo, desde banho em frutas a cobertura de bolos e enchimento de moldes de chocolate. Claro, se você tiver uma panela de cozimento lento, par termoelétrico, controlador de temperatura...

Meu mercado vende barras de chocolate infundidas com ingredientes incomuns: curry em pó e coco; ameixas, nozes e cardamomo; até mesmo pedaços de bacon. Estas barras de chocolate exóticas também tinham etiquetas de preços exóticas, então pensei: "Será difícil fazer isso?" Com sous vide, acaba sendo muito simples.

Coloque o chocolate temperado em uma embalagem a vácuo. Use chocolate em barra; flocos de chocolate podem não funcionar se não forem tão bem temperados.

Adicione seus aromatizantes. Tente amêndoas ou avelãs (relação de cerca de 1:2 — uma parte de nozes para duas partes de chocolate por peso). Os ingredientes devem estar secos. Qualquer água neles fará com que o chocolate fique grudento.

Sele, mergulhe em banho-maria em torno de 32°C e espere o chocolate derreter, o que pode levar uma hora ou duas.

Depois que o chocolate estiver totalmente derretido, trabalhe o saco para distribuir o chocolate e os aromatizantes. Você pode usar um rolo para trabalhar os recheios se estiver usando algo parecido com nozes. Deixe a embalagem descansar na bancada para esfriar.

Uma vez resfriado, corte o saco e retire o chocolate. Você pode partir a barra em pedaços. Tente usar grão de café (hum), casca de laranja cristalizada, frutas secas, ou uma mistura de nozes tostadas (amêndoas, noz-pecã e pistache, e talvez uma pitada de pimenta vermelha). Coco ralado, pedaços de caramelo, cereal de arroz, batatas chips... as possibilidades são infinitas!

Fazendo Moldes

Temos uma tendência em aceitar os formatos dos alimentos como definitivos, mas isso não quer dizer que deveríamos. Há várias coisas legais que você pode fazer com moldes, além de chocolates em formato de coração e cones para sorvete. Você provavelmente não pensa em formas de bolo ou cortadores de biscoito como moldes, mas eles podem mudar o formato dos alimentos: as formas de bolo definem o volume 3D que as massas podem preencher e os cortadores de biscoito, o formato 2D. Que tipo de artesanatos e técnicas podemos utilizar para criar nossos próprios formatos?

Moldes podem ser rígidos ou flexíveis, resistentes ou não ao calor. Os rígidos e resistentes ao calor são quase sempre de metal (tradicionalmente, de cobre) e são usados para alimentos assados como bolos e madeleines, bem como para moldar alimentos frios como gelatinas, chocolates e decorações de açúcar. Moldes flexíveis são feitos de plástico ou silicone, e esse último é resistente ao calor.

Antes de fazer um molde, pense em que comida quer colocar nele. Você precisa de um molde resistente ao calor? O molde precisa ser flexível para que você possa remover o alimento? Os géis são flexíveis e não precisam ser aquecidos, então até mesmo os moldes plásticos rígidos servirão. Moldes para gelatina servem (embora tediosos); ou seja criativo e use uma receita de panna cotta aromatizada (veja a p. 424). Moldes resistentes ao calor são necessários para trabalhos com açúcar — digamos, pirulitos — ou para massas que precisam ser assadas. Para esses alimentos, use moldes de metal ou de silicone, e escolha um rígido ou flexível conforme a comida.

Já falamos demais sobre como os moldes são usados. O que quero discutir é como fazer o seu próprio molde — no formato que você quiser!

Cortadores de biscoito são fáceis de fazer, e criar um molde é um projeto de férias bem divertido. Além disso, você provavelmente já tem tudo o que é necessário nas mãos. Quer um biscoito no formato do R2–D2? Pegue uma lata de refrigerante vazia, uma tesoura de cozinha e um alicate de bico. Corte uma rodela da lata, dobre a parte de cima e a de baixo de modo que as bordas fiquem lisas, e use o alicate para dobrar e modelar a rodela (um molde em papelão do formato desejado vai ajudar). Se você tiver acesso a uma impressora CNC (3D), pode imprimir um cortador de biscoito a partir de moldes plásticos ABS e enrolá-lo no alumínio (o plástico ABS não é apropriado para alimentos, e algumas cabeças da impressora contêm chumbo).

Biscoitos no formato do Tux, o pinguim, feitos usando um cortador de biscoitos impresso em uma impressora CNC. Veja os arquivos em http://cookingforgeeks.com/book/cookie-cutter/ — conteúdo em inglês.

Moldes simples para chocolate e confeitos de açúcar podem ser feitos pressionando um objeto em uma camada de amido de milho. Assim como na modelagem com areia, pressionar um objeto contra o amido e removê-lo deixa uma "pegada". Preencha o vazio com chocolate ou açúcar em ponto de vidro (calda de açúcar aquecido a 150°C), deixe esfriar e *voilà*! Embora esse método seja rápido — hum, LEGOs de chocolate —, o amido de milho gruda na comida finalizada e o molde não captura detalhes. É uma experiência divertida e simples, mas não é provável que se torne uma técnica regular.

Alguns moldes são apenas superfícies nas quais a comida é colocada, resfriada e então removida, do mesmo modo como são feitos os cones de sorvete e as folhas de chocolate. Para fazê-las, cubra o lado de trás de uma folha de limão ou de rosa com chocolate temperado, deixe descansar em temperatura ambiente por uma ou duas horas e retire a folha. Tente cobri-la com uma camada fina de chocolate branco primeiro, para realçar as enervações da folha.

Moldes de silicone são ótimos para capturar detalhes (por exemplo, moedas de chocolate com faces reconhecíveis) e são utilizáveis entre -53°C e 230°C. O lado negativo é a disponibilidade e o custo — você terá de fazer encomendas online, e o custo de moldes grandes pode pesar. Mesmo assim, eles valem a pena: os moldes de silicone que você vê nas lojas são moldes parciais e sem muitos detalhes; a beleza da opção de fazer você mesmo está nos moldes detalhados multipartes que podem ir ao forno e ser flexionados para criar vários formatos. Objetos planos (moedas, chaves) e convexos (sem formato côncavo, estranhamente, os aspargos) são mais fáceis de virar moldes: coloque-os em uma assadeira, cubra, deixe o molde secar, retire e vire-o, e então cubra o outro lado. Brinquedos de plástico antigos que vêm de moldes mais simples (por exemplo, carros, soldadinhos, dinossauros) são fáceis de virar moldes: coloque em um recipiente, cubra, deixe-o curar, depois retire-o e corte ao meio com cuidado.

Você não precisa fazer um molde para ser criativo: use moldes existentes de maneiras diferentes. Asse uma torta de maçã da "Apple" em uma forma quadrada. Use uma faca para cortar o logo, ou faça o que Lenore Edman e Windell Oskay da Evil Mad Scientist fizeram: use um cortador a laser. Veja os detalhes em http://cookingforgeeks.com/book/appleapplepie/ — site em inglês.

O gesso, ou sulfato de cálcio, é usado para fazer bandagens que resistem ao calor e são atóxicas. As bandagens de gesso são rolos de tecido cobertos com sulfato de cálcio; uma faixa é cortada, mergulhada em uma vasilha com água, e enrolada ao redor do objeto. Primeiro, cubra o que for enrolar — bola de praia, galho de árvore — com uma camada generosa de gordura vegetal, que vai agir como um facilitador para a retirada do molde, e depois cubra o objeto com três ou quatro camadas de bandagens de gesso. Se precisar cortá-las depois que estiverem secas, utilize uma serra com um disco de esmeril. O sulfato de cálcio alimentício é difícil de encontrar, por isso é bom forrar o molde com papel-manteiga, dependendo de como vai utilizá-lo.

Cestinhas de Açúcar para Sorvete

As "casquinhas" para sorvete, os cones e as cestinhas, e até mesmo os biscoitos da sorte, usam sempre a mesma receita — um biscoito de açúcar bem doce —, apenas moldada em formatos diferentes. Comece com essas tigelinhas de açúcar; se quiser se especializar, procure na internet por instruções sobre como fazer moldes para cones de sorvete. (Resumindo, basta fazer um cone com papelão, forrar com alumínio e então enrolar um disco de biscoito ao redor antes que ele esfrie.)

Espere ter de fazer alguns desses antes de obter algo trabalhável. Essa receita dá para 8 tigelas pequenas.

Preaqueça o forno a 150°C.

Em uma tigela, misture:

- ½ xícara (chá) de açúcar (100g)
- 2 claras de ovos grandes (60g)
- 1 colher (chá) de extrato de baunilha (5ml)
- ½ xícara (chá) de farinha de trigo (70g)
- 2 colheres (sopa) de manteiga (30g)

Corte oito folhas de papel-manteiga, cada uma com 21,5cm por 28cm. Cada folha será usada para uma tigela; comece assando uma por vez, mas você pode assar duas por vez depois que tiver prática.

Coloque 2 colheres (sopa) de massa no centro de uma folha de papel-manteiga e, usando uma faca de mesa, espalhe a massa em um círculo de espessura uniforme.

Transfira o papel-manteiga para uma assadeira e asse a massa no forno por 20 minutos, até que todo o biscoito esteja dourado. (Você conseguirá um biscoito com cor mais uniforme se assá-lo a uma temperatura menor e por mais tempo.)

Biscoito assado a 150°C. *Biscoito assado a 180°C.*

Agora, a moldagem: pegue um copo de vidro (plástico não serve!) com uma base que tenha o formato que você quer dar à cestinha e coloque-o de cabeça para baixo na bancada. Retire a assadeira do forno e, usando os dedos, pegue a folha de papel-manteiga. Coloque rapidamente de cabeça para baixo sobre o copo **(1)** — o biscoito centrado sobre o copo e em contato com ele — e continue a segurar o papel-manteiga no lugar com uma das mãos. Use a outra mão para envolver uma toalha de cozinha sobre a folha e apertá-la, utilizando-a como uma compressa quente (o biscoito de açúcar deve estar quente!). Use ambas as mãos para apertar rapidamente as bordas dos biscoitos para baixo pelos lados do copo.

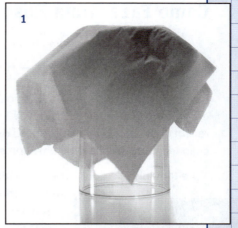

Depois de 20 ou 30 segundos, o cookie já terá esfriado e endurecido. Você pode retirá-lo do copo e cuidadosamente do papel-manteiga, rasgando-o se necessário para retirá-lo de qualquer dobra **(2)**.

Notas

- *O açúcar é higroscópico, portanto, os cones de açúcar feitos em casa absorvem muita umidade do ar e deixarão de estar crocantes em algumas horas. Eles ainda estarão deliciosos, é claro, apenas não tanto quanto antes.*

- *Tente adicionar sementes de outros ingredientes — gergelim, papoula, gengibre — à massa; você pode salpicá-las por cima nas bordas da massa ainda sem forma para dar ao biscoito uma borda com sabor.*

Fazendo Moldes

Como Fazer uma Rosquinha de 250 Quilos

Donuts. Existe alguma coisa que eles não podem fazer?

— Homer Simpson ("Marge vs. the Monorail")

Fazer um donut gigante na televisão é uma daquelas loucas histórias que você nunca esperaria que acontecesse com você. Mas depois da primeira edição desse livro, recebi um telefonema da produção de uma emissora procurando um geek da ciência culinária para participar de uma apresentação para uma "rede" que "lida com comida".

"Que tamanho de donut você acha que conseguiria fazer?" — eles queriam saber. A

ideia do show era simples: dois chefs, cada um assistido por um chef de panificação e um geek da culinária, competindo para fazer a maior, mais bonita e mais gostosa rosquinha. O primeiro (e único) episódio de *Monster Kitchen* foi ao ar em 19 de julho de 2011, conosco fazendo um donut gigante.

Depois de ler um pouco — sim, um donut assado ainda se qualifica como um donut —, tracei um plano. Eu faria um molde que assaríamos em um forno industrial, a chef de panificação Amy Brown faria a massa em um misturador de cimento, e o chef Eric Greenspan cuidaria do recheio. O plano todo se apoiava na habilidade de fazer um molde gigante. Um molde de 1,5m de largura. Tão grande quanto o próprio chef Greenspan.

O silicone é, com frequência, usado para moldes alimentícios, mas o tempo de cura seria muito grande. Além disso, o molde seria muito espesso para que a massa assasse direito. Metais como o cobre também são comuns para moldes de comida, mas nessa escala o molde de cobre seria ou muito frágil para manter seu formato ou muito grosso para manipular. Isso nos deixou o gesso — as bandagens e os rolos de gaze cobertos com pó de gesso. Bingo! Molhe as faixas e coloque-as na superfície do objeto que você quer moldar, e poucas horas depois elas terão secado e se transformado em um molde rígido e que pode ser levado ao forno.

Para o item positivo — aquilo que forneceria o modelo para o molde —, eu precisava de alguma coisa em formato toroide, como uma boia ou câmara de pneu. Em proporções menores, eu poderia fazer um positivo moldando folhas de alumínio no formato

aproximado e trabalhando nele, mas de jeito nenhum com uma peça de 1,5m de diâmetro. Depois de um árduo trabalho no telefone e de pesquisa online (obrigado, Chris!), encontramos uma câmara de pneu que tinha um pouco mais de 1,5m de diâmetro. Eu tinha o material para fazer um verdadeiro molde em formato toroide e algo para fabricá-lo. Adicione massa de bolo, asse e decore, e você tem um donut gigante.

Molde para Donut Quase Gigante (para Donuts de 30cm de Diâmetro)

1 **Faça um molde positivo** moldando folha de alumínio em formato toroide e depois encape com filme plástico. Certifique-se de que caberá em seu forno (ou, se você for atrevido, na sua fritadeira elétrica) antes de continuar.

2 **Cubra o positivo** com gordura vegetal, para que o molde possa ser retirado.

3 **Crie o molde** usando bandagens de gesso, disponíveis online ou em lojas de material para artesanato. Corte uma tira de alguns metros, molhe, e enrole no positivo. Dependendo do tamanho do molde, enrole as tiras por todo o toroide, caso em que você vai precisar cortá-lo depois, ou envolva apenas os lados e a parte de cima, de modo que possa remover o alumínio/filme plástico no final. Repita até que todo o tubo esteja coberto, pelo menos 4 ou 5 vezes. (Na apresentação, o molde foi enrolado de 8 a 10 vezes; foi o mínimo suficiente para aquele tamanho.)

4 **Deixe o molde secar,** de preferência de 24 a 48 horas.

5 **Remova o positivo.** Se você deixou o fundo descoberto, gire o molde e puxe o alumínio e o filme plástico. Se você enrolou o molde todo, corte a parte de cima com uma serra (use uma máscara para proteger o olho da poeira).

Receita de Donut de Forno

Essa receita de donut, baseada no trabalho de Amy Brown, faz donuts fantásticos com base de bolo. (Os donuts são com frequência fermentados com levedura, mas nós optamos por utilizar uma massa baseada em fermento em pó e bicarbonato de sódio para obter um crescimento rápido.) Não pense que o título "rosquinha de 250kg" não permite que você faça donuts comuns com essa receita.

1 Em uma tigela (para 1 dúzia de donuts comuns), uma tigela de batedeira (para donuts de 30cm de diâmetro) ou balde de 20 litros (para donuts de 1,5m de diâmetro), misture:

	1 dúzia de donuts comuns	Donut de 30cm de diâmetro	Donut de 1,5m de diâmetro
Farinha (g)	516	6.192	103.200
Açúcar (g)	238	2.856	47.600
Fermento em pó (g)	3	36	600
Bicarbonato (g)	9	108	1.800
Sal (g)	3	36	600
Noz-moscada (g)	2	24	400

Fazendo Moldes

2 Em outra tigela grande (para uma dúzia de donuts comuns ou donuts com 30cm de diâmetro) ou em um balde de 20 litros (para donuts de 1,5m de diâmetro), misture:

Veja as notas da p. 447 para substituição do leitelho. →

	1 dúzia de donuts comuns	Donut de 30cm de diâmetro	Donut de 1,5m de diâmetro
Leitelho (ml)	192	2.304	38.400
Manteiga (g)	64	768	12.800
Extrato de baunilha (ml)	4	48	800
Ovos grandes	2	24	400
Gema de ovos	1	12	200

3 Misture os ingredientes secos e os úmidos, usando uma espátula para as versões menores; para o de 1,5m, misture em quatro partes em um misturador de cimento. Transfira a massa para o molde.

Para donuts regulares, abra a massa em uma largura aproximada de 1cm. Corte em formato de donuts usando algo redondo (um copo grande de iogurte de cabeça para baixo servirá); recorte o centro também. Frite o donut em óleo a 190°C até dourar, cuidando para manter o calor à temperatura apropriada (use mais óleo e frite um ou dois de cada vez). Vire-os na metade da fritura. Quando estiverem prontos, transfira para uma assadeira forrada com toalha de papel para esfriar.

Para o donut de 30cm de diâmetro, asse em forno ajustado para 175–190°C até que o centro atinja 90°C. Retire o donut do forno, esfrie por pelo menos 30 minutos e remova o molde. Se preferir, pode fritá-lo neste ponto para deixar o lado de fora crocante e dourado: transfira o donut para um suporte robusto de resfriamento e, utilizando um arame para segurar o suporte, mergulhe-o em uma panela grande com óleo para fritura, frite e depois puxe a prateleira pelo arame.

Para o donut de 1,5m de diâmetro, comece assando-o em um forno grande, entre 175° e 190°C, por mais ou menos metade de um dia, até que a temperatura interna alcance 80°C. Para fritá-lo... bem, é complicado; envolve guindastes, jatos de areia, soldadores, lixeiras e cerca de um milhão de BTUs em queimadores. Felizmente, alguém estava pagando a conta.

Recheio e Cobertura

Quanto ao recheio e à cobertura do donut, é uma escolha pessoal. Na apresentação, usamos um recheio de creme de ovos e cobertura de bordo, com tiras de bacon cobertas com chocolate imitando granulado. Pessoalmente, acho que açúcar de confeiteiro é muito bom, e bem mais fácil.

Separação de Líquidos

Separar alimentos é um problema intrigante de química e física que pede soluções inteligentes. Muitos ingredientes — azeite de oliva, farinha, manteiga, suco de laranja — começam como misturas que envolvem um processo de separação para dividi-los, como remover o azeite de uma azeitona ou a gordura do leite.

Como separar as várias partes de um ingrediente depende das propriedades dele. Há a propriedade óbvia do tamanho — separar macarrão da água é fácil — e alguns líquidos, como leite fresco integral, separam-se espontaneamente com o tempo. Mas como você faria para retirar o sal da água ou para separar sabores dos líquidos? As ferramentas do mundo industrial podem nos ajudar a responder essas questões, de acordo com diferenças em aspectos como densidade, ponto de ebulição, e até mesmo propriedades magnéticas. Aqui estão algumas das maneiras que a indústria de alimentos utiliza para separar coisas líquidas:

- **Filtragem mecânica:** filtra com facilidade os sólidos em líquidos, separando a polpa de sucos espremidos e clareando líquidos turvos. Às vezes, uma abordagem dupla precisa ser feita: adiciona-se um ingrediente temporário que adere ao material turvo do líquido, que depois é filtrado para criar líquidos cristalinos.

- **Centrífugas:** separam misturas de acordo com as diferenças de densidade e são mais fáceis de usar do que a opção anterior em operações industriais (não há necessidade de limpar filtros). As centrífugas de bancada podem girar uma pequena quantidade de líquido, mas as indústrias precisam de algo com maior capacidade. Uma opção é a centrífuga decantadora, que pega uma mistura de um lado e então gira o líquido, fazendo com que os itens com maior densidade (a polpa nos sucos, a levedura em bebidas) sejam separados por um tubo enquanto os mais leves (a gordura do leite, o óleo vegetal de vegetais prensados) percorrem uma distância maior e saem por outro tubo. Centrífugas de alimentação contínua são uma maneira inteligente de equilibrar a filtragem mecânica e a separação natural.

- **Desidratação:** atua pela evaporação da água, reduzindo a quantidade de umidade para dar estabilidade de armazenamento; ela muda a textura, a cor e os sabores dos alimentos.

- **Destilação:** evapora líquidos, os transforma em gases e depois os condensa em outro recipiente. Toda a indústria de bebidas está baseada na destilação, e perfumes e outras fragrâncias também são separados da água dessa forma.

Dividiremos as técnicas de separação de acordo com o uso potencial na cozinha nas próximas páginas.

Seria um descuido se eu não incluísse duas outras técnicas de separação e algumas demonstrações divertidas de como funcionam. Elas não são úteis na cozinha, mas são interessantes!

- **Separação magnética:** usada em processos industriais para remover qualquer "corpo estranho ferroso", como parafusos e limalha de ferro, que tenha acidentalmente caído no alimento. Embora um separador magnético de mesa caseiro não fosse fazer muita coisa — os metais tóxicos como o mercúrio não respondem a campos magnéticos —, há uma demonstração divertida de como isso funciona com aço. Coloque um punhado de cereal matinal fortificado com ferro em um liquidificador ou em um saco plástico, pulverize-o até que se transforme em pó e passe um ímã forte. Você verá pontinhos pretos cobrindo a superfície do ímã.

- **Cromatografia:** separa componentes conforme a rapidez com que atravessam outro material. Eu nunca vi nenhuma aplicação caseira da cromatografia, talvez porque ela separe coisas em uma escala tão pequena que não encontre utilidade culinária. Tente marcar uma toalha de papel com uma fileira de linhas de algumas canetas diferentes e mergulhar a borda paralela às linhas em uma tigela com água. Depois de alguns minutos, você verá as várias tintas se separarem à medida que a água passa pelas marcas e carrega os pigmentos a distâncias diferentes.

Filtragem Mecânica

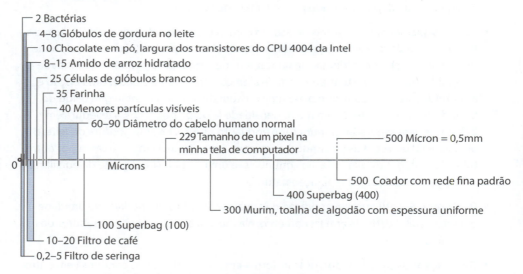

Tamanhos de itens comuns (parte superior) e filtros comuns (parte inferior).

A filtragem é uma técnica comum para separar sólidos de líquidos em uma pasta. Ela cria dois volumes: o líquido e os sólidos que são filtrados. Normalmente, são os líquidos o que queremos, mas os sólidos também podem ser desejáveis em alguns casos. Qual método de filtragem utilizar depende do tamanho da partícula dos sólidos. Você provavelmente não pensará em coar ervas e partículas maiores de algo como um caldo por filtragem, mas é um método. (Use um coador metálico. Os plásticos costumam ter buracos maiores, além disso, quebram com facilidade.) Em cozinhas comerciais, o *chinois* — um coador cônico também usado para triturar sopas e fazer purê de batatas com uma textura fina — também é comumente usado.

A coisa interessante com a filtragem acontece nos pedaços menores, e é feita de duas formas: à moda antiga: "Ei, buracos menores e menores" (como coar leite por uma peneira forrada com gaze para queijo), e um método moderno que utiliza géis.

Você pode fazer seu próprio leite de amêndoas com um purê de amêndoas previamente hidratadas, e depois filtrando-o com um coador comum de cozinha forrado com gaze ou uma toalha limpa de felpa, que retém partículas da ordem de 300μm (segure a toalha pelas bordas e esprema para que o líquido possa escorrer). Ou siga o estilo da indústria e filtre as partículas menores com peneiras de filtro de malha — à prova de calor, reutilizáveis e de alta durabilidade, tipicamente usadas pela indústria alimentícia em sistemas pressurizados, mas divertidas para brincar em casa (procure pela peça 6805K31 em http://www.mcmaster.com — site em inglês).

A maneira mais interessante de filtrar partículas muito pequenas é com a utilização de géis, usados para separar os menores sólidos que deixam turvos os líquidos que, de outra forma, seriam transparentes. O gel retém as partículas, e depois podem ser retiradas de sua estrutura. A técnica não é moderna: o consomê, uma sopa clara de caldo clarificado, é tradicionalmente feito fervendo claras de ovos no líquido, que então se liga às partículas, coagula e flutua, formando uma grande massa que pode ser facilmente removida. E fabricantes de vinho e cerveja utilizam a ictiocola, um colágeno derivado da bexiga natatória dos peixes, para filtrar os líquidos: a ictiocola se agarra à levedura, formando partículas mais densas que se aglomeram em flocos e se precipitam (sinto muito, vegetarianos amantes de cerveja).

Uma técnica moderna para fazer líquidos clarificados é congelar o líquido e deixá-lo descongelar através de um filtro.

Os dois componentes comuns para criar géis para a filtragem com gel são a gelatina e o ágar. Se você for clarificar caldo, a gelatina já estará presente (dos ossos); caso contrário, adicione gelatina ou ágar (veja a p. 423 para saber mais sobre o ágar) para formar o gel e então esprema-o em uma toalha — como na descrição anterior para fazer leite de amêndoas —, tomando cuidado para não espremer demais e deixar o gel atravessar a toalha também.

Existe um segundo truque, ainda mais inteligente, que você pode fazer com clarificações com gel: o descongelamento. Em vez de espremê-lo por uma toalha, congele-o e então deixe descongelar o líquido gelatinizado em uma peneira forrada com uma toalha, colocada sobre uma tigela (certifique-se de que o líquido esteja totalmente congelado antes de descongelá-lo. E se for demorar mais do que uma hora ou duas para descongelar, descongele no refrigerador por razões de segurança). Se o líquido que está clarificando não tem gel naturalmente, você pode adicionar a ele gelatina (em uma concentração de 0,5%) ou ágar (em uma concentração de 0,25%). O lado negativo do descongelamento é o tempo que demora, mas você pode obter líquidos limpos sem precisar de uma centrífuga.

Caldo Branco Básico

O caldo branco é um daqueles ingredientes considerados primordiais na culinária, mas devido ao tempo despendido e à necessidade de ossos, a maioria dos cozinheiros amadores o compra pronto quando ele é pedido em sopas e molhos.

O caldo feito em casa é diferente do que você compra nas lojas: ele tem gelatina, por isso vai se transformar em um gel quando esfriar. Da próxima vez que você se encontrar com uma pilha de ossos de sobra, tente fazer o caldo desde o início. (Você pode também pedir carcaças de frango no seu supermercado.)

Em uma panela grande (6L), adicione os seguintes ingredientes e cozinhe os vegetais até que comecem a amolecer, cerca de 5 a 10 minutos:

- **2 colheres (sopa) de azeite de oliva (25ml)**
- **1 cenoura picada (100g)**
- **2 talos de aipo picados (100g)**
- **1 cebola média picada (100g)**

Adicione:

- **2kg de ossos, como de frango, vitela ou bovinos**

Para os ossos, procure por "carcaça de frango" no mercado.

Cubra com água e deixe ferver lentamente. Adicione ervas aromáticas e especiarias, tais como folhas de louro, um punhado de tomilho, e tudo o que seja do seu gosto. Tente anis-estrelado, raiz de gengibre e paus de canela para algo mais próximo do caldo usado no Pho vietnamita.

Se tiver uma panela de pressão, cozinhe por 30 minutos. Caso contrário, cozinhe em fogo baixo por várias horas (duas ou três para ossos de galinha; seis a oito para ossos mais grossos e pesados). Coe e esfrie; transfira para a geladeira.

Aqui está o resultado de várias filtragens diferentes, começando com a mais grosseira e indo progressivamente para a mais fina. (Eu retirei os ossos e a matéria vegetal com uma escumadeira de ~5.000µm antes de passar o caldo através do filtro de 500µm.)

Nota

- *Para fazer um caldo dourado, cozinhe os ossos em uma panela por uma hora a ~200°C e depois adicione ½ xícara (chá) de massa de tomate (970g), além da cenoura, do aipo e da cebola listados. Cozinhe o caldo por mais meia hora, transfira para um caldeirão e cozinhe em fogo baixo segundo as instruções anteriores.*

500µm: material coletado por um chinois (espécie de funil) ou coador fino.

300µm: material coletado por um pano de algodão.

100µm: material coletado por um filtro de trama de metal.

Consomê Coado

Para fazê-lo, comece com um caldo adequado — não o comprado em supermercados, que não contém gelatina. Ela é necessária: assim como no método tradicional de clarificação da clara de ovo, a gelatina é o que agarra qualquer partícula e clarifica o caldo.

Após o caldo esfriar e se transformar em gel (deixe a noite toda), transfira a gelatina para o congelador. Quando a água do caldo congelar, vai empurrar as impurezas para a gelatina. Depois de congelado, ponha-o no saco de filtragem e deixe-o descongelar gotejando no balcão por uma hora, ou na geladeira durante a noite. O filtro vai prender a gelatina, e o consomê clarificado passará pelo coador.

Certifique-se que o recipiente em que congelar o caldo seja menor que o filtro que usa; caso contrário, você não será capaz de encaixar o bloco congelado no filtro.

Consomê feito com caldo descongelado coado (esquerda), comparado com o caldo original (direita) filtrado com 100μm. Note a transparência do consomê.

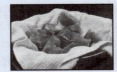

Coloque o caldo congelado em um coador forrado com uma toalha de algodão. Você pode congelá-lo em bandejas de gelo, como mostrado aqui.

Após uma hora ou duas, ele terá descongelado, o consomê estará na panela e o algodão terá retido essas formas estranhas de partículas de gelatina.

Centrífugas na Cozinha

As centrífugas são como um ciclo máquina de lavar enlouquecido. Ao girar os objetos — roupas, frascos de amostras, suco de tomate — em altas velocidades ao redor de um eixo fixo, a aceleração centrípeta faz com que os mais densos se separem mais rápido dos mais leves por um processo chamado sedimentação.

Ela normalmente acontece com a gravidade e o tempo. Isso faz com que temperos desçam para o fundo do molho ou itens empacotados fiquem embaixo da espuma (mas eu acho que os empacotadores colocam minhas compras na caixa primeiro).

As centrífugas aplicam mais aceleração que a gravidade. As forças gravitacionais — mil vezes a força que a gravidade da Terra exerceria! — são consideradas fracas pelos padrões da centrífuga, embora sejam fortes o bastante para muitos usos culinários. As centrífugas geram uma grande quantidade de força (bom, tecnicamente, aceleração), que separa os componentes através da sedimentação de forma muito rápida. Em comparação, os astronautas enfrentam duas forças gravitacionais na decolagem!

As centrífugas são usadas pela indústria culinária. (O leite desnatado não vem de uma vaca que faz dieta!) Chefs de alta tecnologia também as utilizam. O suco de tomate, quando centrifugado, se separa em três fases, e a do meio parece água pura (nem mesmo amarelada!), mas tem gosto de tomate. Os vegetais também podem ser centrifugados para obter um efeito similar. É possível obter óleo de nozes em minutos (os óleos flutuam, por serem menos densos) e separar os óleos com sabor de outras plantas, o que de outra forma seria impossível. Se você tiver a sorte de ter acesso a uma

Separação de Líquidos

centrífuga, comece com o suco de tomate; o choque de ver água com cheiro e gosto de tomate é uma experiência inesquecível. Acesse http://cookingforgeeks.com/book/centrifuge/ para saber mais (site em inglês).

Desidratação

Você pode não pensar na desidratação como uma separação, mas é: a água se separa através da evaporação ou da sublimação quando as comidas são desidratadas. A desidratação natural dos alimentos pelo ar é talvez o método de conservação mais antigo, e é um método simples para estabilizar alimentos, para que não estraguem ou mofem. Mesmo com a refrigeração moderna, ainda desidratamos alimentos dessa forma para obter mudanças desejadas na textura, frutas secas firmes, carne-seca macia, e flocos de couve crocantes.

Desidrate ervas com pouca umidade como orégano, alecrim, sálvia e endro pendurando-os de cabeça para baixo em um local seco e escuro, por vários dias ou semanas, até que as folhas se soltem quando tocadas.

Se tiver a sorte de viver em uma região quente e árida, qualquer lugar em que o verão esteja acima dos 30°C e em que a umidade fique abaixo dos 60% (ah, Califórnia), desidratar frutas é uma tarefa fácil. Pegue frutas bem maduras, lave-as e deixe-as bem limpas. Corte frutas como pêssego ao meio (removendo o caroço) e as outras em fatias (pimentas e tomates, ambos são frutas!) e coloque-as de molho por 10 ou 15 minutos em suco de limão (ou em uma solução a 4% de vitamina C). Enxugue-as, coloque-as em um pedaço de morim sobre a prateleira do forno, e seque-as por mais ou menos uma semana. Se achar que a fruta tem algum inseto ou larvas, congele as frutas secas (abaixo de -18°C) por dois dias ou cozinhe-as a 70°C por meia hora.

Para que tanto trabalho? Bem, além de dar um jeito em quilos de damascos em uma semana (eu cresci com uma árvore de damascos no quintal), desidratar suas próprias frutas dá a você acesso a ingredientes melhores do que os comprados ou que nem existam para vender. A páprica comprada em supermercados, mesmo de boa proveniência, não consegue competir com a que você pode fazer em casa. Pegue alguns pimentões, defume-os se preferir páprica defumada (fica ótima com frango; veja a p. 28), e desidrate-os. Depois de desidratados, passe-os pelo liquidificador para pulverizar. (Se tiver facilidade com plantas, procure sementes de páprica e plante!)

Se você não vive em um clima árido — ou se não é verão —, pense em adquirir um desidratador. Eles são basicamente uma caixa com um ventilador e um aquecedor para acelerar a evaporação. Eles mantêm a temperatura do ar constante e sopram para fora o vapor d'água. O aquecedor não é tanto para cozinhar, mas para manter a temperatura. A água, à medida que evapora, diminui a temperatura de superfície do alimento, o que

A desidratação por congelamento funciona através da sublimação — o gelo evapora diretamente em vapor. Embora tenha pouco impacto na forma, sabores ou valores nutricionais, é um processo caro, por isso é geralmente usado apenas em casos em que o peso da água é um problema, como em viagens espaciais.

leva a uma velocidade de evaporação menor; o aquecedor resolve esse problema e acelera ligeiramente a evaporação. Coloque uma porção de damascos fatiados ou tomates e espere algumas horas, e presto! Eles estarão desidratados. (Coloque esses damascos em chocolate amargo derretido, por falar nisso. Não há de quê.)

Desidratadores de alimentos podem ter outras utilidades. A carne-seca, feita da maneira tradicional, pode estragar ou ter problemas de segurança alimentar quando desidratada de maneira lenta. O desidratador acaba com esse problema. Você pode fazer outras carnes-secas, também: salmão desossado e fatiado em peças de 0,5cm de espessura e desidratado por 3 a 6 horas fica delicioso. Ou faça suas próprias capas de frutas (folhas finas de frutas secas): faça um purê misturando uma colher de chá de suco de limão por xícara de fruta e, se quiser, adicione açúcar a gosto. Espalhe o purê em uma forma de silicone e desidrate. (Faça você mesmo seus rolinhos de frutas.)

> Embora a água ferva a 100°C, ela evapora de acordo com a pressão do vapor em baixas temperaturas, supondo que a umidade relativa esteja abaixo de 100%. Você não tem que aquecer os alimentos para evaporá-la, embora aumentar a temperatura aumente a taxa de evaporação devido às mudanças de pressão.

Chips Crocantes de Couve ao Forno

Eu fico chocado com o quanto alguns supermercados cobram por alguns gramas de chips de couve. Depois que você vir como é fácil fazê-los — não é necessário nenhum equipamento especial —, você vai querer começar a vendê-los!

A couve se tornou um ingrediente da moda nos últimos anos, e a moda não vai passar, assim como as beterrabas, outro ingrediente "repentinamente popular" algumas décadas atrás, ainda são populares. A couve veio para ficar. E o calor fraco e longo é o segredo para chips de couve maravilhosos.

Preaqueça o forno a 150°C; mais quente que isso e as couves podem queimar.

Enxágue e seque **500g de folhas de couve**. Utilize a variedade que preferir (eu prefiro a toscana). Arranque os caules dobrando cada folha ao meio no sentido do comprimento. Se preferir chips menores, corte-as em quatro, mas é mais fácil fazer isso depois que estiverem assadas.

Coloque as folhas em uma tigela com **2 colheres (sopa) de azeite de oliva ou óleo de coco (30ml)** e **½ colher (chá) de sal (2g)**. Se preferir, pode adicionar **pimenta-do-reino**, **pimenta-de-caiena ou queijo parmesão** — qualquer coisa seca e que fique bem assada. Usando os dedos, esfregue o azeite e o tempero sobre as folhas e espalhe.

Coloque as folhas de couve em uma assadeira forrada com papel-manteiga e asse por mais ou menos 20 minutos, até que estejam crocantes.

Nota

- *Os dois erros mais comuns que tenho visto são assar a couve em fogo muito alto (a couve vai ficar torrada e com gosto de cozida, possivelmente queimada) e não assar por tempo suficiente (você vai saber, porque as couves ficam moles). A evaporação, como quase tudo em culinária, tem uma taxa de razão tempo x temperatura: temperaturas mais altas aumentam a quantidade de vapor d'água que será solto no ar, e circular esse vapor d'água para substituí-lo por ar mais seco acelera a taxa de evaporação.*

Diversão com Equipamentos

Separação de Líquidos **353**

Carne-seca 5[3]

Com apenas 5 ingredientes que levam 5 minutos para misturar e 5 horas para cozinhar (5x5x5, entendeu?), não há desculpa para que os amantes de carne-seca não façam a sua: ela terá um gosto melhor do que a empacotada, e você ainda pode temperá-la exatamente como gosta.

Carne-seca é absurdamente fácil de fazer; é provavelmente uma das primeiras coisas que os humanos já "cozinharam". Pegue uma boa fatia de carne, marine para dar sabor, e desidrate. Reduzindo o conteúdo de umidade, a desidratação deixa a carne ressecada demais para suportar o crescimento de bactérias. É claro, ela também tem um gosto fantástico, e é por isso que a carne-seca ainda hoje é popular, mesmo com a refrigeração.

Cortes mais gordurosos de carne resultarão em uma carne-seca mais macia. Cortes mais finos, depois de desidratados, ficarão mais secos; cozidos demais, ficarão crocantes.

Pegue os seguintes ingredientes:

500g a 1kg de carne de boa qualidade (use cortes como contrafilé, alcatra, coxão mole etc). O peso final será aproximadamente ¼ do peso inicial

½ xícara (chá) de molho de soja (120ml)

1 colher (chá) de molho sriracha, pimenta-de-caiena ou dedo-de-moça (5ml) (opcional)

1 colher (chá) de pimenta-do-reino moída na hora (2g)

4 colheres (sopa) de açúcar mascavo (50g)

Misture os ingredientes da marinada em uma tigela. A marinada confere sabor. Sinta-se livre para adicionar ou retirar qualquer ingrediente. Tente adicionar molho inglês, líquido defumado (veja a p. 403), seu molho de pimenta favorito — ou qualquer outro sabor de que goste.

Fatie a carne em tiras finas usando uma faca afiada. Se tiver dificuldade em manter a carne imóvel enquanto estiver fatiando, coloque-a no freezer por uma hora para que fique firme.

Coloque a carne fatiada na marinada. Embora não seja necessário deixar a carne descansar na marinada, é uma opção, com certeza. Cobrir a carne com a marinada e passar direto para a desidratação funciona muito bem e economiza muito tempo, mas, se quiser, coloque a carne coberta na geladeira por uma hora ou duas.

Se tiver um desidratador de alimentos, preaqueça-o a 65°C por meia hora (verifique a temperatura do equipamento com um termômetro com sonda; às vezes, os equipamentos não são tão bem aferidos!). Coloque as tiras de carne nas bandejas e coloque-as na unidade. Verifique depois de 5 horas. Se o desidratador não deixa entrar ar fresco ou circula mal o ar, um tempo de desidratação de 24 horas é razoável.

Se não tem um desidratador de alimentos, forre uma assadeira com papel-alumínio e coloque uma grelha por cima. Coloque as tiras de carne na grelha. Ajuste o forno para o mínimo: o ideal é por volta dos 65°C e não abaixo dos 63°C. (Muito quente, a carne vai criar uma crosta na superfície e não vai desidratar.) Coloque a grelha no forno, deixando a porta aberta para permitir que a umidade da carne escape do forno e para manter o forno ligeiramente mais fresco do que a temperatura ajustada.

Cinco horas depois, você estará olhando para a sua primeira porção de carne-seca.

Antes de achar que está pronta, contudo, complete mais uma etapa: para lidar com alguns problemas de segurança. Pesquisadores descobriram que a *E. coli* pode sobreviver a temperaturas de 63°C por até 10 horas nesses tipos de condições de desidratação, provavelmente devido ao resfriamento evaporativo. Nossos ancestrais não lidavam com essas coisas; eles ocasionalmente pegavam um pedaço ruim e ficavam doentes (ou pior). Há duas questões de segurança alimentar que você deve considerar:

- **Pré-contaminação:** Se a sua carne veio com salmonela ou *E. coli* pelo caminho, isso pode ser resolvido com facilidade com um rápido aquecimento em baixa temperatura: coloque a carne no forno a 135°C por dez minutos. (Os tradicionalistas vão odiar isso, mas o aquecimento causará apenas mudanças sutis à textura.) Alternativamente, veja a página 174 para um tratamento com o método do mergulho em água fervente, mas a recomendação ainda é de tratar a carne depois de desidratada.
- **Estabilidade:** Certo, isso nunca foi um problema para mim, mas isso é porque consumo a carne quase que instantaneamente. Mesmo assim, você deve ter certeza de que realmente a desidratou o suficiente; caso contrário, a atividade da água será muito alta (veja a p. 175). Verifique se a carne foi desidratada o bastante pesando-a: a carne desidratada deve pesar aproximadamente um quarto do peso inicial. Mantê-la desidrata depois de pronta também é importante. Se você vive em um ambiente úmido, a carne desidratada absorve a umidade. Guarde-a em um recipiente hermético.

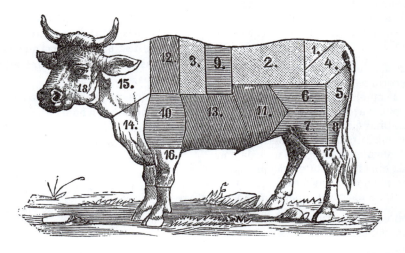

Laboratório: Separação Através da Cristalização (Palitinhos de Açúcar)

Existe outra maneira de separar sólidos de líquidos na cozinha: a cristalização.

A cristalização inesperada do açúcar ou da água pode arruinar os pratos. Os cristais de água que crescem muito podem transformar o sorvete de cremoso para arenoso, e a cristalização inesperada do açúcar enquanto você está fazendo calda de caramelo vai produzir uma gororoba cristalizada que parece uma superfície congelada de um planeta exótico. Por outro lado, a cristalização apropriada é o que dá à calda de chocolate sua incrível textura.

A cristalização pode acontecer quando substâncias puras como o açúcar estão em estado *supersaturado* — isto é, quando mais açúcar está dissolvido em uma solução do que o que ocorre normalmente. Qualquer cristal, até mesmo uma quantidade microscópica da substância arrumada em uma forma de cristal, pode servir como ponto inicial para que a substância cristalize. É por isso que receitas de calda de caramelo advertem os cozinheiros para molhar os lados das panelas enquanto estão fervendo água: isso remove qualquer cristal que possa levar àquela gororoba cristalizada craquelada. (Alternativamente, aqueça lentamente e não mexa — mexer acelera a formação de cristais.)

Criar uma solução supersaturada é fácil: solventes como a água vão geralmente (mas nem sempre) dissolver mais solutos (por exemplo, o açúcar) em temperaturas mais altas. Diminuir a temperatura em uma solução supersaturada leva ao equivalente químico de uma crise existencial: dada uma semente de cristal, os solutos vão precipitar de volta ao nível necessário para fazer a solução voltar a um nível supersaturado.

Tente fazer esses divertidos palitos de açúcar para ver como os cristais se formam e crescem.

Primeiro, pegue esse material:

- 1 xícara (chá) de açúcar (200g)
- ½ xícara (chá) de água (120g)
- Um copo estreito ou uma jarra pequena
- Espetinhos de madeira
- Fita adesiva (fita-crepe)
- Filme plástico
- Recipiente para ferver água
- Corante alimentício e extratos aromatizantes (opcionais)

Preparo:

1. Mergulhe o espetinho na água para molhar os primeiros centímetros (~10cm) e depois mergulhe-o no açúcar. Isso vai cobrir o espeto com *sementes de cristais* — o ponto de partida para a cristalização.
2. Em uma panela sobre o fogão ou em um recipiente que possa ir ao micro--ondas, misture o açúcar e a água e ferva ligeiramente para dissolver completamente todo o açúcar. Deixe a mistura esfriar por alguns minutos, depois vire-a no copo ou jarra. Se quiser fazer espetinhos de açúcar coloridos ou com aromas, adicione algumas gotas de corante ou extratos (use uma base de glicerina; extratos à base de álcool vão evaporar) nessa etapa.
3. Estique um pedaço de fita adesiva atravessando a borda do copo e espete o palito na fita, de forma que fique balançando no centro do copo mas não toque o fundo. Pode ser que você precise usar mais um pedaço de fita ao redor do espeto para que ele não caia.
4. Cubra o copo com filme plástico.

Laboratório: Separação Através da Cristalização (Palitinhos de Açúcar)

5. Coloque o copo em algum lugar onde ele não vá ser perturbado e verifique todos os dias enquanto os cristais de açúcar crescem. Retire o espeto quando eles tiverem alcançado o tamanho desejado, normalmente entre 5 e 7 dias. (Há tanto açúcar presente que não há necessidade de refrigeração — bactérias e bolor não conseguem crescer.)

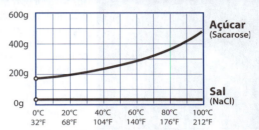

Quantidade máxima de soluto por 100 gramas de água

Hora da investigação!

O que você acha que aconteceria se usasse menos açúcar? Ou se não tivesse semeado o espeto com cristais de açúcar?

O que aconteceria se dissolvesse o açúcar em água, mas não aquecesse o líquido?

Crédito extra:

Estas instruções usam cristais de açúcar como locais de nucleação — locais em que a cristalização pode ocorrer. Em um recipiente perfeitamente liso (difícil de conseguir; mesmo um copo aparentemente liso tem ondulações microscópicas), não há local de nucleação para a separação ocorrer. O mesmo é verdadeiro para líquidos que congelam como a água: os cristais de gelo precisam de um local de nucleação para dar início à cristalização.

O que você acha que acontece quando não há pontos de nucleação? Garrafas plásticas de água, ainda lacradas pelo fabricante, podem ser lisas o suficiente e livres de impurezas para não ter locais de nucleação. Tente congelar várias garrafas pequenas lacradas por 2 a 3 horas e veja se você pode criar um líquido super-refrigerado — um líquido que está abaixo de seu ponto normal de solidificação. Se alguma das garrafas permanecer em estado líquido, você tem uma garrafa super-resfriada de água: coloque-a em uma tigela e assista-a congelar instantaneamente. Para um vídeo de demonstração, acesse http://cookingforgeeks.com/book/supercool/ — site em inglês.

Olhe de novo para o gráfico de solubilidade de acordo com a temperatura. Como você tentaria fazer espetinhos de sal?

A cana-de-açúcar pode atingir até 6m de altura.

Dave Arnold: Equipamentos Industriais

Dave Arnold é apresentador do programa de rádio Cooking Issues e autor do livro Liquid Intelligence (Inteligência Líquida — Orton, 2014). Foi também professor no Instituto de Culinária Francesa, na cidade de Nova York, onde ensinava sobre técnicas e equipamentos modernos.

Como você consegue que as pessoas pensem de uma forma analítica, fora da caixa, quando estão na cozinha?

Para as pessoas que naturalmente não pensam dessa maneira, você não pode esperar que comecem espontaneamente. Você precisa dar a elas outro conjunto de ferramentas para trabalhar na cozinha. Assim, pegamos algo que elas consideram banal, como cozinhar ovos, e, então, dividimos em um zilhão de pequenos componentes. Montamos grades em que manipulamos variáveis individuais. Isso significa que olhamos duas variáveis de uma só vez em um formato de grade — por exemplo, tempo contra temperatura — e manipulamos uma variável para ver como isso afeta a outra.

Um dos exemplos clássicos é o café. As variáveis são reconhecíveis, mas por que tem tanto café, especialmente expresso, terrível? Há muitas pessoas que têm máquinas que não são boas o suficiente. É bom pensar analiticamente. Se está brincando com o café e está mudando x, y, e z, isso equivale a ficar em frente a uma grande placa de controle com um monte de botões e, em seguida, apenas girar os mostradores. Para ensinar alguém a fazer um bom café, você tem que ensinar a bloquear todas as variáveis e alterá-las uma de cada vez. Ao fazer um café expresso, a maioria das pessoas escolhe alterar a moagem como sua variável. Elas acham que é mais fácil bloquear a temperatura, a dosagem, a pressão, e, então, manipular a moagem. Isto ensina como manipular variáveis e pensar analiticamente sobre algo.

Se estamos tentando descobrir a variável de temperatura com ovos, vamos fazer isso. Vou usar um circulador para cozinhar dez ovos a uma temperatura muito precisa. Vamos fazer isso várias vezes e quebrá-los para ver seu comportamento. Ou vamos ensinar as pessoas a fazer grades para testar diferentes variáveis, a fim de descobrir algo como o efeito do calor sobre a carne tostada. Vamos criar uma grade de degustação e elas poderão provar. Eu acho que isso ajuda a desenvolver essa habilidade. É tudo sobre controle e capacidade de observar.

Que tipo de equipamento você reaproveitou para a cozinha?

Um chef vai, basicamente, tentar roubar tudo o que puder para ajudá-lo a cozinhar, homogeneizar ou misturar de maneira diferente. A maioria das coisas que utilizamos, para as quais inventamos uma nova utilidade, não é necessariamente ideia nossa. Você pode absorver muitas coisas dos outros. Todo mundo está usando nitrogênio líquido hoje em dia, porque é uma coisa fantástica. Utilizamos de um modo diferente até mesmo coisas que encontramos numa cozinha normal; hoje em dia, muitas pessoas estão fazendo um trabalho interessante usando cozimento por pressão, por exemplo. Nós utilizamos limpadores ultrassônicos e evaporadores rotativos com bastante frequência, e fizemos alguns experimentos com maçaricos recentemente. Por que as coisas que cozinhamos com um maçarico têm um "gosto de maçarico"? Estou começando a acreditar que são os componentes adicionados ao gás para que eles tenham um cheiro, uma medida de segurança para que você perceba se tem um vazamento. Eu acho que o sabor do maçarico se deve ao fato de que não há uma combustão completa da parte fedida. Eu queria deixar uma coisa grande bem crocante, então usei um com propano e não deu um gosto ruim. Eu usei um normal através de um filtro para ver se conseguiríamos eliminar parte do cheiro, capturando-o no filtro e o queimando. Isso também funciona.

Como você equilibra experimentação e segurança?

Aprenda o máximo possível sobre riscos envolvidos em qualquer novo empreendimento em potencial. A internet é boa para isso porque há muitas pessoas que já se machucaram. Faça muita pesquisa; leia muitas coisas. Lá tem várias opiniões, e o que uma pessoa diz pode não ser necessariamente verdade. Não são necessárias muitas pesquisas no Google para descobrir que alguém já tentou carbonatar algo com gelo-seco em uma garrafa de refrigerante e obteve um monte de plástico quebrado em seu rosto como resultado.

Você não quer sufocar a criatividade de ninguém ou o seu desejo de bisbilhotar e fazer as coisas, porque essa é a diversão. Mas tem que ser moderado com certo grau de conhecimento básico. As coisas são perigosas em três circunstâncias: uma, se você não sabe o procedimento de modo algum. Foi o que aconteceu com o cara da garrafa de refrigerante. Ele não sabia. Dois, se você tem medo de alguma coisa, uma peça de equipamento ou uma faca. Se decidir usar de qualquer maneira, estará mais propenso a se machucar. Três, quando se torna complacente. Se você é uma pessoa inerentemente cautelosa e não se tornar complacente, essa é a forma mais segura de fazer estes tipos de experimentos.

E quanto à segurança de equipamentos usados, tais como os de laboratório?

Quando adquiri a minha centrífuga, nós lavamos com água sanitária e cozinhamos na pressão todas as peças que entrariam em contato com qualquer alimento. Quando adquiri meu rotovapor, eu embebi aquela ventosa em uma solução de água sanitária e depois em água fervente, e então água fervente e sanitária. Você tem contaminantes biológicos e venenosos — todos os tipos de contaminantes. Eu me sinto muito bem que com inox e vidro eu posso me livrar da maioria das coisas inorgânicas ruins, mas você só tem que rezar para que lave o suficiente para se livrar de todo o material orgânico. Do ponto de vista dos riscos biológicos, você está preocupado com príons, se alguém tem misturado cérebros de vaca fazendo a pesquisa Creutzfeldt-Jakob ou algo assim. Você não pode cozinhar para se livrar do risco, eles são termicamente estáveis. Então, você está dependendo da lavagem mecânica.

Estou curioso, o que você faz com uma centrífuga?

Um monte de gente compra centrífugas porque acha que vai obter resultados impressionantes. O que você realmente precisa fazer é pedir emprestada a centrífuga de outra pessoa em primeiro lugar. Tudo o que uma centrífuga faz é separar as coisas com base na densidade.

Se você está cozinhando, quer um resultado volumoso, porque quer servir um monte de gente. Não é sempre viável. A Unilever nos doou uma centrífuga, e eu tinha mais

tempo só para brincar. Agora estamos fazendo um monte de coisas, como preparar nosso próprio óleo de nozes ou clarificar coisas como suco de maçã, que centrifugamos para aumentar o rendimento. Além disso, você pode misturar azeitonas, as curadas como a kalamata, e depois centrifugá-las. Elas vão se separar em três camadas. Você terá a melhor salmoura de azeitonas para um martini facilmente. A camada do meio é completamente insípida, e será descartada. Depois tem uma camada muito interessante de azeite de azeitonas curadas. Esse é o tipo de diversão. No entanto, uma diversão cara.

Estamos levando coisas para a cozinha que não são da cozinha, e não apenas equipamentos de laboratório. Há um grupo inteiro de pessoas que fazem seus próprios chocolates. Elas usam um moedor de pedra da Índia que é usado para moer lentilha. Nós usamos isso, e estamos fazendo coisas que têm as propriedades da textura do chocolate, que não têm qualquer relação com ele, como o ketchup e a mostarda. A maioria das coisas na cozinha vai ser baseada em equipamentos, mas não é necessariamente uma nova tecnologia ou tecnologia de laboratório. Às vezes, é apenas aprender novas técnicas. É mais uma atitude.

Vou te dar outro exemplo: como você deveria cozinhar cogumelos? Você não deve molhá-los. Eles sempre dizem para limpá-los.

Eu costumo fazer apenas uma lavagem rápida. Minha opinião sempre foi de que eles realmente não absorvem tanta água.

Na verdade, absorvem. Cogumelos são pequenas esponjas, mas aí está a coisa: nossa afirmação tem sido sempre que só vai levar mais tempo para cozinhar. O que é verdade. Fizemos um teste em que não apenas molhamos os cogumelos fatiados, mas depois enchemos a

panela — todas as coisas que você não deve fazer com um cogumelo.

A surpresa não foi que não fez diferença no cozimento, mas que aqueles que tínhamos molhado e colocado aos montes na panela estavam *melhores*. A razão é que enquanto os cogumelos molhados estão ali parados perdendo água e cozinhando no próprio suco, eles estão se desnaturando. Não são mais uma esponja para absorver o óleo, por isso, na hora em que toda a água havia evaporado e eles começaram a dourar, já estavam desnaturados, e não estavam absorvendo o óleo. Os cogumelos não molhados, após dourar, tinham absorvido todo o óleo e, na verdade, precisavam de mais. Os que tinham sido molhados ainda não tinham absorvido todo o óleo. Parte do óleo ficou na panela.

Então, só pela observação normal, porque tínhamos medido as coisas e estávamos tentando descobrir o que estava acontecendo, percebemos que tudo o que eles te ensinam sobre cogumelos é errado. Você não vai medir todas as vezes, porém, nunca conseguiria coisas assim, a menos que você esteja realmente pensando analiticamente sobre o que está acontecendo.

Eu acho que é realmente a chave para muita coisa. Acho que há alguma coisa que leva algumas pessoas a investigarem a fundo, quando outras apenas encolhem os ombros e acabam não sendo tão curiosas.

Certo, e é por isso que o site de Harold McGee é chamado de "The Curious Cook" ("O Cozinheiro Curioso"). Muito nele fala sobre curiosidade e depois vai além dela — e é aqui que a coisa geek real aparece —, a capacidade e a vontade de realmente fazer algo com a curiosidade. Ir mais além na estupidez. Apenas para ver se consegue.

Diversão com Equipamentos

Separação de Líquidos   **359**

Destilação e Rotovapores

A evaporação normalmente é usada para eliminar líquidos, mas e se você quiser capturar esse líquido? A *destilação* — a evaporação de um líquido de uma mistura e sua condensação a seguir em outro recipiente — separa soluções de acordo com suas propriedades físicas. Esse processo pode separar um líquido de outro de acordo com as diferenças nos pontos de ebulição, purificar um líquido deixando para trás qualquer resíduo presente na solução, ou utilizar um líquido como condutor de componentes aromáticos voláteis para extraí-los, como é feito com os perfumes.

A história da destilação é muito antiga: sabe-se que os antigos gregos já destilavam água no século primeiro; as civilizações da Ásia Oriental destilavam uma bebida alcoólica, o áraque, já em 800 a.C., e provavelmente até antes. Esses equipamentos antigos de destilação envolviam nada mais do que um recipiente que pudesse ser aquecido e uma maneira de prender e condensar os vapores à medida que o líquido evaporava. Você pode pensar nisso com água fervendo em uma panela no fogão como uma maneira de coletar o vapor que se condensa na tampa.

Químicos modernos usam evaporadores rotatórios (*rotovapores*), ferramentas engenhosas que melhoraram os equipamentos antigos. Os rotovapores são projetados para controlar de maneira precisa tanto a temperatura quanto a pressão, proporcionando um controle exato sobre a taxa de evaporação de vários componentes (raramente existem apenas dois componentes na brincadeira). Os chefs fazem aromatizantes utilizando o rotovapor, e tudo, desde a baunilha comum até itens excêntricos como "mar" (utilizando areia) e "florestas" (terra úmida da floresta).

Uma das vantagens dos equipamentos modernos é a destilação feita a vácuo, que abaixa o ponto de ebulição do solvente (normalmente água ou etanol). Ao diminuir o ponto de ebulição, essa técnica deixa qualquer composto volátil que seja instável no calor intocado e não cozido quando evaporado, permitindo que uma maior variedade de sabores aromáticos seja separada.

Os rotovapores também podem ser usados para remover solventes de um alimento — removendo água para aumentar a concentração de sucos recém-espremidos sem dar a eles sabor de cozidos, removendo álcool para fazer essência de uísque, ou destilando álcool e água para fazer molhos tais como calda de vinho do Porto sem alterar seu sabor. Infelizmente, os rotovapores, assim como as centrífugas, são caros, e o processo de destilação de líquidos com etanol é fortemente regulado. Por esse motivo, não falaremos sobre como usá-los — eles não têm uso prático na culinária. Se você está curioso para saber todos os detalhes, acesse *http://cookingforgeeks.com/book/rotovap/* (conteúdo em inglês).

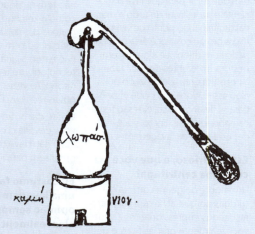

O desenho mostra como os alquimistas gregos do século III faziam destilações. Um recipiente com líquido era aquecido, transformando o líquido em gás, que então era capturado e condensava em um recipiente separado.

Refrescando com Nitrogênio Líquido e Gelo-seco

Se existisse uma demonstração de ciência relacionada a alimentos como guia para todos, os sorvetes feitos com nitrogênio líquido certamente seriam os vencedores. Grandes nuvens pesadas, a excitação diante do perigo, a diabólica gargalhada do cientista maluco, e tudo isso termina com algo delicioso para todos? Estou dentro.

Embora o artifício do sorvete de nitrogênio líquido pareça nunca envelhecer (isso é feito há mais de cem anos no Royal Institution, em Londres), uma série de aplicações culinárias recentes está mudando o nitrogênio líquido (LN$_2$, para os que o conhecem) da categoria "truque" para a "ocasionalmente útil".

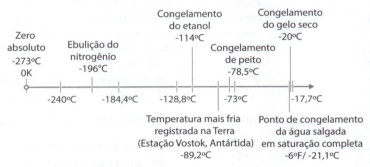

Temperaturas baixas comuns e incomuns.

Mas, primeiro, uma pequena divagação sobre seus perigos. Nitrogênio é inerte e, por conta própria, inofensivo, compondo 78% do ar que respiramos. Os principais riscos são choque térmico, queimaduras por congelamento, sufocamento e explosões. Vejamos um de cada vez:

- *É frio*. Nitrogênio líquido ferve a -196°C. É muito mais distante da temperatura ambiente do que o óleo fervente: é realmente frio. Choque térmico e quebras são reais preocupações com nitrogênio líquido. Pense sobre o que pode acontecer quando você está trabalhando com óleo quente, e mostre mais respeito quando trabalhar com nitrogênio líquido. Colocar óleo a 200°C em uma panela de vidro em temperatura ambiente não é uma boa ideia (choque térmico), então, evite colocar nitrogênio líquido em uma. Respingos também são um problema, especialmente nos olhos. Luvas, óculos de proteção e sapatos fechados são uma boa ideia.

- *Não é oxigênio*. Isso significa que você pode se asfixiar com o deslocamento de oxigênio em um ambiente pequeno. Ao usá-lo, verifique se está em um espaço bem ventilado. Cômodos fechados = ruim; cozinha com bastante espaço, janelas abertas e boa circulação de ar = bom.

- *Está fervendo*. Quando as coisas evaporam, elas se expandem. E quando não conseguem, a pressão sobe. Quando ela fica muito alta, o recipiente não a suporta e se transforma em uma bomba. Nunca armazene nitrogênio líquido em um recipiente fechado. Ele vai se romper em algum momento. Conexões de gelo podem se formar em aberturas estreitas, então também evite colocar coisas como algodão na abertura.

"Sim, sim" — você deve estar pensando: *"Obrigado, mas ficarei bem"*.

Provavelmente. Isso é o que a maioria das pessoas acha até receber postumamente (ou pós-humoristicamente) um Prêmio Darwin (por atitudes estúpidas que os eliminaram do conjunto genético). O que pode dar errado quando está tudo claro para você? Um chef alemão explodiu as duas mãos ao recriar uma receita à base de nitrogênio líquido. E depois tem o que aconteceu quando alguém da Universidade A & M, no Texas, removeu a válvula de pressão de um grande frasco tipo dewar e soldou a tampa de abertura. Do relatório do acidente:

> *O cilindro estava em uma extremidade de um laboratório de aproximadamente 20'x40' no segundo andar do prédio de química. Estava em um piso de 4–6" de espessura de concreto coberto por ladrilhos, diretamente sobre uma viga de concreto armado. A explosão atingiu tudo num raio de 5' em torno do tanque, transformando as telhas em estilhaços que se encravaram nas paredes e portas do laboratório. O cilindro foi parar no terceiro andar deixando como rastro um buraco de 20' de diâmetro. A porta e a parede do laboratório foram parar no corredor. Todas as paredes remanescentes foram parar a uma distância de 4 a 8" de suas fundações. As janelas, exceto a que estava aberta, foram parar no pátio.*

"Ok, eu prometo ficar em segurança. Onde posso adquirir um?"

O protocolo padrão de segurança para o transporte de nitrogênio líquido estabelece que duas pessoas devem estar no carro, conduzido com as janelas abertas.

Procure por um distribuidor de gás científico na sua área. Algumas lojas de materiais de solda também têm nitrogênio líquido. Você vai precisar de um frasco tipo "dewar" — um recipiente isolado projetado para lidar com temperaturas extremamente frias. Existem dois tipos de dewars: pressurizado e não pressurizado. Dewars não pressurizados são garrafas térmicas grandes, e é disso que você precisa.

A variedade de dewars pressurizados tem uma válvula de liberação de pressão, que permite que o nitrogênio permaneça líquido em temperaturas altas, aumentando o tempo de espera — e geralmente é fornecido para compras industriais.

Pequenas quantidades de nitrogênio líquido em dewars não pressurizados não requerem licenças para material perigoso, nem veículos sinalizados quando o transportam devidamente acondicionado (pelo menos onde moro). Alguns estados consideram-no material perigoso — se usado de forma incorreta, pode ser fatal. Por isso, verifique as regras de transporte de "materiais perigosos" de sua localidade.

Quando se trata de nitrogênio líquido, é mais fácil trabalhar com uma pequena quantidade em uma tigela de metal em cima de uma tábua de cozinha de madeira. Vigie o recipiente, e posicione-se de modo que, se houver falha, não espirre em você.

Não lide com nitrogênio líquido sentado à mesa. De pé é a melhor regra para reduzir chances de lesões. E lembre-se: é frio! Colocar um recipiente não isolado como tigela de metal diretamente em cima das bancadas, especialmente as de vidro, não é uma boa ideia. Certa vez, rachei uma bancada muito bonita com uma tigela vazia, mas ainda fria, durante uma demonstração. (Eu ainda estou me desculpando por isso.)

Uma dica final: quando servir aos seus convidados algo após o imediato contato com nitrogênio líquido, verifique a temperatura (utilizando um termômetro digital) para garantir que esteja quente o suficiente. (Como uma diretriz, congeladores domésticos funcionam em torno de -23°C.)

Fazendo Pós

Uma das clássicas "coisas bobas para fazer com nitrogênio líquido" é congelar uma rosa e, em seguida, bater em alguma coisa para quebrá-la. Diferente dos métodos tradicionais, o nitrogênio líquido congela a água tão rápido que os cristais de gelo não têm tempo para tornar-se grandes o suficiente para furar as paredes das células e destruir o tecido, significando que a flor não murchará quando descongelada.

Em aplicações culinárias, pode-se utilizar essa mesma propriedade para criar "pó" de material vegetal. Flores de lavanda, por exemplo, podem ser rapidamente congeladas, moídas em um pilão (que precisa ser refrigerado para manter o material congelado), e só então descongeladas. Alguns chefs congelam vários ingredientes — beterraba, por exemplo — para cortá-los em um padrão estrutural que não se obtém com uma faca.

Fazendo Sorvetes

A fórmula padrão para sorvete LN_2 é algo como isto:

Creme + aromatizante + nitrogênio líquido + bater = sorvete em 30 segundos

Ao contrário das bases para sorvete tradicionais, você não precisa se preocupar com a proporção entre gordura, água e açúcar, pelo menos para o consumo imediato (como se houvesse outro tipo de sorvete). As bases tradicionais dependem de proporções exatas dos ingredientes para chegar a um ponto de solidificação com uma faixa ampla, para algumas fascinantes estruturas de nível microscópico. O sorvete de nitrogênio líquido está mais próximo do cremoso: é gelado ao ponto do consumo e não é muito duro. Congelar uma porção de sorvete de LN_2 resulta em algo próximo a um cubo de leite congelado se a proporção de gordura do leite não for muito alta.

Outro benefício do sorvete de LN_2 são as baixas temperaturas em jogo, frias o bastante para congelar o etanol. Embora você possa fazer sorvete com uma pequena quantidade de álcool pelos métodos tradicionais, nessas versões o álcool deixa um gosto suave. Com nitrogênio líquido, você pode fazer sorvete aromatizado com álcool suficiente para realçar o sabor, produzindo resultados diferentes de qualquer coisa que já tenha experimentado.

Lembre-se das precauções necessárias!

Para assistir a um vídeo de produção de sorvete de nitrogênio líquido, acesse http://cookingforgeeks.com/book/icecream/ — conteúdo em inglês.

Sorvete de Chocolate e Goldschläger

Esse é meu sabor preferido de sorvete de LN_2, provavelmente porque é 20% Goldschläger, 9% álcool e 100% delicioso. É um excelente exemplo de um sorvete que não pode ser feito pelos métodos tradicionais.

Em uma batedeira com tigela de metal, misture:

- 1 xícara (chá) de leite (240ml)
- 1 xícara (chá) de creme de leite (240ml)
- ¾ de xícara (chá) de Goldschläger (180g) (licor de canela)
- ¼ de xícara (chá) de calda de chocolate (60ml)
- 80g de chocolate amargo derretido
- 2 colheres (sopa) de açúcar (25g)
- ½ colher (chá) de sal (3g)
- ½ colher (chá) de canela (1g)

Prove a mistura para verificar o sabor (tente não tomar tudo nesse momento) e ajuste-o conforme a necessidade. Uma vez congelada, a mistura não terá um sabor tão acentuado, portanto, é desejável obter uma mistura mais fortemente apurada.

Ligue a batedeira e (cuidado! Use óculos de proteção e luvas!) lentamente introduza o nitrogênio líquido. A proporção é de aproximadamente 1:1 entre a mistura e o nitrogênio líquido para encorpar o sorvete. Se você não tem uma batedeira, também pode fazer isso em uma tigela de metal misturando com um batedor de ovos ou colher de pau.

Nota

- *Para derreter o chocolate, aqueça o leite no micro-ondas e, em seguida, adicione-o ao chocolate. Deixe descansar por um minuto para aquecê-lo e misture. Você pode aquecer o chocolate diretamente no micro-ondas também, mas acho que é mais fácil e menos provável de queimar dessa forma.*

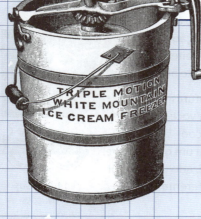

364   Cozinha Geek

Brincando com Gelo-seco

O gelo-seco — dióxido de carbono sólido — é mais fácil de trabalhar do que o nitrogênio líquido. Primeiro, é sólido, por isso você não precisa de equipamento especial para lidar com ele. Uma caixa de isopor ou mesmo de papelão é suficiente. Em segundo lugar, pode ser encontrado com facilidade. Apenas certifique-se de pedir gelo-seco para alimentos! Além de colocar um pedaço de gelo-seco em uma xícara de café e fingir que não percebe enquanto bebe (o pedaço vai ficar no fundo da xícara; beba com cuidado), o que mais você pode fazer?

Congelamento ultrarrápido de frutas. O jargão do setor para isso é IQF (individually quick frozen — congelamento individual ultrarrápido), em que grandes freezers congelam rápida e individualmente ervilhas, framboesas e peito de frango. Coloque um pouco de gelo-seco em uma geladeira de isopor e misture aproximadamente a mesma quantidade de frutas ou legumes, aguarde até que ele tenha sublimado e em seguida embale, sele e coloque no congelador.

Fazer sorvete. Não chega nem perto do sorvete feito com nitrogênio líquido, mas é muito mais fácil para quem está começando. Coloque o gelo-seco de uso alimentício entre duas toalhas, golpeie com algo parecido com um martelo de borracha ou as costas de uma frigideira para criar um pó. Misture o pó em uma tigela de metal com o creme base do sorvete (veja a p. 192) até encorpá-lo. Vai ter um gosto um tanto gasoso, então pegue uma base que combine bem com isso (digamos, frutas). Assim como no sorvete de LN_2, será preciso um pouco menos de gelo-seco se você começar com uma base já perto do ponto de solidificação.

Criar "fruta espumante". Coloque algumas uvas, bananas, morangos — qualquer fruta úmida — em uma panela de pressão; adicione um pouco de gelo-seco e tampe a panela. Como o gelo-seco sublima, a câmara da panela de pressão vai reter o dióxido de carbono (e, importante, deixe sair qualquer pressão excedente), e os frutos vão absorver CO_2. Aguarde 20–30 minutos, libere a pressão, retire a tampa, e coma à vontade.

Algumas advertências sobre o gelo-seco

Assim como o nitrogênio líquido, o gelo-seco se expande à medida que sublima. Não guarde-o em recipientes fechados. Ele também expulsa oxigênio, então não use grandes quantidades em espaços fechados.

Gelo-seco e líquidos podem formar uma pasta úmida muito perigosa. Não é fria o bastante para gerar o *efeito de Leindenfrost*, o fenômeno pelo qual um líquido gera uma barreira de vapor isolado ao redor de um item muito mais quente. Gelo-seco misturado com etanol pode atravessar a roupa e grudar na pele a -72°C.

Não toque o gelo-seco com as mãos desprotegidas. Qualquer umidade das mãos irá praticamente soldar o gelo à pele e causar sérios prejuízos: o gelo está a -79 °C.

Refrescando com Nitrogênio Líquido e Gelo-seco

Como Fazer Sua Própria Antichapa

Enquanto que em uma chapa o cozimento dos alimentos é feito através da adição de calor, no antigriddle (antichapa, em tradução livre), o "cozimento" dos alimentos é feito por remoção de calor. Alguns restaurantes de ponta fazem pratos inovadores usando uma superfície muito fria para preparar o exterior de géis e pudins em poucos segundos, criando um prato que é frio e crocante do lado de fora e quentinho e cremoso no meio, quase como uma cobertura de sorvete derretida.

Você pode fazer uma versão "faça você mesmo" usando gelo-seco, etanol e uma placa de metal, como, por exemplo, uma assadeira. (Eu tenho uma placa de aço inoxidável, e é isso que uso.)

Veja como funciona:

1. Faça uma cama de gelo-seco esmagado. Experimente usar uma assadeira sobre uma tábua de corte, de madeira. A assadeira contém o gelo-seco/etanol pastoso e a tábua de madeira faz o isolamento entre a assadeira gelada e a bancada. Como alternativa, se você tem a tampa de um recipiente de isopor, usando o lado de dentro, a parte recuada pode servir para as duas finalidades.

2. Sobre a cama de gelo-seco despeje uma pequena quantidade de etanol — suficiente para criar uma superfície nivelada. (Você pode usar álcool a 70% ou vodca barata.) O etanol remove o ar entre os pedaços de gelo-seco e a placa de aço inoxidável, e não deixará que o gelo-seco espume e inche como uma nuvem, como aconteceria com a água.

3. Coloque a placa de aço inoxidável sobre o gelo-seco com etanol. O contato deve ser completo. Espere alguns minutos até que a placa esteja gelada.

4. Unte a superfície do aço inoxidável com um spray de cozinha antiaderente, manteiga ou óleo.

5. Coloque os alimentos que quer congelar na superfície, espalhando em formato de panqueca, caso deseje. Você pode fazer um pirulito congelado se colocar um palito ou espeto no líquido enquanto ele é preparado. Após 10 segundos aproximadamente, use uma espátula para virá-los e preparar o outro lado. Experimente a receita de mousse de chocolate do início deste capítulo (veja a p. 301); quase todo pudim ou base de creme espesso vai funcionar.

366 Cozinha Geek

Cozinhando com Muito Calor

20 minutos a 300 graus equivalem a 5 minutos a... vejamos (resmungos)... 1.200 graus.

— Marge Simpson, fazendo um bolo ("24 Minutos")

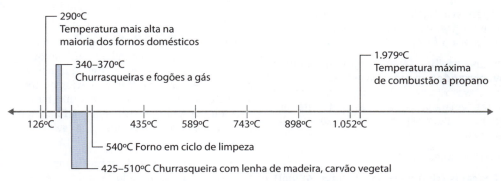

Temperaturas altas comuns e incomuns.

Se cozinhar a 150°C produz algo gostoso, com certeza cozinhar a 650°C deve produzir a mesma coisa em um quarto do tempo. Bem, não exatamente — e se eu disse qualquer coisa em contrário, é de se esperar que o seu modelo mental de como o calor é transferido pelo alimento e a importância do tempo e temperatura vá fazer você fechar este livro com raiva enquanto resmunga algo impublicável.

Contudo, existem alguns casos extremos divertidos — assim como "cozinhar" com o frio — em que o calor extremamente alto pode ser utilizado para alcançar efeitos interessantes. (E perigosos — preparar o churrasco em dois segundos com oxigênio líquido? Caramba.) Vamos dar uma olhada em alguns pratos que podem ser feitos com transferência de muito calor usando maçaricos e fornos de alta temperatura, sem derreter os ingredientes.

Na culinária, geralmente evitamos aquecer as temperaturas da superfície da comida acima dos 195°C, e por uma boa razão: esse é mais ou menos o limite para que o açúcar queimado não fique com gosto de carvão. Acima dessa temperatura, o conjunto de reações químicas seguintes envolve proteínas e carboidratos com gostos horríveis. Mas, em pequenas quantidades, nós apreciamos essas reações, e utilizamos palavras como *chamuscado*. Chamuscado, grelhado, churrasco: todas essas palavras descrevem comidas cuja temperatura de superfície fica quente o suficiente para "queimar" levemente o alimento, e é aí que as grelhas, panelas para selar e grills entram: eles transferem muito calor para a comida. Mas e nos casos em que você precisa transferir muito calor para apenas uma parte da comida? Use um maçarico.

Você pode criar uma superfície de trabalho para usar o maçarico virando a assadeira de cabeça para baixo e colocando as tigelas sobre ela.

Crème Brûlée do Quinn

Meu amigo Quinn faz o mais sublime crème brûlée, expressão francesa para "creme queimado". (Suponho que "açúcar carbonizado" não soe muito bem, mesmo em francês!)

Prepare seis tigelas para assar, colocando-as em um refratário grande de vidro e reserve. Preaqueça o forno a 160°C.

Em uma vasilha, separe as **gemas de cinco ovos grandes**, guardando as claras para outro prato como, por exemplo, a frittata de claras (veja a p. 13). Bata as gemas até que fiquem claras e espumantes; deixe a tigela reservada.

Em uma panela, meça:

2 xícaras (chá) de creme de leite (480ml)

½ xícara (chá) de açúcar (100g)

O creme de leite fresco e o creme de leite são essencialmente a mesma coisa. Creme de leite fresco geralmente tem um percentual ligeiramente maior de gordura, enquanto que o creme de leite normalmente tem um estabilizante como a carragena adicionado, mas você pode usar tanto um quanto o outro independente de como é chamado.

Corte longitudinalmente uma **fava de baunilha** e use a borda de uma colher para raspar as sementes. Coloque as sementes e a fava na panela. Cozinhe o creme, o açúcar e a baunilha em fogo médio por 10 minutos, mexendo continuamente. Enquanto isso, em uma panela à parte, ferva água suficiente para preencher parcialmente a assadeira de vidro que contém as tigelas.

Depois de cozinhar o creme por 10 minutos, retire a fava de baunilha e descarte. Coe a mistura em um filtro de aproximadamente 400µm (gaze para cobertura de queijo funciona bem) em um copo de medição ou outro recipiente fácil de esvaziar.

Coloque a tigela com as gemas de ovo em cima do balcão, de forma que você possa batê-las com uma das mão e segurar a panela com a outra. Lentamente, derrame a mistura de creme quente sobre as gemas, mexendo o tempo todo para evitar que o creme as cozinhe. Bem lento é o certo; muito rápido, e você vai terminar com ovos mexidos. (Ovos mexidos doces, para ser exato.)

Com uma concha, encha as tigelas com a mistura de creme, tomando o cuidado de não transferir qualquer espuma que possa haver. (A espuma vai flutuar e ficar no topo do brûlée.) Adicione a água fervente na assadeira de vidro, o suficiente para atingir a metade dos lados das tigelas, e leve ao forno.

Asse até que o centro do creme balance apenas um pouco quando sacudido, cerca de 30 a 35 minutos. Ele precisa atingir uma temperatura interna de 82°C. Remova as tigelas da assadeira e leve-as à geladeira até esfriar por cerca de três horas. (Você pode armazená-lo por um tempo maior, é claro.)

Quando estiver frio, salpique uma fina camada de açúcar sobre a superfície do creme. Utilizando um maçarico, derreta e caramelize o açúcar, passando a chama suavemente sobre a superfície até que você esteja satisfeito com a cor e a aparência. Tenha em mente que açúcar mais escuro significa mais amargo, e também tenha certeza de pelo menos tê-lo derretido todo, caso contrário, o açúcar granulado e mal derretido dará uma sensação estranha na boca.

Transfira as tigelas para a geladeira e descanse por 10 minutos para permitir que o açúcar esfrie; sirva em seguida. Você pode manter o brûlée chamuscado por até uma hora antes que a crosta açucarada comece a ficar empapada.

Nota

- *Experimente infundir outros sabores no creme durante o cozimento, como laranja, café, cacau em pó ou chá.*

Dê um "upgrade" na Banana Caramelada — uma simples e saborosa sobremesa, em que as bananas são cozidas em manteiga e açúcar, temperadas com rum e servidas com sorvete de baunilha, polvilhando açúcar na banana cozida e então utilizando o maçarico para caramelizá-lo. Para criar uma superfície para trabalhar, vire uma frigideira de ferro de cabeça para baixo, forre com folha de alumínio, e coloque as bananas em cima.

Os maçaricos podem ser usados para fornecer um calor bastante localizado, permitindo-lhe chamuscar e queimar apenas as partes do alimento para as quais você aponta a chama (você pode usar também um lança-chamas. Eu nem vou dizer quanto tempo passei assistindo aos vídeos que encontrei quando fiz a pesquisa "culinária com lança-chamas"). Sushi de atum chamuscado, pimentões assados e carnes cozidas sous vide e tostadas são os usos comuns, mas criar crosta açucarada no crème brûlée é a desculpa canônica para ter um maçarico na cozinha (é possível também usar o grill do forno).

Quando a questão é comprar um maçarico, deixe de lado os maçaricos "gourmet" e siga para uma loja de ferragens para adquirir um maçarico de verdade. Os menores, vendidos por lojas especializadas em cozinha, funcionam bem, mas não contêm a mesma força térmica que os vendidos em lojas de equipamentos, que têm bicos e chamas maiores. Dependendo da sensibilidade do paladar, algumas pessoas podem notar um gosto de combustível não queimado (às vezes chamado de "gosto de maçarico") criado pela desnaturação das gorduras e componentes da carne em temperaturas extremamente altas (gordura é combustível, afinal, e passa por reações químicas). Se você notar isso, afaste o calor e, se seu maçarico permitir, aumente a quantidade de ar que está sendo misturado.

Pratique utilizando o maçarico para derreter açúcar sobre uma folha de alumínio colocada em cima de uma assadeira de metal ou uma panela de ferro. Não deixe a chama muito perto; esse é o erro mais comum quando se cozinha com maçarico. A parte azul da chama é mais quente, mas o ar circundante além da ponta ainda será bastante quente. Você saberá que está perto demais quando a folha de alumínio começa a derreter — o que acontece em torno de 660°C. O truque com maçaricos é aquecer a área em passadas, trabalhando com ele de um lado para o outro sobre toda a superfície para não se demorar em um único ponto e queimá-lo.

Diversão com Equipamentos

Cozinhando com Muito Calor   **369**

Como Preparar Pizza em Alta Temperatura

Uma discussão séria sobre pizza é item obrigatório em um livro chamado *Cozinha Geek*. Ela abrange muitas variáveis: sabores, reações de Maillard, fermentação, glúten, níveis de umidade e temperatura. Nós já abordamos os quatro primeiros, mas ainda não falamos sobre temperatura, a chave para uma boa crosta.

As boas pizzas de massa grossa têm um interior que vem de uma boa massa assada em temperaturas moderadas. Minha pizza de massa grossa preferida é assada a 230°C no inverno e a 180°C no verão. (O forno não pode estar mais quente no verão sem tornar a cozinha insuportável; ele simplesmente assa as pizzas por mais tempo.) Simples.

Mas se quiser fazer uma pizza de massa fina crocante, um forno de alta temperatura é crucial. A temperatura mais baixa aceitável para massa de pizza crocante é 315°C. A 370°C a crosta fica visivelmente melhor. A melhor pizza de massa fina que provei foi assada ou em forno a lenha ou em uma churrasqueira com madeira a 400°C, em alguns momentos atingindo 480°C. Infelizmente, a maioria dos fornos só chega a 290°C, o que torna impossível fazer uma pizza de massa fina. O que faria um geek amante de pizzas de massa fina? Se ao menos existisse uma tabela para isso...

Temperatura da churrasqueira à lenha: 394 °C.

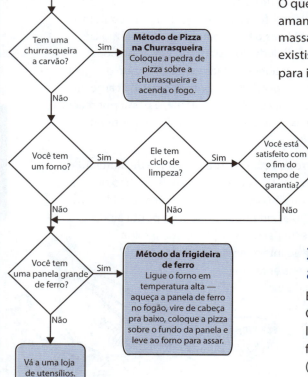

Método da churrasqueira a lenha

Este é de longe o mais fácil. Churrasqueiras a carvão ou lenha facilmente atingem a faixa de temperatura dos 425°C. (Churrasqueiras a gás tendem a ser mais frias, embora o propano tecnicamente queime de forma mais quente.)

Coloque uma pedra para pizza sobre a churrasqueira e acenda o fogo. Uma vez que esteja bem quente, coloque a pizza. Dependendo do tamanho da sua churrasqueira e da pizza, você pode cozinhá-la diretamente em cima da grade — tente as duas formas!

Método da frigideira de ferro fundido ultraquente

E se comprar uma churrasqueira não é uma opção para você, como é o caso de muitos moradores de apartamento? Há algumas alternativas para alcançar temperaturas altas. Embora a maioria dos fornos atinja apenas 290°C, tanto os grills como o fogão podem atingir temperaturas elevadas.

Preaqueça o forno a 290°C, ou até o máximo que ele for.

Aqueça a frigideira de ferro no fogão em fogo alto por pelo menos cinco minutos.

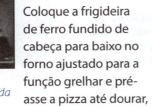

Frigideira de ferro fundido superaquecida sob um grill.

Coloque a frigideira de ferro fundido de cabeça para baixo no forno ajustado para a função grelhar e pré-asse a pizza até dourar, aproximadamente de um a dois minutos.

Transfira a massa para a tábua de corte e adicione o molho e os ingredientes. Volte para a frigideira e asse até que os ingredientes estejam derretidos e dourados.

Método de ciclo de limpeza (ou "forno acelerado")

Embora os fornos caseiros cheguem, no máximo, a 290°C, isso não significa que não fiquem mais quentes. Mas é perigoso, então realmente não vale a pena fazer isso. Ainda assim, em nome da ciência…

Para fazer sua base, veja a receita e as instruções de massa de pizza sem sova na p. 271.

Os fornos ficam mais quentes funcionando no ciclo de limpeza. O problema é que fornos domésticos travam a porta mecanicamente, impedindo de deslizar a pizza para dentro e para fora nessa temperatura, e deixá-la lá dentro por todo o ciclo de limpeza resulta num gosto desagradável de queimado, no mínimo.

Mas basta cortar e remover a tranca e ta-dá! Você tem um forno superaquecido. Depois de algumas brincadeiras e testes, consegui que meu forno passasse de 540°C. A primeira pizza que fizemos levou 45 segundos para ficar pronta, com o fundo da massa crocante e a superfície borbulhante e derretida.

Entretanto, o meio da pizza não teve tempo de cozinhar. Assim, a pizza a 540°C não deu muito certo (muito quente). Outra tentativa por volta de 315°C resultou no oposto: a pizza era boa, mas não captou a magia da massa fina crocante e das coberturas douradas. Contudo, as pizzas foram ficando perfeitas.

Fornos não foram feitos para ter suas portas abertas no ciclo de limpeza. Honestamente, não recomendo este procedimento. Eu quebrei o vidro da porta do meu e tive que reformá-lo. Sabendo que uma frigideira de ferro fundido de cabeça para baixo embaixo do grill do forno ou em uma churrasqueira deixa a massa da pizza fina e crocante, recomendo que esqueça o forno acelerado, por mais divertido que possa ser.

Nathan Myhrvold: Culinária Modernista

Nathan Myhrvold, ex-diretor técnico da Microsoft, é o coautor de Modernist Cuisine (Cozinha Modernista, The Cooking Lab, 2011), que fala de técnicas modernas de culinária, e venceu o prêmio James Beard de 2012 na categoria Livro de Culinária do Ano e Culinária do Ponto de Vista Profissional.

Conte-me sobre sua experiência com a culinária e como você veio a se interessar por isso.

Eu sempre tive interesse por culinária. Quando tinha nove anos, falei para minha mãe que cozinharia o jantar de Ação de Graças. Fui até a biblioteca, peguei um monte de livros de culinária, e fiz. Surpreendentemente, ela me deixou fazer e, mais incrível ainda, deu certo!

Em 1995, enquanto estava trabalhando como Vice-presidente Sênior da Microsoft, decidi que queria ir para a escola de gastronomia. Tirei uma licença e fui para uma escola na França, L'école de Cuisine La Varenne. Passei por um programa profissional intensivo. Depois de me aposentar da Microsoft, comecei a minha própria pequena empresa, mas estava interessado em alimentos e, assim, decidi escrever um livro.

Havia um monte de livros grandes e grossos de culinária ensinando a preparar a cozinha clássica, mas não havia técnicas modernas nesses livros, pois todos falavam sobre as técnicas do passado. Pensei que realmente havia uma oportunidade para escrever um livro sobre culinária modernista; algo enciclopédico para as técnicas da cozinha moderna.

Se eu não fizesse isso, é claro que ninguém mais faria, pelo menos não por muito tempo. Decidi que essa seria a minha forma de contribuição para o mundo da alimentação. Eu poderia criar um livro muitos anos antes que mais alguém pudesse fazê-lo, por causa do tempo, energia e dinheiro envolvidos. Poderia fazer algo único em termos de atravessar a lacuna entre a compreensão da ciência e a prática de cozinhar de forma acessível.

Qual é sua definição de culinária moderna? Para muitas pessoas, o termo poderia ser gastronomia molecular.

Deliberadamente não uso esse nome. O termo que estou usando é culinária modernista. Eu a chamo assim porque é análoga ao que a arquitetura modernista e a arte moderna fizeram naquela tentativa autoconsciente de romper com o passado. Ela tem todas as características intelectuais do modernismo.

Isso aconteceu há 100 ou 50 anos na arte e arquitetura, mas não na culinária. Há chefs que se ofendem se você chamar isso de gastronomia molecular. Não é um nome terrível per se, mas isso significa muitas coisas diferentes para diferentes pessoas. Modernista é um termo mais abrangente.

Pode dar algum exemplo de algo que tenha lhe surpreendido no estudo dessas técnicas?

Há uma técnica culinária chamada *confit* que significa "conservada", em francês. Você cozinha a carne em óleo ou gordura em temperatura relativamente baixa durante um longo período de tempo, como 8 ou 12 horas. Qualquer chef diria que *confit* é uma técnica que envolve cozinhar em gordura, que tem um efeito característico sobre a carne.

Um dia, estávamos discutindo isso e eu disse: "Como isso pode funcionar? Como cozinhar a carne em óleo pode realmente mudá-la? Isso não faz sentido para mim. As moléculas são realmente muito grandes para penetrar na carne. Têm que estar do lado de fora e assim por diante".

Então, nós fizemos um monte de experimentos, e realmente não teve o efeito que se pensou. Se você cozinha a carne no vapor sem óleo e só o coloca no final, não dá para ver a diferença realmente.

Provavelmente, isso não é possível em banho-maria sem gordura.

Fizemos isso também. Não dá para distinguir! Você pode ver a diferença se cozinhar a uma temperatura diferente ou por um período de tempo diferente. Contudo, se estiver cozinhando na mesma temperatura e tempo, quer se trate de sous vide ou cozido no vapor ou na técnica *confit*, você realmente não consegue distinguir depois. Isso foi um grande choque para nós.

Há um monte de outras coisas que têm sido bastante surpreendentes na determinação de como as técnicas funcionam. As pessoas frequentemente mergulham a carne em água com gelo para interromper o cozimento. Chamam isso de *choque*.

Suponha que esteja cozinhando um grande assado ou algo que tem grande espessura. Um monte de livros diz para tirá-lo e mergulhá-lo em água gelada para realmente parar o cozimento. Isso não funciona! A temperatura no centro da carne não será afetada por colocá-la em gelo. Você vai esfriá-la inteira por mergulhá-la em água gelada, mas efetivamente não vai afetar a temperatura máxima que o núcleo atinge.

Calor e frio "viajam" na mesma velocidade. Não é exatamente correto, mas se você pensar em uma onda de calor que vai de fora para dentro, o choque vai criar uma onda de frio, uma onda "negativa" de calor. Mas ela não vai rápido, e a onda de calor que começou antes vai chegar ao centro antes da onda de frio.

Uau! Isso faz sentido. Existem outros exemplos de processos que você descobriu que se aplicam à forma de cozinhar da maioria das pessoas no dia a dia?

Uma das coisas com as quais gastamos tempo no livro é explicando o papel da umidade na culinária. A maioria dos alimentos é úmida. Quando se aquece ingredientes úmidos, eles soltam água e isso gasta bastante energia. A taxa em que a água evapora depende da umidade existente.

Se você cozinhar algo em Aspen, no inverno, quando a umidade do lado de fora é realmente muito baixa, e cozinhar a mesma coisa em Miami, no verão, quando a umidade é muito alta, na verdade vai obter resultados radicalmente diferentes. Pode haver uma diferença de dez graus na temperatura do alimento, principalmente no início.

Nós passamos por um monte de exemplos como este. Acontece que a umidade é um grande fator no processo que realmente ocorre no cozimento. Um forno a vapor de convecção controla a umidade, e essa é sua grande vantagem. Uma das vantagens do sous vide é que você sela os alimentos num saco plástico em que não há nenhuma variação na umidade. Contudo, se você cozinhar ao ar livre, a umidade realmente faz uma grande diferença. Essa é uma das razões pelas quais as pessoas não têm suas receitas reproduzidas como pensavam.

Isso é algo importante para absolutamente cada cozinheiro nos Estados Unidos? Eu não posso dizer que é. Eu acho até um pouco legal; mas certamente fará diferença para chefs profissionais. Todo chef já esteve na situação em que tenta fazer a receita do livro e não funciona, ou o chef viaja e a comida não dá certo. Esta é uma das razões. Se você não pode controlar a umidade, ela é uma variável livre, e isso vai fazer uma grande diferença.

Geralmente, as pessoas não entendem quanta energia é necessária para ferver a água. Isso afeta drasticamente o cozimento. Se apenas olharmos no âmbito do calor latente da evaporação da água, leva quatro joules de energia para mover um grama de água a um grau Celsius, são 400 joules do congelamento até beirar a ebulição, e 2.257 joules para fervê-la. É por isso que motores a vapor funcionam. Todos os tipos de coisas são derivadas deste único fato.

Como você acha que o que aprendeu irá mudar as abordagens de chefs e amadores entusiastas?

O que estamos esperando fazer é permitir aos chefs usarem uma ampla gama de técnicas para fazer os tipos de alimentos que quiserem fazer. Agora, há uma série de chefs que estão usando essas técnicas muito modernas. Há muitos outros que não.

É muito difícil aprender todas essas coisas. Nossa expectativa é que possamos dar a chefs e amadores uma forma acessível para compreender como tudo funciona. Se pudermos fazer isso, acho que podemos realmente fazer a diferença na forma de cozinhar. Isso não é a paz mundial; não é a solução do aquecimento global ou algo parecido, mas é algo que acredito que, no mundo da culinária, as pessoas vão achar tremendamente excitante e poderoso.

Você poderia mandar uma mensagem com palavras de sabedoria para alguém aprendendo a cozinhar?

Aprender a cozinhar é uma coisa maravilhosa e eu recomendo isso para as pessoas. A mensagem em várias receitas é: "Não se preocupe com como funciona, apenas faça isso, isso e isso, e a coisa certa vai acontecer".

Quando funciona, está tudo bem. Quando não funciona, você realmente não sabe por quê. Eu sempre me sinto enganado quando isso acontece. Eu quero descobrir o porquê. Eu ainda estou aprendendo a cozinhar. Acho que até os melhores chefs do mundo ainda estão aprendendo como cozinhar, e é essa exploração e aprendizado que tornam tudo isso interessante.

Diversão com Equipamentos

Cozinhando com Muito Calor   373

Conteúdo do Capítulo

Aditivos Alimentares 376

    Números E: O Sistema Decimal
    Dewey de Aditivos Alimentares ... 378

Misturas e Coloides 379

Conservantes 382

Flavorizantes 397

    Fumaça Líquida (Vapor de Fumaça
    de Água Destilada) 403

Espessantes 408

    Araruta e Amido de Milho 409

Metilcelulose 414

Maltodextrina 416

Agentes Gelificantes 418

    Pectina 419

    Carragena 421

    Ágar 423

    Alginato de Sódio 426

Emulsificantes 429

    Lecitina 430

Enzimas 432

    Transglutaminase 436

Receitas

Marshmallows, 381

Gravlax de Salmão, 385

Conserva de Limão, 387

Picles Instantâneos
Pão com Manteiga, 388

Marmelada Cítrica, 396

Casca de Laranja
Doce, 396

Extrato de
Baunilha, 400

Óleos Infundidos
e Manteigas com
Ervas, 401

Sorvete Recheado, 405

Costelas Assadas ao
Molho Barbecue, 405

Marshmallows
Quentes, 415

Manteiga Dourada
em Pó, 417

Leite em Gel com
Carragena Iota e
Kappa, 422

Panna Cotta de
Chocolate, 424

Suco de Limão
Clarificado, 425

Maionese, 431

Espuma de Suco de
Frutas, 431

Vieiras Enroladas em
Bacon, 437

Laboratórios

Fazendo Sorvete com Sal e
Gelo, 394

Como Fazer Fumaça Líquida, 406

Faça Sua Pectina, 420

Entrevistas

Carolyn Jung:
Limões em Conserva, 387

Hervé This:
Gastronomia Molecular, 390

Ann Barrett:
Textura, 412

Benjamin Wolfe:
Fungos e Queijos, 434

Harold McGee:
Como Resolver os Mistérios
da Culinária, 438

6

Brincando com Química

A HUMANIDADE TEM ADICIONADO ELEMENTOS QUÍMICOS NA COMIDA HÁ MILÊNIOS. O sal é usado para conservar, o vinagre transforma pepinos em picles, e as gemas de ovos formam emulsões para criar molhos como o holandês e a maionese. Os últimos séculos trouxeram componentes modernos, dos alginatos à vanilina, que são úteis para aplicações comerciais e artísticas.

A própria comida é feita de elementos químicos. O milho, o frango e os sorvetes são apenas grandes pilhas de elementos químicos bem estruturados. Um cozinheiro aprende como manipulá-los utilizando todas as técnicas de que falamos até agora. Mas um cozinheiro talentoso também precisa saber como manipular a química da comida. Perceber a química dos alimentos — a constituição dos ingredientes e as mudanças que ocorrem quando são combinados ou processados — é uma maneira divertida de explorar as técnicas culinárias. Todos os tipos de cozinheiros, do amador mais tradicional ao mais experiente chef de pesquisas industriais, se beneficiam da compreensão da química dos ingredientes.

Como os alimentos são estruturados? O que acontece quando são combinados ou aquecidos? Como podemos usar o conhecimento da química para preparar comidas melhores? E que novas ideias criativas você pode ter quando a compreende? Vamos ver algumas técnicas históricas e modernas para manipular quimicamente o alimento.

Aditivos Alimentares

Já imaginou como picles, maionese ou balas de goma são feitos? Eles não são alimentos simples, pelo menos na opinião da Mãe Natureza. Da próxima vez que estiver na cozinha, olhe para os vários potes e pacotes de comida que tem. O que dá a essas comidas texturas e sabores próprios? Invariavelmente, a resposta envolve a química dos ingredientes. Os picles feitos com vinagre dependem do ácido acético, a maionese não existiria sem a lecitina das gemas, e as balas de goma usam agentes gelificantes como a gelatina. Como esses componentes funcionam? E como mudar texturas e sabores usando similares? Aqui entram os aditivos alimentares.

Para começar, precisamos definir aditivos alimentares. O FDA os define como itens não essenciais que fazem parte da comida ou a transformam. (A definição que dão é pequena: eles excluem itens em uso antes de 1958 ou que a indústria determine que sejam "amplamente conhecidos como seguros".) Vou usar uma definição mais coloquial: qualquer substância química com uma estrutura molecular definida que é usada em alimentos. Sal e açúcar, por essa definição, estão incluídos. Eles são substâncias químicas — cloreto de sódio e sacarose — que mudam as propriedades funcionais dos alimentos. Minha definição inclui também compostos modernos como a metilcelulose e a transglutaminase, sobre as quais falaremos mais tarde. A química dos alimentos é mais ampla do que os aditivos alimentares, é claro. Mesmo assim, olhar para os diferentes usos dos aditivos é uma lente útil para compreendê-la.

Antes de ver como são utilizados, quero falar sobre política. O uso de substâncias químicas nos alimentos é malcompreendido. Fico surpreso com a frequência com que a segurança se confunde com a produção dos alimentos. O fornecimento de alimentos é ditado pela economia, ética e política. Esses não são tópicos científicos, e quero separar as questões antes de mergulhar na ciência. (Se eles interessam a você, leia os livros excelentes de Marion Nestle: *What to Eat* [O que Comer — North Point Press] e *Food Politics* [Política Alimentar — Editora da Universidade da Califórnia].)

Uma pequena digressão sobre o "amplamente reconhecido como seguro", normalmente abreviado como GRAS: a Emenda de Aditivos Alimentares dos EUA, de 1958, define os aditivos GRAS como compostos seguros para o uso pretendido, de acordo com uma análise de um grupo de especialistas. O grupo que analisa o aditivo é selecionado pela indústria, não pelo governo, e não precisa tornar pública a pesquisa realizada. Em minha opinião, a indústria alimentícia faria melhor se comunicasse de forma pública como nossa comida é feita. A desconfiança no setor levou a uma aversão do consumidor às substâncias químicas e a uma preferência por ingredientes naturais, mas isso tem consequências não intencionais. Não há uma definição técnica de "natural", e isso não é a mesma coisa que saudável! (O número de consumidores americanos que fogem de ingredientes químicos não familiares enquanto comem alegremente alimentos com alto teor de açúcar e sódio mostra a incoerência.) De qualquer forma, chega de digressões — vamos nos divertir com a ciência da química dos alimentos!

Uma forma de entender os aditivos alimentares é olhar para os motivos pelos quais eles são usados comercialmente: para aumentar o tempo de armazenagem, preservar valores nutricionais, adequar-se a necessidades dietéticas e para ajudar na produção em escala. Considere a lista de ingredientes de um biscoito Oreo, uma maravilha deliciosa do mundo moderno. Deixando de lado o açúcar, o cacau e o sal, que servem para dar gosto, todo o resto se encaixa em pelo menos um desses motivos:

Bicarbonato de sódio

Acelera o crescimento da massa. O bicarbonato parece ser tradicional, mas começou a ser usado na culinária somente no final dos anos 1840. (Toda vez que você vir "e/ou" na lista de ingredientes, é uma dica de que o fabricante escolhe os itens conforme a estação, as flutuações de preço ou pela facilidade de produção.)

Amido de milho

Aumenta o tempo de armazenagem porque estabiliza o alimento e age como umectante (algo que retém umidade).

Farinha enriquecida (farinha de trigo, niacina [B3], ferro reduzido, mononitrato de tiamina [B1], riboflavina [B2], ácido fólico [B9])

Fortificada com micronutrientes que são removidos durante o processamento da farinha branca. O FDA exige que a farinha branca seja suplementada com vitaminas do complexo B e ferro (para prevenir anemia e outras deficiências).

Óleo de canola altamente oleico e/ou óleo de canola e/ou azeite de dendê

Aumenta o tempo de armazenamento fornecendo gorduras que não ficam rançosas tão rápido quanto as da manteiga ou das gemas de ovos (altamente oleico se refere aos ácidos graxos, veja a p. 152).

Lecitina de soja

Receitas tradicionais usam gemas para obter lecitina, que age como um emulsificante (veja a p. 429), mas como Oreo não usa ovos, é preciso adicioná-la.

Vanilina (sabor artificial)

A demanda mundial por baunilha excede em muito a disponibilidade de estoque. (Falaremos sobre a baunilha mais adiante neste capítulo; veja a p. 400.)

> O Oreo já está por aí há mais de um século, mas a receita foi modificada à medida que novos aditivos foram substituindo os antigos, mais recentemente, em 2006, quando a Nabisco trocou os ácidos graxos trans por oleicos. Tente fazer a sua versão: faça biscoitos de manteiga com chocolate em pó (veja a p. 224) e adicione um recheio de **1 xicara** (chá) de açúcar (120g), 3 colheres (sopa) de manteiga (30 a 45g) e 1/4 de colher (chá) de baunilha (1g).

Alguns desses itens são compostos que os cozinheiros caseiros normalmente não colocam na lista de compras: lecitina de soja? Vanilina? Óleo altamente oleico? Mas você talvez já os use, apenas com nomes diferentes. Uma rápida olhada nos aditivos alimentares pode ajudar antes de mergulharmos na composição química.

Aditivos Alimentares   **377**

Números E: O Sistema Decimal Dewey de Aditivos Alimentares

É muito fácil encontrar uma receita de biscoito de chocolate recheado, mas como alguém faz para ajustá-la e resolver certos desafios ou para criar novas comidas? Caramba, até mesmo descobrir que aditivos alimentares existem pode ser um desafio. Olhar o pacote de Oreo nem começa a explicar a imensidão de possibilidades.

A lista usada com mais frequência é a da Comissão de Código Alimentar — criada pelas Nações Unidas e a Organização Mundial de Saúde —, que criou uma taxonomia de aditivos alimentares chamada de *números E*. Como o sistema de classificação decimal Dewey, ela estabelece uma árvore hierárquica: um número *E* único é designado para cada composto químico aprovado para uso em alimentos na União Europeia. Os números *E* são agrupados por categorias funcionais, com a numeração de elementos químicos determinada pelo uso primário de cada um deles:

E100–E199:	Corantes
E200–E299:	Conservantes
E300–E399:	Antioxidantes, reguladores de acidez
E400–E499:	Emulsificantes, estabilizantes e espessantes
E500–E599:	Reguladores de acidez e agentes anticongelamento
E600–E699:	Intensificadores de sabor
E700–E799:	Antibióticos
E900–E999:	Adoçantes
E1000–E1999:	Substâncias químicas adicionais

Muitos aditivos tradicionais aparecem na lista. A velha Vitamina C está lá (E300: ácido ascórbico), assim como o ácido acético do vinagre (E260) e o cremor de tártaro (E334). Alguns compostos sintéticos também estão listados, como o propilenoglicol (E1520), o extrato não alcoólico de baunilha que você compra no supermercado.

Você encontra muitos dos aditivos de que falamos neste capítulo — pectina, gelatina, ágar — no supermercado. Você pode comprar os outros pela internet. Acesse http://cookingforgeeks.com/book/additives/ (site em inglês) para uma lista de fornecedores.

Alguns compostos têm mais de uma função. O ácido ascórbico, listado em E300, é também conservante (200s) e fixador de cor (100s). A lecitina (E322) é usada como emulsificante (400s), mas também é antioxidante. Não pense nos aditivos como um mapa direto das categorias; elas mostram os propósitos técnicos para os quais eles são usados.

Qual aditivo usar para um propósito em particular depende das propriedades do alimento e de suas metas. Você pode ver alguma sobreposição entre essas categorias e os tipos de coloides mencionados antes. Alguns aditivos funcionam em uma faixa ampla de pH, mas se limitam a certas temperaturas, enquanto outros suportam faixas de pH mais estreitas, mas ficam bem com temperaturas mais altas. Por exemplo, o ágar é um poderoso gelificante que cria géis para doces, mas com alguns ingredientes ele passa por sinérese — o líquido vaza do gel. A carragena não passa por sinérese, mas não suporta um ambiente ácido como o ágar.

Este capítulo é vagamente estruturado nesses grupos e fala sobre aditivos alimentares comuns para o cozinheiro amador, junto com alguns itens mais divertidos. Entretanto, há muito mais por aí se você quiser explorar! Para uma lista completa dos aditivos com números *E*, acesse http://cookingforgeeks.com/book/enumbers/ — site em inglês.

Misturas e Coloides

Há mais um conceito que precisamos ver antes de investigar como as substâncias químicas interagem com os alimentos. Um dos momentos mais surpreendentes para mim, enquanto aprendia a cozinhar, foi perceber que os ingredientes não são coisas uniformes e consistentes. Ainda estou aprendendo exemplos disso, mas a maioria dos ingredientes não requer tanto conhecimento. O conceito de misturas e coloides explica por que tantos alimentos reagem de forma mais complexa do que as regras simples de tempo e temperatura poderiam prever.

Pouquíssimos alimentos são substâncias simples do ponto de vista químico. Nem a água o é. O extrato de baunilha e os óleos infundidos carregam sabores no etanol e nas gorduras. A geleia equilibra açúcares e ácidos para formar géis. A maionese é uma emulsão de gorduras e água em que não estão realmente misturadas. Os biscoitos com gotas de chocolate são bastante complexos: bolsões de líquido açucarado cercados por uma matriz parecida com pão que também contém gotas de chocolate — sólidos de cacau misturados com gorduras líquidas e sólidas do cacau. O sorvete é excessivamente complicado.

Para um cientista de alimentos, estes são exemplos de misturas e coloides. Misturas são duas ou mais substâncias combinadas, em que elas permanecem na forma química original. A calda de açúcar é uma mistura — a sacarose é dissolvida na água, mas retém a estrutura química de gosto doce. A combinação de farinha e bicarbonato de sódio também é uma mistura. Um coloide é um tipo de mistura; especificamente, uma combinação de duas substâncias — gás, líquido ou sólido — em que uma é uniformemente dispersa na outra, mas não se dissolvem. Em outras palavras, as substâncias não se associam, mesmo se a estrutura geral parecer uniforme a olho nu. A calda de açúcar não é um coloide, mas o leite é, pois apresenta partículas sólidas de gordura dispersas em uma solução aquosa em que não se dissolvem.

Misturas e Coloides

Dê uma olhada na tabela de coloides. Ela mostra as diferentes combinações de partículas e meios, junto com exemplos de alimentos de cada tipo. O meio de um coloide é chamado de fase contínua (isto é, o líquido aguado no leite) e as partículas são conhecidas como fase dispersa (no leite, as gotículas de gordura). Os alimentos podem ser mais complicados que isso, contudo. O sorvete é um coloide complexo — vários tipos de coloides de uma vez —, sendo um líquido aquoso contendo bolsões de ar (espuma), pedaços de cristais de gelo (suspensões) e gorduras (emulsão), tudo ao mesmo tempo. Uma surpresa nessa tabela é a faixa relativamente ampla de técnicas necessárias para criar todas essas comidas. A Sala de Invenções de Willy Wonka certamente teria uma tabela dessas na parede!

Essas técnicas capturam muito mais do que as tradicionais. A tabela é um campo fértil para os doceiros e também para chefs experimentais, e revela a base de muitos conceitos inspirados na gastronomia molecular. Bater suco de frutas com o emulsificante lecitina cria espumas que podem ser usadas para criar uma cobertura divertida para uma entrada ou sobremesa. Líquidos cheios de sabor podem ser convertidos em espumas que você pode mastigar, como balas de goma (muitas vezes em formato de ursinhos ou minhocas). O uso criativo de aerossóis sólidos pode criar aromas intensos. Não tema: mesmo que forçar os limites das possibilidades culinárias não seja a sua praia, a maior parte dos itens na tabela ainda é de grande interesse.

| | | FASE DISPERSA | | |
		Partículas gasosas	Partículas líquidas	Partículas sólidas
FASE CONTÍNUA	**Gases** (não têm volume definido; eles expandem-se para preencher o espaço)	(N/A: as moléculas de gás não têm uma estrutura conjunta, então combinações gás/gás se misturam para criar uma solução ou se separam devido à gravidade)	**Aerossóis líquidos** • Sprays de água	**Aerossóis sólidos** • Fumaça (para defumar alimentos) • Chocolate aerossolizado
	Líquidos (têm volume mas não têm forma definida)	**Espumas** • Chantili • Claras batidas em neve • Espumas flavorizadas • Sorvete (bolhas de ar)	**Emulsões** • Leite • Maionese • Sorvete (gordura em emulsão aquosa)	**Suspensões e fragmentos** • Molho de salada industrializado • Sorvete (cristais de gelo e gorduras sólidas)
	Sólidos (têm forma e volume definidos)	**Espumas sólidas** • Pão • Marshmallows • Soufflés	**Géis** • Manteiga • Queijo • Bala de goma • Gelatina	**Fragmentos Sólidos** • Chocolate

Marshmallows

Já se perguntou de onde vem o nome dos marshmallows? Eles eram feitos da raiz da planta marsh mallow, *cuja seiva era batida com açúcar para criar uma espuma. Os marshmallows modernos utilizam gelatina, que é muito mais fácil de encontrar do que uma raiz fresca de* mallow. *Eu gosto de usar claras de ovos, também — bem mais próximo do merengue italiano de que falamos antes (veja a p. 293) —, mas se claras malcozidas não são o seu negócio, deixe-as pra lá.*

Os marshmallows são o exemplo clássico de coloides espumantes. Eles começam como espumas líquidas: quando fresca, a mistura cresce e muda de forma. Depois de 12 a 24 horas, ela se transforma em uma espuma sólida que guarda a memória do formato. Os marshmallows são elásticos: você pode apertá-los, mas quando os solta, eles retornam ao formato original.

Em uma tigela pequena, misture **3 colheres (sopa) de pó de gelatina sem sabor (21g) (3 envelopes)** em ¾ **de xícara (chá) de água fria em temperatura ambiente (180ml)**. Deixe descansar por 5 minutos para hidratar a gelatina.

Em uma panela em fogo médio, crie uma calda de açúcar aquecendo **1 xícara (chá) de açúcar (200g)**, ½ **xícara (chá) de xarope de milho (120ml)** e ¼ **de xícara (chá) de água (60ml)**. Aqueça a calda de açúcar a 115°C e depois reduza para fogo baixo. Bata a gelatina e a água da tigela pequena até que esteja completamente dissolvida, e ferva por um minuto ou dois.

Em uma tigela grande, bata **4 claras de ovos (120g)** em ponto de picos flexíveis, à mão ou em uma batedeira. Aos poucos, vá derramando a calda de açúcar quente, batendo as claras o tempo todo. Adicione **1 colher (chá) de extrato de baunilha (5ml)** ou outro aromatizante e, se gostar, qualquer corante alimentício. Continue batendo a mistura por mais alguns minutos para ter certeza de que o açúcar e a gelatina estejam completamente misturados.

Polvilhe uma camada generosa de **açúcar de confeiteiro** no fundo de uma assadeira (use uma assadeira quadrada de 20cm para marshmallows mais grossos, uma retangular para marshmallows um pouco mais finos, ou uma forma de biscoitos para minimarshmallows). Derrame a mistura na forma e então polvilhe mais açúcar de confeiteiro por cima. Deixe em temperatura ambiente por 8 a 12 horas. Tire o marshmallow da assadeira, coloque-o em uma tábua de corte polvilhada com açúcar de confeiteiro e corte em cubos. Cubra os lados dos marshmallows com o açúcar da tábua.

Notas

- *Experimente adicionar raspas de fava de baunilha ou outros aromatizantes como expresso em pó, óleo de hortelã ou uma dose de licor. Para colorir o lado de fora, tente usar açúcar tingido (veja a observação na p. 225).*

- *Se os seus marshmallows estão saindo muito pegajosos ou firmes demais depois de um dia inteiro, tente aumentar ou diminuir a quantidade de gelatina utilizada. A gelatina vem em diferentes intensidades — medida em Blooms, baseada em uma escala criada por Oscar Bloom —, então, há diferenças entre marcas e tipos.*

Misturas e Coloides

Conservantes

Ahh, o sal: responsável pela salvação (ou salivação?) de muitas comidas. O tempero mais antigo ainda em uso, há registros do sal para curar carnes no século III a.C. pelo romano Catão, o Velho. O uso do açúcar como conservante não fica muito atrás: os romanos também usavam mel para conservar os alimentos. E outro conservante tradicional é o vinagre, usado como regulador de acidez (parece delicioso quando coloco dessa forma, não?).

A conservação química tem o propósito fundamental de prevenir o crescimento de bactérias. Embora existam muitos outros meios de preservar os alimentos, como a defumação e a desidratação, o uso de conservantes não muda tanto os sabores. Linguiças, picles no vinagre e compotas de frutas, todos se baseiam na química para mantê-los seguros para o consumo. Os compostos químicos evitam a proliferação de micróbios, destruindo a capacidade de funcionamento das células, como o nitrito faz nas linguiças, ou mudando qualquer das seis variáveis básicas (veja a p. 175) para tornar as células inóspitas, tal como aumentar a acidez com o vinagre ou reduzir a umidade com açúcar nas compotas.

Tipos diferentes de sais formam cristais diferentes, de acordo com a estrutura atômica cristalina do sal. A estrutura cristalina do cloreto de sódio é cúbica, enquanto a do nitrato de potássio tem uma inclinação íngreme que cria cristais em forma de agulhas.

A habilidade do sal de matar patógenos e de conservar as coisas não se limita aos alimentos. Para um humano adulto, a dose letal de sal é de 80 gramas — mais ou menos a quantidade de um saleiro de mesa. A morte por excesso de sal é um jeito realmente doloroso de partir, já que o cérebro incha e explode. Além disso, é improvável que os médicos da emergência venham a diagnosticar corretamente a causa antes que seja tarde demais.

Embora a química dos conservantes não pareça importante para o dia a dia, é bom compreender como os ingredientes e aditivos alimentares funcionam e os fundamentos da conservação que se aplicam a eles. Aqui vão algumas definições de termos técnicos que aparecem ao longo do capítulo.

Átomo

Bloco de construção básico da matéria; por definição, os átomos têm o mesmo número de elétrons e prótons. Alguns átomos são estáveis nessa configuração (por exemplo, o hélio), o que torna menos provável que façam ligações com outros átomos (e é por isso que você não vê nenhum composto feito de hélio). Outros átomos (por exemplo, o sódio) são extremamente instáveis e reagem prontamente. Um átomo de sódio (Na) reagirá violentamente com a água (não tente lamber uma amostra de sódio puro — ele pegará fogo devido à água na língua), mas quando um elétron é retirado, ele se transforma em um delicioso íon salgado de sódio (Na$^+$).

Molécula

Dois ou mais átomos ligados. H = átomo de hidrogênio, H_2 = dois átomos de hidrogênio, que formam uma molécula. Quando há dois ou mais átomos diferentes, eles se tornam uma substância (ex. H_2O). A sacarose (açúcar) é uma substância com a composição $C_{12}H_{22}O_{11}$ — 12 átomos de carbono, 22 de hidrogênio e 11 de oxigênio por molécula. Observe que a composição não diz qual a disposição dos átomos, mas ela é parte do que define uma molécula.

Íon

Qualquer molécula ou átomo carregado — isto é, quando há assimetria na quantidade de prótons e elétrons. Devido a esse desequilíbrio, um íon pode ligar-se a outros por meio da transferência de elétrons entre eles.

Cátion

Qualquer átomo ou molécula com carga positiva, ou seja, com mais prótons do que elétrons. Por exemplo, o Na^+ é um cátion — um átomo de sódio que perdeu um elétron e agora a quantidade de prótons é maior, o que faz com que tenha carga positiva. Ca^{2+} é um cátion — de cálcio — que perdeu dois elétrons.

Ânion

Qualquer átomo ou molécula com carga negativa — isto é, que tem mais elétrons que prótons. O Cl^- é um ânion atômico — nesse caso, um átomo de cloro que ganhou um elétron extra, o que o deixa com uma carga negativa.

Dessas definições, você provavelmente deduziu que muito da química tem relação com íons interagindo entre si de acordo com as diferenças nas cargas elétricas. O cloreto de sódio, o sal comum de cozinha, é um exemplo clássico: é um composto iônico formado por um cátion e um ânion. Na forma sólida, contudo — aquilo que fica dentro do saleiro —, o sal é mais complexo do que um ânion mais um cátion. Ele toma a forma sólida de um cristal de átomos arranjados em um padrão alternante (como um tabuleiro de xadrez em 3D) conforme a carga: cátion, ânion, cátion, ânion. Na água, os cristais de sal se dissolvem e os íons são liberados (dissociados). Os ânions e os cátions se separam em íons individuais, que podem reagir e formar ligações com outros átomos e moléculas. É por isso que o sal é tão fascinante! A sacarose não faz isso.

O cloreto de sódio é um tipo particular de sal, feito de sódio (um metal, que na forma pura reage violentamente quando colocado em água) e cloro (cloro com um elétron extra, ou seja, um ânion). Há muitos outros tipos de sais, criados com diferentes metais e ânions, e eles nem sempre têm gosto salgado. O glutamato monossódico, por exemplo, é um sal que tem gosto umami e realça o sabor de outros ingredientes. O sal de Epsom — sulfato de magnésio — tem gosto amargo.

Muitos tipos de sais são usados para conservar os alimentos. O gravlax de salmão é curado com uma grande quantidade de cloreto de sódio, que conserva o peixe aumentando a pressão osmótica, desidratando e matando de fome as células de micróbios na água, bem como criando um desequilíbrio eletrolítico que os envenena. Muitas linguiças, presuntos e carnes enlatadas são curados usando pequenas quantidades de nitrito de sódio, que também dá a esses alimentos sabor distinto e coloração rosada. Ao contrário do gravlax, no qual o sódio faz a conservação, o nitrito de sódio funciona devido ao nitrito; o sódio é apenas um acompanhante da molécula de nitrito. Os nitritos inibem o crescimento de bactérias por impedir que as células transportem aminoácidos, o que significa que não podem se reproduzir. (Por acaso, os nitritos também são tóxicos para nós em níveis elevados, provavelmente pela mesma razão; mas sem os nitritos o crescimento das bactérias também seria — a dosagem importa!)

O açúcar também pode ser usado como conservante. Ele funciona como o cloreto de sódio, alterando a pressão osmótica do ambiente (veja a p. 386 para saber mais sobre osmose nos alimentos). É por isso que alimentos açucarados, como doces e geleias, não necessitam de refrigeração para evitar a deterioração bacteriana. Pense novamente nas variáveis básicas: a bactéria precisa de umidade para crescer, e a adição de açúcar reduz sua capacidade de absorção.

As propriedades osmóticas do açúcar podem ser usadas para mais do que apenas preservar alimentos. Pesquisadores do Reino Unido descobriram que o açúcar pode ser usado como um curativo para feridas, essencialmente como um bactericida barato. Eles usaram açúcar (esterilizado, por favor), glicol e peróxido de hidrogênio (0,15% de concentração final) para criar uma pasta com pressão osmótica elevada e baixa atividade de água, criando algo que seca feridas, evitando que as bactérias sejam capazes de crescer. É óbvio que quem disse "jogar sal na ferida" não tentou açúcar!

Além do sal e do açúcar, que fazem as bactérias morrerem de sede, inibidores enzimáticos e ácidos são usados para impedir seu crescimento. O benzoato é um dos conservantes modernos mais usados, quase sempre em pães, para impedir o crescimento de bolor. (Fãs de Os Simpsons devem lembrar do benzoato de potássio como parte da maldição do frogurt — veja em http://cookingforgeeks.com/book/frogurt/ —, site em inglês.) Como o nitrito, o benzoato interfere na habilidade de a célula funcionar (no caso do pão, diminuindo a habilidade do fungo de converter glucose em adenosina trifosfatada, cortando assim o fornecimento de energia).

Substâncias que baixam o pH dos alimentos também conservam a comida, e são tão importantes que os reguladores de acidez recebem uma seção inteira na lista dos números *E*. Muitos desses compostos não têm usos que interessem à culinária caseira, que já tem o ácido cítrico (obrigado, suco de limão) e o ácido acético (do vinagre) à disposição. Para a indústria, os outros reguladores de acidez dão uma maior amplitude de opções de sabores e propriedades funcionais, mas para o uso doméstico não há muito propósito a ser explorado além de alguns truques como usar uma pitada de vitamina C (ácido ascórbico) para reforçar a levedura durante a fermentação.

Gravlax de Salmão

A cura com sal tem sido usada por séculos para conservar peixes de água salgada. E também é fácil de fazer em casa! Cobrir o peixe com uma quantidade suficiente de sal absorve a umidade; isso é chamado de salmoura seca. Mas o sal não apenas seca o alimento (junto com qualquer bactéria e parasita). Em concentração suficiente, a salmoura seca destrói a habilidade da célula de funcionar e a mata, tornando inviável a proliferação de bactérias e parasitas.

Em uma tigela, misture:

- 5 colheres (chá) de sal grosso (30g)
- 1 colher (sopa) de açúcar (12g)
- 3 colheres (sopa) de endro fresco picado (12g)
- 1 colher (chá) de vodca (5ml)
- 1 colher (chá) de pimenta-do-reino moída (2g) (de preferência, use um pilão)

Em um pedaço grande de filme plástico, coloque:

- 450g de salmão lavado e sem os ossos, de preferência de corte central, com formato retangular

Salpique a mistura de sal sobre o salmão e massageie-o. Embrulhe o peixe no plástico e guarde na geladeira, virando e massageando duas vezes por dia por um ou dois dias.

Guarde na geladeira e consuma em uma semana.

Notas

- *A vodca é utilizada aqui como solvente para dissolver alguns dos componentes aromáticos insolúveis em água. Tente substituir por outras bebidas, como conhaque ou uísque. E, no lugar do endro, tente usar semente de coentro, folhas de chá soltas (por exemplo, Earl Grey ou Lapsang Souchong), chalotas ou raspas de limão. Os escandinavos tradicionalmente servem gravlax de salmão em cima do pão com um molho de mostarda com endro.*

- *Você pode substituir o salmão por outros peixes gordurosos e obter uma textura similar.*

- *Essa receita é um pouco pesada no sal — 6% em peso — para errar para o lado seguro. Você pode reduzir o sal lavando o produto acabado em água fresca. Fazer a cura com mais de 3,5% de sal previne o crescimento da maioria das bactérias comuns, mas não de todas. Pequenas concentrações de sal previnem as bactérias gram-negativas — as mais comumente encontradas nos alimentos — de crescerem, mas não terão efeito sobre as poucas gram-positivas, como a Listeria.*

- *A salmoura — como feita no gravlax — é o primeiro passo para fazer salmão defumado. Após a salmoura, o salmão também é defumado, processo de expor um alimento à fumaça de vapores que tenham esfriado. Você pode se aproximar do sabor do salmão defumado adicionando fumaça líquida ao molho (veja a p. 403).*

Em uma tábua de corte, remova toda a pele do peixe deslizando cuidadosamente a faca ao longo da superfície entre a pele e a carne.

Osmose nos Alimentos

Contrário à sabedoria popular, colocar alguma coisa em salmoura não leva água para dentro das células para torná-las mais suculentas — isso seria contra a osmose! A salmoura retira água da célula e parece aumentar o líquido nos tecidos ao redor dela. Mas o que é osmose?

Osmose é o processo físico da passagem de um solvente através de uma membrana para igualar a concentração de soluto no outro lado. Por exemplo, aplicar sal no exterior de uma carne ou cozinhar frutas em calda de açúcar faz com que a água passe do interior das células pela parede celular e saia em direção ao sal ou à solução de açúcar do lado de fora. Isso acontece porque o sal e o açúcar são incapazes de penetrar as paredes celulares, mas a água pode, então ela deixa as células para equilibrar as diferenças de concentração. (O sal também quebra algumas das proteínas miofibrinas e, assim, muda a textura da carne — mas isso não acontece por causa da osmose!)

A osmose está relacionada à *difusão*. As moléculas dissolvidas em líquido se distribuem para concentrações uniformes, algo parecido com o vapor em um chuveiro quente, que se distribui pelo ambiente. (Você pode imaginar tomar um banho e ver que todo o vapor fica do lado esquerdo do banheiro?) A maior concentração de um lado de uma membrana como a parede celular faz com que o soluto (o sal ou o açúcar) a atravesse, criando o que chamamos de pressão osmótica. Se essa membrana for permeável ao soluto, uma parte dele passará para o outro lado até que a pressão das moléculas que ficam saltando contra a membrana de ambos os lados esteja praticamente igual.

Nas células, a osmose leva à desidratação, e se houver uma grande diferença de concentração entre os dois lados da parede celular, a *plasmólise* acontece — a estrutura celular entra em colapso. Se muita água sai, a célula morre.

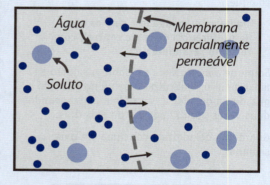

Da perspectiva da segurança alimentar, a quantidade de sal necessária para causar plasmólise suficiente para tornar as bactérias inviáveis depende da espécie de bactéria envolvida e do tipo de comida. A salmonela é incapaz de crescer em concentrações de sal tão baixas quanto 3%, a *Clostridium botulinum* morre por volta de 5,5%, enquanto a *Staphylococcus* é resistente o suficiente para sobreviver em uma concentração de sal de até 20%. A *Staphylococcus* não é um problema comum em peixes, segundo o FDA, então, as orientações de segurança alimentar consideram soluções de sal de aproximadamente 6% suficientemente seguras (exceto para aqueles em um grupo de risco) na manipulação do peixe.

Carolyn Jung: Limões em Conserva

Carolyn Jung é jornalista de alimentos, trabalhou para o San Jose Mercury News como repórter, escrevendo sobre culinária, e como editora, antes de criar seu blog em http://www.foodgal.com (site em inglês).

Como é um dia na vida de um escritor de culinária?

É uma das profissões mais divertidas, criativas e agradáveis que existe. A comida é essa forma inócua de criar laços com estranhos e educar pessoas, não se trata apenas de comida. Ela ensina sobre cultura, história, etnias, política, religião. Todos esses aspectos são o que realmente tornam o trabalho interessante, muito mais do que as pessoas imaginam.

De onde vem esse fascínio recente que as pessoas têm por culinária?

Um grande impulso foi o Food Network, que fez a comida virar esse fenômeno. Muitas pessoas que normalmente não cozinham foram atraídas por shows como o Master Chef porque era quase como assistir a uma luta de boxe ou a um jogo de futebol. Quem não sonha em ser o atacante do seu time? Programas de culinária são assim; você pode se imaginar no lugar do concorrente. "Ah, se eu tivesse uma caixa com cogumelos, capim-limão, frango e abacate, que diabos eu faria?"

Qual foi a diferença mais inesperada entre a sua experiência no mundo impresso e o seu blog?

Como repórter de jornal, eu estava acostumada a escrever artigos longos e detalhados. Na internet, as pessoas não têm esse tipo de atenção. Você tem uma janela de tempo menor para atrair um leitor online, mas constrói um público muito fiel. Se alguém gosta do que você faz, vai continuar lendo.

Há alguma publicação específica do blog que teve reações muito mais fortes do que você esperava?

Eu escrevi sobre como fazer conservas de limão e como fiquei, como meu marido chama, quase obcecada por observar meus limões. É a coisa mais simples. Tudo que você faz é cortar limões frescos, encher as cavidades com sal e depois embalá-los em um frasco de vidro esterilizado. Você cobre com um pouco de suco de limão fresco e fecha com a tampa. Conforme os dias passam, os limões começam a quebrar e ficar mais macios, liberando mais do seu suco, e salmouram nessa mistura. Eu me lembro da primeira vez que fiz, acordava todos os dias e ia olhar para o meu pote de limões para ver como estavam. Era quase como uma experiência científica. A parte divertida é descobrir todos os usos para determinada coisa.

Conserva de Limão

Tudo que você precisa é de **meia dúzia de limões lavados e de preferência orgânicos**, **sal** e **um pote de vidro com uma tampa bem ajustada**.

Deixe 1 ou 2 limões separados.

Corte os limões restantes em quatro ou oito partes e retire as sementes. Espalhe uma camada fina de sal no fundo da jarra, coloque uma camada de limões e depois cubra-a com sal. Continue formando camadas com os limões restantes e cobrindo com sal. Quando terminar, esprema o suco dos dois limões reservados por cima. Guarde o pote no refrigerador. Depois de 2 ou 3 semanas, os limões ficarão macios.

Para usar, retire do pote a fatia de limão e use como desejar — picado ou fatiado em rodelas finas. O limão em conserva fica bem salgado, então não use qualquer quantidade de sal que você normalmente usaria na receita, ou enxágue-o em água. Use a conserva de limão na salada de atum para sanduíches ou experimente em massas, saladas de feijão, vinagretes e marinadas.

Tente adicionar ervas ao sal, ou para uma versão menos salgada e mais doce, misture 2 partes de açúcar para 1 de sal.

Picles Instantâneos Pão com Manteiga

Picles instantâneos são feitos com pepinos fatiados em rodelas e curados em vinagre quente com condimentos e açúcar. É o açúcar que faz os picles "pão com manteiga". Eles são fantásticos acompanhando o xará. Experimente-os com pão torrado, com uma boa camada de manteiga por cima. Assim como os picles de refrigerador, que são fermentados por alguns dias antes da refrigeração, estes não são conservados de maneira propícia para armazenamento a longo prazo — não que eu tenha conseguido deixá-los dando sopa por muito tempo.

Em uma panela média, meça:

- **2 xícaras (chá) de vinagre branco (480ml) (ácido acético a 5%)**
- **1½ xícara (chá) de açúcar (300g) (ou açúcar mascavo)**
- **3 colheres (sopa) de sal marinho (30g)**
- **1 colher (sopa) de sementes de mostarda (3g)**
- **½ colher (chá) de pó de cúrcuma (1g)**

Lave **450g de pepinos** — tente encontrar pepinos de uma variedade como a kirby, ou use pepino japonês, mais interessante do que aqueles mais comuns. Corte e descarte ambas as pontas e então corte os pepinos em rodelas de 0,5 a 1cm de espessura. Coloque as fatias em uma panela.

Descasque e corte **1 a 2 cebolas (250g)**. Corte-as ao meio, no sentido longitudinal, e então fatie-as em meia-lua. Adicione as cebolas à panela.

Se gostar, adicione mais condimentos ou itens para fazer picles — por exemplo, **grãos de pimenta**, **sementes de aipo**, **algumas folhas de louro**, **dedos-de-moça cortados em anéis** ou **alguns dentes de alho cortados ao meio**.

Deixe os ingredientes cozinhar por 5 minutos, com a tampa. Cozinhar por mais tempo deixará os picles mais moles. Desligue o fogo e deixe esfriar até que possam ser transferidos para um pote. Guarde no refrigerador e consuma em poucas semanas.

Notas

- *O sal marinho não contém iodo ou aditivos antiaglomerantes que turvam a água. Ele também tem a metade da densidade do sal de mesa, por isso, se você substituir o sal marinho por sal de mesa, ajuste as medidas. Tente misturar 2 colheres (sopa) de sal marinho (20g) em um copo d'água e 1 colher (sopa) de sal (18g) em um segundo copo para ver a diferença.*

- *Quando pensei pela primeira vez em usar os picles como exemplo de conservação, achei que seria fácil de explicar. O calor, a salinidade e a acidez, todos matam elementos patogênicos! No fim das contas, isso não é o bastante. Estes picles instantâneos não são conservados de maneira apropriada, ao contrário do que muitos livros de receitas dizem. Usar vinagre quente diminui o tempo de preparação dos picles, mas o calor e a mudança de pH não são suficientes para acabar com a C. botulinum. Sem um processo próprio de envasamento, não é seguro armazenar esses picles por muito tempo, mesmo no refrigerador, já que os esporos de C. botulinum são extremamente resistentes. Trate os picles instantâneos como qualquer outro alimento perecível: mantenha-os no refrigerador e consuma-os em poucas semanas.*

- *Se quiser fazer picles que possam ser armazenados por mais tempo, você vai precisar envasá-los. O envasamento é um bom exemplo de múltiplas técnicas de preservação combinadas: esterilizar os potes remove a Listeria e o vinagre abaixa o pH para uma faixa em que os esporos de C. botulinum não germinem. O pH é importante: ele deve estar abaixo de 4,6, porque o processo de envasamento sozinho não destrói os esporos de bactérias. Até mesmo a mudança de proporção entre líquidos e sólidos quando se está preparando picles pode mudar o pH! Para as etapas de envasamento dos picles pão com manteiga, acesse http://cookingforgeeks.com/book/pickles/ — site em inglês. Dica: você não precisa de uma panela especial para envasamento; use um caldeirão grande para ferver a água e um tripé ou descanso que você não se importe em molhar com o fundo do caldeirão.*

Por que os picles de refrigerador não são conservas verdadeiras?

O USDA começou a estudar os picles nos anos 1930 em seu Laboratório de Fermentação Alimentar, mas até 1989 os pesquisadores ainda encontravam problemas. A *Listeria monocytogenes* aparecia nos picles de refrigerador contaminados depois do cozimento. Não é uma surpresa: a *L. monocytogenes* sobrevive em líquidos com pH abaixo de 3,0, e em salmouras de até 10%, e se reproduz a 1°C, é inodora e insípida. (Ela só quer viver! Dentro de você!) Como as bactérias decompositoras comuns não crescem nessas condições, os picles infectados não apresentarão gosto incomum ou desenvolverão aspecto de estragado. O USDA divulgou sua receita de picles recomendada, mas ela vem quicando por aí desde então.

Conservantes

Hervé This: Gastronomia Molecular

Hervé This (pronunciado "tis") é pesquisador do Institut National de la Recherche Agronomique, de Paris, conhecido por seus estudos sobre as alterações químicas que ocorrem no processo de cozimento. Juntamente com Nicholas Kurti, entre outros, começou uma série de workshops intitulados "Workshop Internacional sobre Gastronomia Molecular e Física", realizados pela primeira vez em 1992, em Erice, na Sicília, Itália.

Qual foi a razão original para você e o dr. Kurti escolherem o nome "gastronomia molecular e física"?

Nicholas Kurti era um professor de física aposentado. Ele adorava cozinhar e queria aplicar novas tecnologias na cozinha, ideias do laboratório de física, principalmente sobre vácuo e frio, temperaturas baixas. Para mim, a ideia era diferente: eu queria coletar e testar os contos da carochinha na cozinha. Além disso, queria usar algumas ferramentas de laboratórios de química na cozinha.

Por muitos anos, quando eu estava fazendo um experimento em Paris, ele estava repetindo-o em Oxford, e o que ele estava fazendo em Oxford, eu estava repetindo em Paris. Foi muito divertido. Em 1988, propus a Nicholas criarmos uma associação internacional do tipo de coisa que estávamos fazendo. Nicholas me disse que era muito cedo, mas, provavelmente, seria uma boa ideia para fazer um workshop com amigos. É por isso que precisávamos de um nome. Propus gastronomia molecular, e, naquela época, Nicholas, que era um físico, teve a sensação de que isso colocaria muita ênfase na química, por isso ele propôs gastronomia molecular e física. Aceitei a ideia só porque Nicholas era um grande amigo meu, não porque eu estava convencido cientificamente.

No começo, publiquei um artigo em um jornal importante sobre química orgânica, e nesse trabalho eu fiz confusão entre tecnologia e ciência. Em 1999, percebi que uma clara distinção deveria ser feita, porque elas são diferentes.

Como o trabalho que você faz com a gastronomia molecular difere do trabalho de um cientista de alimentos que é publicado em periódicos como o *Journal of Food Science*?

É uma questão de história. Naquele tempo (1988), a ciência dos alimentos era mais a ciência da tecnologia de alimentos ou dos ingredientes. Havia trabalhos sobre, digamos, a composição química da cenoura. Nicholas e eu não estávamos interessados em tudo da composição química da cenoura, na química dos ingredientes.

Queríamos fazer ciência, explorar o fenômeno que se observa quando se cozinha, e cozinhar foi completamente esquecido naquele momento. Nos séculos anteriores, Lavoisier e outros estudaram a forma de cozinhar caldo de carne. Foi exatamente o que fizemos. A ciência dos alimentos havia mudado; a culinária foi completamente esquecida. Recentemente, peguei a edição de 1988 da *Food Chemistry*, por Belitz e Grosch, um livro muito importante sobre ciência dos alimentos, e li os capítulos sobre carne e vinho. Não há quase nada sobre o preparo de carne ou vinho; é muito estranho.

Parece que há muita confusão sobre o que você quer dizer com o termo "gastronomia molecular".

Gastronomia molecular significa olhar para o mecanismo dos fenômenos que observamos durante o processo de cozimento. A ciência dos alimentos em geral não é exatamente isso. Se você olhar para a tabela de conteúdo do *Journal of Agricultural and Food Chemistry* (Jornal da Agricultura e Química de Alimentos), encontrará muito pouco sobre a gastronomia molecular.

Então, a gastronomia molecular é um subconjunto da ciência de alimentos que lida especificamente com a transformação de alimentos?

Exatamente, é um subconjunto. Em 2002, apresentei uma nova taxonomia para descrever a organização física da matéria coloidal e dos pratos. Essa taxonomia pode ser aplicada para comidas e também para quaisquer produtos formulados: drogas, revestimentos, pinturas, corantes, cosméticos. Tem algo a ver com química, física e, claro, com a gastronomia molecular. Então, é verdade que a gastronomia molecular é um tipo específico de ciência dos alimentos, mas também é um tipo específico de físico-química.

É fascinante ver como é fácil fazer invenções ou aplicações da ciência. Todo mês, eu dou uma invenção para Pierre Gagnaire. Eu não devia, porque é uma invenção, não uma descoberta, mas posso dizer que eu só tenho que estalar os dedos e a invenção surge. Eu pego uma ideia da ciência, e me pergunto: "O que posso fazer com isso?". E, então, eu encontro um novo uso. É muito, muito fácil. A relação é de uso, e é provavelmente a razão pela qual há tanta confusão entre ciência e tecnologia. Estamos estudando caldos de cenoura. Estávamos estudando o que sai das raízes da cenoura para a água e como é que isso sai. Um dia, eu vim para o laboratório. Estava olhando para dois caldos feitos a partir da mesma cenoura. Um caldo era marrom, o outro era laranja. Era a mesma cenoura, a mesma água, a mesma temperatura, o mesmo tempo de cozimento, e um era marrom; o outro, laranja. Eu parei todos no laboratório, dizendo: "Temos de nos concentrar nisso porque nós não entendemos nada".

Concentramo-nos nessa história, e foi devido ao fato de um preparo ter sido feito na frente da luz, enquanto o outro foi feito no escuro, que descobrimos que se você incidir luz em um caldo de cenouras, ele ficará dourado. Então, exploramos o mecanismo de como ele ficava dourado. Foi uma descoberta, não uma invenção, e, assim, foi ciência. Ao mesmo tempo, a aplicação é do uso, já que os cozinheiros querem dar aos caldos uma bela cor dourada, e para obtê-la eles grelham cebolas e as adicionam ao caldo. Posso dizer aos cozinheiros agora: "Evite as cebolas e adicione um pouco de luz". Veja você, a descoberta leva imediatamente à invenção.

Conte-me mais sobre o seu trabalho com o chef Pierre Gagnaire.

Não sei se foi um trabalho, é uma amizade. A esposa de Pierre disse a ele há mais de 10 anos: "Você é louco e Hervé é louco, então vocês provavelmente deviam trabalhar juntos".

A história verdadeira é que, em 1998, Pierre abriu um novo restaurante em Paris. Ele estava abrindo o restaurante com lançamentos para a imprensa, para meios de comunicação, para políticos etc., e eu fui convidado. Na época não o conhecia, exceto pela reputação. Um ano se passou e fui convidado pelo jornal *Libération* para dar receitas de Natal — receitas específicas. Eu disse a eles que não era chef e não devia dar receitas. Em vez disso, sugeri convidar dois chefs maravilhosos para montar receitas a partir das ideias que eu daria a eles, e Pierre Gagnaire era um deles.

Quando estava no táxi indo para o restaurante para a entrevista e as fotos, percebi que cervejas podem criar espuma. Isso significa que você possui as proteínas para que os surfactantes possam envolver as bolhas de ar. Se as proteínas podem envolver as bolhas de ar, isso significa que elas conseguem envolver o óleo. Quando cheguei ao restaurante, Pierre estava lá; imediatamente perguntei a ele: "Você tem cerveja, óleo, um batedor de ovos e uma tigela?". Ele me olhou e foi pedir os ingredientes e os equipamentos, e eu disse: "Por favor, coloque um pouco de cerveja e depois bata o óleo nela; posso prever que vai obter uma emulsão". E ele conseguiu. Ele a provou, achou muito interessante e decidiu fazer o prato com base nessa emulsão maravilhosa.

Um ano depois, fui convidado para dar uma palestra na Academia de Ciências. Propus que fizéssemos a palestra com um jantar de Pierre. Trabalhamos por três meses, nos encontrando toda manhã nas segundas-feiras, de 7h às 10h. Foi tão divertido que decidimos continuar e nunca paramos. Não é uma colaboração, estamos apenas brincando juntos, somos crianças.

Parece que algumas dessas culinárias novas são completamente diferentes da experiência de um jantar tradicional. Quanto dessa experiência é criada utilizando descobertas científicas e colocando-as em uso em uma refeição, quando comparada a um chef que cria um conceito e vai até um cientista e pergunta: "Há uma forma de fazer isso?"

Bom, são muitas perguntas. Eu acho que não cozinhamos da forma como deveríamos. Por exemplo, ainda assamos frango. É uma boa ideia? Não sei. Fazemos a pergunta: "Devemos continuar como sempre fomos?". Muitos chefs estão mudando suas práticas. Muitas das minhas invenções estão de graça no site de Pierre Gagnaire e eu sei que chefs o acessam para ter novas ideias na cozinha. Publico as ideias de graça; não existem patentes, não há dinheiro envolvido. Faço tudo de graça porque quero racionalizar a forma como cozinhamos. Não cozinhamos de uma forma racional. Ainda assamos frango.

Um dos livros que publiquei tinha o título *Cooking: A Quintessential Art* (Culinária: Uma Arte Quintessencial, em tradução livre), mas em francês ficou "Culinária: Amor, Arte e Técnica". A ideia de que cozinhar é uma arte não era nem admitida há alguns anos: "A arte real é a pintura, ou a música, escultura ou literatura". Lembro-me de conversar com um ministro da educação pública na França. Ele dizia: "Não, não, não, não

Conservantes 391

é arte. Você está brincando; é culinária". Primeiro é amor, então arte, e depois técnica. É claro que a tecnologia pode ser útil apenas para a parte técnica, não para a arte, e não para o componente do amor. Hoje em dia, Ferran, do elBulli, e o Grant Achatz, do Alinea, usam a técnica, porém, existem muitas possibilidades de melhora. Eles farão sua própria interpretação, e então a ciência não tem nada a ver com isso. É uma interpretação pessoal; é sentimento.

Você acha que o elBulli e o Alinea, ou restaurantes como eles são capazes de usar de forma suficiente todos os três componentes: amor, arte e técnica?

O componente do amor na culinária não é realmente formalizado. A ciência necessária ainda não existe. Eu acredito que precisamos de um pouco de ciência no componente do amor. Por eu ser um químico-físico, não é muito fácil fazer esse estudo. Tudo ainda é muito primitivo. Atualmente, os chefs se comportam intuitivamente com o componente do amor. Se alguém é amigável, ele cumprimentará na entrada do restaurante: "Ah, você chegou, estou muito feliz que tenha vindo", e você ficará feliz porque é cumprimentado como um amigo. Mas isso é intuição. O que estou dizendo é que precisamos estudar cientificamente o mecanismo do fenômeno dessa amizade. Não temos esse mecanismo atualmente.

Quase parece com psicologia ou sociologia.

É, exatamente. Minha forma de fazer gastronomia molecular é fazer químico-física, diariamente, no laboratório, mas estou produzindo conceitos de forma que outras pessoas possam pesquisar por conta própria. Sua escolha pessoal pode ser psicologia, sociologia, história, geografia; precisamos do conhecimento para compreender o mecanismo do fenômeno que observamos na culinária. É uma ideia muito boba acreditar que não podemos estudar esse fenômeno. Pode ser feito. Imagine que descubro, ou alguém descubra, uma forma de dar mais amor a um prato. Isso significa que o convidado ficará mais feliz. Mas imagine que você dê esse conhecimento para alguém desonesto. A pessoa usaria esse conhecimento de forma desonesta, e isso aumentaria o poder das pessoas desonestas. Se você der o mesmo conhecimento para pessoas boas, elas farão o seu melhor. É a mesma questão com a física nuclear. Se você age de uma forma ruim, fará uma bomba; se tentar agir para o bem da humanidade, fará eletricidade. A ciência não é responsável pela aplicação; você é.

Perguntei para o dr. This se ele tinha uma experiência favorita que podia ser feita em casa para se aprender mais sobre comida. Eis a resposta:

A descoberta mais empolgante que fiz foi colocar frutas como ameixas em vários copos d'água, com quantidades diferentes de açúcar. Em caldas mais leves, as frutas afundavam, mas, em caldas concentradas, flutuavam. Isso, é claro, é ligado com a densidade, mas se você observar, as frutas em caldas leves incham (por osmose) e explodem, enquanto murcham em caldas concentradas.

Esse experimento é útil para saber como fazer uma calda com a concentração exata para preservar frutas: coloque-as em uma calda concentrada e adicione água devagar até elas começarem a afundar. A pressão osmótica então é zero, de forma que podem manter a forma e a consistência.

Esquerda: frutas apenas em água; centro: frutas em calda de açúcar leve; direita: frutas em calda de açúcar forte.

Cozinha Geek

Removendo o Gosto de Açúcar

O açúcar é, com frequência, adicionado para conservar alimentos como geleias ou (em forma de mel) para dar aos pães de sanduíche uma cor mais escura. Mas e se você quiser as propriedades funcionais de conservação ou douramento sem a doçura?

Um truque de química e de paladar faz exatamente isso. O *lactisole*, a que eu chamo brincando de "antiaçúcar", é um aditivo usado para reduzir a sensação de doçura. (Infelizmente, misturar açúcar e antiaçúcar não libera mais energia do que comer apenas o açúcar, nem a adição de antiaçúcar aos alimentos reduz as calorias.)

Um dos desafios da indústria de alimentos é maximizar o tempo pelo qual os alimentos permanecem comestíveis enquanto o sabor e a textura permanecem aceitáveis. No início dos anos 1980, um pesquisador britânico, Michael Lindley, descobriu que o composto lactisole diminui a percepção de doçura. Adicionado a alimentos em uma concentração ao redor de 100 partes por milhão (ppm), o lactisole interage com as papilas gustativas e diminui a sensação de doçura. (Para os geeks da biologia, o lactisole é um ácido carboxílico que inibe o receptor de proteínas doces TAS1R3.) Ao contrário dos métodos tradicionais para diminuição da doçura de um prato (por exemplo, adicionar ingredientes ácidos ou amargos), o lactisole trabalha inibindo a sensação de doçura na língua, então não impacta a percepção de outros gostos como salgado, amargo ou azedo.

Com o lactisole, você pode tornar armazenáveis os alimentos até então perecíveis aumentando a quantidade de açúcar e depois anulando a percepção da doçura.

O lactisole aparece em produtos como molhos para saladas, nos quais a doçura dos estabilizantes ou espessantes é indesejável, e em alguns pães industriais. A massa de pizza, quando assada, fica mais atraente visualmente se estiver dourada. A adição de açúcar é um jeito fácil de conseguir uma reação de douramento, mas massa de pizza doce não é tão desejável; o uso do lactisole resolve isso.

A Domino vende um produto chamado Super Envision, uma mistura de sacarose, um pouco de maltodextrina e "sabor artificial" a 10.000ppm. (O lactisole é classificado como um aditivo GRAS — foi encontrado em favas torradas de café — e por isso é rotulado como sabor artificial.) O Super Envision foi feito para ser usado em uma concentração próxima a 1% no produto final, então os 10.000ppm tornam-se 100ppm. (Hum, fico pensando, esse "sabor artificial" poderia ser lactisole?)

Se você conseguir encontrar lactisole, tente experimentá-lo misturado com calda de caramelo. Adicione uma pequena quantidade de inibidor de doçura a uma tigela de calda de caramelo (veja a p. 228), deixando uma segunda tigela sem modificação para efeito de comparação. Os sabores dos componentes queimados na calda serão mais intensos na tigela adulterada, porque a doçura não estará lá para mascará-los. É uma sensação estranha!

O enantiômero S do lactisole inibe os receptores de doce.

Conservantes

Laboratório: Fazendo Sorvete com Sal e Gelo

O sal é uma coisa maravilhosa, mas confesso que diria isso sobre qualquer coisa que possa ser usada para fazer sorvete. Adicionar sal ao gelo o faz derreter devido ao *abaixamento do ponto de fusão* — que é a diminuição da temperatura na qual a água congela. Mas isso é apenas metade da história de como sal e gelo fazem sorvete. Dissolver sal de cozinha em água é também uma *reação endotérmica* — um processo que absorve calor, tornando o ambiente ao redor mais frio.

Quando você coloca um grão de sal de mesa, também conhecido como cloreto de sódio (NaCl), na água, ele se *dissocia* — se divide em partículas menores. No sal de mesa, é o sódio (Na^+) e o cloro (Cl^-) que se separam, libertando-se para viajar e ligar-se a outras moléculas (ou à sua língua, no caso do sódio). Essa dissociação não acontece de graça. Quebrar essas ligações requer energia e esfria a água ao redor.

Primeiro, pegue esse material:

- 1 saco plástico selável pequeno com capacidade de 1 litro
- 1 saco plástico selável com capacidade de 4 litros, um recipiente para alimentos ou uma lata de tinta (com a tampa)
- 12 pedras de gelo ou 2 xícaras (chá) de água congelada (480ml)
- 1 xícara (chá) de sal (290g)
- ½ xícara (chá) de creme de leite (120ml)
- ½ xícara (chá) de leite (120ml)
- 2 colheres (sopa) de açúcar (25g)
- ½ colher (chá) de extrato de baunilha (2,5ml)
- Uma toalha ou luvas para segurar a sacola fria ou o recipiente enquanto o agita (opcional, mas é bom ter)
- Termômetro digital (opcional)
- Colher

Preparo:

1. Coloque o creme de leite, o leite, o açúcar e o extrato de baunilha em uma sacola plástica e a sele, deixando um bolsão de ar dentro.
2. Adicione o gelo e o sal na sacola maior ou recipiente.
3. Coloque a sacola pequena selada dentro da grande e a feche.

Laboratório: Fazendo Sorvete com Sal e Gelo

4. Agite o recipiente! Se estiver usando uma lata de tinta, você pode rolar para um lado e para o outro sobre uma bancada ou no chão; se estiver usando a sacola, massageie e agite. Use luvas ou enrole o recipiente em uma toalha para manter suas mãos longe do frio. Depois de alguns minutos, abra o recipiente e use um termômetro digital para medir a temperatura da água salgada. Continue agitando e misturando por 10 minutos mais ou menos, até que a mistura do sorvete tenha congelado e esteja com uma consistência macia.

Hora da investigação!

Abra a sacola de dentro e use a colher para experimentar o sorvete. O que você observa sobre a textura?

O que acha que aconteceria se usasse outros compostos no lugar do sal? O que aconteceria se usasse sal de Epsom, ou bicarbonato de sódio?

Crédito extra:

Quanta diferença você acha que a reação endotérmica faz? Para descobrir, faça duas porções de sorvete para testar a diferença. Faça uma porção com 1 xícara (chá) de sal congelado, de forma que estará à mesma temperatura que o gelo, mas não misturado. Depois, faça uma segunda porção usando 2 xícaras de água e 1 de sal misturados, e então a congele durante a noite no freezer. (Isso é mais sal do que poderá se dissolver, mas é necessário porque nem todo o sal entra em contato com o gelo no método normal.)

O sal de cozinha, NaCl, é apenas um dos muitos sais que aparecem em usos culinários: o cloreto de potássio é usado nos substitutos do sal (por favor, passe o cloreto de potássio?); o cloreto de cálcio é usado para firmar vegetais (da mesma maneira que o cálcio na água dura); e o glutamato monossódico (MSG) adiciona ácido glutâmico às refeições.

A quantidade de energia necessária para dissociar os íons Na+ e Cl- do sal de cozinha é chamada *energia reticular*. Mas também há liberação de calor quando esses íons se associam a moléculas de água, chamada de *energia de hidratação*. Diferentes tipos de sais terão diferentes energias reticular e de hidratação. Se a energia reticular for maior do que a energia de hidratação, então ela é endotérmica; se for o inverso, dissolver o sal criará uma *reação exotérmica* — uma que libera calor.

Brincando com Química

Conservantes   **395**

Marmelada Cítrica

A marmelada é feita fervendo fatias de frutas cítricas em água com açúcar. A combinação da pectina do limão e do ácido da polpa da fruta faz com que esse seja um dos tipos mais fáceis de geleia para ser preparada. Adicione açúcar e água e, depois de aquecida, a pectina naturalmente presente formará um gel. Para uma marmelada bem amarga e tradicional, use laranjas-azedas, que têm alto teor de pectina. Para uma cor mais avermelhada, tente misturar laranja sanguínea.

Prepare **450g de frutas cítricas** como limões, laranjas, toranjas ou limas (use uma mistura das quatro — é fantástico!): lave-as bem, esfregue-as sob a água e remova qualquer resíduo. Corte a parte de cima e a de baixo de cada fruta, corte-as em quatro, retire as sementes e o centro. Fatie a fruta em tiras finas e coloque em uma panela.

Adicione **1 ½ xícara (chá) de açúcar (300g) e água suficiente para cobrir as frutas**. Leve ao fogo e deixe ferver, abaixe o fogo, tampe e deixe cozinhar por meia hora, ou até que estejam macias. Quando amolecer, retire do fogo. A marmelada deve ficar muito amarga nesse ponto; você pode adicionar um pouco mais de açúcar se achar que está amarga demais.

Deixe esfriar e guarde na geladeira.

Notas

- *Se já fez isso antes, tente usar um pouco de suco de frutas cítricas ou mel no lugar de parte da água. Se preferir, adicione ervas como cravos, canela, baunilha e misture antes de levar ao fogo.*

- *Além de usar em torradas, tente usar uma colher de marmelada com cereal de aveia em panquecas, misturar ao iogurte, como parte em aperitivos de queijo, em assados ou misturada com chantili como cobertura de bolos. A marmelada também fica ótima como glacê em costelas de porco ou pato, misturada com vegetais e até mesmo no vinagrete para acompanhar saladas.*

Casca de Laranja Doce

As cascas de laranja são ótimas picadas e adicionadas a biscoitos, a sobremesas, ou simplesmente com chocolate temperado (veja a p. 157). Cozinhar a casca deixa o tecido macio e neutraliza um dos componentes amargos do mesocarpo da fruta, a limonina. O açúcar age como conservante ao se ligar à água, mas não é infalível. O bolor precisa de menos água que as bactérias para se desenvolver, por isso, se as suas cascas ficarem muito úmidas, você pode notar bolor crescendo (e não do tipo saboroso).

Em uma panela, ferva:

- **2 xícaras (chá) de água (480ml)**
- **2 xícaras (chá) de açúcar (400g)**
- **Cascas de 3 a 6 laranjas cortadas em tiras com largura em torno de 0,5cm**

Ferva por 20 a 30 minutos, até a casca ficar macia. Retire a casca da panela, seque em papel toalha e transfira para um refratário. Adicione mais açúcar ao recipiente para ajudar a retirar a umidade da casca.

Nota

- *Tente outras frutas cítricas, como a toranja, o limão, a lima ou a tangerina, ou frutas como cerejas, pêssegos ou maçãs. Você pode adicionar temperos como canela à água, bem como substituir parte da água com licores como Grand Marnier ou rum escuro.*

Cozinha Geek

Flavorizantes

O sabor da comida é incrivelmente importante — talvez a principal variável da apreciação de uma refeição. O sabor muda nosso comportamento: o cheiro de pão saindo do forno nos atrai para a padaria, o aroma de ervas frescas e condimentos torrados em uma refeição nos faz salivar e a memória de um gosto nos leva de volta a uma nova compra. A perda do olfato — *anosmia* — é uma das perdas de sentido mais severas. Pense na última vez que teve um resfriado e um nariz entupido — a comida se torna muito menos convidativa sem aroma!

A capacidade de adicionar aromas aos alimentos abre novas possibilidades. A indústria considera os flavorizantes como parte da produção em massa. Um conhecido que trabalhava na Campbell Soup Company ressaltou que a carne perde a maior parte do aroma quando cozida no vapor (que é como a galinha é cozida para a produção da sopa de galinha com macarrão em escala), então os flavorizantes têm de ser adicionados. Corantes também são adicionados, mesmo que a fonte sejam ingredientes tradicionais como cúrcuma (amarelo), páprica (vermelho) ou caramelo (marrom). O sabor é absolutamente importante para a indústria, que sabe muito bem que um sabor que vai diminuindo aos poucos faz com que você deseje uma segunda mordida, e um sabor convidativo incita a uma nova compra da próxima vez que você for ao mercado.

Criar bons aromas e sabores é tão importante que existem várias categorias de números *E* apenas para compostos que mudam o sabor. Uma das categorias, a de realçadores de sabor (E600s), altera o gosto dos alimentos. ("Realçador de sabor" não é o termo mais correto. "Realçadores de paladar" seria mais apropriado.) A maioria dos compostos nessa faixa são sais de ácido glutâmico como o MSG (E621), mas também há os que fazem com que o gosto fique mais doce, como o aminoácido glicina (E640). E por falar em doce: os adoçantes artificiais (E900s) têm uma categoria própria de números *E* que inclui componentes como a sucralose (E955) e o princípio ativo da estévia (E960). A menos que tenha um equipamento de laboratório impressionante na cozinha, fazer compostos da lista de números *E* não é um projeto para casa. (Você tem tempo para preparar um pouco de ácido guanílico fresquinho?) Existe uma infinidade de maneiras tradicionais de realçar o paladar, como a adição de ingredientes com alto teor de ácidos glutâmicos (veja a p. 76), ou simplesmente uma pitada de sal.

E quanto aos flavorizantes? Como mencionei antes, a lista de números *E* não é uma fonte exaustiva de aditivos alimentares. A vanilina não aparece lá, embora seja uma molécula simples de estrutura bem definida que com frequência é utilizada. Os cozinheiros em casa utilizam extrato de baunilha, e não pó de vanilina, e é aí que podemos conseguir algumas experiências criativas e divertidas: extratos de sabores.

Os extratos de sabores são usados para adicionar novos aromas ao alimento ou aumentar os já existentes. O propósito funcional desses extratos é transportar compostos voláteis — aqueles que evaporam com facilidade — para encantar o aparelho sensorial do nariz. Felizmente, muitos compostos voláteis nos alimentos são também facilmente dissolvidos pelos solventes. Os solventes, como veremos, são a chave para criar extratos que podem transportar os sabores.

Na culinária, usamos os três solventes primários: água, gordura e álcool. Cada um deles funciona em diferentes tipos de compostos, por isso parear a química do solvente à do composto volátil é a chave para fazer bons extratos. O mesmo princípio químico que permite que a água dissolva componentes também se aplica aos lipídios e ao etanol, então que solvente usar depende da estrutura do que será dissolvido.

Como um solvente funciona? O que acontece quando uma molécula encontra outra? Será que formam uma ligação (chamada ligação intermolecular — uma ligação entre diferentes moléculas) ou se repelem? Depende de uma série de forças que vêm das diferenças em cargas elétricas e carregam as distribuições das moléculas. Dos quatro tipos de ligações definidas na química, duas interessam aqui: a polar e a apolar.

Uma molécula com campo elétrico desigual ao seu redor ou que possui uma formação desigual de elétrons é polar. A disposição mais simples, na qual dois lados de uma molécula possuem cargas elétricas opostas, é chamada de *dipolo*. A água é polar porque os dois átomos de hidrogênio se ligam ao de oxigênio de forma que a molécula como um todo possui um lado com carga negativa — é um dipolo.

Quando duas moléculas polares se encontram, uma ligação forte se forma entre o lado positivo de uma e o negativo da outra, assim como quando ímãs se ligam. No nível atômico, o lado negativo da primeira molécula equilibra o positivo da segunda.

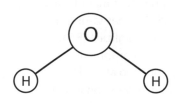

Uma molécula de água é polar porque tem uma distribuição assimétrica de cargas. Isso acontece porque o oxigênio é mais eletronegativo que o hidrogênio e devido ao formato dobrado da molécula de água. Esse formato confere uma carga positiva a um dos lados e uma negativa ao oposto, o que a torna polar.

Uma molécula que possui um campo eletrostático esfericamente simétrico e apenas uma pequena diferença na eletronegatividade, tem uma distribuição simétrica de cargas em ambos os lados — é apolar. O óleo é apolar porque é formado em sua maioria por carbono e hidrogênio, duas moléculas que têm pequenas diferenças na eletronegatividade.

Na maioria dos casos, quando uma molécula polar se encontra com uma apolar, a polar provavelmente não encontrará um elétron para equilibrar o seu campo elétrico. É quase como tentar prender um ímã em um pedaço de madeira: o ímã e a madeira não são ativamente repelidos um pelo outro, mas também não se atraem. É a mesma coisa com a interação polar-apolar: as moléculas podem bater umas nas outras, mas não se prendem e acabarão se afastando e continuando a se encontrar com outras.

É por isso que o óleo e a água não se misturam. As moléculas de água são polares e formam ligações intermoleculares fortes com outras moléculas polares, que são capazes de equilibrar suas cargas moleculares. Em um nível atômico, o óleo não fornece uma chance de ligação suficientemente forte para o lado com carga negativa da molécula de água. A água e o açúcar (sacarose), no entanto, se dão bem. A sacarose também é polar, então, os campos elétricos das duas moléculas são capazes de se alinhar em certo grau.

A força da ligação intermolecular depende do quão bem os dois compostos se alinham, motivo pelo qual algumas coisas se dissolvem bem juntas, enquanto outras apenas se dissolvem até certo ponto. Vários componentes orgânicos que fornecem aromas aos alimentos dissolvem-se prontamente em etanol, mas não em água ou gordura.

Você invariavelmente encontrará pratos em que o álcool é utilizado por suas propriedades químicas, tanto como um meio para transportar sabores quanto como uma ferramenta para tornar disponíveis os aromas da comida em quantidade suficiente para que sejam notados pelo sistema olfativo. O álcool é, com frequência, adicionado a molhos ou caldos para ajudar na liberação de compostos aromáticos "trancados" nos ingredientes. Tente adicionar vinho tinto ao molho de tomate!

> Tostar condimentos em óleo — chamado de floração — faz com que o óleo capture seus sabores voláteis, que evaporam à medida que as sementes são aquecidas.

O Álcool Evapora Durante o Cozimento?

Não, não completamente. Embora o ponto de ebulição do etanol puro (C_2H_5OH) seja menor que o da água em pressão atmosférica (78°C), a ligação intermolecular entre o etanol e outros compostos nos alimentos é forte o suficiente para que seu ponto de ebulição varie de acordo com a concentração de etanol no alimento e a forma como outros elementos químicos se prendem a ele.

A quantidade de álcool remanescente após o cozimento depende dos métodos de cozimento, de acordo com um estudo publicado por pesquisadores da Universidade de Idaho. Eles estão a 762m acima do nível do mar, o que quer dizer que a pressão do vapor seria menor do que ao nível do mar, caso você precise de uma desculpa...

Método de cozimento	% restante de álcool
Álcool adicionado ao líquido fervente e retirado do calor	85%
Álcool flambado	75%
Sem calor, armazenado durante a noite	70%
Assado, 25 minutos, álcool não misturado	45%
Assado, cozido, álcool misturado...	
... por 15 minutos	40%
... por 30 minutos	35%
... por 1 hora	25%
... por 2 horas	10%

Brincando com Química

Flavorizantes **399**

Extrato de Baunilha

O extrato de baunilha é um exemplo clássico de uso do álcool como solvente. Poucos componentes vegetais são solúveis em água. A água quente funciona em alguns casos — por exemplo, nos chás e na hortelã —, mas para fazer extratos você vai precisar usar álcool ou gordura, dependendo da molécula que está tentando extrair. (A maioria dos aromas é formada por múltiplos componentes, um detalhe que vou omitir aqui.)

O extrato de baunilha é fácil de fazer. O álcool de uma bebida como a vodca (40% etanol) dissolve mais de 200 dos componentes da baunilha responsáveis pelo aroma, incluindo a vanilina, que dá à baunilha sua marca registrada. (As diferentes proporções de alguns dos componentes mais pronunciados são o que causam as diferenças entre as várias espécies de baunilha.)

Grãos de baunilha ainda são caros. Você pode comprar online os de Grau B, que, para essa finalidade, são satisfatórios. (Grau B é o que a indústria geralmente usa — quem se importa que eles não são tão bonitos se serão picados?)

Em um pote de vidro pequeno com uma tampa que se encaixe bem, coloque:

- **1 fava de baunilha (5g) aberta no sentido do comprimento e picada em tiras para caber no vidro**
- **2 colheres (sopa) de vodca (30ml) (o suficiente para cobrir o favo de baunilha)**
- **½ colher (chá) de açúcar (2g)**

Feche a tampa ou cubra com filme plástico, e guarde em local fresco e escuro (por exemplo, na despensa). Para obter mais sabor, deixe o extrato em infusão por algumas semanas.

Notas

- *A fava de baunilha pode ser uma sobra de alguma outra receita. Se você cozinha com baunilha frequentemente, considere manter um vidro de baunilha constantemente cheio. Sempre que usar uma fava, adicione-a ao pote, removendo uma antiga quando não houver mais espaço. E, à medida que usa o extrato, ocasionalmente encha o pote com um pouco mais de vodca ou outra bebida alcoólica como rum.*

- *Brinque com outras variações: em vez da vodca, que é usada por seu alto conteúdo de etanol e ausência de sabor específico, é possível usar bebidas como rum, conhaque ou uma mistura delas. Ou, em lugar das favas de baunilha, tente usar anis-estrelado, cravo, ou paus de canela. Tente variações do solvente e do soluto (por exemplo, casca de laranja com Grand Marnier).*

Óleos Infundidos e Manteigas com Ervas

Os óleos infundidos e as manteigas com ervas, como extratos usados em culinária, podem carregar o sabor das plantas para dentro da sua comida. Ao contrário dos extratos, que têm um gosto pronunciado de álcool, as infusões podem ser usadas como parte de um prato finalizado. Salada servida com óleo infundido de manjericão? Salmão com óleo infundido de alecrim? Pão com manteiga de manjericão? Da próxima vez que tiver ervas sobrando, tente misturá-las com uma gordura.

Gorduras e óleos são moléculas apolares (veja a p. 398), por isso, pela regra geral de que os parecidos se dissolvem, não é surpresa que dissolvam outras moléculas apolares. Muitas substâncias aromáticas estão ligadas aos óleos vegetais — o orégano tem cavacrol nas gotículas de óleo na superfície da folha —, mas nem todas são solúveis em gorduras. Tentei fazer óleo infundido com sálvia e tive bem pouco sucesso; uma busca online mostrou que um dos principais odorantes da sálvia, o manol, normalmente é dissolvido em álcool. Um teste rápido para tentar fazer um extrato de sálvia em álcool funcionou instantaneamente, gerando um sabor de sálvia bem distinto. Se perceber que uma erva não infunde bem, use-a para fazer manteiga com ervas. Ao contrário dos óleos infundidos, que têm a matéria vegetal dissolvida, as manteigas com ervas não dependem da solubilidade dos odorantes.

Óleos Infundidos

Você pode infundir óleos usando tanto o processo a frio como o de aquecimento. O processo a frio é melhor para ervas; condimentos ficam melhores em óleos aquecidos, que irão aflorá-los e mudar os sabores.

1. Em uma tigela pequena, meça **1 xícara (chá) de óleo neutro de boa qualidade (240ml)**, como **óleo de girassol ou canola**; para ervas com sabores mais pronunciados, **azeite de oliva** funcionará bem.

2. Faça uma infusão!

3. *Para infusões de ervas*, siga o processo a frio: adicione de **2 a 4 colheres (sopa) de ervas como alecrim, orégano ou manjericão (10 a 20g)**, finamente picadas. Opcionalmente, você pode adicionar de **1 a 2 colheres (sopa) de salsinha (5 a 10g)** para deixar o óleo infundido mais verde. Usando um mixer ou o liquidificador, misture o óleo e as ervas por 30 segundos. Isso vai acelerar o período de descanso; caso contrário, vai precisar deixar a mistura descansar no refrigerador por mais tempo.

4. *Para infusões de condimentos*, siga o processo a quente: adicione os condimentos ao óleo; tente usar um único condimento, como cardamomo ou canela, ou uma mistura. Para um óleo de curry simples, use **2 colheres (sopa) de pó de curry (12g), 1 colher (sopa) de gengibre fresco (6g) (bem picado) e ½ colher (chá) de pimenta-de-caiena ou calabresa (1g)**. Coloque a mistura em uma panela em fogo médio, e aqueça-a por alguns minutos para aflorar os condimentos. (Você deve conseguir sentir o aroma deles!)

Brincando com Química

Flavorizantes 401

Óleos Infundidos e Manteigas com Ervas (continuação)

5. Transfira o óleo infundido para uma tigela pequena e a cubra. Os óleos processados a frio devem descansar por algumas horas ou pernoitar no refrigerador. As infusões feitas no fogo podem ser usadas no mesmo instante, mas deixe-as descansar por alguns minutos para resfriá-las em temperatura ambiente.

6. Para infusões mais transparentes com ervas frescas, filtre a mistura usando uma peneira fina ou coador de pano (depois de descansar!). Para evitar que fique turva, não esprema a mistura; deixe que ela escorra por alguns minutos.

Manteigas com Ervas

As manteigas com ervas são ainda mais fáceis de preparar que os óleos infundidos: elas não precisam que a substância odorífica seja dissolvida, porque o material vegetal permanecerá como parte do produto final. Use ervas cheias de sabor; ervas mais macias como cebolinha, estragão e alecrim são mais rápidas e fáceis de trabalhar.

Em uma tigela pequena, deixe ½ **xícara (chá) de manteiga (115g)** alcançar a temperatura ambiente. Se a manteiga for sem sal, adicione ½ **colher (chá) de sal (3g)**; opcionalmente, adicione **pimenta fresca picada**. Adicione **2 ou 3 colheres (sopa) de folhas de ervas (10 a 15g)**, lavadas, picadas e sem qualquer talo. Com a ajuda de um garfo, esmague as ervas e os temperos na manteiga. Sirva com pão ou use como ingrediente — tente espalhar uma pequena camada sobre peixes e carnes.

Notas

- *Infundir o componente odorífico de um alimento em óleo e vinagre não muda suas propriedades. Se ele é sensível ao calor em estado natural, também será na versão infundida. Selar carne de porco com manteiga de alecrim funciona bem, mas um óleo infundido com manjericão vai sofrer prejuízos.*

- *Guarde os óleos infundidos com ervas frescas no refrigerador e use-os no prazo de uma semana. Óleos e gorduras com matéria vegetal não ácida imersas criam um ambiente de crescimento perfeitamente anaeróbico para o botulismo. Embora incomum, ele é fatal se tiver tempo para crescer. Se quer fazer óleos infundidos que possam ser armazenados com ingredientes "úmidos", precisará de um pote fechado a pressão ou acidificar a matéria vegetal — veja os detalhes em http://cookingforgeeks.com/book/infusedoils/ — site em inglês. Condimentos e ervas secas não têm umidade suficiente para dar suporte a um rápido crescimento de bactérias, por isso as infusões como as de pimenta seca em óleo processadas sob calor podem ser usadas por até três meses, embora as recomendações do FDA americano sejam para mantê-las refrigeradas e usá-las dentro de 3 semanas.*

Fumaça Líquida (Vapor de Fumaça de Água Destilada)

Presume-se que a defumação de alimentos como método de preservação tenha sido descoberta há milhões de anos pelos homens das cavernas que acendiam fogueiras, mas hoje, para nós, é feita por outro motivo: alimentos defumados são deliciosos. Ao queimar madeira ou outros combustíveis e direcionar os vapores a peixes ou carnes, depositamos substâncias antimicrobianas nos alimentos, impedindo que deteriorem. É apenas uma peculiaridade que o processo de preservação também deposite uma infinidade de aromas defumados que apreciamos. Mas como os modernos proprietários de apartamentos fariam para obter esse sabor delicioso sem acender uma fogueira no meio da cozinha?

Kent Kirshenbaum demonstra como fazer fumaça líquida usando um maçarico e um frasco de fundo redondo, em uma palestra na Universidade de Nova York.

Há um truque para capturar sabores defumados em algo chamado fumaça líquida. Como esses deliciosos sabores são subprodutos solúveis em água das reações químicas ocorridas na queima da madeira, eles podem ser dissolvidos na água e mais tarde aplicados à comida. A indústria de alimentos faz isso para infundir esse sabor em alimentos tradicionalmente defumados, mas cujo processo em larga escala é economicamente inviável, como o bacon, e para realçar alimentos com a essência de fumaça que, na verdade, nunca poderiam ser defumados, tais como o tofu "defumado".

Em casa, a maneira mais simples de criar um sabor defumado — além de defumar de verdade — é incluir itens já defumados. Você pode infundir sabores defumados em seu prato se adicionar condimentos como pimenta defumada (chipotle) ou páprica defumada, ou usando saquinhos secos de chás defumados como Lapsang Souchong. Porém, incluir esses itens também adiciona outros sabores à comida. Sais defumados, por exemplo, podem adicionar sal demais a um prato. É aí que a fumaça líquida entra.

A fumaça líquida não é complicada. Não há uma longa lista de ingredientes em qualquer frasco que você compre; você lerá apenas "água, fumaça". Por si, ela não é processada, então não há modificações químicas ou etapas de refino que alterem os componentes que estariam presentes na fumaça tradicional.

Para fazer fumaça líquida, é necessário aquecer pedaços de madeira a uma temperatura alta o suficiente para que as ligninas na madeira queimem (por volta dos 400°C), e canalizar a fumaça sob pressão para dentro de um recipiente com água. Componentes da fumaça solúveis em água permanecem dissolvidos nela, enquanto os insolúveis precipitam e vão para o fundo ou formam uma camada de óleo que flutua e então é descartada. O resultado é um líquido âmbar para uso culinário.

A propósito, as lascas de madeira se transformam em carvão no processo; elas são carbonizadas mas, sem oxigênio presente, não entram em combustão. Você pode criar seu próprio carvão se colocar flocos de madeira em um recipiente fechado que deixe escapar a fumaça, mas não deixe o ar entrar. É possível fazer carvão de outros materiais. Sei de um chef que usa sobras de sabugos de milho e esqueletos de lagostas para criar "carvão de sabugo de milho" e "carvão de lagosta" e, por algumas moléculas de sabor desses itens serem estáveis no calor, usar o carvão para cozinhar as transmite.

Em teoria, parte dos compostos mutagênicos (cancerígenos) normalmente presentes em alimentos defumados tradicionais estão presentes em quantidades muito menores na fumaça líquida — eles ficam na fase oleosa ou precipitam —, o que significa que a fumaça líquida é um pouco mais segura que os alimentos defumados tradicionais. No entanto, esteja ciente de que a fumaça líquida terá certa quantidade de compostos mutagênicos presentes. Como substituta para alimentos defumados, é mais segura que a defumação tradicional, mas é melhor você não usar uma colher de chá disso nos seus ovos de café da manhã diariamente até que mais pesquisas sejam feitas.

Quando estiver queimando a madeira, certifique-se de que o fogo esteja quente o suficiente para que a lignina, e não apenas a celulose, seja quebrada.

A fumaça líquida é uma coisa fascinante, como você pôde ver. Consiga um frasco dela e adicione de 10 a 15 gotas à mistura de sal para dar um sabor de defumado à receita de Gravlax de Salmão da página 385. Algumas receitas incomuns usam fumaça líquida para "defumar" alimentos que normalmente não podem ser colocados em uma grelha a lenha, como o sorvete. Com todo o processamento que acontece com nossa comida, é bom ver que algo exótico é também primitivo.

Lascas de madeira antes do aquecimento...

... e depois do aquecimento.

O carvão é tradicionalmente feito pelo aquecimento de materiais combustíveis, como madeira, na ausência de oxigênio (chamado de pirólise), evaporando a água e quebrando componentes voláteis. O resultado é uma massa sólida, na maior parte carvão, que queima mais rápido que o material original.

Sorvete Recheado

Sorvete s´mores? Você não pode torrar sorvete, mas, com a fumaça líquida, pode dar o sabor defumado. Você vai precisar de uma máquina de fazer sorvete; ou você pode ser um geek completo e construir a sua (veja o laboratório sobre fabricação de sorvete com sal e gelo na p. 394). Ou use nitrogênio líquido ou gelo-seco (veja a p. 363).

Essa receita usa fumaça líquida para dar o sabor de marshmallows torrados na fogueira (faça o seu — veja a p. 381). O conceito foi inspirado em uma demonstração de Kent Kirshenbaum, da Experimental Cuisine Collective (Cozinha Experimental Coletiva), da NYU.

Para criar a base, misture em uma tigela:

- 2 xícaras (chá) de leite integral (480ml)
- 1 xícara (chá) de creme de leite (240ml)
- ⅓ de xícara (chá) de açúcar (65g)
- ¼ de xícara (chá) de calda de chocolate (60g)
- ¾ de xícara (chá) de marshmallows de tamanho médio (25g)
- 15 gotas de fumaça líquida (0,75g)

Siga as orientações do método escolhido de fazer sorvete. Quando o sorvete endurecer, misture:

- 1 xícara (chá) de biscoitos de maisena torrados e picados (60g)

Sirva com calda quente ou calda de chocolate — chantili, cerejas e nozes opcionais.

Nota

- Tente colocar os biscoitos no freezer depois de torrados e picá-los só na hora de adicioná-los à base. Isso vai fazer com que fiquem mais crocantes, porque não vão absorver tanta umidade quando congelados. Esse truque funciona para a maioria dos componentes secos que normalmente ficariam empapados quando adicionados à base do sorvete.

Costelas Assadas ao Molho Barbecue

Em uma assadeira grande (23cm×33cm), coloque:

- 1kg de costelas de porco sem o excesso de gordura

Em uma tigela pequena, crie uma cobertura seca misturando:

- 1 colher (sopa) de sal (18g)
- 1 colher (sopa) de açúcar mascavo (15g)
- 1 colher (sopa) de sementes de cominho (6g)
- 1 colher (sopa) de sementes de mostarda (9g)
- 20 gotas de fumaça líquida (1ml)

Cubra a costela com a mistura de ervas. Cubra a assadeira com papel-alumínio e asse em 150°C por duas horas.

Em uma tigela pequena, crie um molho misturando:

- 4 colheres (sopa) de ketchup (60ml)
- 1 colher (sopa) de molho de soja (15ml)
- 1 colher (sopa) de açúcar mascavo (15g)
- 1 colher (chá) de molho inglês (5ml)

Retire o papel-alumínio da assadeira e cubra as costelas com o molho. Asse por 45 minutos ou até ficar pronto.

Nota

- Tente usar outros temperos na cobertura seca, como pimentas, alho ou páprica. Tente também adicionar elementos como cebolas, alho ou molho Tabasco.

Laboratório: Como Fazer Fumaça Líquida

Este é um projeto caseiro avançado, mas se está disposto a enfrentar o desafio, é divertido. É também um grande exemplo do que os químicos chamam de *destilação a seco* — a separação de substâncias nos sólidos através do calor. (Veja a p. 360 para saber mais sobre destilação.) Trate este experimento como um processo; eu não usaria o produto final nos alimentos.

Os aromas e gostos deliciosos de churrasco defumado resultam apenas das reações químicas que ocorrem durante a pirólise (queima) da madeira, e não da interação química entre a comida e a fumaça. Algumas das substâncias desejáveis geradas pela fumaça são solúveis em água, um detalhe feliz que significa que os elementos químicos da fumaça podem ser isolados, prendendo-a na água para dissolver essas substâncias. Outros compostos são menos agradáveis — em grandes concentrações, alguns podem ter cheiro de podre, como lixo velho.

A madeira é basicamente feita de celulose, hemicelulose e lignina, que durante a queima se convertem em vários compostos químicos diferentes. As moléculas aromáticas que fornecem o sabor de defumado são geradas pela lignina, que se quebra por volta dos 400°C. A celulose e a hemicelulose quebram em temperaturas mais baixas (250–300°C), mas geram compostos diferentes no sabor e são mutagênicas. Queimar a madeira a uma temperatura muito baixa pode gerar creosoto, um resíduo negro oleoso gerado da combustão incompleta da madeira, que é mais denso que a água.

Observe que as churrasqueiras a lenha ou a carvão tendem a esquentar centenas de graus a mais do que aquelas a gás.

Primeiro, pegue esse material:

Lascas de nogueira ou cedro (ou outro tipo de madeira que sirva para defumar)
Uma forma de alumínio descartável com tampa perfeitamente ajustável
Um pedaço de cano de cobre de 40 a 60cm com 1cm de diâmetro ou menor
Um cotovelo de cobre que se encaixe no cano de cobre
60ml de epóxi resistente ao calor
Um prato de papelão ou um pedaço de papelão para misturar o epóxi
Uma faca plástica ou palito de churrasco para misturar o epóxi
Uma tigela de vidro pequena
Água para a tigela
Uma luva para forno ou uma toalha seca
E, é claro, uma churrasqueira e combustível para ela

Preparo:

Vamos defumar as lascas de madeira na forma descartável, lacrada com epóxi (que vai precisar endurecer por várias horas — então planeje com antecedência!), e então direcionar a fumaça pelo cano para a tigela com água. Embora as instruções sejam longas, elas são fáceis:

1. Encaixe o cotovelo em L em uma das extremidades do cano de cobre. Ele tem de encaixar perfeitamente.

2. Verifique se o cano encaixa na sua churrasqueira: abra a grelha, coloque-o com o lado do cotovelo para fora e a extremidade vazia próxima ao centro da grelha. A extremidade do cotovelo precisará ser direcionada para baixo e liberar a fumaça dentro da tigela de vidro, então faça os ajustes do

406   Cozinha Geek

Laboratório: Como Fazer Fumaça Líquida

equipamento. Duas coisas importantes para checar nesse ponto: 1) certifique-se de que você possa fechar a tampa da grelha; 2) certifique-se de que a parte de baixo do cotovelo ficará submersa pelo menos 1cm na água.

3. Utilizando o lado vazio do cano, faça um furo no lado da forma descartável. Você pode fazer isso pressionando o cano contra o lado da forma e girando-o para um lado e para o outro, como se fosse uma broca; depois de alguns segundos, ele deve atravessar o alumínio.
4. Coloque a forma na grelha (desligada!) e passe o cano pelo furo. Alinhe o cotovelo de modo que a saída esteja dentro da tigela de vidro vazia.
5. Coloque as lascas de madeira na forma, fazendo uma camada espessa no fundo. Nesse ponto, seu equipamento deve ter essa aparência:

6. Misture o epóxi, usando o prato de papelão como paleta e um palito ou faca plástica para mexer.
7. Sele o buraco por onde o cano entra na forma espalhando epóxi ao redor do cano pelo lado de dentro da forma, e puxe o cano um pouquinho para fora para arrastar um pouco do epóxi junto e vedar o buraco.
8. Prepare a vedação da parte de cima da forma besuntando a borda com epóxi. Coloque a tampa na forma, dobre as bordas para baixo e aperte bem por toda a borda.
9. Espere várias horas (cerca de 48h) para que o epóxi endureça.
10. Verifique se o epóxi está bem seco puxando o cano com gentileza perto de onde ele entra na forma descartável. Ele não deve se mover.
11. Acenda a churrasqueira! Depois de alguns minutos, você deve começar a ver vapor e depois fumaça escapando pelo cano. Assim que começar a acontecer, coloque água na tigela. Você verá bolhas de fumaça na água. Oba!

12. Deixe a churrasqueira funcionando por 5 a 15 minutos. Você deve notar que a água muda de aparência. Se está usando uma churrasqueira a gás, desligue-a nesse ponto; caso contrário, use a luva ou a toalha para pegar o cano de cobre e retirá-lo da água, e deixe a churrasqueira queimar o resto do carvão.

Hora da investigação!

Examine a água. O que você observa? Que cores você vê?

Há alguma coisa flutuando? Que cheiro essa coisa tem? O que acha que acontece, em termos de odor, quando alguns componentes são mais concentrados do que o normal?

Derrame um pouco do líquido de cima e olhe para o líquido do meio. Mergulhe uma pequena parte do dedo nele e experimente um pouco, com cuidado. Que gosto tem?

Você se lembra do creosoto descrito antes? Você nota algo parecido? O que isso diria sobre a temperatura da sua churrasqueira?

Flavorizantes

Espessantes

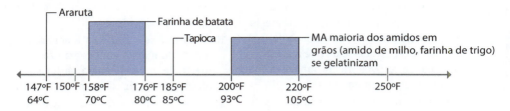

Temperaturas de gelatinização dos amidos comuns.

Os amidos são usados para espessar muitos alimentos — caldos, tortas, molhos — porque são fáceis de usar e encontrar. Não surpreende que os amidos sejam usados como espessantes em quase toda a culinária do mundo! A farinha de trigo é comum no Ocidente devido a seu amido, o amido de milho é comum nos pratos chineses, e a tapioca e o amido de batata (às vezes chamado de "fécula de batata") também. Muitos espessantes modernos como a maltodextrina também são derivados dos amidos e vêm sendo desenvolvidos para serem usados em tudo, de um pão doce com geleia à criação de novas texturas na culinária de ponta.

Os amidos são formados por dois componentes, a amilose e a amilopectina. A proporção desses dois componentes e como uma planta os armazena difere de planta para planta, e é por isso que os amidos da farinha de trigo precisam de água quase fervendo para engrossar enquanto o da batata gelatiniza em temperaturas mais baixas. (É por isso também que diferentes vegetais necessitam de diferentes temperaturas de cozimento — veja a p. 205 para saber mais.)

O poder de espessamento de um amido é determinado pelo seu conteúdo de amilose e amilopectina. Com calor e umidade, os amidos incham e gelatinizam, absorvendo água para dentro da estrutura molecular e mudando de textura (é isso que acontece com as massas quando você as cozinha!). A amilopectina absorve água, e os amidos com maior teor dela absorvem mais umidade (amidos de milho e de trigo são 75% amilopectina, enquanto tapioca e batata são de 80 a 85%). Depois de gelatinizar, outro processo acontece — a *gelificação* —, quando a amilose deixa o grânulo de amido e entra na água circundante. É essa mudança que dá ao amido com alto teor de amilose a habilidade de espessar e gelatinizar os alimentos.

A rapidez e o quanto um amido pode espessar um líquido depende do tamanho do seu grânulo. (O

A estrutura do amido varia conforme a planta, e é por isso que cada tipo tem capacidade de espessamento diferente. Quando aquecidas em água quase fervente, 3 colheres (chá) de farinha (8g) equivalem a:

- 1½ **colher (chá) de amido de milho (4g)**
- 1½ **colher (chá) de araruta (4g)**
- 1 **colher (chá) de goma de tapioca (3g)**
- ⅔ **de colher (chá) de amido de batata (6g)**

A farinha não é um agente de espessamento tão bom quanto os amidos puros, porque contém outras coisas além do amido: proteínas, gorduras, fibras e minerais.

amido é armazenado em grânulos; demorará mais para a amilose sair de grânulos maiores.) Da mesma forma, o tamanho e as proporções das estruturas moleculares e as variações na estrutura cristalina terão impacto na velocidade e no grau em que um amido espessa; essas estruturas são determinadas pelas condições de crescimento das plantas. A umidade, também, é muito importante para o espessamento — o amido tem de absorver água para poder inchar! É por isso que adicionar muito açúcar pode aumentar o tempo de cozimento para líquidos doces: o açúcar, sendo higroscópico, compete pela água, então, certifique-se de cozinhar os líquidos açucarados por mais tempo.

Alimentos engrossados podem ter um fenômeno conhecido como *pseudoplasticidade (shear thinning)*, quando uma substância muda sua viscosidade em certas condições. Muitos molhos, como ketchup, mostarda e maionese, mantêm sua forma — uma gota de ketchup não se espalha —, mas escorrerá e mudará de formato quando alguma pressão for aplicada (essa propriedade é chamada *tixotropia*). Aperte o frasco ou tubo e o molho escorrerá com facilidade, mas solte-o, e ele volta ao formato original. Com agente espessante em quantidade suficiente, um alimento irá firmar-se em um sólido: um volume com formato definido que pode ser fatiado, espetado e cortado.

Araruta e Amido de Milho

Dois dos espessantes mais comuns são a araruta e o amido de milho. O primeiro é derivado de uma raiz, e o segundo, de um grão, fato que é responsável pelas inúmeras diferenças entre os dois. É por causa dessas diferenças que um ou outro funciona melhor, dependendo da química do prato em que estão sendo usados.

Como todos os espessantes à base de amido, a araruta e o amido de milho engrossam misturas quando a amilopectina incha para absorver água e a amilose sai dos grânulos. Dependendo da receita, eles podem ser usados como liga no lugar dos ovos (misture 2 colheres [sopa]/15g de amido com 3 colheres [sopa]/45ml de água) ou para frituras mais crocantes (passe os itens em uma mistura de amido e temperos antes de fritá-los).

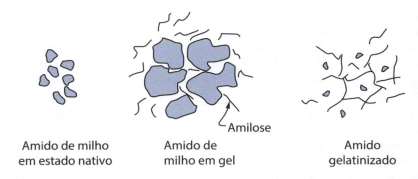

Amido de milho em estado nativo   Amido de milho em gel   Amido gelatinizado

A amilose sai dos grânulos quando aquecida em água; com o resfriamento, ela forma um gel.

Espessantes   **409**

	Amido de Araruta	Amido de Milho
Instruções para uso culinário	Para engrossar líquidos, use no final do cozimento: crie uma pasta com um líquido frio como água, misture e cozinhe ligeiramente até engrossar. Evite ferver. A araruta tem gosto praticamente neutro, o que faz dela a melhor escolha para pratos de sabor leve.	Para engrossar líquidos, use no início do cozimento. Crie um roux (amido cozido em gordura, normalmente farinha e manteiga), e depois adicione os outros líquidos. Para uso durante o processo de cozimento, crie uma pasta em líquido frio e adicione aos ingredientes. Adicionar amido de milho diretamente em um líquido quente resultará em pelotas.
Temperatura	Os amidos de raízes exigem menos calor para gelatinizar. A araruta começa a gelatinizar por volta dos 64°C; a regra geral para amidos de raízes fica entre 65°C e 85°C.	Os amidos de grãos exigem mais calor para gelatinizar. (Temperaturas acima do solo sob luz direta do sol podem ser quentes, por isso a estrutura granular do amido faz a compensação para evitar que cozinhe!) O amido de milho, como a maioria dos amidos que crescem acima do solo, gelatiniza entre 93°C e 105°C, por isso cozinhe ou ferva os líquidos para engrossá-los.
Evitar	**Evite laticínios.** Quando misturados, a araruta e os laticínios formam uma mistura pegajosa. Use amido de milho para pratos com laticínios. **Não aqueça demais.** Como a maioria dos amidos de raízes, a araruta engrossa em baixas temperaturas. Temperaturas próximas ao ponto de ebulição ou tempos muito prolongados de espera podem degradar o gel.	**Não congele.** Os itens espessados com amido de milho vão "chorar" ou expelir líquido (chamado *sinérese*) quando congelados e descongelados. **Evite soluções muito ácidas.** O amido de milho não funciona bem em soluções ácidas (pH abaixo de 4,0). Adicione os ingredientes ácidos depois de engrossar ou use araruta.
Usos industriais	Usado para formar géis claros (a araruta forma um gel mais claro que o amido de milho). Ela é também uma opção para alérgicos.	O amido de milho não contém glúten, por isso, somando-se aos usos tradicionais, ele é um espessante substituto para itens sem glúten.
Origem e propriedades químicas	Derivada do rizoma da planta tropical da América Central e do Sul, *Maranta arundinacea*, a araruta foi usada primeiramente por europeus como uma suposta cura para flechas envenenadas (daí o nome) e outros usos medicinais no século XVII. Os anos 1830 e 1840 a descobriram como um alimento saudável, e vem sendo usada em aplicações culinárias desde então. A araruta é feita ralando e colocando de molho o rizoma, permitindo que os amidos se separem e afundem. A pasta é separada e depois seca. É um processo simples que pode ser feito à mão — talvez uma atividade de laboratório divertida se você conseguir araruta fresca.	Derivado do milho (surpreendente, eu sei), o amido de milho foi feito pela primeira vez em 1842 e comercializado em 1844. A produção aumentou significativamente nos anos 1850, provavelmente por ser uma alternativa mais barata para a araruta (plantada nos trópicos e transportada, sofria objeção dos consumidores pelo trabalho escravo envolvido). Ele é feito com milho moído, mergulhado em água morna com um agente amaciante (que também impede a fermentação, para evitar que os amidos sejam digeridos!), depois os amidos são separados das proteínas através da centrifugação. A pasta de amido é então lavada e seca.

410   Cozinha Geek

Torta de Merengue de Limão

A torta de merengue de limão é uma combinação de três componentes separados, cada um com suas peculiaridades químicas e desafios: massa de torta, merengue e recheio tipo creme. Já falamos sobre massa de torta (página 259) e merengues (página 293), então, a única coisa que falta para fazer uma torta de merengue de limão é o próprio recheio. Volte nessas receitas para instruções de como fazer massa de torta e cobertura de merengue.

Para fazer o creme de limão, misture em uma panela fora do fogo:

- 2½ xícaras (chá) de açúcar (500g)
- ¾ de xícara (chá) de amido de milho (100g)
- ½ colher (chá) de sal (3g)

Adicione **3 xícaras (chá) de água (720ml)**, misture e coloque em fogo médio. Mexa até ferver e o amido de milho engrossar. Retire do fogo.

Em uma tigela separada, bata:

- 6 gemas de ovos

Separe **as claras** para fazer o merengue. Certifique-se de não deixar as gemas se misturarem com as claras! A gordura das gemas (apolar) vai dificultar que as claras formem uma espuma quando batidas.

Adicione lentamente cerca de um quarto da mistura do amido de milho às gemas de ovo enquanto bate vigorosamente. Isso vai incorporar as gemas à mistura de amido de milho sem cozinhá-las (têmpera). Transfira toda a mistura dos ovos para a panela, misture os ingredientes a seguir e coloque novamente em fogo médio, cozinhando até os ovos ficarem prontos, por cerca de um minuto:

- 1 xícara (chá) de suco de limão (240 ml) (cerca de 4 limões)
- Casca de limões (opcional; pule se utilizar suco de limão em garrafa)

Transfira o recheio para uma massa de torta pré-assada. Cubra com merengue italiano feito usando as **seis claras de ovos** (dobre a receita da página 293, que é para três claras) e asse em forno preaquecido em 190°C, por 10 a 15 minutos, até o merengue começar a dourar. Retire e deixe esfriar por pelo menos quatro horas — a não ser que você queira servir em tigelas com colheres — para que o amido de milho tenha tempo de gelificar.

Para criar picos decorativos no merengue, use a parte de trás de uma colher: toque a superfície do merengue cru e puxe para cima. O merengue prenderá no fundo da colher e formará os picos.

Os agentes de gelificação geralmente são produzidos em forma de substância em pó que é adicionada à água ou qualquer outro líquido com o qual você trabalhe. Na mistura com o líquido, e tipicamente após o aquecimento, o agente de gelificação é novamente hidratado e, enquanto esfria, forma uma rede tridimensional que "prende" o resto do líquido em suspensão. Como regra, adicione o seu agente de gelificação em um líquido frio e aqueça-o. Adicionar agentes de gelificação em líquidos quentes geralmente resulta em pelotas, porque a camada exterior do pó se tornará um gel ao redor do resto dele.

Ann Barrett: Textura

FOTO REPRODUZIDA SOB PERMISSÃO DE ANN BARRETT.

Ann Barrett é engenheira de alimentos especializada em texturas alimentares. Ela trabalha para o Diretório de Alimentação de Combate no Centro de Pesquisa, Desenvolvimento e Engenharia para Soldados do Exército Americano, em Natick (NSRDEC).

O que faz um engenheiro de alimentos?

É como engenharia química aplicada, mas com comida. O treinamento se concentra em como processar alimentos e como preservá-los, vendo a comida como um material. Acontece que eu tenho uma especialização em textura alimentar ou reologia alimentar; reologia significa como algo flui ou é deformado. Minha tese de Doutorado foi sobre a fraturabilidade da comida crocante. Como medir a crocância ou a fraturabilidade, e como descrever quantitativamente a forma como a comida murcha? Quando você mastiga um alimento e ele quebra, é possível descrever isso quantitativamente e relacionar com sua estrutura física?

Conte um pouco sobre o NSRDEC.

Existem vários RDECs (centros de pesquisa, desenvolvimento e engenharia) no país. O NSRDEC se concentra em tudo que um soldado precisa para sobreviver e se sustentar, independentemente das armas: comida, roupas, abrigos e paraquedas. A parte da comida é amplamente dirigida pelo fato de que os militares precisam viver em todo tipo de ambiente físico, então, é preciso de uma ampla gama de comidas para apoiar os soldados que operam em variadas situações. Eles possuem grandes depósitos de rações e isso requer uma alta capacidade de durabilidade. A maioria dos alimentos que fazemos precisa ter a duração de três anos a 26,7°C. Isso não quer dizer que o soldado sempre comerá algo que tem três anos, mas ele pode. O que é o foco de muitas pesquisas aqui; comidas com validade longa, que também sejam boas, que os soldados queiram comer.

Deve ser muito interessante trabalhar com restrições ao mesmo tempo em que tenta preservar o sabor e a textura. Como você faz isso?

Bem, geralmente, é uma parte de experiência ou conhecimento com duas partes de tentativa e erro. Existe muito desenvolvimento com estudos. A maior parte da minha experiência foi em processamento e análise de engenharia da comida, porém, tenho um projeto agora em que estamos tentando desenvolver sabores para recheios de sanduíche. Todos os sabores são químicos, então, é possível replicar um sabor natural conhecendo a química.

Por exemplo, estamos trabalhando em um recheio de manteiga de amendoim para sanduíches. Estamos tentando um sabor de chocolate com manteiga de amendoim, quase como Nutella. Temos a fórmula da manteiga de amendoim, e estamos pensando em adicionar cacau e diferentes sabores de chocolate. Colocamos três em armazenamento para ver como funcionariam, dois ficaram bons, e um ficou delicioso. Ao desenvolver algo, é preciso analisar um número de ingredientes diferentes para ver o que funciona. Haverá mudanças tanto no sabor quanto na textura de um alimento durante o armazenamento a longo prazo. Os sabores tendem a ficar menos intensos, ou sabores diferentes podem se desenvolver. A textura pode se degradar através do equilíbrio de umidade, digamos, em um sanduíche, ou por deterioração. Existe uma variedade de sabores disponíveis comercialmente, e também uma série de ingredientes que se ajustarão à textura — por exemplo, amidos e gomas para líquidos ou alimentos semissólidos, enzimas e condicionadores de massa para pães. Então, durante o desenvolvimento, é necessário aperfeiçoar uma fórmula para se certificar de que a comida estará boa após ser feita e durante o armazenamento.

Mesmo com toda a ciência, ainda existe um grau de, bem, "Vamos tentar e ver o que acontece"?

Ah, claro. Você cria um produto para um projeto, prova, armazena e então prova de novo. Tudo é realmente testado aqui, e, na verdade, parte dos nossos deveres é participar dos grupos de prova porque os cientistas aqui, os nutricionistas, os que fazem as dietas, são todos considerados degustadores profissionais. A primeira coisa que fazemos é criar nosso produto na mesa e colocá-lo em uma caixa a 49°C por quatro semanas. Essas condições são mais aproximadas a um período longo de tempo em temperatura mais baixa; é apenas um teste rápido para ver se a qualidade se mantém. Se o produto se mantiver, então são 38°C por seis meses; isso deve aproximar a qualidade que você obtém após três anos em 26,7°C. Então, é preciso verificar se é microbiologicamente estável, para depois o produto ir para um microbiólogo para ser liberado, e em seguida você chama as pessoas para avaliar. Avaliamos aparência, aroma, sabor, textura e a qualidade geral.

Como a ciência da textura dos alimentos funciona para que a comida seja apreciada?

Existem certas propriedades de textura esperadas de qualquer categoria alimentar com que você esteja lidando. Os molhos devem ser cremosos; as carnes devem ser pelo menos um pouco fibrosas; pães e bolos devem ser macios e esponjosos; cereais e biscoitos devem ser crocantes. Quando a textura varia do que é esperado, a qualidade da comida é baixa. Se for medir e aperfeiçoar a textura de um produto, é preciso indicar as propriedades sensoriais exatas que deseja.

Por exemplo, para líquidos, a fluidez ou viscosidade é a característica física e mensurável definitiva. Existem líquidos "ralos" e líquidos "grossos", e geralmente é possível mudar de ralo para grosso adicionando hidrocoloides ou tratamento termal. Comidas sólidas existem em vários tipos de textura. Há sólidos elásticos que voltam ao formato após a deformação (gelatina); existem sólidos plásticos que não fazem isso (manteiga de amendoim). Então, além de sólidos "sólidos" que também são sólidos porosos — pense em pães, bolos, cereais estufados, petiscos extrusados como salgadinhos. Comidas porosas possuem a estrutura de esponjas, e como uma esponja molhada comparada com uma esponja seca, podem ser elásticas ou quebradiças.

Alguém que esteja cozinhando está, na verdade, manipulando as coisas tanto física quanto quimicamente?

Sim, é isso que é a culinária. O cozimento de um ovo, por exemplo. A proteína albumina desnatura com o calor, causando ligações cruzadas e a solidificação. Outro exemplo é a sova da massa de pão, que é um processo mecânico e não termal e

faz com que as moléculas de glúten se liguem; essa rede de glúten é o que faz com que o pão cresça, já que uma estrutura é desenvolvida prendendo o gás liberado pelo fermento biológico. E, é claro, toda vez que você usa amido de milho ou farinha para engrossar um molho, está usando um processo físico-químico. O calor e a umidade fazem com que os grânulos de amido absorvam água e inchem e, então, liberem polímeros de amido individuais, que são como fios ligados aos grânulos. Os polímeros de amido podem então se embolar, criando uma estrutura interconectada que constrói viscosidade. É isso que engrossa os molhos.

Molho de Carne Rápido

Farinha (Método do Roux)

Crie um roux simples derretendo **2 colheres (sopa) de manteiga (30g)** em uma panela e em seguida adicionando **2 colheres (sopa) de farinha (17g)**. Mexa enquanto cozinha em fogo baixo até o roux engrossar e começar a ficar marrom-claro, cerca de dois a três minutos.

Adicione **1 a 1 ½ xícara (chá) de caldo**; misture. Deixe ferver em fogo baixo por alguns minutos, até o molho alcançar a espessura desejada. Se o molho continuar ralo, adicione mais farinha. (Para evitar criar pelotas, faça uma mistura combinando farinha com água fria, e adicione-a.) Se o molho ficar espesso demais, adicione mais líquido.

Amido de Milho

Crie uma pasta de amido de milho misturando **2 colheres (sopa) de amido de milho (16g)** com **¼ de xícara (chá) de água fria (60g)**.

Em uma panela, aqueça **1 a 1 ½ xícara (chá) de caldo**. Adicione o amido de milho e deixe ferver de 8 a 10 minutos para cozinhá-lo. Se o molho continuar muito ralo, adicione mais pasta de amido. Se ficar grosso demais, adicione mais líquido.

Notas

- *Você pode usar restos de líquidos de carnes-assadas, como peru ou frango, para dar mais sabor ao molho. Se usar farinha, substitua a gordura dos líquidos por manteiga. Se selar uma peça de carne, use a mesma panela para o molho, deglaçando com algumas colheres de sopa de vinho, vermute, vinho madeira ou do porto para soltar o que ficou grudado na superfície da panela.*

- *Refogue alguns cogumelos e adicione-os ao molho. Ou, se fizer peru, cozinhe lentamente o pescoço um dia antes, retire a carne e adicione ao molho também.*

Espessantes **413**

Metilcelulose

A metilcelulose não é um espessante típico como os derivados do amido, e não é usada para os propósitos tradicionais de espessamento. Ela tem a propriedade de engrossar quando aquecida (*termogelificar*, em linguagem química). Vejamos a geleia: quando aquecida, perde a estrutura em gel (a pectina derrete), o que faz com que escorra. A adição de metilcelulose previne isso ao absorver a água da geleia quando aquecida. E já que a metilcelulose é *termorreversível*, ao esfriar, a geleia volta à sua consistência normal. Mágica!

Em Hollywood, a metilcelulose é usada para fazer gosmas. Adicione corante e você obterá uma gosma do tipo Caça-Fantasmas. Para uma boa consistência, bata vigorosamente para prender as bolhas de ar na mistura.

A metilcelulose é usada em alguns pratos de culinária moderna devido a seus efeitos termogelificantes. Um exemplo conhecido é o sorvete quente, no qual o sorvete na verdade é um creme quente preparado com metilcelulose. Ao esfriar em temperatura ambiente, ele derrete.

Instruções para uso culinário	Dissolva a metilcelulose em água quente (acima de 50°C) e bata enquanto esfria. Em água fria, pode ser difícil misturar, pois o pó empelota em contato com ela. Porém, na água quente, o pó não absorve água, fazendo com que seja misturado uniformemente. É mais fácil misturá-la usando de 1% a 2% (por peso) no líquido, e deixe descansar durante a noite na geladeira para dissolver completamente. Você pode fazer experiências com esse líquido. Asse uma pequena bola dele, ou jogue em uma panela com água fervente.
Uso industrial	A metilcelulose é utilizada para prevenir o "assamento" de recheios em assados. Ela também possui alta atividade de superfície, o que significa que age como emulsificante ao evitar que o óleo e a água se separem, então também é usada em molhos com baixo teor de óleo ou sem e para diminuir a absorção dele em comidas fritas.
Origem e propriedades químicas	A metilcelulose é feita pela modificação química da celulose (através de eterificação de grupos hidroxilas). Pode haver grande variação entre tipos e derivados de metilcelulose em termos de espessura (viscosidade), temperatura de gelificação (50–90°C) e força do gel (variando de firme a macio). Se você estiver tendo problemas para endurecer a metilcelulose, verifique as especificações do tipo que está usando. Dê uma olhada em http://cookingforgeeks.com/book/methylcellulose/ (site em inglês) para mais detalhes.

A meticelulose aumenta a tensão de superfície — na verdade, "tensão interfacial", já que "superfície" se refere a uma forma 2D —, motivo pelo qual age como emulsificante.

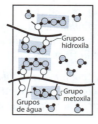

Quando frias, as moléculas de água (na esquerda) são capazes de formar grupos de água ao redor da molécula de metilcelulose. Com calor suficiente — cerca de 50°C —, os grupos de água são destruídos e a metilcelulose forma ligações cruzadas, resultando em um gel estável em temperaturas mais altas.

Marshmallows Quentes

Ao contrário dos marshmallows de que falamos antes nesse capítulo (veja a p. 381), esses marshmallows permanecem firmes quando quentes, mas derretem quando esfriam. Essa receita é adaptada de uma receita de Linda Anctil (http://www.playingwithfireandwater.com — site em inglês). Dê uma olha na página 121 para saber mais sobre Linda.

Em uma panela, deixe ferver:

- 2 $^1/_8$ de xícaras (chá) de água (500ml)
- 1 xícara (chá) de açúcar (200g)

Deixe esfriar e então misture:

- 10g de metilcelulose (use uma balança para garantir a medida exata)
- 1 colher (chá) de extrato de baunilha (5ml)

Deixe descansar na geladeira até encorpar, por cerca de duas horas. Quando engrossar, bata até ficar leve e espumoso. Transfira para uma forma de 20cm×20cm forrada com papel-manteiga. Asse por cinco a oito minutos a 150°C, até endurecer. Os marshmallows devem estar secos e nada grudentos. Retire do forno, corte nos formatos desejados e cubra com açúcar de confeiteiro.

Dois marshmallows em um prato com açúcar de confeiteiro.

Dois marshmallows após serem cobertos com açúcar de confeiteiro ainda quentes.

Os mesmos marshmallows após esfriarem por alguns minutos.

Ao trabalhar com géis, é possível esfriar rapidamente o líquido quente mexendo-o enquanto corre água fria no exterior da panela. A água aderirá ao fundo da panela.

Maltodextrina

A maltodextrina é um amido que se dissolve com facilidade em água e tem um gosto levemente adocicado. Na fabricação, é seca por spray e aglomerada, o que cria um pó poroso em nível microscópico. Devido à sua estrutura, ela absorve substâncias gordurosas, o que a torna útil para o trabalho com gorduras. Ela também absorve água, por isso é usada como emulsificante e espessante, e para substituir gorduras: quando hidratada, ela literalmente gruda, imitando a viscosidade e a textura das gorduras.

Como a maltodextrina é um pó e absorve gordura, usá-la em grandes quantidades proporciona um resultado divertido e incomum: ela transforma líquidos e sólidos gordurosos em pó. Misture uma quantidade suficiente de maltodextrina em azeite de oliva ou manteiga de amendoim, e eles se transformam em um coloide instável, embora em forma de pó. E uma vez que a maltodextrina dissolve na água, o pó formado dissolve na boca, efetivamente "dissolvendo-se" de volta no ingrediente original e liberando seu sabor. Como a maltodextrina em si geralmente não tem sabor (apenas levemente doce), isso não altera substancialmente o sabor do produto que está sendo "pulverizado".

Além da novidade e da surpresa de, digamos, um peixe coberto com um pó que derrete na boca e se transforma em azeite de oliva, os pós podem carregar sabores para aplicações que necessitam de ingredientes sólidos. Pense nas trufas de chocolate enroladas em nozes picadas: além de fornecer sabor e contraste de textura, as nozes fornecem um "invólucro" conveniente ao redor do chocolate para permitir que você pegue a trufa e a coma sem que o ganache derreta nos dedos. Produtos em pó podem ser usados para cobrir o lado exterior de comidas da mesma forma.

Instruções para uso culinário	Adicione o pó vagarosamente à gordura líquida em uma proporção de 60% de gordura e 40% de maltodextrina. Você pode passar o resultado por uma peneira para mudar a textura de farelento para um pó mais fino.
Uso industrial	A indústria geralmente utiliza a maltodextrina para engrossar líquidos (por exemplo, de frutas em calda) e preservar sabores em alimentos embalados como batatas fritas com sabor e biscoitos. Por prender gordura, quaisquer substâncias lipossolúveis podem ser "adicionadas" a ela e mais facilmente incorporadas a um produto.
Origem e propriedades químicas	Derivada de amidos como milho, trigo ou tapioca, a maltodextrina resulta do cozimento dos amidos em fogo brando por várias horas (normalmente com um catalisador ácido) após sua forma hidrolisada passar por um secador spray. Quimicamente, ela é um polissacarídeo doce composto tipicamente de 3 a 20 unidades de glicose conectadas.
	Para compreender como a maltodextrina absorve o óleo, imagine a areia da praia. Ela não se liga à água, mas ainda sim absorve o líquido no espaço entre os grânulos devido à ação capilar. Ao trabalhar com areia ou maltodextrina, com a quantidade certa de líquido, o pó se agrega e se torna maleável. No entanto, já que a maltodextrina é solúvel em água, esta dissolve os grânulos de amido. E, felizmente, a maltodextrina absorve bem mais óleo por volume do que a areia, tornando-a útil para dar sabores de forma não líquida.

Manteiga Dourada em Pó

A manteiga dourada tem um gosto rico de nozes e é ótima para agregar sabor (veja a p. 156). Quando derretida e misturada à maltodextrina, torna-se um pó que "derrete" e depois se transforma novamente em manteiga dourada na boca. Tente usar esse pó de manteiga marrom como acompanhamento em cima ou junto com um peixe, ou faça uma versão com manteiga de amendoim e salpique nas sobremesas.

Em uma frigideira, derreta:

4 colheres (sopa) de manteiga salgada (60g)

Depois de derreter, continue a aquecer até toda a água secar. Os sólidos de manteiga começarão a ficar dourados. Quando a manteiga estiver completamente dourada e tiver alcançado um aroma de nozes e de torrado, retire do fogo e deixe esfriar por um ou dois minutos.

Em uma tigela pequena, meça:

½ xícara (chá) de maltodextrina (40g)

Enquanto bate a maltodextrina, adicione lentamente a manteiga dourada até alcançar uma consistência similar à de areia molhada.

Notas

- Mexa devagar no início porque a maltodextrina é leve e facilmente aerolisada. A razão entre a maltodextrina e a comida varia. Se o seu resultado ficar mais parecido com pasta de dentes, adicione mais maltodextrina.

- Se o pó resultante ainda estiver empelotado demais, você pode conseguir secá-lo cuidadosamente ao transferi-lo para uma frigideira em fogo baixo por alguns minutos. Isso ajuda a secar qualquer umidade presente. Isso cozinha parcialmente alguns ingredientes, o que pode não funcionar para pós que contenham itens como chocolate branco.

- Para uma textura mais fina, tente passar o pó em uma peneira usando a parte de trás de uma colher.

- Sabores adicionais a serem experimentados: manteiga de amendoim, manteiga de amêndoas, óleo de coco (virgem/não refinado), caramelo, chocolate branco, Nutella, azeite de oliva, foie gras, gordura de bacon (frite um pouco de bacon e guarde a gordura — isso é chamado de aproveitamento). Você não precisa aquecer as gorduras antes, mas pode demorar um pouco até a maltodextrina ser incorporada. Para gorduras líquidas (azeite de oliva), você precisa usar mais ou menos 2 partes de maltodextrina para 1 de gordura: 50g de azeite de oliva, 100g de maltodextrina.

Agentes Gelificantes

Da próxima vez que espalhar geleia no pão, agradeça à pectina por sua habilidade de formar géis — coloides sólidos com formato definido e que prendem líquidos. Sem gelificantes como a pectina, teríamos um mundo bem menos interessante, pelo menos no campo dos doces. Agentes gelificantes espessam líquidos e, em concentrações maiores, criam géis. Em baixas concentrações, também são emulsificantes (líquidos mais espessos não se separam com facilidade) e evitam que cristais de açúcar arruínem os doces e que cristais de água transformem o sorvete em uma pedra de gelo.

Há dois conceitos básicos para géis: força e concentração. Grama por grama, alguns gelificantes são capazes de formar géis mais fortes que outros. E, é claro, deve haver uma quantidade suficiente de agente gelificante presente para que um gel se forme.

Gelificantes fracos e baixas concentrações desses agentes agem como espessantes. Sem que haja uma quantidade suficiente de gelificante para criar uma estrutura apropriada, a viscosidade aumenta, mas o líquido continua fluido ou, pelo menos, flexível. As geleias são um bom exemplo de géis fracos: são fluidas e não têm um formato próprio. Alguns gelificantes são quase sempre utilizados para géis fracos. A carragena, por exemplo, é normalmente usada como espessante. O leite de amêndoas que tomei essa manhã tinha uma textura encorpada e aveludada; uma olhada rápida na lista de ingredientes mostrou a carragena.

Com a quantidade suficiente de gelificante, os líquidos se transformam em verdadeiros géis — coloides sólidos. Alimentos como gelatina e clara de ovo cozida são géis devido à pectina, gelatina ou ovomucina. Os géis são formados por treliças interconectadas que impedem que o alimento se disperse, e por isso eles formam um sólido que você pode fatiar, cortar ou desenformar e colocar em um prato. Os géis guardam uma memória de seu formato original, o que significa que voltarão a seu formato quando não forem pressionados, amassados ou cutucados.

A indústria alimentícia usa géis para engrossar líquidos, emulsificar molhos e modificar texturas ("melhorar a sensação bucal" — como a do leite de amêndoas). A carragena é bastante comum; metade dos requeijões e iogurtes a usa. O ágar é usado em muitas sobremesas asiáticas, e a tapioca faz as bolinhas no chá de bolhas.

Na culinária moderna, gelificantes são usados para que comidas tipicamente líquidas sejam convertidas em algo espesso o suficiente para manter a forma (o que a pectina faz nas geleias) ou até mesmo completamente sólido. Os géis também se formam em superfícies (bem, tecnicamente, interfaces — onde duas substâncias se encontram), em uma técnica às vezes chamada de *esferificação*. Vamos ver como um punhado de gelificantes diferentes funciona para criar tudo, das geleias cotidianas às esferificações modernas.

> A gelatina americana é feita com o suco da fruta — sem a polpa — e transformada em gel usando açúcar e pectina de forma que ainda seja espalhável. As geleias incluem purê de frutas, o que as engrossa, mas usam menos pectina para não se tornarem um completo gel.

418   Cozinha Geek

Pectina

Ela é incrível: ao natural, é uma cola que une as células do tecido vegetal. A pectina utilizada na culinária age como espessante e vem de uma família de polissacarídeos que se divide em dois grandes grupos: pectinas de alto e de baixo teor de ésteres, às vezes chamadas de pectina de alta metoxilação (AM) e de baixa metoxilação (BM). A diferença vem da esterificação da estrutura molecular — apenas um detalhe variável das moléculas de pectina. O número de ésteres nas moléculas é naturalmente alto, mas pode ser reduzido através de processamento, o que muda a maneira como a pectina forma géis. Pectinas de alto teor exigem açúcar e ácido para se unirem; a pectina com baixo teor de ésteres cria gel utilizando cátions de potássio ou cálcio.

Para complicar as coisas, os rótulos de alto e baixo teor se baseiam em um ponto de corte arbitrário para o grau de esterificação. As exigências para a gelificação podem ser satisfeitas, mas o tempo para o gel ficar pronto varia de 20 a 250 segundos. Se estiver fazendo geleia e quiser testar o grau do gel, você pode ter de esperar 4 minutos para saber se criou as condições certas, dependendo das especificidades da pectina que usar.

> Fazendo geleia? Coloque uma colher no freezer antes de começar. Quando estiver fazendo a geleia, pingue-a quente na colher gelada e deixe esfriar por uns minutos para verificar se forma um bom gel.

Comercialmente, a pectina é extraída de cascas de frutas cítricas ou do bagaço da maçã (que sobra após a extração do suco) e dos núcleos. Você pode usar esses métodos para obtê-la; você terá uma pectina de alto teor. (Não dá para convertê-la em pectina de baixo teor em casa.) A presença natural de pectina nas frutas é o motivo pelo qual uma receita pode nem mesmo pedi-la — ela já está presente.

A pectina de alto teor não forma géis quando há muita água. O açúcar reduz a quantidade disponível de água e, além disso, é necessário para que a pectina de alto teor endureça. Ela só forma géis em um pH entre 2,5 e 3,5, e é por isso que algumas receitas adicionam um ácido para baixá-lo. Frutas com mais açúcares não precisam de sua adição, da mesma forma, frutas ácidas não precisam de algo como suco de limão.

A pectina de baixo teor é feita pelo processamento da pectina de alto teor com um álcool acidulado. Isso cria uma pectina que geleifica em uma faixa de pH mais ampla, de 2,5 a 6,0, e tolera mais água, embora a pectina de baixo teor reaja melhor quando tratada em um pH mais baixo (abaixo de 3,6). A pectina de baixo teor é mais flexível: pode lidar com mais água circundante e com ambientes menos ácidos, mas, ainda assim, funciona melhor quando tratada como a de alto teor. As pectinas de baixo teor têm o benefício de criar alimentos com menos açúcar e acidez, permitindo geleias menos adocicadas.

Em geral, se você conseguir pectina de baixo teor, use-a — é mais fácil de trabalhar, como a química mostra. Caso contrário, seja paciente com a pectina de alto teor: use cerca de 1% (por peso), muito açúcar (60% a 75%), e ácido suficiente (como suco de limão) para baixar o pH.

Agentes Gelificantes

Laboratório: Faça Sua Pectina

A pectina é um polissacarídeo encontrado nas paredes celulares de plantas terrestres e fornece estrutura para o tecido vegetal. A pectina se quebra em açúcares simples com o tempo, motivo pelo qual as frutas maduras se tornam mais macias e as maçãs ficam farinhentas — sem a estrutura da pectina para mantê-las unidas, elas desabam. Aquecer as frutas libera a pectina das paredes celulares, por isso você pode fazê-la a partir de frutas com alto teor de pectina se cozinhá-las.

Fazer pectina é parecido com fazer gelatina: comece com alguns quilos de tecido, ferva e filtre. Em vez de ossos de animais, a pectina vem dos "ossos" das paredes celulares da planta usada.

Primeiro, pegue esse material:

- 900g de maçãs
- Panela
- 4 xícaras (chá) de água (1l)
- Tábua de corte e faca
- Queimador ou fogão para aquecer a panela
- Coador forrado
- Tigela para coletar respingos
- Álcool (opcional)

Preparo:

1. Corte as maçãs em oito partes, mantendo as sementes e o núcleo. (O núcleo e a casca contêm a maior parte da pectina.)
2. Coloque as maçã na panela com a água, ferva e deixe cozinhar por 30 a 45 minutos. Desligue o fogo e deixe esfriar por alguns minutos, até que possa coar.
3. Derrame a mistura de maçã cozida no coador e deixe descansar por 5 ou 10 minutos para drenar o máximo possível o líquido. Descarte as maçãs cozidas e o tecido do coador.

Hora da investigação!

Olhe para o líquido que escorreu para a panela: o que lhe parece?

Como você acha que a quantidade de pectina produzida mudaria se usasse maçãs ainda não maduras? Ou extremamente moles e maduras? O que acha que aconteceria se usasse outras frutas no lugar da maçã?

A pectina é insolúvel em álcool. Tente misturar uma colherada da sua pectina líquida com algumas colheres de um álcool. A pectina vira gel? (Não coma o álcool!) É possível que sua pectina líquida esteja muito aguada; nesse caso, ferva o líquido para reduzi-lo.

Crédito extra:

Tente fazer geleia (veja a p. 419) com a pectina caseira. A pectina feita em casa será uma pectina com alto teor de ésteres, então você precisa reduzir a quantidade de água presente condensando o líquido ou adicionando açúcar suficiente para absorvê-la. Você também precisa adicionar suco de limão para baixar o pH e, finalmente, precisará de pectina suficiente para fazer a geleia!

Pectina baixa	Pectina média	Pectina alta
Frutas mais macias em geral	Damascos	Groselha preta
	Morangos	Cascas de frutas cítricas
Cerejas	Pêssegos	
Amoras		Cranberries ou oxicoco (é por isso que o molho de cranberry geleifica quando resfria)
Nectarinas		Maçãs ácidas

420　　Cozinha Geek

Carragena

A carragena é usada desde o século XV para engrossar produtos lácteos. Sua produção comercial em massa ampliou-se após a Segunda Guerra Mundial, e agora ela é um espessante presente em tudo, do cream cheese à ração de animais.

Instruções para uso culinário	Misture 0,5% a 1,5% de carragena em um líquido em temperatura ambiente. Mexa suavemente para evitar prender bolhas de ar. (Elas são difíceis de tirar, a não ser que você possua um sistema a vácuo.) Deixe descansar por, pelo menos, uma hora; a carragena leva um tempo para se hidratar novamente. Para deixá-la pronta, ferva-a. Se o líquido não puder ser aquecido, esquente a água e acrescente-a a ele.
Uso industrial	A carragena é usada para engrossar alimentos e controlar cristais (no sorvete, reduzir os cristais de gelo evita uma textura granulada). Ela é geralmente usada em laticínios, produtos à base de água, como shakes de fast-food (mantém os componentes em suspensão e realça o sabor), e sorvetes (previne também a sinérese).
Origem e propriedades químicas	Derivada de uma alga (como *Chondrus crispus* — nome comum do musgo irlandês), a carragena se refere a uma família de moléculas com uma forma comum (um polímero linear que se alterna entre dois tipos de açúcares). A alga é seca ao sol, tratada com solução esterilizante e refinada em pó. Variações na sua estrutura molecular alteram os níveis de gelificação, assim, diferentes tipos de carragena causam diferentes efeitos. A carragena kappa (carragena-k) forma um gel quebradiço mais forte, e a carragena iota (carragena-i) forma um mais macio e elástico.

Observações técnicas		
	Carragena-i	**Carragena-k**
Temperatura de gelatinização	35–65°C	35–65°C
Temperatura de derretimento	55–85°C	55–85°C
Tipo de gel	Gel mole: gela na presença de íons de cálcio	Gel firme: gela na presença de íons de potássio
Sinérese	Não	Sim
Concentração de trabalho	0,3–2%	0,3–2%
Observações	• Baixa solubilidade em soluções açucaradas • Interage bem com amidos	• Solubilidade em soluções salgadas • Interage bem com polissacarídeos não gelatinosos
Termorreversibilidade	Sim	Sim

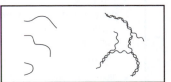

Em nível molecular, a carragena, quando aquecida, se desenrola e perde a estrutura helicoidal (esquerda); quando resfriada, os hélices se refazem, se enrolam e formam pequenos grupos (direita). Eles formam uma rede tridimensional gigante que prende outras moléculas.

A carragena-i (à esquerda, dissolvida em água a 2%) forma um gel macio e dobrável, enquanto a carragena-k (à direita, dissolvida em água a 2%) forma um gel firme e bem quebradiço. Ambos são coloidais: estruturas sólidas com líquidos retidos no interior.

Agentes Gelificantes

Leite em Gel com Carragena Iota e Kappa

Esta não é, por si só, uma receita gostosa (adicione um pouco de chocolate e você obterá algo parecido com pudim de chocolate semipronto). Ainda assim, dará a você alguma ideia de como a adição de um agente de gelificação modifica um líquido e faz uma boa comparação entre géis macios e quebradiços.

Versão quebradiça flexível

Em uma panela, misture e depois deixe ferver:

1 colher (chá) de carragena iota (1,5g)

100ml de leite

Coloque em um copo, forma de gelo ou molde e deixe esfriar na geladeira até ficar pronto (cerca de 10 minutos).

Versão quebradiça firme

Novamente em uma panela, misture e depois deixe ferver:

1 colher (chá) de carragena kappa (1,5g)

100ml de leite

Coloque em um segundo copo, forma de gelo ou molde e deixe esfriar na geladeira até ficar pronto.

Notas

- *Tente modificar a receita adicionando 1 colher (chá) de açúcar (4g), substituindo um pouco de creme por uma parte do leite, colocando a mistura no micro-ondas por um minuto, e colocando em um ramequin com uma camada fina de geleia e amêndoas tostadas em lâminas no fundo. Depois de gelificar, inverta o gel em um prato para ter algo próximo a um manjar tipo flan.*

- *Já que a carragena é termorreversível (depois de virar um gel ainda pode ser derretida), é possível pegar um bloco de comida gelificada com carragena kappa, cortá-lo em cubos e fazer coisas bobas, como servi-los com café ou chá (um cubo ou dois?).*

- *Você pode pegar um gel quebradiço firme e quebrar a estrutura usando um batedor para criar coisas como um pudim de chocolate espesso.*

Ágar

Assim como a carragena, o ágar — ágar-ágar — tem uma longa história na culinária, mas apenas recentemente se tornou famoso no Ocidente, como um substituto vegetariano da gelatina. Usado primeiro pelos japoneses nas sobremesas semelhantes a gelatinas, pelas quais são conhecidos, como *mizuyokan*, seu histórico data de muitos séculos.

O ágar é um aditivo alimentar fácil de usar. Você pode adicioná-lo a quase qualquer líquido para criar gel — uma concentração de 2% em uma xícara de chá-preto o fará mais grosso que gelatina — e fica pronto rapidamente em temperatura ambiente. Em pó, ele é mais fácil de ser trabalhado (adicione líquido e calor). Em flocos, precisa ser deixado de molho por pelo menos cinco minutos e cozido por tempo suficiente para se quebrar completamente.

Instruções para uso culinário	Dissolva 0,5% a 2% de ágar em líquido frio e misture. Deixe-o ferver. Assim como a carragena, você pode criar um concentrado mais grosso e adicioná-lo ao líquido-alvo se não puder ser fervido. Se comparados, o ágar possui uma variedade maior de substâncias nas quais funciona, mas precisa de temperaturas maiores.
Uso industrial	O ágar é usado em produtos como gomas, doces, queijos e coberturas. Como é um vegetal, é um substituto em pratos que tradicionalmente usam gelatina, derivada de ossos e peles de animais. Porém, o ágar tem um leve sabor, funcionando melhor em pratos com sabores fortes.
Origem e propriedades químicas	Derivado de algas, como a carragena, o ágar é um polissacarídeo espessante que cria géis. Quando aquecido acima de 85°C, a galactose derrete, e quando resfriado para 32–40 °C, forma uma estrutura de hélice dupla. (A temperatura de gelificação exata depende da concentração.)

Durante a gelificação, as extremidades de suas hélices duplas são capazes de se ligar umas às outras. O ágar tem histerese alta; isto é, a temperatura na qual é convertido em gel é muito menor que a necessária para torná-lo novamente líquido, o que significa que você pode aquecê-lo até uma temperatura moderadamente quente e mantê-lo sólido. Para mais informações sobre a química do ágar, acesse http://cookingforgeeks.com/book/agar/ (site em inglês).

Notas técnicas	
Temperatura de gelatinização	32–40°C
Temperatura de derretimento	85°C
Histerese	60°C
Tipo de Gel	Quebradiço
Sinérese	Sim
Concentrações	0,5–2%
Sinergismos	Funciona bem com sacarose
Observações	O ácido tânico inibe as formações de géis (é o que faz com que chás muito infundidos tenham um gosto ruim; frutas o têm)
Termorreversibilidade	Sim

Ágar no nível molecular. Quando aquecida, a molécula relaxa para uma forma relativamente reta (esquerda superior), que durante o esfriamento forma uma hélice dupla (centro). As extremidades dessas hélices podem se ligar com outras (direita superior), formando uma rede em 3D (esquerda).

Agentes Gelificantes

Panna Cotta de Chocolate

A Panna Cotta tradicionalmente recebe sua estrutura da gelatina, mas uma pequena quantidade de ágar pode criar uma versão mais estável e, além de tudo, vegetariana. Esse é um bom exemplo de como o ágar pode ser usado para fornecer uma textura mais firme que os ingredientes tradicionais, útil para aplicações que requerem força adicional.

Em uma panela, misture e deixe borbulhar suavemente (abaixo do ponto de ebulição — quando as bolhinhas se formam na superfície) por um minuto:

100ml de leite

100ml de creme de leite

½ fava de baunilha cortada no comprimento e raspada

8 colheres (chá) de açúcar em pó (20g)

1 colher (chá) de ágar em pó (2g)

Desligue o fogo, remova a fava de baunilha e adicione, misture um pouco e deixe descansar:

100g de chocolate meio amargo cortado em pedaços pequenos para ajudar a derreter rápido

Após um minuto, adicione e misture completamente:

2 gemas de ovo (separe as claras para outra receita)

Coloque a mistura em copos ou formas e guarde na geladeira. O gel ficará pronto em até 15 minutos, dependendo do tamanho da forma e de quanto tempo leva para a mousse ficar abaixo da temperatura de gelificação do ágar (cerca de 32°C).

Nota

- *Tente usar essa receita como um componente de outro prato. Enrole uma bolinha de mousse em nozes torradas para criar um tipo de trufa, passe uma camada de mousse em uma massa de torta pré-cozida e cubra com amoras e chantili.*

Suco de Limão Clarificado

Falamos sobre a utilização de géis para clarificar líquidos no capítulo anterior (veja a p. 349), mas e se o líquido que você está usando não gelificar naturalmente? Adicionar ágar a um líquido o transforma em algo que permite a clarificação por gel. Este exemplo, para suco de limão transparente, vem de Dave Arnold (veja a p. 358).

Esprema **10 limões** em um recipiente, passando-os por um coador para retirar a polpa. Meça o suco: ele deve ter aproximadamente 2 xícaras (chá) (480ml). Reserve.

Em uma panela, faça um gel de ágar utilizando **½ xícara (chá) de água (120ml)** e **7 colheres (chá) de ágar (14g)**. Aqueça o líquido até ferver para derreter o ágar. (Isso cria um gel com cerca de 10% de ágar.) Quando misturado ao suco de limão, o resultado será uma concentração em torno de 2%.

Depois que o ágar tiver derretido, retire a panela do fogo e coloque essa mistura água–ágar no recipiente contendo o suco de limão. Deixe descansar por meia hora, até que esteja gelificado.

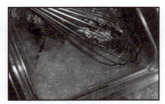

Depois que o gel de limão estiver formado, use um batedor para quebrá-lo em pedaços. Faça zigue-zagues com o batedor, mas não bata o gel.

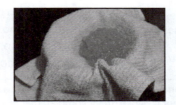

Transfira o gel em pedaços para um pedaço de morim (não use tecidos com tramas grandes ou toalhas). Dobre o tecido em uma bola.

Segure a bola de tecido sobre um filtro de café e esprema-a com a outra mão, massageando-a para retirar o máximo possível de líquido. (O coador de café reterá qualquer pedacinho de ágar que vaze pelo tecido.) Retire o filtro e use o suco como desejar.

Alginato de Sódio

Os géis de que falamos até agora são *homogêneos*, são incorporados em todo o líquido e depois aquecidos. O alginato, no entanto, é preparado através de uma reação química com cálcio, não com calor, o que permite uma aplicação interessante: espessar apenas parte do líquido. Um exemplo são as cerejas falsas, inventadas em 1942 por William Peshardt (veja a patente #2.403.547, dos EUA). O chef Ferran Adrià lapidou o conceito em 2003, e a coisa virou moda. É uma ideia simples e inteligente: controlando as regiões que são expostas aos gelificantes, você geleifica somente elas.

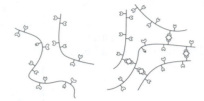

O alginato normalmente não faz ligações (esquerda), mas com a ajuda de íons de cálcio é capaz de formar uma rede em 3D (direita).

Isso é feito através da adição de alginato de sódio a um líquido e cálcio a um segundo líquido e, em seguida, expondo os dois um ao outro. O alginato de sódio se dissolve na água, liberando o alginato, que vira gel na presença dos íons de cálcio onde os dois líquidos se tocam. Imagine uma gota grande de líquido cheio de alginato de sódio: o exterior da gota fica pronto ao ter uma oportunidade de se gelificar com a ajuda dos íons de cálcio, enquanto o meio permanece líquido. É dessa aplicação que a *esferificação* deriva.

Instruções para uso culinário	Adicione 1% a 1,5% de alginato de sódio a um líquido (use água, de início). Deixe descansar por duas horas para hidratar completamente. Não mexa ou agite-o, pois isso gera bolhas de ar.
	É mais fácil adicionar o alginato um dia antes e deixar hidratar na geladeira durante a noite.
	Em banho-maria, dissolva o cloreto de cálcio para uma solução de 0,67% (1g para 150ml de água).
	Pingue parte do líquido com alginato de sódio no banho de cálcio e deixe descansar por mais ou menos 30 segundos. (Você pode usar uma "seringa" grande para gotas de tamanho uniforme.) Se a bolinha flutuar, use um garfo ou colher para virá-la, de forma que exponha todos os lados ao banho de cálcio. Coloque em outra tigela com apenas água para retirar o restante do cálcio e brinque. O gel de alginato fica firme por pouco tempo, então, faça isso logo antes de servir.
	Se o alginato de sódio ficar pronto antes da exposição ao banho de cálcio, use água filtrada ou destilada. A água dura possui alto teor de cálcio, o que pode acionar a reação de gelificação.
Uso industrial	A indústria alimentícia o usa como espessante e emulsificante. Como absorve a água de imediato, ele engrossa recheios e bebidas facilmente e é usado para estabilizar sorvetes. Também é utilizado na produção de comidas montadas; por exemplo, algumas azeitonas recheadas com pimentão são, na verdade, recheadas com pasta de pimentão que contém alginato. Elas são descaroçadas, recebem a pasta e são postas em banho de íons de cálcio para gelificar.
Origem e propriedades químicas	O alginato de sódio é derivado de paredes celulares de algas marrons, que são feitas de celulose e algina. Os alginatos são *blocos de copolímeros* compostos de unidades repetidas de ácidos manopiranosilurônico e gulopiranosilurônico. Baseado na sequência de dois ácidos, diferentes regiões de uma molécula de alginato podem assumir um de três formatos: linha de fita, forma retorcida e espirais irregulares. Das três formas, as regiões de forma entortada podem se ligar através de qualquer cátion bivalente. (Um cátion é apenas um íon carregado positivamente, isso é, com falta de elétrons. *Bivalente* simplesmente significa ter uma valência de dois, então, um cátion bivalente é qualquer íon ou molécula em que faltem dois elétrons.)

"Macarrão" e Bolinhas de Gel

Essa, na verdade, é uma experiência rápida para ilustrar como trabalhar com alginato de sódio. Comece com água. Depois que tiver aprendido, tente com outros líquidos.

Crie uma solução de **1% de alginato de sódio** e **água**. Adicione corante alimentício para poder observar a mistura enquanto trabalha com ela. Usando uma garrafa squeeze, faça um fio em uma tigela que contenha uma **solução de 0,67% de cloreto de sódio** na **água**.

Tente também fazer gotas e outros formatos. Uma moda de comida que ainda funciona é o mini "caviar". As gotinhas pequenas de alginato de sódio geleificadas possuem textura e sensação parecidas com o caviar, porém, com o sabor de qualquer líquido que você quiser.

Depois de ter brincado com a água, tente usar outros líquidos. Refrigerante de cola? Suco de cereja? Tenha em mente que os líquidos com alto teor de cálcio ou muito ácidos farão com que a solução de alginato se geleifique por conta própria. Observe que suco de limão não funciona, porque o alginato precipita na presença de ácidos fortes. Se quiser fazer mais experiências, tente usar citrato de sódio para ajustar o pH.

Dependendo da quantidade de cálcio no líquido, a adição direta de alginato de sódio pode fazê-lo endurecer, gerando algo parecido com um gel quebradiço. A troca dos elementos químicos — a adição de cloreto de cálcio à comida e o seu endurecimento em um banho de alginato de sódio — não funciona; o cloreto de cálcio tem um gosto ruim. Felizmente, é o cálcio que é necessário para a reação de geleificação, não o cloreto com gosto ruim, então, qualquer composto que seja próprio para alimentos e capaz de doar íons de cálcio funciona, como o lactato de cálcio, por exemplo. Essa técnica é chamada de *esferificação reversa*. Por exemplo, para criar esferas de muçarela, misture 2 partes de queijo muçarela com 1 de creme de leite em fogo baixo. Adicione cerca de 1% de lactato de cálcio a esse líquido e deixe endurecer em uma solução de alginato de sódio/água em concentração de 0,5% a 0,67%.

Formas Esferificadas

Esferificação, um nome inteligente para o processo de criar esferas de líquido unidas por uma camada fina de gel na superfície, é uma das invenções extravagantes da culinária moderna. Similar às "bolinhas" de gel descritas acima, com a esferificação você cria "bolinhas" maiores, deixando que endureçam o bastante para poder removê-las com cuidado usando uma colher vazada. Esferas de azeite de oliva podem ficar deliciosas — elas se parecem com uma azeitona tradicional, mas quando mordidas, explodem com um sabor que pode ser descrito como "mais azeitona que a azeitona".

Você pode criar líquidos com formatos diferentes de esferas se congelá-los em um molde e então mergulhá-los em um banho de cálcio. O formato final não retém as bordas definidas do formato original congelado — ele vai inchar e deformar ligeiramente — mas ainda assim você terá um formato distinto.

Congelar o líquido em um molde antes de colocar o alginato de sódio cria formatos mais interessantes.

Receitas com Hidrocoloides de Martin Lersch

Martin Lersch é um químico que escreve sobre comida em http://blog.khymos.org (conteúdo em inglês), e é o editor de "Texture: A Hydrocolloid Recipe Collection" (Textura: Uma Coleção de Receitas com Hidrocoloides). Acesse http://blog.khymos.org/recipe-collection/ (conteúdo em inglês).

Como se interessou pela química na culinária?

Meu interesse por comida não tem ligação com os meus estudos ou o meu trabalho, fora a química. Sempre gostei de cozinhar. Todo químico deve ser um cozinheiro aceitável, porque os químicos, pelo menos os orgânicos, estão muito acostumados a seguir receitas. É o que fazem diariamente nos laboratórios. Eu costumo implicar com meus colegas de trabalho, especialmente quando dizem que não podem levar um bolo para uma reunião, e digo: "Bom, como um químico, você deveria saber seguir uma receita!". Como um químico, eu sempre tive, de certa forma, curiosidade. Levo essa curiosidade para casa, na cozinha, e penso: "Por que essa receita me manda fazer isso ou aquilo?". É assim que acontece.

Como o seu histórico científico impactou a forma como pensa sobre culinária?

Penso na culinária através de uma perspectiva química. O que se faz na culinária, na verdade, é um monte de mudanças químicas e físicas. Talvez a coisa mais importante seja a temperatura, porque muitas mudanças na cozinha se devem às suas variações. Selar uma carne e o sous vide são bons pontos de partida. Com o sous vide, as pessoas geralmente chegam ao conceito por conta própria. Se você perguntar a elas como preparar um bom bife, muitas diriam para tirar da geladeira com antecedência para descongelar a carne. Enquanto ela é descongelada, por que não colocá-la na pia — você poderia usar água morna. E se você levar isso um passo adiante, por que não descongelar a carne na temperatura interna desejada? A maioria das pessoas diz que isso é uma boa ideia, e eu digo que isso é sous vide. Torna-se óbvio para as pessoas que essa é uma boa ideia.

Sou fascinado por hidrocoloides. Um dos motivos pelos quais gastei tanto tempo montando receitas foi porque quando comprei os hidrocoloides, talvez uma ou duas receitas pudessem ser incluídas, porém, não achei que elas fossem muito ilustrativas. Todos conhecem gelatina, mas nem tanto a pectina. E o resto é tudo completamente desconhecido. As pessoas não sabem como funciona, como dispersá-los e hidratá-los, ou suas propriedades. A ideia era coletar receitas que ilustrassem o máximo de formas possíveis em que poderiam ser usados. Você pode ler algumas receitas e ir para a cozinha fazer o que quiser. É isso que espero ajudar as pessoas a fazerem.

Existe alguma receita específica com a qual você tenha aprendido mais ou tenha achado interessante ou inesperada de alguma forma?

É difícil pensar em uma única receita. Quando falamos de gastronomia molecular, é fácil se concentrar demais nas aplicações sofisticadas como usar nitrogênio líquido ou hidrocoloides. É importante enfatizar que isso não é do que se trata a gastronomia molecular, apesar de muitas pessoas acharem isso; muitos associam a gastronomia molecular com espumas e alginato.

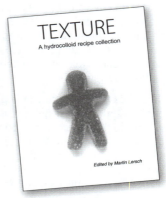

Para uma grande coleção de centenas de receitas baseadas em agentes geleificantes, dê uma olhada em "Texture: A Hydrocolloid Recipe Collection", disponível grátis online no blog de Martin, em http://blog.khymos.org/recipe-collection/ ou em http://cookingforgeeks.com/book/hydrocolloid/ — site em inglês.

Emulsificantes

Eles impedem que dois líquidos se separem, criando coloides líquido–líquido. Na culinária, as emulsões são quase sempre combinações de água e gordura, às vezes gordura em água (como molhos de salada) ou água em gordura (como a maionese). Você pode estar se perguntando por que o óleo e a água conseguem se "misturar" na presença de um agente emulsificante, após a nossa primeira discussão sobre moléculas polares (por exemplo, água) e apolares (por exemplo, óleo) não serem capazes de se misturar. Um emulsificante possui estrutura hidrofílica/lipofílica: parte da molécula é polar e, assim, "gosta" da água, e parte é apolar e "gosta" do óleo.

A adição de um emulsificante evita que os alimentos se separem ao fornecer uma barreira entre as gotas de óleo. Pense nisso como uma pele ao redor delas que evita que diferentes gotas se toquem e se misturem. Os emulsificantes reduzem a chance das gotas de óleo se agregarem, aumentando o que os químicos chamam de *tensão interfacial*. O óleo e a água não se misturam de verdade; eles são mantidos separados em nível microscópico.

Os emulsificantes estabilizam espumas ao aumentar sua estabilidade cinética — isso é, a quantidade de energia necessária para fazer com que a espuma saia de um estado para o outro é maior. Pegue a espuma de um banho de espumas como exemplo: o sabão age como um emulsificante, criando uma espuma de ar e água. A água não se prende normalmente a bolhas de ar, mas, com o sabão (o emulsificante), a tensão interfacial entre o ar e a água sobe bastante, então, é necessária mais energia para atrapalhar o sistema. Quanto mais energia for necessária, mais estável cineticamente é a espuma e mais tempo ela durará.

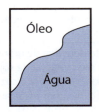 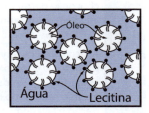

Emulsificantes como a lecitina são moléculas com regiões polares e regiões apolares. Essas regiões podem se orientar na interface entre dois líquidos diferentes.

Lecitina

Na culinária, a lecitina é quase sempre o emulsificante escolhido, porque é fácil de usar e funciona em uma faixa ampla de alimentos. Sem a lecitina, não seríamos capazes de fazer maionese; é a lecitina da gema dos ovos que fornece a maior parte da emulsificação. As sementes de mostarda e os condimentos moídos como a páprica também podem emulsificar alimentos, pelo menos por um tempo — eles diminuem a velocidade com que os líquidos se aglutinam. É por isso que as receitas de maionese sempre pedem mostarda. Se você se deparar com uma receita de vinagrete pedindo mostarda, não deixe de colocar!

A lecitina pode formar espumas pelo mesmo motivo que emulsifica. Se já comeu um prato que tenha um líquido "espumante" como componente — já provei bacalhau com uma mousse de cenoura e também uni (ouriço-do-mar) coberto com uma de maçã verde — o chef provavelmente a criou adicionando lecitina ao líquido e depois batendo-o ou fazendo um purê. É um jeito divertido de introduzir um sabor em um prato sem ter de adicionar muito corpo.

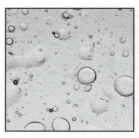

Uma foto sob luz microscópica de solução de metade água, metade óleo. (A lâmina está achatando as gotas de óleo.)

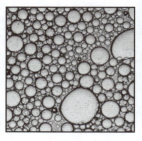

A mesma mistura com 1% de lecitina adicionada. As gotas são estáveis e não se aglutinam em gotas maiores devido ao aumento da estabilidade cinética.

Instruções para uso culinário	Para emulsões, adicione de 0,5 a 1% de lecitina em pó (por peso) e bata. Para criar espumas, adicione cerca de 1 a 2% de lecitina ao líquido (por peso) e use um mixer de imersão para batê-lo. Se tiver uma garrafa de chantili (veja a p. 313), a lecitina pode ser usada para formar espumas estáveis de líquidos que normalmente não retêm bolhas depois de serem pulverizados.
Uso industrial	A lecitina é usada para criar emulsões estáveis. É também usada como agente antirrespingamento em margarinas, um emulsificador no chocolate (para reduzir a viscosidade do chocolate derretido durante a produção), e como ingrediente ativo em sprays antiaderentes de comida.
Origem e propriedades químicas	A lecitina é tipicamente derivada de grãos de soja como produto da criação de óleo vegetal de soja. A lecitina é extraída de grãos de soja sem casca e cozidos, amassando-os e então separando mecanicamente (através de extração, filtração e lavagem) a lecitina bruta. Esta, então, é modificada enzimaticamente ou extraída com solventes (por exemplo, retirando o óleo com acetona ou fracionando por meio de álcool). Ela também pode vir de fontes animais, como ovos e outras proteínas, mas a lecitina derivada de animais é muito mais cara que a vegetal, então, é menos comum.

Maionese

Você não precisa comprar lecitina em pó para experimentar sua magia. As gemas de ovos são usadas para fazer maionese graças à alta concentração de lecitina. Use ovos frescos para isso; a lecitina das gemas se desnatura com o tempo. (Muitas coisas nos ovos se desnaturam com o tempo! Consulte a página 187 para saber mais sobre ovos.) Se quiser evitar ovos crus, veja a observação sobre a maionese vegana. A maionese caseira é especial quando usada em um molho ou diretamente sobre o salmão.

Em uma tigela grande, separe **1 gema de ovo grande** (20g) e guarde a clara para outro prato. Adicione **4 colheres (chá) de suco de limão (20ml)** ou **vinagre de cor clara** (vinagre branco ou de champanhe) ou uma mistura dos dois, **1 colher (chá) de mostarda (6g)** e **½ colher (chá) de sal (3g)**. Misture todos os ingredientes.

Derrame aos poucos **1 xícara (chá) de óleo (240ml)** (como azeite de oliva) enquanto bate. (Para um sabor extra, tente usar algum óleo infundido; veja a p. 401.) Se adicionar o óleo rápido demais ou não bater o suficiente, a emulsão vai se separar; isso é chamado de quebramento. Se isso acontecer e você não puder recompô-la ao bater, adicione uma gema de ovo em uma tigela limpa e misture lentamente no molho "quebrado".

Adicione sal e pimenta a gosto. Guarde a maionese no refrigerador e use em até uma semana.

Nota

- Se você tem pó de lecitina, que é derivada da soja, tente fazer uma maionese vegana. Substitua a gema por 2 colheres (chá) de água (10ml), 1 colher (chá) de óleo (5ml) e ½ colher (chá) de pó de lecitina (1,5g).

Espuma de Suco de Frutas

As espumas são um componente divertido e interessante para um prato. Usamos chantili como acompanhamento de várias sobremesas, mas e se pudéssemos criar uma cobertura de espuma saborosa? Experimente com qualquer líquido de sabor forte, como café ou um líquido bem colorido como suco de beterraba. A lecitina forma espumas melhores em uma concentração dentre 1–2% (2g de lecitina para 100ml de líquido).

Em uma tigela grande ou recipiente igualmente grande e reto, misture com um mixer de imersão:

- ½ xícara (chá) de água (100ml)
- ½ xícara (chá) de suco, como de cenoura, limão ou framboesa (100ml)
- 1 colher (chá) de lecitina em pó (3g)

Se tiver um mixer, bata os ingredientes por mais ou menos 1 minuto. Segure-o de forma que fique parcialmente fora do líquido, para adicionar ar na mistura. Se não tiver um mixer, use a batedeira ou um batedor e seja um pouco mais paciente.

Deixe descansar por 1 minuto após bater, de forma que a espuma resultante retirada com uma colher seja mais estável.

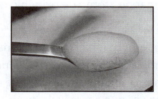

Espuma de suco de cenoura feita com lecitina, que é surpreendentemente estável por longos períodos de tempo.

Enzimas

Alguma vez você já se perguntou de onde vem a palavra enzima? Ela se baseia em duas palavras: "en" e "zima". "En" é fácil ("dentro"), mas e "zima"? Você teria que ser um fanático por línguas ou falar grego para reconhecer "zima" como "levedura". Muito embora a origem da palavra enzima seja grega, foi um médico alemão que propôs o termo nos anos 1970, quando isolou a proteína tripsina. Ele escolheu o nome para descrever compostos que ajudavam na fermentação, usando o termo grego para "dentro da levedura", não sabendo que as enzimas apareciam em quase todos os seres vivos.

As enzimas são usadas em todos os lugares nos sistemas biológicos, funcionando como catalisadores que transformam outros compostos. De uma perspectiva química, elas podem fazer duas coisas: prover um caminho de reação alternativo — tomando uma rota diferente ou mais fácil para chegar ao mesmo resultado — ou ativar uma reação completamente diferente. As enzimas são adoravelmente seletivas. Elas se encaixam em poucas estruturas moleculares, permitindo uma precisão biológica invejada pelos criadores de medicamentos. (Alguns compostos de medicamentos, como os inibidores de protease, são baseados em inibir enzimas!)

Embora muitas enzimas estejam presentes naturalmente nos alimentos, às vezes, adicionamos enzimas externas para mudar sabores e texturas quando cozinhamos. O queijo era tradicionalmente feito através da exposição do leite a partes do estômago de um animal ruminante, chamadas de abomaso, coagulador ou coalheira, que têm um grupo de enzimas que normalmente ajuda na digestão, mas também causa a coagulação (levando à formação do queijo). Um exemplo mais simples é a quebra da sacarose. Imagine uma molécula de sacarose, que é uma molécula de glicose e uma de frutose, unidas por um átomo comum de oxigênio. Quando aquecida na presença de água, a molécula vibra com mais e mais energia cinética e, em dado momento, uma molécula de água escorrega para onde aquele átomo de oxigênio as liga, quebrando a molécula de sacarose em uma de glicose e uma de frutose. (A água toma o lugar do átomo de oxigênio em uma delas, fazendo uma reação de hidrolisação.)

Existe uma enzima, a invertase (os nomes de enzimas sempre terminam em "ase"), que fornece um caminho alternativo para essa reação. A invertase se enrola em parte da molécula de sacarose, aderindo a ela de forma que uma molécula de água possa escorregar para o lugar em que o átomo de oxigênio une os dois açúcares simples. Uma vez que a molécula de água entra, a sacarose se quebra; a enzima invertase não consegue mais se agarrar às duas partes e sai. Menos energia é necessária para a reação, e ela é bastante seletiva — outros compostos no sistema não terão de ser expostos a tanto calor para que a reação aconteça. As enzimas são poderosas!

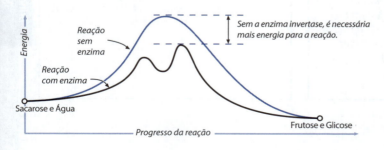

432   Cozinha Geek

Queijo Muçarela

Fazer seu próprio queijo é uma ótima experiência para ver como duas coisas aparentemente diferentes podem estar muito ligadas. O queijo é feito da nata — proteínas de caseína coaguladas — do leite. O soro de leite é separado por reação enzimática, permitindo que as natas sejam cozidas, misturadas, esticadas e dobradas para criar uma estrutura caracteristicamente encontrada no queijo que forma fios.

Em duas tigelas pequenas ou vidros, meça e separe:

- **½ colher (chá) de cloreto de cálcio (1,4g) dissolvido em 2 colheres (sopa) de água destilada (30ml)**
- **¼ de tablete de coalho dissolvido em 4 colheres (sopa) de água destilada (60ml) (ajuste a quantidade de acordo com as instruções do fabricante do coalho)**

Em uma panela, misture e aqueça lentamente a 31°C:

- **4 litros de leite integral, mas não ultrapasteurizado ou homogeneizado**
- **1 ½ colher (chá) de ácido cítrico (12,3g)**
- **¼ de colher (chá) de lipase em pó (0,7g)**

Quando o líquido estiver em 31°C, adicione o cloreto de cálcio e a mistura de coalho e continue a aquecer lentamente até 40,5°C, mexendo de vez em quando. Nesse ponto, a coalhada começa a se separar do soro de leite.

Quando o líquido estiver em 40,5°C, retire do fogo, cubra a panela e aguarde 20 minutos. Nesse ponto, a coalhada deve estar totalmente separada do soro do leite; se não, espere um pouco mais.

Transfira a coalhada com uma escumadeira para uma tigela que possa ser usada no micro-ondas, ou coe o soro. Esprema a coalhada para retirar o máximo de soro possível, inclinando a bacia para drenar o líquido. Coloque no micro-ondas em

potência alta por um minuto. Retire mais soro de leite. O queijo deve agora estar pegajoso; se não, deixe mais no micro-ondas adicionando 15 segundos por vez, até que fique quente e pegajoso (mas não demasiadamente quente para manusear).

Adicione ½ **colher (chá) de sal em flocos** ao queijo e amasse. Coloque no micro-ondas por mais um minuto em potência alta até que o queijo fique em cerca de 54,4°C. Retire e estique, trabalhando como se estivesse brincando com uma bolinha de borracha: estique, dobre ao meio, torça, estique mais uma vez, mais e mais, até que tenha alcançado uma textura fibrosa.

O que é leite homogeneizado?

No processo de homogeneização, o leite é forçado por um pequeno orifício que desintegra os glóbulos de gordura. Esses pedaços desintegrados se tornam pequenos o bastante para não se separarem devido à força da gravidade. (Essa é a mesma Lei de Stokes mencionada na página 318.)

O leite homogeneizado e o leite ultrapasteurizado não dão bons queijos porque tanto o processo de homogeneização quanto as altas temperaturas do processo de pasteurização desnaturam a estrutura das proteínas de forma que elas não conseguem mais fazer ligações. Você vai ter uma meleca que lembra vagamente queijo cottage, mas que não derrete. Use leite pasteurizado, mas não homogeneizado quando estiver preparando essa receita. Ou trapaceie misturando 9 partes de leite magro com 1 parte de creme de leite, dependendo de como o creme de leite a que você tem acesso é processado.

Para um bom guia sobre como fazer muçarela seguindo uma abordagem mais tradicional, mais autêntica e que requer muito mais envolvimento, veja http://cookingforgeeks.com/book/mozzarella/ (site em inglês).

Benjamin Wolfe: Fungos e Queijos

Benjamin Wolfe é professor-assistente de microbiologia do Departamento de Biologia da Tufts University. Seu laboratório usa comunidades microbiológicas alimentícias para responder questões fundamentais sobre ecologia e evolução microbial.

Como você começou a estudar o bolor?

Fiz meu PhD em diversidade fúngica, ecologia e evolução, em Harvard, e estava estudando fungos no cultivo de cogumelos. Se você já jogou Mario Bros, provavelmente já viu aquele cogumelo vermelho com os pontos brancos na parte de cima. Aquilo é uma coisa real chamada Amanita. Fiquei fascinado com os fungos e, no meu pós-doutorado, tive a incrível oportunidade de trabalhar com a diversidade microbiana do queijo. Agora tenho meu próprio laboratório na Universidade de Tufts, onde estamos fazendo muito mais trabalhos com bolor de alimentos.

A maioria de nós não está mais familiarizada com o bolor do que: "Ah, o pêssego mofou, deixe-me jogá-lo fora." Você pode descrever o bolor para um leigo?

Os fungos vivem da decomposição de coisas. Eles quebram o ambiente em que vivem e utilizam as coisas decompostas como uma forma de fabricar a energia para crescer. Um tronco podre em uma floresta ou o pão esquecido no armário apodrecem através do bolor. O bolor produz enzimas que quebram as coisas no ambiente para se alimentar da glicose e de outros açúcares que retiram da decomposição. Todos os fungos têm um composto chamado quitina que eles usam para construir suas células, e todos os fungos têm uma rede de células chamadas de micélio. Quando você olha para um pedaço de pão embolorado, aquela grande nuvem macia que está se espalhando por todo o pão é um monte de células fúngicas unidas.

O que veio primeiro, o junco ou o fungo?

Um grupo de bolores e fungos que as pessoas nunca veem vive no solo, destrói coisas no solo, se conecta com raízes no subsolo e fornece nitrogênio, fósforo e outros compostos para as plantas, e em troca as plantas fornecem carbono aos fungos. Na verdade, elas os alimentam com os açúcares da fotossíntese. O que acontece é que estes fungos evoluíram primeiro e permitiram que as plantas colonizassem as terras estéreis que existiam há muitos milhões de anos e, assim, nós achamos que, na verdade, os fungos vieram primeiro e depois vieram as plantas. O junco veio depois do fungo.

Por outro lado, os fungos podem ser perigosos?

Absolutamente. Eles podem acabar com plantações inteiras; podem acabar com os animais e infectar seres humanos. Eles produzem compostos chamados micotoxinas, que podem ser muito perigosos, e estes compostos são produzidos por razões que não compreendemos totalmente. Achamos que produzem micotoxinas para lutar com outros micróbios, uma vez que estas toxinas podem, por vezes, matar micróbios vizinhos.

Nos anos 1950 e 60, houve alguns grandes surtos de fungo. Na Europa, um grupo dos alimentos destinados aos perus foi contaminado por uma determinada micotoxina produzida por um fungo. Todos estes perus começaram a morrer por causa da doença aspergilose, que é causada pelo bolor. Depois dessa descoberta, percebemos que há um grande número de diferentes tipos de lugares em que os bolores podem crescer e produzir micotoxinas. Muitas vezes, os amendoins são testados para uma micotoxina chamada aflatoxina. Estes são agentes cancerígenos muito potentes que precisamos monitorar em nossos sistemas alimentares.

Como posso evitar micotoxinas em casa?

A maioria dos alimentos de alto risco que sabemos ser propensos a micotoxinas é geralmente selecionada de acordo com os requisitos da FDA dos EUA. Produtos à base de amendoim nos EUA requerem rastreio regular para aflatoxinas; eles são o produto de mais alto risco. Há pesquisas em andamento agora para tentar avaliar o café e o chocolate, que podem desenvolver muito fungo. Mas, em geral, se você está comendo alimentos que foram produzidos em um ambiente limpo e seguro — como a maioria das coisas nos EUA são produzidas — não precisa se preocupar com micotoxinas.

Se estiver fazendo o seu queijo ou salame, cuide para que esteja inoculando fungos benéficos que não produzem micotoxinas. Toda a ideia de que a cor é um indicador da segurança dos fungos não é segura para ser usada pelo fermentador caseiro. Deixe a produção de queijo mofado e salame para os especialistas.

Queijos, salame, e você mencionou café e chocolate... Você está mencionando algumas das minhas coisas favoritas!

E são todos dependentes dos fungos! Meu fungo favorito em comida é o *Aspergillus oryzae*, de onde vêm o saquê, o missô, o molho de soja e todos aqueles alimentos fermentados asiáticos maravilhosos.

Nos queijos e salames, também temos fungos maravilhosos. Os Camemberts e os Bries têm aquela camada branca grossa do lado de fora. Aquilo é um fungo chamado *Penicillium camemberti*. O fungo está decompondo lentamente a coalhada do queijo, que está dentro dele. Ele quebra as proteínas e gorduras, o que libera vários sabores. Ele também deixa o queijo agradável e cremoso. Ao observar um salame com mais idade, ele também é branco e empoeirado por fora, devido ao *Penicillium nalgiovense*. Esse é outro fungo que é inoculado. Nesse caso, é mais para manter outros fungos longe da superfície e criar um produto branco bonito. Ele não acrescenta muito sabor.

O café e o chocolate passam pelo que chamamos de *fermentação de pilha*. Você empilha todos os frutos do cacau e os deixa apodrecer por algum tempo. As pessoas atribuem os sabores de coisas como o chocolate às leveduras e bactérias que

estão fermentando esses produtos. Alimentos como salame, missô e queijos são claramente dominados por fungos, e os fungos desempenham papéis importantes na produção de sabor deles.

É recomendável comer a casca de queijos que visivelmente têm fungos por fora?

Se é um queijo que deveria ter fungos, então você provavelmente ficará bem. O Camembert e o Brie definitivamente devem ter fungos por fora. Na verdade, eles incentivam as pessoas a comer aquilo porque muitas vezes os sabores do queijo estão, em boa parte, na casca. Depois existem queijos onde a superfície é dura e tem uma textura estranha, muito crocante e seca e muito desagradável. Eu não recomendo comer a casca desses queijos, mas em queijos curados por fungos, eles são chamados de "amadurecidos por fungos" porque supõe-se que você deva comer o fungo.

Se está comendo cheddar embalado em plástico e ele fica embolorado com o tempo, tenha cuidado, porque você não sabe que fungo é aquele. Embora ele aparentemente esteja apenas na superfície, muitas vezes não se sabe até onde ele cresceu, e não se sabe se está produzindo algum tipo de toxina. Então, se o queijo não deveria ter fungos, eu não comeria.

Alguma dica para lidar com os fungos bons? A forma como armazenamos as coisas deve ter influência sobre se o fungo benéfico está fazendo a coisa certa.

As pessoas sabem, porque já viram pães estragarem, que há fungos em toda parte. Nós respiramos esporos de fungos o tempo todo. Você tem apenas que criar um ambiente muito limpo onde possa minimizar todos esses esporos que estão caindo nos seus produtos.

É também uma coisa sazonal. Na primavera, há um crescimento muito maior nas regiões temperadas, por isso há um risco maior de contaminação nesse momento. No outono, temos uma infinidade de "queijos Frankenstein" mofados, como gosto de chamá-los, enviados para nosso laboratório para serem analisados, porque no outono muitas folhas caem, há muito vento e os esporos são levados pelo vento, e você acaba tendo uma colonização muito maior de fungos ruins nessa época do ano.

Com que outras coisas inesperadas você se deparou trabalhando com fungos?

Onde quer que você tenha um alimento mofado, terá ácaros, insetos minúsculos que enlouquecem uma infinidade de pessoas. Então você provavelmente já ouviu falar desses ácaros de queijo, que na verdade deveriam ser chamados de "ácaros de fungo" porque eles não estão ali por causa do queijo. Estão ali para comer os fungos, mas estão ao mesmo tempo perturbando o seu queijo ou salame.

Muitos produtores de queijo usam aspiradores gigantes ou assopradores de folhas e assopram os ácaros para longe dos queijos. É ridículo quanto tempo e dinheiro é gasto com os ácaros de queijo na indústria. Tenho um vídeo que acho adorável de um ácaro de queijo comendo fungo. Acho fantástico!

Acesse http://cookingforgeeks.com/book/cheesemites/ — site em inglês — *para ver o vídeo sobre ácaros de fungos.*

Transglutaminase

Um dos aditivos alimentares mais incomuns é a transglutaminase, uma proteína encontrada no sangue. Ela liga a glutamina a outros aminoácidos. Em linguagem simples, a transglutaminase é uma cola para proteínas. Ela pode unir dois ou três pedaços de carne em um maior, e engrossar leite e iogurte ao aumentar suas proteínas. É também usada para firmar massas e tornar pães sem glúten elásticos (para esticar sem rasgar). De modo geral, onde quer que haja proteínas, a transglutaminase pode uni-las.

O que você poderia fazer na cozinha com transglutaminase? Obviamente, pode fazer carnes Frankenstein (como frango grudado em carne de boi), mas, embora pareça divertido, o gosto não é bom; além disso, as temperaturas de cozimento diferentes tornam tudo impraticável. A receita de vieiras enroladas em bacon dá uma ideia inicial, mas o conceito de união de carnes pode ser aplicado a quaisquer ingredientes proteicos que você vá manipular.

Imagine simplificar o frango à Kiev — peito de frango desossado e recheado com manteiga com ervas — selando suas bordas com transglutaminase. Pratos mais criativos como o turducken — um frango cozido dentro de um pato dentro de um peru — podem ser colados para obter estabilidade. Aspics e terrinas — em que gelatinas sensíveis ao calor falhariam — podem ser preparados com transglutaminase. A ideia foi dada — experimente!

Instruções para uso culinário	Passe uma pasta de 2 partes de água e 1 de transglutaminase nas superfícies que quer unir. Pressione-as e enrole em filme plástico. (Se tiver um selador a vácuo, use-o para melhorar o ajuste entre duas partes de carne.) Guarde na geladeira por duas horas ou mais.
Uso industrial	A transglutaminase é usada na indústria alimentícia para juntar pedaços de carne e moldá-los em uma forma maior, como carne de caranguejo e hot dogs sem glúten. Alguns cortes frios e carnes para lanches também a usam. (Aquele presunto maravilhoso não vem de um porco raro sem ossos.)
Origem e propriedades químicas	A transglutaminase é produzida usando a bactéria *Streptomyces mobaraensis*. Em qualquer lugar em que a glutamina e uma amina adequada estiverem presentes, a transglutaminase pode ser usada para ligá-las, fazendo com que os átomos que as compõem se alinhem e formem ligações covalentes, em que os átomos compartilham elétrons. Para visualizar a reação, imagine abrir seus dedos com suas mãos direita e esquerda se tocando, o dedão esquerdo ao direito, o mindinho esquerdo ao direito etc. Sem um pouco de coordenação, os "dedos" atômicos não se alinham. A transglutaminase fornece orientação em nível atômico para essa conexão.

Antes da interação, as fibras de proteínas com grupos de glutamina e lisina estão livres (esquerda); após a interação, os grupos de glutamina e lisina estão ligados onde a transglutaminase teve oportunidade de catalisar (direita).

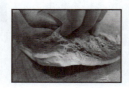

Um exemplo de frango sendo colado à carne. Isso não é gostoso, mas mostra o conceito. Observe que a carne cozida é mais fraca do que a interface em que se une ao frango!

Vieiras Enroladas em Bacon

A forma tradicional de se fazer essa receita é usando palitos de dente para unir o bacon às vieiras. Se conseguir comprar transglutaminase, tente essa receita como um exemplo de como trabalhar com ela. É legal ver as vieiras enroladas em bacon onde o bacon está apenas colado a elas.

Em uma tigela pequena, misture **2 partes de água** com **1 parte de transglutaminase** para criar uma pasta.

Em um prato que caiba na sua geladeira, disponha:

- **8 vieiras tão grandes e cilíndricas quanto possível, secas**
- **8 fatias de bacon cortadas pela metade para que tenham o comprimento da circunferência da vieira**

Usando um pincel, cubra um lado do pedaço de bacon com a pasta. Coloque a vieira no bacon e enrole-o ao redor dela. Repita em cada vieira e transfira para a geladeira por pelo menos duas horas para fazer com que a transglutaminase endureça.

Após o descanso, o bacon deve estar bem colado às vieiras.

Preaqueça seu forno para 200ºC.

Coloque as vieiras em uma frigideira quente levemente coberta com óleo ou uma pequena quantidade de manteiga, com uma das extremidades virada para baixo. Isso causará reações de Maillard e criará uma boa camada de sabor nas vieiras. Após mais ou menos um minuto, vire-as de modo que o outro lado exposto fique em contato com a panela e imediatamente transfira a frigideira para o forno.

Deixe no forno por 5 a 8 minutos, até que o bacon esteja no ponto e as vieiras cozidas.

Notas

- *Não coloque as mãos no pó, usar luvas é uma boa ideia — você também é feito de proteínas!*

- *A transglutaminase exige que se cozinhe os alimentos a temperaturas adequadas por questões de segurança. Ao contrário de um pedaço único de carne, onde o centro é estéril, o centro de uma carne colada foi exposto a bactérias, assim como a carne moída.*

- *Como a transglutaminase tem as mesmas estruturas que os aminoácidos a que se liga, ela é capaz de se ligar a si mesma. Depois de algumas horas em temperatura ambiente, ela perderá as propriedades enzimáticas, por isso não é uma boa se respingar na bancada. Quando trabalhar com um saco de transglutaminase, sele e guarde no freezer para diminuir a velocidade da reação de colagem.*

- *Como a transglutaminase liga proteínas em nível molecular, você pode usá-la como cola para criar sólidos. Uma analogia: imagine pegar cola de madeira e, em vez de colar duas pranchas de madeira, usá-la para criar uma pasta com serragem e espalhá-la em uma forma. Você terá uma prancha de aglomerado — um composto que é 99% madeira, mas não da forma que ela ocorre na natureza. O mesmo conceito se aplica aqui: um purê de alimentos ricos em proteínas e transglutaminase pode ser transformado em um sólido.*

Use um pincel para cobrir um lado de uma fatia de bacon com transglutaminase. (Se você não tiver um pincel para comidas, considere comprar um com cerdas de plástico, já que esse tipo não deixa cerdas para trás.)

Um corte transversal no produto final mostra as superfícies do bacon e da vieira ligadas.

Harold McGee: Como Resolver os Mistérios da Culinária

Harold McGee escreve sobre a ciência dos alimentos e da culinária. Ele é o autor de Comida e Cozinha — Ciência e Cultura da Culinária (Martins Fontes, 2011). O site de McGee está em http://www.curiouscook.com (conteúdo em inglês).

Como você desvenda um mistério culinário?

Depende do tipo de mistério. Pode começar com, e praticamente só envolver, experimentos na cozinha, fazer um processo específico de várias formas diferentes, mudar uma coisa por vez e ver qual é o efeito. Ou pode significar buscar livros de culinária técnicos e procurar as informações que podem ser relevantes.

Um exemplo recente deste último caso seria uma coluna que escrevi para o *New York Times* sobre como conservar amoras e frutas por mais tempo que o normal. Eu ia a feiras e comprava frutas demais. Elas pareciam e tinham um gosto ótimo, mas eu não conseguia comer todas, e depois de um dia, elas começavam a mofar, em alguns casos até mesmo na geladeira. Pensei que devia haver uma forma de lidar com isso. Então, fui até a Universidade da Califórnia, campus Davis, e usei os bancos de dados online deles para procurar livros sobre métodos de controlar o aparecimento de mofo em produtos agrícolas.

Descobri que nos anos 1970, alguns caras de uma estação da ARS (Serviço de Pesquisa de Agricultura da DAEU), aqui na Califórnia, criaram um tratamento de calor leve que não danificava as frutas, mas, substancialmente atrasa o crescimento de mofo no exterior. Voltei para casa e fiz uma tentativa, e funcionou. Eu não possuía o conhecimento ou as ferramentas para lidar com o problema sem a pesquisa na biblioteca. Testei porque é diferente ler algo em um livro e ter a certeza de como funciona na cozinha de alguém.

Por que não fazer esse tipo de busca por livros na internet? Existe algo que a Universidade da Califórnia, campus Davis, ou uma instituição similar possa fornecer aos pesquisadores que eles não podem obter diretamente online em casa, na frente de seus computadores?

Existem recursos maravilhosos que estão disponíveis nas faculdades e bibliotecas públicas que as pessoas não teriam condições financeiras para ter acesso. Em instituições com um departamento de ciência alimentar, existem recursos que você nunca conheceria sem ir lá e olhar, e eu gosto de fazer isso, não necessariamente para responder à pergunta: "O que as pessoas sabem atualmente sobre X?", mas mais para saber: "Como as pessoas lidaram com X com o passar dos séculos?".

Séculos? Pode me dar um exemplo específico desse tipo de pesquisa histórica?

As folhas de tomate não são tóxicas da forma que as pessoas acreditavam que eram. Na verdade, elas provavelmente são benéficas para o consumo porque se ligam ao colesterol e previnem que nós o absorvamos. A pergunta surgiu: "Como tivemos essa ideia de que elas são tóxicas se não é o caso?".

Voltei o máximo que podia ao passado em alguns livros bem obscuros para tentar descobrir, e isso incluiu ir até a Universidade da Califórnia, campus Davis, e dar uma olhada em alguns livros dos séculos XVII e XVIII sobre a etnografia holandesa no Pacífico. Pesquisei uma referência sobre pessoas comendo folhas de tomate em uma ilha no arquipélago indonésio no século XVII. Isso seria logo depois dos tomates serem introduzidos, porque eles não são nativos dessas partes do mundo. Isso ilustra a forma como essa fruta andou ao redor do planeta, como desenvolveu uma reputação e os tipos de julgamentos estéticos que as pessoas fizeram sobre ela.

Na Europa, as pessoas não comiam as folhas porque achavam que elas fediam. Na América Central e do Sul, de onde os tomates vieram, geralmente as folhas não eram comidas, o que eu ainda não entendo. Apenas juntar todas essas informações, para mim, faz parte do prazer de compreender e apreciar a comida que como hoje na minha mesa. Existe essa profundidade enorme na história e uma complexidade que, se você parar para analisar, pode fazer com que comer se torne ainda mais agradável.

Uma das coisas que mais gosto no meu emprego não tem muito a ver

438 Cozinha Geek

com escrever; é a parte da exploração, é chegar até esses livros e ler um parágrafo sobre um povo em uma ilha, séculos atrás, que fazia isso com as folhas, e, então, voltar para casa e tentar entender qual seria o gosto das folhas do meu quintal e o equivalente com os peixes preservados que provavelmente eram utilizados naquela época para temperá-las.

Imagino que a nossa forma de ver a comida esteja ficando mais refinada, e que estamos corrigindo vários mitos. O que você espera que as pesquisas futuras investiguem?

Se eu pudesse dizer uma área que desejo que as pessoas com equipamentos, capacidade e recursos prestassem mais atenção, seria o sabor e a influência que diferentes métodos de culinária têm sobre a experiência fundamental de modos de preparo específicos. Existem tantas perguntas interessantes sobre as formas diferentes de se fazer a mesma coisa em que, no momento, basicamente, você possui sua própria experiência pessoal e a experiência de outras pessoas, mas não um parâmetro bom e objetivo.

Quais são as diferenças reais? Estamos experimentando o mesmo conjunto de compostos de formas diversas porque temos sistemas sensoriais diferentes, ou, de fato, cada técnica produz um conjunto de compostos diferentes em que acontece de você preferir isso e eu aquilo? Um exemplo seria a produção de caldos. Há pessoas que realmente gostam de fazer caldos em panelas de pressão e outras que acreditam que o método longo, devagar, de quase fervura, fornece um resultado superior. Já fiz das duas formas, gosto das duas, mas elas são diferentes. Não tenho certeza de que conseguiria explicar

de verdade como são diferentes. Adoraria saber o que acontece nesses casos.

O que um cozinheiro caseiro precisa compreender sobre o que está fazendo na cozinha?

Uma balança e um bom termômetro são completamente essenciais se você for tentar entender as coisas e fazer experiências com cuidado suficiente para alcançar conclusões reais. Você precisa conseguir fazer medições, e a temperatura e o peso são as variáveis principais.

Existe algo que realmente já surpreendeu você na cozinha?

Acho que o momento na minha vida que realmente confundiu minhas expectativas foi a tigela de cobre versus a tigela de vidro para bater claras de ovo. Estava lendo Julia Child enquanto escrevia o livro (Sobre Cozinha e Alimentos) pela primeira vez nos anos 1970. Ela disse que você deve bater claras de ovo em tigelas de cobre porque assim elas são acidificadas e criam uma espuma melhor para merengues e suflês, mas a química fica errada. O cobre não muda o pH de soluções, então, achei que, já que a explicação estava errada, a dica também.

Alguns anos depois, na época da publicação, estava vendo algumas fontes de imagens antigas para as ilustrações do livro. Encontrei uma enciclopédia francesa do século XVII que tinha desenhos de várias profissões. Um deles era de uma padaria. Na figura, havia um menino batendo claras de ovos e a legenda dizia que ele usava uma tigela de cobre para fazer biscoitos. A tigela de cobre era especificada e parecia exatamente com as tigelas de cobre modernas: era hemisférica e tinha um anel para ser pendurada. Pensei que se um livro francês de 200 anos diz o mesmo que Julia Child, então, talvez eu devesse tentar.

Tentei com uma tigela de vidro e com uma tigela de cobre lado a lado, para poder olhar para elas e prová-las. A diferença foi enorme. Levou quase duas vezes mais tempo para criar espuma na tigela de cobre; a cor ficou diferente, a textura ficou diferente, a estabilidade ficou diferente. Foi um momento muito importante para mim. Você pode achar que outra pessoa não conhece química, mas ela, provavelmente, sabe mais de culinária que você. Isso realmente me fez perceber que deveria verificar tudo o que fosse possível.

Um chef francês me contou uma história. Ele já havia feito um milhão de merengues durante a sua vida, e um dia estava batendo claras de ovo em uma máquina. O telefone tocou — havia algum tipo de emergência e ele teve que se afastar por 15 ou 20 minutos —, então, ele deixou a máquina funcionando. Ele voltou para encontrar as claras de ovo mais bem batidas que já tinha visto na vida. A conclusão dele foi, em francês: *"Je sais, je sais que je sais jamais"*. Soa muito melhor em francês do que em português, mas em português significa: "Eu sei, eu sei que nunca sei".

Graças a essa experiência com a tigela de cobre, esse também virou meu lema. Não importa o quanto uma ideia pareça louca ou o quanto eu desconfie dos meus instintos quando faço algo que parece inexplicavelmente diferente do que deveria ser. Sei que nunca vou entender tudo por completo, e, provavelmente, há muito mais a aprender sobre o que está acontecendo.

Enzimas

Dicas de Cozinha para Geeks

Administre expectativas e percepções.
Ao cozinhar para alguém, expectativas e percepções são tão importantes quanto a qualidade. Só você, como cozinheiro, sabe como as coisas deveriam ser. Se o suflê de chocolate murchar, chame-o de bolo desmoronado, coloque algumas amoras, e pode servir.

Use ingredientes de qualidade.
O primeiro indicador de uma refeição saborosa são produtos agrícolas e ingredientes de boa qualidade. Os tomates devem ter gosto de tomate, o abacate deve ser suave e cremoso e as maçãs devem ser crocantes.

Crie harmonia e equilíbrio.
A harmonia se encontra na combinação de ingredientes compatíveis. O equilíbrio é encontrado ajustando doçura e acidez e temperando corretamente com sal. Comece com uma boa produção, prove e ajuste com um ácido (vinagre, limão), sal ou açúcar.

Pratique segurança alimentar.
Ao trabalhar na cozinha, esteja atento aos patógenos. Evite a contaminação cruzada lavando as mãos. Com frequência, doenças transmitidas por alimentos não são divertidas, mas são facilmente evitadas com um pouco de compreensão sobre os riscos.

Coma alimentos naturais.
Não há nada de intrinsecamente errado com alimentos processados, porém, eles tendem a ter mais sal, açúcar e gordura. Os aditivos alimentares não são em si o mal, mas, como em qualquer coisa, o excesso — ou a falta — pode ser problemático por causa da resposta do nosso corpo.

Meça temperaturas, não tempo.
As proteínas em carnes e os amidos em grãos sofrem reações físicas e químicas em temperaturas específicas, independente de estarem cozidos, grelhados etc. Um frango de 4kg vai cozinhar mais rápido que um de 6kg, mas ambos serão feitos na mesma temperatura. Cronômetros são úteis, mas a temperatura interna diz muito mais.

Adicione sabor e aroma com reações de douramento.
Quando o açúcar carameliza (para sacarose, a partir de cerca de 171°C) e as proteínas sofrem reações de Maillard (a partir de cerca de 155°C), eles quebram e formam centenas de novos compostos. Alguns pratos se beneficiam dos aromas destes novos compostos, então cozinhe de maneira apropriada!

Preste atenção aos detalhes quando assar.
Use o peso em vez de medidas de volume e preste atenção nas diferentes variáveis em jogo; os níveis de glúten, o teor de umidade e especialmente os níveis de pH. Os assados são ótimos para experiências A/B: os ingredientes são baratos, relativamente consistentes e os resultados são fáceis de ser empurrados para colegas de trabalho tentando perder peso (hahaha!).

Experimente!
Se você não estiver certo de como fazer algo, deduza. Se não tem certeza de qual é a melhor forma de fazer algo, tente ambas. Uma delas provavelmente vai funcionar melhor e você vai aprender algo no processo. No pior dos casos, sempre é possível pedir uma pizza. Divirta-se, seja curioso, mas use seu bom senso e tenha cuidado.

EPÍLOGO

Como Ser um Geek Mais Esperto

UTILIZAR MODELOS PARA DESCREVER COMO O MUNDO FUNCIONA É FASCINANTE. É por isso que tantos geeks são atraídos para disciplinas técnicas, como ciência e software, que constroem modelos para prever resultados. Mas existe uma diferença entre os modelos e o mundo que eles descrevem. Projetar modelos sem entender esse fato básico leva a erros, e esses erros podem colocá-lo em uma situação difícil. Fazer um argumento com base em "prova científica" deixa de lado os aspectos fundamentais do processo científico: os modelos descrevem coisas precisas, os modelos têm erros, e o escopo do processo científico é reconhecer esses erros e encontrar modelos melhores.

Boa parte da mídia é especialmente culpada por falar sobre modelos científicos sem entender como eles funcionam. O economista Paul Krugman uma vez brincou sobre como a mídia cobriria a afirmação de que o céu seria verde: "Alguns dizem que o céu é verde; outros discordam". Vemos isso em outras áreas — a mudança climática é inegável, mas ainda há pesquisas que não a apoiam. E vejo o mesmo problema na comida e na ciência culinária. A química dos alimentos é uma área incrivelmente complicada, tornada ainda mais confusa pelas indústrias em busca de lucro, e por isso a forma como o público em geral a vê é muitas vezes a forma como os cientistas a compreendem. O desafio para mim está em separar os fatos das opiniões.

Então, como um geek inteligente pode entender e navegar por um tópico aparentemente simples como a culinária? Comece percebendo que cada modelo que você tem sobre como os alimentos funcionam — do ponto de vista nutricional, culinário, hedonista — não é exato. Verifique as presunções ("mostre-me os dados") e esteja alerta para qualquer afirmação que pareça boa demais para ser verdade. Seja cético sobre o que ouve, compreenda que os incentivos do interlocutor nem sempre estão alinhados com os seus. Além disso, aprenda como escavar documentos e identificar de maneira correta o trabalho pesquisado. Aqui, em ordem do mais aceito para o menos aceito, estão os recursos que acho úteis:

Google Acadêmico (http://scholar.google.com.br)

Esse é um mecanismo de busca especializado que indexa pesquisas acadêmicas e patentes. Embora a maioria dos documentos esteja disponível mediante pagamento, os resumos são grátis e quase sempre respondem a sua pergunta. Procure afiliações a instituições reconhecidas. Dê preferência aos metaestudos (revisão de bibliografia); um documento não prova uma tese. As patentes também são uma grande fonte de informação — a seção de informações é escrita em linguagem clara e sempre fácil de entender. Embora uma patente não seja revisada pela comunidade, há um enorme incentivo econômico para que o produtor do documento o faça da maneira mais correta possível. Além disso, as revisões da comunidade não são garantia de qualidade. O jornalista científico John Bohannon testou isso ao submeter pequenas variações de um documento intencionalmente equivocado para algumas centenas de periódicos revisados pela comunidade. Mais da metade deles aceitou o documento para publicação. Existem muitos periódicos farsantes por aí, pretendendo levantar dinheiro publicando (por uma modesta quantia) documentos que, por sua vez, dão aos acadêmicos de nível inferior algumas linhas a mais em seus currículos.

Fazer buscas no Google Acadêmico pode ser cansativo a princípio, especialmente por causa da linguagem técnica — busque pela palavra *sacarose*, por exemplo, em vez de *açúcar* —, mas é a melhor maneira de desenterrar material da fonte. Se encontrar uma citação ou patente relacionada à sua questão, mas ela não for conclusiva, olhe as "citações" e "referências".

Google Livros (http://books.google.com.br)

Esse é outro índice especializado, nesse caso, um que procura livros impressos e revistas. O material indexado no Google Livros não tem o mesmo nível de rigor que o do Google Acadêmico, mas acho que o conteúdo é de melhor qualidade que a câmara de eco online em geral (embora, céus!, imagens de cães e gatos adoráveis nunca sejam demais).

Quando estiver trabalhando com o Google Livros, preste atenção às datas de publicação. Obtive resultados do início dos anos 1900 misturados com livros modernos; eu fico com aqueles impressos depois de 1970, e de preferência depois de 2000. Dito isso, infelizmente, descobri que a qualidade do material publicado mais recentemente é inferior. As exceções principais são os livros do tipo "Manual de X", publicações técnicas que cobrem assuntos específicos.

Sistemas Gerais de Buscas

Esses podem vir a ser muito desiguais. Nem sempre foi assim — sou macaco velho da internet, já que sou velho o bastante para lembrar quando o primeiro mecanismo de busca de texto completo, o AltaVista, debutou —, mas como as limas de pesquisa refinaram seu conteúdo da web para o máximo de locais de propagandas, os resultados da busca geral online são agora uma câmara de eco quando o assunto é ciência. Isso é um problema sério. Considere uma das minhas manchetes preferidas: "Revelada a prova científica de que um sanduíche de bacon é o melhor remédio para a ressaca". Elin Roberts, a comunicadora de ciências do Reino Unido, citou a frase no artigo, e não fez nada de errado (e tudo certo), mas um jornal após o outro replicou sua afirmação original, inventando títulos ridículos pelo caminho. Em dado momento, a câmara de eco também deu a ela um PhD e mudou-lhe o título para Pesquisadora Química da Newcastle University. Mesmo os jornalistas podem dar grandes saltos na ciência quando o bacon está envolvido.

A Cozinha

Não há substituto para tentar as coisas por conta própria. Os aspectos teóricos podem ser corretos isoladamente, mas, na prática, dentro da sua cozinha, várias outras coisas estão acontecendo. Seja cuidadoso para não extrapolar. Você pode ler artigos de pesquisas que revelem diferenças notórias em como um ingrediente se comporta de acordo com alguma coisa como umidade, mas não ver a mudança quando o testa em sua cozinha. Isso não significa que a pesquisa seja incorreta! A culinária é um sistema complexo. Você pode pensar que está mudando apenas uma variável, mas, na verdade, pode estar mudando várias.

Quaisquer que sejam os motivos para aprender a cozinhar — saúde, financeiro, social, poder, criatividade—, isso deve ser divertido. Espero que esse livro tenha mostrado a você maneiras de trazer alegria para a comida, tanto dentro como fora da cozinha, e uma nova forma de encarar a ciência. Para os novos cozinheiros, espero que os mistérios da culinária tenham sido substituídos por uma compreensão do básico. Para os experientes, espero que a ciência por trás da culinária tenha dado a você uma visão fascinante e novas ideias cintilantes.

Veja minhas dicas na página 440 para saber como eu resumiria as lições desse livro. Um lembrete científico final para o sucesso na culinária: são as reações físicas e químicas que acontecem na comida que importam; o calor do seu forno ou frigideira está apenas indiretamente envolvido. Pense sobre como a temperatura e as reações químicas ocorrem, e faça-as acontecer (hum, biscoitos de aveia dourados!) ou as evite. Quando estiver cozinhando para os outros, lembre-se de prestar atenção à apresentação e às expectativas também.

Se você tiver perguntas ou comentários, por favor, procure-me, visite http://www.cookingforgeeks.com ou http://www.jeffpotter.org (ambos com conteúdo em inglês) e conte-me o que achou.

APÊNDICE

Cozinhando Cercado por Alergias

AS ALERGIAS ALIMENTARES SÃO CAUSADAS POR UMA RESPOSTA DO SISTEMA IMUNOLÓGICO A CERTOS TIPOS DE PROTEÍNAS. Em alguns indivíduos, o sistema imunológico classifica erroneamente certas proteínas como prejudiciais e gera uma reação de histamina como resposta.

As reações imunológicas podem ocorrer dentro de alguns minutos ou até várias horas após a ingestão do alimento agressor. Reações leves incluem um formigamento na língua ou lábios, coceira nos olhos, nariz escorrendo ou erupções cutâneas com duração entre algumas horas e um dia. Reações mais extremas incluem constrição na garganta, náuseas, vômitos, diarreia ou tosse. Ah, e morte.

- Se você algum dia tiver uma reação que envolva inchaço da língua, constrição da garganta ou asfixia — características de uma reação anafilática — chame a emergência e vá a um hospital imediatamente. O inchaço pode aumentar a ponto de bloquear as vias aéreas. Aqueles que sabem que têm alergias particularmente fortes muitas vezes carregam um EpiPen, um pequeno dispositivo médico do tamanho de uma caneta, que injeta epinefrina para controlar a reação alérgica. (A injeção dá uma margem de tempo de 15 a 20 minutos para chegar ao hospital e receber cuidados adicionais.)

- Como a alergia é uma resposta a uma determinada proteína do alimento, não ao alimento em si, e já que alguns tipos de proteínas desnaturam abaixo da temperatura na qual os alimentos que as contêm são cozidos, certas alergias aplicam-se apenas aos alimentos crus. Seus convidados serão capazes de lhe contar sobre suas restrições.

- Se os seus convidados forem especialmente sensíveis, você terá que ser particularmente diligente para evitar a contaminação cruzada — alguns microgramas de pão em uma faca de manteiga podem disparar uma reação, assim como as sobras de amido em um escorredor usado para a massa de ontem à noite. O melhor é evitar o uso de qualquer ingrediente contendo o alérgeno em toda a refeição, mas se o convidado tem uma alergia ampla o suficiente para que você opte por cozinhar para essa pessoa um prato especial, você deve tratar os alérgenos como se fossem carne crua: separá-los dos alimentos seguros e lavar todos os ingredientes que entrarão em contato com esse prato (de preferência em uma lava-louça, pois as esponjas podem abrigar vestígios suficientes para causar contaminação cruzada).

Cartão do Chef

Se você tem uma alergia alimentar grave, considere criar um cartão do chef que possa entregar ao garçom quando jantar fora. Um cartão do chef é um pequeno cartão de visitas que informa suas alergias de maneira explícita, rápida e clara. Um chef que conheço comentou que "eles são muito úteis. É bom quando um cliente com alergias o entrega a um atendente que o levará até a cozinha para que eu possa lê-lo para todo o pessoal".

> **ATENÇÃO! Eu sou gravemente alérgico a** _____
>
> Para evitar uma **reação com risco de vida**, **devo evitar** todos os alimentos que contêm estes ingredientes:
>
> Certifique-se de que o meu alimento não contém nenhum desses ingredientes, e que quaisquer utensílios e equipamentos utilizados para preparar minhas refeições, bem como superfícies de preparação, sejam cuidadosamente limpos antes do uso.
> **OBRIGADO por sua cooperação.**

Substituições para Alergias Comuns

E aí você descobre que alguém para quem está cozinhando é alérgico a um ingrediente do seu prato de família predileto. O que fazer?

Esta seção inclui uma série de sugestões para substituições de ingredientes para oito das alergias mais comuns, baseadas em informações extraídas do site de Kristi Winkels, "Eating with Food Allergies" (Comendo com Alergias Alimentares — tradução livre — http://www.eatingwithfoodallergies.com — conteúdo em inglês). Visite o site para mais sugestões e receitas feitas sob medida para aqueles que têm alergias.

Esta lista contém vários ingredientes e alimentos que devem ser evitados, mas você deve ainda checar qualquer ingrediente questionável com seus convidados.

446 Cozinha Geek

Alergia a Laticínios

Ingredientes que devem ser evitados

Caseína, soro de leite (whey), sólidos do soro de leite, sólidos do soro de leite coalhado, coalhada, sólidos do leite, lactalbumina, caseinato, caseinato de sódio, proteinato.

Alimentos que normalmente contêm laticínios

Leite, chocolate, chocolate quente, cremes "sem lactose", produtos assados, untadores, incluindo a manteiga e diversas margarinas (mesmo algumas que dizem "sem lactose" no rótulo), queijos, iogurtes, sobremesas congeladas (como sorvete, frozen, chantili).

Substituições

Para o leite

Leite de soja, arroz, batata, amêndoa, aveia, cânhamo e de coco são todos possíveis substitutos para o leite de vaca. Se você não está lidando com alergia à soja, o leite de soja é uma boa opção; é muito saboroso e, quando fortificado, contém aproximadamente a mesma quantidade de cálcio e vitamina D (dois nutrientes importantes, principalmente para crianças). O leite de arroz é muitas vezes fortificado e, assim como o de soja, geralmente é encontrado nos mercados. O leite de batata está disponível em lojas especializadas em forma de pó.

Para a margarina

Ao procurar uma margarina sem lactose, leia os rótulos cuidadosamente e tenha certeza de que os ingredientes listados não contenham "derivados do leite". Também tenha em mente que a maioria das margarinas light não é adequada para assados.

Para o iogurte

Se você é fã de iogurte, prove iogurte de soja ou de leite de coco. Experimente usá-lo como cobertura para frutas, ou comprar o natural e usá-lo para fazer molho cremoso para saladas.

Substituições para Alergias Comuns

Alergia a Ovos

Ingredientes que devem ser evitados

Albumina, globulina, lisozima, livetina, albuminato de silício, Simplesse®, vitelina, merengue, ingredientes que começam ou contêm a palavra "ovo", tais como clara de ovo.

Alimentos que normalmente contêm ovos

Produtos de panificação (biscoitos, bolos, muffins, pães), sobremesas (cremes, pudins, sorvetes), alimentos triturados (nuggets de peixe e frango), almôndegas, bolo de carne, massas, maionese, molhos, recheios, sopas.

Substituições

Enquanto pratos como omeletes e saladas de ovos estão fora, ainda é possível conseguir bons resultados com produtos de panificação. Ovos fornecem ar e fermentação em pães e bolos, agregam estrutura, e, devido à clara ser um emulsificante natural, fornecem liga às massas. Determine qual é a função do ovo no seu prato e experimente usar uma das seguintes alternativas.

Para substituir um ovo na panificação:

Fermento em pó, água e óleo

Bata até formar espuma: 1 ½ colher (sopa) de óleo (20ml), 1 ½ colher (sopa) de água morna (22ml) e 1 colher (chá) de fermento em pó.

Gelatina sem sabor

Misture 1 colher (sopa) de gelatina sem sabor (4g) com 1 colher (sopa) de água morna (15ml). Você pode encontrar gelatina sem sabor no mercado perto da sua casa.

Mingau de linhaça

Misture 1 colher (sopa) de linhaça com 3 colheres (sopa) de água morna, deixe descansar por 10 minutos. Ela tem um sabor forte, por isso não funciona como um substituto do ovo para todos os fins, mas pode ser útil em bolos, barras de cereais, biscoitos integrais e muffins.

Purê de frutas

Em alguns casos, você pode usar ¼ de xícara de purê de banana ou maçã. Experimente!

Alergia a Peixes/Crustáceos

Uma alergia a peixes não significa necessariamente uma alergia a crustáceos e vice-versa. No entanto, se estiver cozinhando para alguém que tenha uma dessas alergias, o mais seguro é evitar totalmente peixes e frutos do mar, a menos que seu convidado tenha informado especificamente os alimentos permitidos.

Alimentos que normalmente contêm peixes ou crustáceos

Qualquer coisa com peixes ou frutos do mar, incluindo kani, Caesar Salad, molho Caesar, molho inglês, algumas pizzas, gelatinas (algumas, especialmente as que se apresentam em folha e/ou sem sabor, derivam de peixes ou crustáceos), alguns marshmallows (em geral, com gelatina na composição), alguns molhos e antepastos.

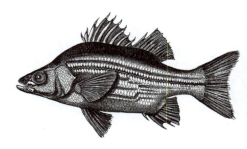

448   Cozinha Geek

Alergia a Amendoim

Ingredientes que devem ser evitados

Amendoim, tudo com amendoim no nome, frutos secos ou triturados misturados, proteína e óleo vegetal (sem fonte especificada) e qualquer coisa que "possa conter traços de amendoim".

Alimentos que normalmente contêm amendoim

Produtos de panificação, chocolates em geral (muitos contêm vestígios), salgadinhos, manteiga, cereais, granola, molhos (eles são usados como espessantes), alimentos asiáticos em geral, hambúrgueres vegetarianos, marzipan, macarons.

Substituições

Um prato que peça especificamente por amendoim pode precisar substituir algo mais, como castanha-de-caju ou sementes de girassol. Para manteiga de amendoim, use manteiga de noz de soja, de amêndoa, de castanha-de-caju ou de semente de girassol, se o seu convidado não for alérgico a elas.

Alergia a Nozes em Geral

Ingredientes que devem ser evitados

Castanha-do-pará, castanha-de-caju, amêndoas, castanhas, avelãs, nozes, macadâmia, nogueira-macadâmia, pinhões, pistaches (farinhas e tudo mais que derivar de qualquer tipo de nozes).

Alimentos que normalmente contêm nozes em geral

Produtos de panificação, salgadinhos, comida asiática, pesto, saladas, torrones, pastas e molhos, Nutella, bombons, caramelos e tudo que "possa conter traços de..." para evitar contaminação cruzada, que é muito comum.

Substituições

Substituir frutas secas é complicado. Tal como amendoins, é melhor selecionar receitas que não usem qualquer tipo de nozes. Em saladas e lanches, você pode usar sementes, tais como as de girassol, abóbora ou gergelim. A manteiga de semente de girassol substitui as de nozes.

> Alergias a sementes de gergelim são comuns, então, verifique com seu convidado para fazer as substituições.

Alergia a Soja

Ingredientes que devem ser evitados

Proteína de soja hidrolisada, isolada, concentrada ou texturizada, missô, shoyu, grãos e granulados de soja, tofu, coalhada de soja, tempeh e tudo que a contenha.

Alimentos que normalmente contêm soja

Comidas de bebê, produtos de panificação, cereais, granolas, embalados como macarrão e análogos, queijo, atum enlatado, margarina, gordura e óleo vegetal e seus derivados, salgadinhos, biscoitos, creme sem lactose, suplementos vitamínicos.

Substituições

Não há bons substitutos para itens como tofu e molho shoyu, então escolha receitas que não precisem de produtos à base de soja. Note que ela é usada em uma quantidade impressionante de produtos comercializados — com frequência, em lugares que você não suspeitaria, como molho de macarrão —, portanto, leia os rótulos cuidadosamente.

Alergia ao Trigo

A alergia ao trigo é provocada pelas suas proteínas específicas.

Note que alergia ao trigo não é o mesmo que intolerância ao glúten. A alergia ao trigo é frequentemente confundida com a doença celíaca, uma doença autoimune na qual o intestino delgado reage à ingestão de glúten. Celíacos devem se abster de toda forma de glúten, independente da fonte. Para mais informações sobre a doença celíaca, visite http://www.celiac.org (conteúdo em inglês).

Ingredientes que devem ser evitados

Trigo (farelo, gérmen, amido), triguilho, farinha (graham, durham, enriquecida), glúten, amido modificado, malte, trigo-vermelho, gomas vegetais, semolina, proteína vegetal hidrolisada, amido, aromatizantes naturais.

Alimentos que normalmente contêm trigo

Pães, massas, cereais e análogos, sobremesas (bolos, biscoitos, tortas), petiscos (salgadinhos, cereais), sopas e caldos industrializados, condimentos e molhos, alguns vinagres, bebidas fermentadas (mesmo sem álcool), alguns destilados, bebidas lácteas, carnes, embutidos, refeições congeladas, preparados com trigo como tortilhas, tabule, kibe.

Substituições

Para massas

Existem excelentes alternativas para a massa de trigo! Ela pode ser de arroz, milho e variedades de quinoa. Tome cuidado para não cozinhar demais, porque ela pode ficar mole e se desmanchar,

e lembre-se de se certificar de que o escorredor esteja realmente limpo, se foi utilizado para escorrer algo com trigo.

Para a farinha

Substituir a farinha de trigo é complicado porque ela contém glúten, o que cria as características do pão: a estrutura elástica e a textura. É difícil imitar os produtos de panificação de trigo (especialmente o pão) sem ele. Farinhas como as de cevada e centeio contêm as proteínas necessárias para formar o glúten (veja a p. 247).

Pessoas com alergia ao trigo costumam tolerar essas farinhas, mas celíacos, não.

As farinha de arroz e centeio são fáceis de achar. Verifique no mercado. Você pode usá-las nas suas receitas no lugar da farinha de trigo (na medida de 1:1). Goma de tapioca, fécula de batata (use 5/8 de xícara para 1 de farinha de trigo, na proporção de 0,625:1), farinhas de batata e sorgo também podem ser usadas.

É possível atingir melhores resultados juntando e misturando várias farinhas. Para fazer uma que sirva para tudo, misture ¾ de xícara (chá) de farinha de arroz branco (120g), ¼ de xícara (chá)de fécula de batata (30g), 2 colheres (sopa) de goma de tapioca (15g) e, opcionalmente, ¼ de colher (chá) de goma xantana (1g).

Para lanches

Se o seu convidado for mais sensível ou celíaco, pergunte ao fabricante sobre linhas de produção compartilhadas e contaminação cruzada. Bolos e biscoitos de arroz, pipoca, milho e batata frita são excelentes lanches livres de trigo (mas não necessariamente de glúten).

Índice

A

A Pattern Language (Alexander), 27
Abacates, dicas de armazenagem, 119
Acelga Suíça, 120
Acetato de isoamila, 97
Achatz, Grant, 392
Acidez de alimentos
  degustadores PROP/PTC e, 61
  espumas de claras de ovos e, 291
  fermento em pó e, 286
  reações químicas e, 17, 45, 47
  receptores de gosto á cido e, 72
  segurança dos alimentos e, 177
  visões culinárias, 207
Ácido (gosto). *Veja* azedo (gosto)
Ácido Acético. *Veja também* Vinagre
  água dura e, 240–41
  aroma pungente de, 93
  bicarbonato de sódio e, 274, 276
  criando gostos ácidos na comida, 72
  massa lêveda inicial. 272
  produção de levedura, 264
Ácido ascórbico, 72, 241
Ácido carboxílico, 149, 393
Ácido cítrico, 72, 74, 241
Ácido clorogênico, 71
Ácido esteárico, 151, 159
Ácido glutâmico, 72, 76
Ácido graxo ômega-6, 151
Ácido graxo ômega-3, 151
Ácido lático, 72, 264
Ácido láurico, 152
Ácido linoleico, 152
Ácido málico, 72
Ácido mirístico, 152, 154
Ácido oleico
  exemplo de, 150–151
  na manteiga de cacau, 159
  perfil ácido graxo, 152
  ponto de fumaça, 153
  ponto de fusão, 151, 152, 154
Ácido palmítico
  exemplo de, 150
  na manteiga, 154
  na manteiga de cacau, 159
  perfil ácido graxo, 152
Ácido perfluoro-octanoico (PFOA), 45
Ácido pícrico, 72
Ácido tânico, 423
Ácido tartárico, 286
Ácidos graxos, 149–151
Acmella oleracea, 79
Aço (facas), 37
Aço-liga, 41
Acompanhamentos. *Veja* aperitivos e acompanhamentos
Acree, Terry, 95
Actina
  culinária sous vide e, 321, 332, 334
  desnaturação, 138, 164, 197, 332, 334
  sobre, 164–165

Açúcar mascavo, 69
Açúcar(es)
  Biscoitos de Açúcar, 224–225
  calibragem do forno usando, 36
  caramelização e, 138, 221
  chocolate e, 157
  claras de ovos e, 291
  como aditivo alimentar, 376
  como conservante, 384
  como realçadores de sabor, 56
  cozinhando com levedura e, 241–242
  Doce de Casca de Laranja, 396
  em cereais, 12
  etiquetas nutricionais no, 69
  formação de glúten e, 249
  Marmelada Cítrica, 396
  Marshmallows, 381
  Marshmallows Quentes, 415
  osmose e, 386
  Palitinhos de Açúcar, 356
  pectina e, 418
  Picles Rápidos Pão com Manteiga, 388–389
  Reações de Maillard e, 213
  receptores de gosto e, 58, 68–69
  redução, 213
  removendo o gosto de, 393
  termicamente decomposto, 221
  Tigelinhas de Açúcar para Sorvete, 342–342
Adaptação de paladar, 60
Adesão aumentada célula-célula, 338
Aditivos alimentares, 375–439
  Açúcar. *Veja* açúcar
  agentes gelificantes, 418–428
  classificação dos números E, 378–379
  coloides, 379–381
  comprando, 378
  conservantes. *Ver* conservando alimentos
  emulsificantes, 429–431
  enzimas, 432–437
  espessantes, 408–417
  flavorizantes, 397–407
  misturas, 379–381
  política de, 376
  sal. *Veja* sal.
  sobre, 376–377
  textura e, 412–413
  This sobre, 390–392
Adrià, Ferran, 392, 426
Adstringência, 79
Afiador de facas, 41–42
Aflatoxinas, 434
Ágar, 423–425
  Panna Cotta de Chocolate, 424
  sobre
  Suco de Limão Clarificado, 425
Agência de Proteção Ambiental (EPA), 45, 242

Agentes de crescimento. *Veja* fermentadores
Agitação mecânica (sova) 347–351
Aglutinantes, 164
Agricultura comunitária (CSA), 124–125
Água ácida, 241–241, 250
Água alcalina, 241–242, 250
Água dura, 240–241
Água leve, 240–242
Albumina, 168, 330
Alcachofras
  cozinhando, 70
  dificuldade de combinar o vinho, 71
Álcool
  Bolo de Chocolate ao Porto, 295
  cerveja
  como aditivo alimentar, 399
  como solvente, 398, 400
  Extrato de Baunilha, 400
  Martini comestível, 319
  Molho de Vinho Branco e Queijo, 298
  Molho de Vodca, 107
  na culinária, 99
  Peras Cozidas, 210
Aldeídos, 91
Alergia a amendoim, 449
Alergia a nozes, 449
Alergia a soja, 449
Alergia ao trigo, 246,450
Alergias alimentares, 445–450
  cozinhando com, 445–446
  cozinhando para os outros e, 30
  Lancaster sobre, 232
  substituições para, 446–450
Alexander, Christopher, 27
Alface e verduras. *Veja também* saladas
  dicas de armazenamento, 120
  Sopa de Alface de Verão, 116
Algas Marinhas, 76
Alginato de sódio, 426–427
Alho
  dicas de armazenamento, 120
  Pão de Alho, 217
  Sopa de Inverno de Feijão-branco e Alho, 116
Alho-poró, dicas de armazenagem,120
Alicina, 217
Aliina, 217
Alimentos convencionais, 122, 123
Alimentos desidratados a frio, 318
Alimentos orgânicos, 122–124
Alinase, 217
Almôndegas Belgas, 185
Alumínio, condutividade térmica do, 46–47
Amaciando carnes, 165
Amargo (gosto)
  adaptações de paladar e, 60
  ajustando os temperos, 74

Índice **451**

Ambientalmente seguros, 115
confundindo com gosto ácido, 74
diferenças genéticas de paladar,
61, 65, 74
ingredientes saborosos por cultura,
63
Lancaster sobre, 232
neutralizando com sal, 56
sobre, 58–59, 74
substitutos do açúcar e, 69
substitutos do sal e, 60
Ameixas; dicas de armazenamento,
119
Amido de milho
biscoitos crocantes e macios e,
283–284
como aditivo alimentar, 377,
409–411
fazendo moldes, 341
Molho de Carne de Panela, 413
Torta Merengue de Limão, 411
Amidos
caramelização e, 223
espessantes, 408–417
na farinha de trigo, 254
quebra nos vegetais, 205–212
Torta Merengue de Limão, 411
Amilase, 241
Amilopectina, 206
Amilose, 206, 207
Aminas, 91, 436
Aminoácidos
Desnaturação de proteínas e, 138
umami e, 77
reações de Maillard e, 213
Amoore, J.E., 93
Amoras, dicas de armazenagem, 120
Análise sensorial, 84
Anctil, Linda, 121, 415
Anfotericidade, 274
Ânions, definição, 383
Anisakis simplex, 183
Antiaçúcar, 393
Antichapa, 366
Aperitivos e entradas
Aspargos Cozidos no Vapor, 208
Azeitonas Verdes Tostadas, 31
Batatas de Frigideira, 216
Cenouras Refogadas com Cebolas
Roxas, 230 Endívias Belgas, 75
Churrasco de Legumes, 211
cozinhando alcachofras, 70
Crackers com sementes, 253
Gravilax de Salmão, 385
Legumes Refogados com Sementes
de Gergelim, 209
Mac'n'Cheese, 105
Massa Folhada em Quadrados ou
Torcidas, 31
Pão ázimo, 253
Purê de Batatas com Alecrim, 212
Queijo de Cabra Assado com Amên-
doas e Mel, 31
Vegetais Grelhados, 211
Apimentado (gosto). *Veja* picante/
apimentado (gosto)
Apimentado/Picante (gosto)
ajustando os temperos, 80
diferenças genéticas de paladar, 61

ingredientes saborosos por cultura,
63
sobre, 58–59, 79–80
Apresentação e serviço de alimentos,
32–33, 102, 121
Aquário da Baia de Monterrey, 115
Arn, Heinrich, 95
Arnold, Dave, 319, 358–359, 425
Aromas, 93
Arquivo da internet, 20
Arrack (bebida alcoólica), 360
Arroz
Congee, 22
cozimento, 207
Khichdi, 311
segurança alimentar e, 177
sensibilidade ao glúten e, 246
sobre, 22
Aspargo
Aspargos Rápido no Vapor, 208
Dicas de armazenagem, 120
*Quinoa com Limão e Aspargos com
Camarão Empanado*, 53
Aspartame, 69
Aspergillus oryzae, 435
Aspergillus, 434–435
Atlas de Perfis Característicos de
Odores, 93–94, 127
Átomos, definição, 382
ATP (trifosfato de adenosina), 164
Atum Selado com Sal e Cominho, 169
Aveia de grãos longos, 12
Aveia em flocos, 12
Aveias
de grãos longos, 12
Frittata de Claras com Aveia e Frutas,
13
Aversões a gostos, 100
Aves. *Veja* carnes
Axel, Richard, 89
Azedo (gosto)
ajustando os temperos, 72
confundindo com gosto amargo,
74
ingredientes saborosos por cultura,
63
mascarando, 65–71
sobre, 58–59, 72
Azeite de Oliva
ácido oleico e, 151
perfil ácido graxo, 152
principal temperatura para, 153
Salmão Refogado no Azeite de
Oliva, 168
Azeitonas Verdes Assadas, 31

B
Bacillus cereus
temperatura de sobrevivência para,
177, 325
toxinas produzidas por, 173
regra da zona de perigo e, 171
Bacon
Escalopes com Bacon, 437
*Salada de Chicória com Ovos Pochê e
Lardons*, 75
Bactérias
categorias de, 175
como fermentadores biológicos,
272

contagem requerida, 179
contaminação de superfície, 169
convertendo gorduras cis em
gorduras trans, 151
culinária sous vide e, 320, 322, 325
facas de carbono e, 42
intoxicações alimentares e, 186
lava-louças e, 44
ovos e, 191
regra da zona de perigo, 170–186
temperaturas de sobrevivência,
138, 170, 177, 325
tempo de morte térmica, 172
Bad Bug Book (FDA), 173, 325
Baklava de Chocolate com Pistache,
256
Balanças de cozinha, 49
Balanças digitais, 258
Balanças, peso digital, 258
Baldwin, Douglas, 327–329
Bananas, dicas de armazenagem, 119
Bancadas, regra do 3x4, 27
Banha/toicinho, 152, 153, 311
Banho-maria. *Veja* culinária sous vide
Barrett, Ann, 412, 413
Bartoshuk, Linda, 61, 86–87
Batata-doce Grelhada, 211
Batatas de Frigideira, 216
Batatas
Batatas de Frigideira, 216
cozinhando, 206
cozinhando na lava-louça, 326
dicas de armazenamento, 120
Purê de Batatas com Alecrim, 212
segurança alimentar e, 178
Batedeiras, 48, 51
Baunilha, Creme, 192
Bebidas carbonatadas, 307
Bebidas
Calda simples de Gengibre para, 70
fermentação em, 262
leite de amêndoas, 349
Palitinhos de Açúcar, 356–357
Belitz, H, D., 123–124
Benzaldeído, 97
Benzoato, 384
Beurre monté, 322
Bicarbonato de potássio, 273
Bicarbonato de sódio, 273–285
acidez das frutas vermelhas e, 17
água alcalina e, 242
como aditivo alimentar, 377
dicas para altitude, 238
fazendo fermento em pó do, 286
neutralização ácida do, 51, 207
Bicarbonato de sódio.
Biscoitos Cracker com Sementes, 253
Biscoitos crocantes e macios, 282–285
biscoitos com gotas de chocolate,
284–285
ciência dos, 282–283
Biscoitos de Gengibre, 279
Biscoitos macios, 282–285
Biscoitos Oreo, 377
Biscoitos
biscoitos amanteigados, 224–225
biscoitos com gotas de chocolate,
284–285
biscoitos de açúcar, 224–225

452   Índice

biscoitos de gengibre, 279
biscoito de merengue, 294
Biscoitos Oreo, 377
caramelização e, 136–137
crocantes e macios, 282–283
Macarons de Coco, 294
Snickerdoodles de Canela, 225
taxas de reações em, 226–227
Bitartarato de potássio, 96
Bittman, Mark, 260
Bloom, Oscar, 381
Blumenthal, Heston, 128
Bolhas de ar
alimentos espumantes e, 318
fermentadores e, 48, 238, 247
removendo, 317
Bolo de Abóbora com Canela, 287–288
Bolo de Abóbora, 287
Bolo de Milho Dourado, 18
Bolos
Bolo de Abóbora, 287
Bolo de Chocolate ao Porto, 295
Bolo de Chocolate de 30 Segundos, 316
Bolo de Chocolate de Uma Tigela, 280–281
Ganache de Chocolate e Espresso, 281
Protocolo de corte otimizado de bolo, 296
Bolsões de calor, 144, 147, 219
Boston Globe Magazine, 51–52
Botox, 175
Botulismo, 402
BPA (bisfenol A), 323
Brillat-Savarin, Jean Anthelme, 76
Brócolis, dicas de armazenagem, 120
Bromelaína, 165
Brown, Alton, 219–220
Brown, Amy, 344–345
Brownies na Laranja, 32
Bruschetta de Lula, Tomate e Ervas, 199
Buck, Linda, 89

C
Caçarolas, 45
Cacau, 157
Café da manhã
Aveia de grãos longos, 12
Batatas de Frigideira, 216
Bolinhos do Tim, 288
Calda Simples de Gengibre, 70
Congee, 22
Crepes, 251
Frittata de Claras com Aveia e Frutas, 13
Ovos cozidos fáceis de descascar, 193
Ovos de Forno, 194
Ovos Mexidos, 315
Ovos Mexidos Lentamente, 194
Panquecas Comuns da Internet, 10
Panquecas de Leite e Manteiga, 278
Torradas Francesas, 192
Waffles de Levedura, 267
Cafeína, 61
Cálcio
alginato de sódio e, 427
em água, 240–241, 250
pectina e, 419
tecido vegetal e, 338

Calda de Gengibre, 70
Caldeirões, 45
Caldo Branco Básico, 350
Caldos
Caldo Branco Básico, 350
clarificação, 349
gosto agradável e, 76–77
gotejamento, 351
preparação em panelas de pressão, 311
Reações de Maillard e, 215
Caldos, 31, 76, 349
Calibrando
fornos, 35–36
freezers, 244–245
Calicivírus, 175
Calor específico, 46–47
Calor latente na culinária, 140
Calorimetria diferencial (DSC), 222, 230
Camarão Empanado, Quinoa com Limão e Aspargos com, 53
Caminho alternativo de reação, 432
Campilobactéria, 178–179
Canais de íons, 64
Capacidade (claras de ovos), 290
Capsaicina
escala de medidas de Scoville, 80
sobre, 59,80
Caramelização
amidos e, 223
Caldas de Caramelo, Úmida e Seca, 228–229
Reações de Maillard e, 215
sobre, 136–137, 221
temperatura para, 138, 221–230
Carboidratos
cozinhando vegetais, 205–212
FAT TOM e, 175
sacarídeos e, 254
Carbonato de cálcio, 240–241
Carbonato de sódio, 241
Carême, Marie-Antonin, 104
Carne de Porco Desfiada na Pressão, 312–313
Carne de Porco
Carne de Porco Desfiada na Pressão, 312
Costela de Porco Recheada com Pimentão Poblano e Queijo Cheddar, 66–67
cozimento na pressão, 309
Temperaturas de Prontidão, 166
Carnes
Almôndegas Belgas, 185
Bife de Ponta, 335
Carne-seca, 322, 353–355
Carnes
Bife Selado, 140
Bife Tártaro com Ovo Pochê, 174
Fraldinha Marinada no Leitelho, 167
maturando, 164–165
Ponta de Alcatra, 335
salmoura para, 232
testando a maciez, 16
Carne-seca, 322, 353–355
Carragena iota, 421, 422–423
Carragena Kappa, 421–422
Carragena, 370, 421–422

Cartão do Chef, 446
Carvacrol, 91
Carvão, fazendo, 404
Cassoulet, 112
Catão, o Velho, 382
Cátion bivalente, 426
Cátions, 383
CDC (Centros de Prevenção e Controle de Doenças), 171
Cebolas
Cenouras Refogadas com Cebolas Roxas, 230
chorando com, 39
dicas de armazenamento, 120
Sopa de Cebola Francesa de Uma Hora, 38–39
Celulose, 205
Cenouras Refogadas com Cebola Roxa, 230
Cenouras
Cenouras Refogadas com Cebola Roxa, 230
dicas de armazenamento, 120
Centrífuga de decantação, 347
Centrífugas na cozinha, 351–351,359
Centros de Prevenção e Controle de Doenças (CDC), 171
Cerveja
espumas da, 391
filtragem com ictiocola, 349
leveduras para, 262
Cestoides, 183
Chalaza (ovos) 187–188, 316
Chantili, 300–301
batedores de chantili, 313–316
como fermento mecânico,300–301
controlando ingredientes para, 313
Creme Chantili, 301
preparação, 17, 301
sobre, 300
Chef Watson da IBM, 129
Chef Watson, 129
Chefs de confeitaria, 221–223, 302–303
Chez Panisse, 302
Child, julia
apelo de, 15
aversão a coentro, 91
fazendo sopa francesa de cebola, 38
McGee sobre, 439
medo de cozinhar e, 14
organização da cozinha e, 26
tornando-se mestre na arte da cozinha francesa, 219
Chinois, 349
Chips de Couve, 353
Chiquart, Maistre, 20
Chocolate branco, 160
Chocolate em pó à holandesa, 157
Chocolate grudado, 159
Chocolate Mentolado, 81
Chocolate
Baklava de Chocolate e Pistache, 256
Barra de Chocolate Meio Amargo, 161
Biscoitos com Gotas de Chocolate, 284–285

Índice   453

Bolo de Chocolate de 30 Segundos, 316
Bolo de chocolate de Uma Tigela, 280–281
Bolo de chocolate ao Porto, 295
branco, 160
Chocolate Mentolado, 81
cobertura de chocolate, 160
compostos voláteis no, 90
culinária sous vide, 339
empelotado, 159
fermentação em pilha e, 435
florescimento, 158–159
Ganache de Chocolate e Espresso, 281
ingredientes similares a, 128
Mousse de Chocolate, 301, 313, 315
Panna Cotta de Chocolate, 424
processo de conchagem, 157, 161
sobre, 157–160
Sorvete Goldschläger, 364
temperagem, 157–160, 339
Chu, Michael, 19
Chutney, Picles e morango, 129
Cinarina, 71
Cítricos. **Veja também** limões e suco de limão
Brownies na laranja, 32
dicas de armazenamento, 120
Doce de casca de laranja, 396
Marmelada cítrica, 396
Suco de Limão Clarificado, 425
Civille, Gail Vance, 132–133
Claras de ovos, 289–296
batimento, 439
como fermentadores mecânicos, 289–296
dicas para altitude, 238
Frittata de Claras com Aveia e Frutas, 13
merengues, 293
reações de Maillard e, 214
segurança de alimentos e, 293, 301
sobre, 188
tigelas de cobre e, 291
Classificação dos números E, 378–379, 397
Cloreto de amônio, 244
Cloreto de potássio, 64
Cloreto de sódio. **Veja** sal
Cloro, 241
Clorofila, 207
Clostridium botulinum, 175, 386, 389
Clostridium perfringens, 272, 328
Coadores, 51
Coagulação, 165, 189
Cobertura de chocolate, 160
Cogumelo amanita, 434
Cogumelos
Colágeno em, 195–204
gosto agradáevl em, 76
refogando, 359
Salada de Erva-doce, Cogumelos Portobello e Parmesão, 114
Colágeno
cozimento lento e, 333
culinária sous vide e, 321
desnaturação, 148, 165, 195–204, 327

experimento, 204
ictiocola e, 349
Lancaster sobre, 232
sobre, 164
Coloide complexo, 380
Coloides, 379–381
fase contínua, 380
fase dispersa, 380
Marshmallows, 381
quadro de tipos de coloides, 380
sobre, 379–380
Comidas locais, 122–124
Comissão de Código Alimentar, 378
Competitivo (estilo culinário), 9
Compostos voláteis, 56, 89–91, 314
Compostos, 383
Condensação, 143, 236–237, 360
Condimentos
Atum Selado com Sal e Cominho, 169
Civille sobre, 132–133
florescimento, 399
Frango com Páprica, Grão-de-bico e Coentro, 28
Kichdi, 311
Condução (transferência de calor), 142, 145, 322
Condutividade térmica dos metais, 46–47,142
Confit de Pato, 200–201
Conformação molecular, 138
Congee, 22, 23
Congelamento rápido individual (IQF), 365
Congelamento
bactéria e, 186
frutas vermelhas, 365
líquidos gelatinosos, 349
massa, 288
material vegetal com hidrogênio líquido, 363
pães, 265
parasitas e, 175, 183, 328
peixe, 183, 184, 331
Congelamento, 119
Conservando alimentos
com açúcar, 384
com sal, 382–389
Conserva de Limões, 387
desidratação, 352, 353
Doce de Casca de Laranja, 396
Gravilax de Salmão, 385
Picles Pão com Manteiga, 388–389
Marmelada Cítrica, 396
Osmose e, 386
Consomê Filtrado, 351
Consomes
Consomê Filtrado, 351
definição, 349
Contaminação cruzada de alimentos
alergias alimentares e, 446
carnes cruas e, 186
evitando, 180–181
tábuas de corte e, 44
Contaminação de superfície, 169, 182, 184
Contaminados depois de cozidos, 389
Picles com Chutney de Morango, 129
picles instantâneos, 317, 319–320

Picles Pão com Manteiga, 388–389
Contaminantes
BPA, 323
em frutas e vegetais, 182, 200
equipamento industrial e, 314, 359
intoxicações alimentares e, 170
superfície, 169,182,184
Contraste de cor, 102
Controladores de temperatura, 324
Convecção (transferência de calor)
métodos de aquecimento a seco, 143, 145
métodos de aquecimento úmidos, 143, 145
sobre, 143, 145, 236
Conversões métricas, 11
Convertendo para métrico, 11,
Coocorrência de ingredientes, 125–126, 129
Cook´s Illustrated, 51, 231
Cook-chill (resfriamento), 325
Cook-hold (espera), 325
Cookies de Manteiga, 224–225
Copos e colheres de medida, 51
Coq au Vin, 112
Corte fino (Wansik), 101
Cortes de carne à brunoise, 174
Costela de 48 Horas, 336
Costela Cozida Lentamente, 203
Costela de 48 Horas, 336
Costelinhas ao Forno com Molho Barbecue, 405
Couve-galega, dicas de armazena-mento, 120
Couve
Chips de Couve, 353
dicas de armazenagem, 120
Cozimento a pressão, 308–312
batedores de chantili, 314
Carne de Porco Desfiada na Pressão, 213
colágeno e, 195
Dicas e Truques, 310–311
Khichdi, 311
método de conversão e, 145
prós e contras, 309–310
Reações de Maillard e, 215
sobre, 49, 141, 306, 308–309
Cozinha asiática
bebidas alcoólicas, 360
conhecendo sabores da, 133
ingredientes saborosos por cultura, 63
ingredientes saborosos por cultura, 111
gosto picante/apimentado e. **Veja** apimentado/picante (gosto)
papa de arroz, 22
Cozinha caribenha, 63, 111
Cozinha chinesa
aprendendo sabores da, 133
gosto picante/apimentado e. **Veja** picante e apimentado (gosto)
ingredientes saborosos por cultura, 63
papa de arroz, 22
Cozinha de Testes da América, 51, 231
Cozinha do Sudeste Asiático, 63, 111
Cozinha Espanhola
Gaspacho, 117

454   Índice

ingredientes saborosos por cultura, 63

ingredientes saborosos por cultura, 111

Cozinha Francesa
  ingredientes saborosos por cultura, 63
  ingredientes saborosos por cultura, 11
  Lebovitz sobre, 302–302
  Merengue Francês, 293
  Molho de Tomate, 107
  molhos e, 104
  Sopa Francesa de Cebola de Uma Hora, 38–39
Cozinha Grega
  ingredientes saborosos por cultura, 63
  ingredientes saborosos por cultura, 11
  Marinada à moda grega, 62
Cozinha Indiana
  Gostos apimentados/picantes, 59
  ingredientes saborosos por cultura, 63
  ingredientes saborosos por cultura, 111
  Khichdi, 311
Cozinha Italiana
  ingredientes saborosos por cultura, 63
  ingredientes saborosos por cultura, 11
  Merengue Italiano, 293
  Molho de Tomate Italiano, 107
Cozinha Japonesa
  dashi, 77
  gosto agradável e. *Veja* umami (gosto)
  ingredientes saborosos por cultura, 63
  ingredientes saborosos por cultura, 111
  preparando edamame, 78
  Salmoura à Moda Japonesa, 62
  Sopa Missô, 77
Cozinha Latino-americana, 63, 111
Cozinha Modernista
  definição, 371
  Myhrvold sobre, 371–373
Cozinha Norte-africana
  ingredientes saborosos por cultura, 63
  ingredientes saborosos por cultura, 111
  papa de arroz, 22
Cozinha Sous Vide (Roca), 329
Cozinha Turca, 63, 11
Cozinhando alimentos
  alimentos malcozidos seguros, 184
  bolsões de calor, 144
  com álcool, 99
  com gelo-seco, 365–366
  com nitrogênio líquido, 361–366
  cozinha de alta temperatura. *Veja* culinária de alta temperatura
  cozinhando com temperaturas baixas. *Veja* culinária sous vide
  dicas para altitude, 238
  história da, 18–19

interferência da umidade, 17, 142, 250, 373
Lancaster sobre, 231–233
medo na cozinha, 14–15
métodos de, 141–146
na lava-louça, 146, 326
para os outros, 30–33
para uma pessoa, 28–29
Pépin sobre, 24–25
sous vide. *Veja* culinária sous vide
temperaturas importantes em, 148–233
tempo e temperatura quando, 135–233
utilizando a panela de pressão. *Veja* panela de pressão
variáveis mais importantes em, 137
Cozinhando com muito calor
  fazendo pizza com muito calor, 370–371
  fornos superaquecidos e, 305, 370–371
  sobre, 367–369
Cozinheiros (tipos culinários)
  autoteste, 9
  características dos, 8
  Wansink sobre, 8
Cracker com Sementes, 253
Crème Anglaise, 192
Crème Brûlée, Quinn, 368
Creme Chantili, 301
Creme de Baunilha, 192
Cremor de Tártaro, 221, 96, 286
Crepes, 251
Cristalização, 356–357
Cromatografia, 348
CSA (agricultura comunitária), 124
Culinária Africana
  fruta-milagrosa e, 71
  ingredientes saborosos por cultura, 63
  ingredientes saborosos por cultura, 11
  Mingau de arroz, 22
  misturados com outras culturas, 22
  sabor picante/ardido, 79
Culinária Cognitiva (Watson), 129
Culinária de baixa temperatura. *Veja* culinária sous vide
Culinária Francesa Antiga (Scully), 20
Culinária sous vide, 320–339
  alimentos pré-embalados, 331
  bactérias e, 320, 322, 325
  Baldwin sobre, 327–329
  carnes, 334–336
  chocolate, 39
  Costela de 48 Horas, 336
  cozinhando na lava-louça, 326
  embaladores a vácuo, 323
  frangos e outras aves, 332–333
  frutas, 337–338
  Maçãs Cozidas na Lava-louça, 326
  montando um equipamento sous vide, 324
  ovos e, 320–322, 329
  pasteurização e, 325, 329–330, 332
  panelas de cozimento lento versus, 333
  peixes e frutos do mar, 329–331

picles instantâneos, 317, 319–320
Ponta de Alcatra, 335
raízes, 207
requisitos do equipamento, 323
segurança alimentar e, 325–329
seladoras a vácuo, 318–320, 323
sobre, 320–322
vegetais, 337–338
Culinária Tailandesa, 80
Culinária: A Arte Quintessencial, 391
Curando peixes, 386
Curioso (diagrama de Venn), 1
Curry em pó, 110

D

Damascos, dicas de armazenagem, 119
Dashi (caldo), 77
De Botton, Alain, 15
Demócrito, 58
Desajustado socialmente (diagrama de Venn), 1
Desidratação (desidratando alimentos)
  Desidratação, 165
  desidratação a frio, 318
  osmose e, 386
  sobre, 347, 352–353
Desidratando alimentos
  desidratação a frio, 318
  osmose e, 386
  sobre, 347, 352–353
Desidratando carnes, 165
Desmina, 164
Desnaturação das proteínas
  culinária sous vide e, 320
  colágeno, 148, 165, 195–204, 327
  definição, 138
  em ovos, 189–191
  temperatura de, 138, 162–169
Desnaturação. *Veja* desnaturação das proteínas
Dexter, Russell, 40–42
Dextrina, 223
Dextrose, 267
Diacetil, 97
Diagrama de fases, 306, 308
2,4-ditiapentano, 97
Dicas de armazenamento
  para alimentos não perecíveis, 175
  para alimentos perecíveis, 119–120, 186
  para manteiga, 155
Dicas de baixa pressão, 317–320. *Veja* culinária sous vide
Dicas para cozinhar em altitude, 238
Digestor de ossos, 309
Dióxido de carbono, 237, 240–242, 313, 365
Dipolo, 398
Dispersão de gases, 289
Doce (gosto)
  adaptação de paladar e, 60
  ajustando temperos, 69
  alcachofras e, 71
  ingredientes saborosos por cultura, 63
  íon de sódio e, 64–65
  mascarando o amargo, 74
  preferências de sabores, 60

Índice **455**

temperatura e, 61
sobre, 58–59, 68
Doce de Casca de Laranja, 396
Donuts
donuts de 250kg, 344–346
donuts de forno, 345–346
Dor gastrointestinal, 171
Dork (diagrama de Venn), 1
Dravnieks, Andrew, 93–94, 127
DSC (calorimetria diferencial), 222, 230
Du fait de cuisine (Chiquart), 20
Duncker, Karl, 6
Dupla ligação, 149, 150, 151
Dureza da água, 240–241

E

E. coli, contagem exigida, 179
em carnes, 355
em tábuas de corte, 44
temperaturas para matar, 174
letalidade, 179
na cozinha, 172
probabilidades de contração, 171
tempo entre ingestão e sintomas, 178
Edamame, preparação, 78
Edman, Lenore, 341
Efeito doação, 102
Efeito Garcia, 100
Efeito refrescante (mentol), 79
Elasticidade, 241
Emenda sobre Aditivos Alimentares (1958), 376
Emulsões e emulsificantes da cerveja, 391
lecitina e, 313, 430–431
Maionese, 430–431
quadro de tipos de coloides, 380
sobre, 297, 429
Enantiômeros, 91
Endívias Belgas, 75
Energia de ativação, 214
Energia de hidratação, 395
Energia reticular, 395
Energia térmica, 46–47
Engenheiros de alimentos, 412
Enzima anidrase carbônica 4, 80
Enzimas, 432–437
EPA (Agência de Proteção Ambiental), 45, 242
Equipamento de cozinha, 34–52.
balanças de cozinha, 49
calibrando fornos, 35–36
coadores, 51
decisões sobre utilização, 34
equipamento mínimo, 34, 48–49
espátulas de silicone, 48
espremedores de alho, 48
facas, 37–43
Lancaster sobre, 232
Lebovits sobre, 303
liquidificadores, 48, 51
medidores e colheres, 51
mixers, 48, 51
panelas de pressão, 49
panelas e caçarolas, 45–47, 51–52
pinças, 48
tábuas de corte, 44
termômetros, 49

tesouras de cozinha,48
Tigelas, 48, 51
Ried sobre, 51–52
Equipamento na cozinha
Arnold sobre, 358–359
cozinhando com muito calor, 367–371
culinária sous vide, 207, 320–339
fazendo moldes, 340–346
nitrogênio líquido, 183, 361–364
situações de alta pressão, 306–316
truques de baixa pressão, 317–320
Myhrvold sobre, 372–373
separações úmidas, 347–357
sobre, 305
Equipamento. *Veja também* equipamentos de cozinha
Equipamentos industriais. *Veja* equipamentos comerciais e industriais
Ervas
Bruschetta de Lula com Tomate e Ervas, 199
Civille sobre, 132
compostos voláteis e, 97
desidratação de, 352
dicas de armazenagem, 119
Frango com Páprica, Grão-de-bico e Coentro, 28
fresco versus desidratado, 99
na manteiga, 401–402
Peixe Assado no Sal com Limão e Ervas, 147
Purê de Batatas com Alecrim, 212
Salada de Tomate, Muçarela e Manjericão, 114
substituindo, 6
Ervilhas à la Française, 25
Escala de pH
ajustando a água para cozinhar, 241–241, 250
carne e, 162
ovos e, 188–189, 291
preservação de alimentos e, 384
Processo holandês e, 157
sobre, 273–274
Escala de Scoville, 80
Cozimento em imersão. *Veja* culinária sous vide
Bife Tártaro com Ovo Pochê, 174
Maçãs Pochê de Lava-louça, 326
Ovos Pochê, 193
Peras Cozidas, 210
Salada de Chicória com Ovos Pochê e Lardons, 75
Salmon Pochê com Azeite de Oliva, 168
Escoffier, Auguste, 104, 107
Esferificação reversa, 427
Espátulas de silicone, 48
Esperto (diagrama de Venn) 1
Espessantes, 408–417
amido de milho, 409–411
araruta, 409–411
maltodextrina, 416–417
metilcelulose, 414
sobre, 408–409
Espilantol, 79
Esporos, 177, 181, 389, 435
Espremedores de alho, 48, 217

Espumas
baixa pressão e, 318
bolos que dependem de, 295
claras de ovos, 290
da cerveja, 391
estabilizando, 429
garrafas para chantili e, 313
Ovos Mexidos Espumantes, 315
quadro de tipos de coloides, 380
Suco de Frutas Espumante, 431
Estabilidade (espuma de claras de ovos), 290
Estágio de reprodução (levedura), 266
Estágio de respiração (levedura), 266
Ésteres, 91
Esterilização, 173, 320
Estilos culinários
autoteste, 9
conflitos entre, 8
entendendo, 8
Estimuladores de gosto, 58, 76
Estourando pipoca, 307
Estrutura linear, 148–149
Estruturas cristalinas possíveis, 150
temperando chocolate e, 157
Etanol. *Veja* álcool
Etil butanato, 97
Etil hexanoato, 97
Evans, Maureen, 19
Evaporação
desidratação e, 352–353
destilação e, 360
fazendo sal através de, 65
taxa de reação, 353
Experimentos. *Veja* laboratórios
Extinção, 100
Extrato de Baunilha, 400

F

Faca de carne cimitarra, 42
Faca de carne, 42
Faca de descascar, 37
Faca de desossar, 42
Faca de Pão, 37
Faca do Chef, 37
Faca Oyster, 40
Faca Santoku, 37
Facas de aço inox, 41
Facas de afiar, 41–43
Facas de carbono, 41
Facas, 37–43
aço-liga, 41
afiação, 41–43
bactérias e, 41
empunhadura, 37
habilidades básicas, 37
Lâminas estampadas, 37
lâminas forjadas, 37
Lancaster sobre, 232
"modo fracasso", 37
mudança de finalidade, 42
Raper sobre, 40–42
tipos de, 37
tratamento térmico, 40–41
Fadiga gustativa, 92
Fahrenheit, Daniel, 244
Falsa Torta de Maçã, 96
Família do composto esteviosídeo, 69

456   Índice

Farinha de uso geral, 246, 248
Farinha para bolos, 252
Farinha
  alergia ao trigo e, 246
  como aditivo alimentar, 377
  glúten na, 246–250
  medindo, 50
  moendo, 252
  Molho de Carne de Panela, 413
  pesando, 49
  processo de maturação, 252
Farmer, Fannie, 18
Fase dispersa (coloides), 380
Fases contínuas (coloides), 380
Fazendo moldes, 340–346
Fazendo testes
  geleia caseira, 419
  maciez da carne, 16
  para o ponto, 138, 140
  positivo para drogas, 16
  Savage sobre, 16–17
FDA (Food and Drug Administration)
  Bad Bug Book, 173, 325
  Código de Alimentos, 172, 330
  em aditivos alimentares, 376
  em chocolate meio amargo, 161
  inspeção de importados, 124
  na cura de peixes, 386
  na pasteurização de ovos, 329
  na preparação de frangos, 172
  nas concentrações de sal, 386
  no manuseio de peixes, 184,
  330–331
  procurando por aflatoxinas, 434
  segurança de alimentos, 402
  sobre temperatura de freezers, 245
Feijão-branco e Alho, Sopa de, 116
Fenil tiocarbamida (PTC), 61
Fermentação em pilha, 435
Fermentação mecânica, 289–301
  chantili, 17, 300–301
  claras de ovos. *Veja* claras de ovos
  gemas de ovos. *Veja* gemas de ovos
  sobre, 289
  vapor, 236–238
Fermentação selvagem, método, 272
Fermentação
  água dura e, 241
  gosto ácido e, 72
  levedura e, 266
  pilha, 435
  sem controle, 272
Fermento em pó, 286–288
  dicas para altitude, 238
  fazendo do bicarbonato de sódio,
  286
  Ried sobre, 52
Fermentos biológicos, 262–272
  bactérias, 272
  dicas para altitude, 238
  leveduras, 262–271
Fermentos químicos, 273, 288
  bicarbonato de sódio, 17, 51, 207,
  273–285
  Dicas para altitude, 238
  fermento em pó, 52, 286–288
Fermentos, 262–303
  bolhas de ar e, 48, 238, 247
  biológicos, 262–272 mecânicos, 17,
  48, 289–301

múltiplos, 297
  químicos, 17, 48, 289–301
Ferramentas comerciais e industriais.
  Veja equipamentos na cozinha
Filtração, 347–351, 430
Fixação funcional, 6–7
Flavornet, 95
Florescimento
  em condimentos, 399
  no chocolate, 158–159
Food and Drug Administration (FDA).
  Veja FDA
Food Safety and Inspection Service
  (FSIS), 172, 180, 325
Formas de biscoito, 144
Forno de vapor combinado, 236
Forno destravado, 371
Fornos
  alta temperatura, 305, 370–371
  calibragem, 35
  calibrar usando açúcar, 36
  Chips de Couve, 353
  dicas de altitude, 238
  melhorando o tempo de recupe-
  ração, 35
  regulando o calor, 17, 35
  umidade e, 144, 237–238
Fosfato monocálcico, 286
Fouets, 292
Fraldinha Marinada no Leitelho, 167
Framboesa; dicas de armazenamento,
  120
Frango
  culinária sous vide, 332–333
  Frango à Borboleta, 218–219
  *Frango com Páprica, Grão-de-bico e
  Coentro*, 28
  Frango Kiev, 436
  tempo de espera, 172
  proteínas no, 163
Freezers, calibrando, 244–245
Frigideiras, 45
Fritadeira a Pressão, 310
Fritura de imersão, 145, 146
Fruta-milagrosa, 71
Frutas vermelhas
  acidez das, 17
  congelamento, 365
  dicas de armazenagem, 119–120
  milagrosa, 71
Frutas
  açúcar em, 68
  ambientalmente saudáveis, 115
  Bisnaguinhas caseiras, 353
  Conserva de Limões, 387
  cozinhando, 207
  culinária sous vide, 337–338
  desidratando, 352
  dicas de armazenamento, 119–120,
  186
  Doce de Casca de Laranja, 396
  Espuma de Suco de Frutas, 431
  Frittata de Claras com Aveia e Frutas,
  13
  frutas espumantes, 365
  Maçãs Cozidas na Lava-louça, 326
  Marmelada Cítrica, 396
  osmose e, 392
  pectina em, 418

Peras Cozidas, 210
Picles com Chutney de Morango, 129
*Salada de Verão de Queijo Feta e
Melancia*, 85
  segurança de alimentos e, 182
  Suflê de Frutas, 299
  tabela de épocas de crescimento,
  113
  translúcidas, 317
Frutos do Mar. *Veja* peixes e frutos
  do mar
Frutose, 68, 81, 221, 267
FSIS (Food Safety and Inspection
  Service), 172, 180, 325
Fumaça líquida, 403–407
Função fixa, 6–7
Furanona, 97

G

Gagnaire, Pierre, 391
Ganache de Chocolate e Expresso,
  281–282
Garcia, John, 100
Garrafas para chantili, 313–316
  cozimento a pressão e, 314
  dicas de utilização, 314
  frutas espumantes, 314
  sobre, 313–314
Garrafa Térmica, definição, 362
Gás etileno, 119–120
Gaspacho de Verão, 117
Gastronomia molecular
  definição, 371
  This sobre, 390–392
Geek (diagrama de Venn), 1
Géis e agentes gelificantes, 418–428
  ágar, 423–425
  alginato de sódio, 426–427
  amidos, 205–212
  carragena, 379, 421–422
  classificação, 418
  composição típica, 411
  fazendo, 420
  fazendo moldes, 340
  filtração e, 349
  gelatina e, 197, 205
  Leite com Carragena Iota e Kappa,
  422
  pectina e, 206,419–420
  tabela de tipos de coloides, 380
  Torta Merengue de Limão, 411
Gelatina
  colágeno e, 197, 232
  cozinhando vegetais e, 205–206
  fazendo espumas e, 313
  melhorando a sensação bucal
  sobre, 349
Gelo-seco, 365–366
Gemas de ovos, 297–299
  como fermentadores mecânicos,
  297–299
  faixa de temperatura das proteínas
  para, 190
  perfis de ácidos graxos, 152
  sobre, 187–188
Generoso (tipo de cozinheiro), 9
Geração e ar, 235–303
  fermentos biológicos, 262–272
  fermentos mecânicos, 17, 289–301
  fermentos químicos, 273–288

Índice   **457**

glúten e, 246–250
  principais variáveis na panificação, 236–238
Geralmente reconhecidos como seguros (GRAS), 376, 393
Ghee, 153, 156
Gliadina, 247–249, 254–255, 258
Glicerídeo, 148–150
Glicerol, 148–150
Glicogênio, 162, 164
Glicose
  enzima invertase e, 81
  inibidor de formação de cristais, 69
  inversão da sacarose e, 221
  reações de Maillard e, 223, 309
Glutamato (aminoácido), 61, 76–77, 184
Glutamato monossódico (MSG), 76–78, 383, 395, 397
Glutamina, 436
Glutationa, 263
Glúten de trigo vital, 257
Glúten de trigo, 248
Gluten
  água dura e, 241–242
  alergia ao trigo e, 246
  cuidando da formação, 247–250
  dicas para altitude, 238
  elasticidade do, 241
  Lancaster sobre, 232
  escolhendo a farinha com sabedoria, 246–250
  fazendo o seu, 254–255
Glutenina, 247–249, 254–255, 258
Google Acadêmico, 442
Google Livros, 20, 442
Gordura hidrogenada, 151
Gordura Vegetal Crisco, 151
Gordura vegetal, 153
Gorduras cis, 151
Gorduras insaturadas, 150
Gorduras monoinsaturadas, 150
Gorduras poli-insaturadas, 150–151
Gorduras saturadas, 150
Gorduras trans, 151
Gorduras
  claras em neve e, 291–292
  em carnes, 163
  em laticínios, 300
  formação de glúten e, 249
  Manteiga Dourada em Pó, 417
  temperaturas importantes em, 148–161
  tolerância de erros em medidas, 258
Gourmet Magazine, 103
Gradiente de calor, 337
Gradientes de temperatura, 139–141, 143
Grânula, 12
Grãos
  Congee, 23
  cozinhando, 207, 309
  Lancaster sobre, 232
  miraculina e, 71
  nível de glúten dos, 246–248
  Quinoa com Limão e Aspargos com Camarão Empanado, 53
GRAS (geralmente reconhecido como seguro) 376, 393

Gratificação do cozinheiro, 19
Greenspan, Eric, 344
Grelhados
  Batatas-doces Grelhadas, 211
  como calor radiante, 145
  Churrasco de Legumes, 211
  vegetais, 211
  Vegetais grelhados, 211
Grelhados
  com irradiação, 145
  Endívias Belgas, 75
  Frango à Borboleta, 218–219
Grelhados
  Azeitonas Verdes Assadas, 31
  Cenouras Refogadas com Cebolas Roxas, 230
  Costeletas de Porco Recheadas com Pimentão Poblano e Cheddar, 66–67
  Frango à Borboleta, 218–219
  Ovos cozidos no forno, 194
  Peixe no Sal com Limão e Ervas, 147
  Salada de Beterraba Grelhada, 121
  vegetais, 232
Grupo de Trabalho Ambiental, 12
Grupo Flying Food, 95
Guanilato, 76
Gustavson, Carl, 100

H

Hacker, 253
Haugh, Raymond, 188
Hélio, 142
Hemicelulose, 205, 207, 321
Hepatite A, 178
Hexanal, 97
Hexenal, 97
Hexil-acetato, 97
Hidrocoloides, 428
Hidrogênio, 72, 142, 243
Hidrólise de ácidos, 197
Hidrólise térmica, 197
Hidrólise, 197–198, 221–223
Hierarquia das necessidades (Maslow), 14
História das receitas, 18–19
Hortifrúti. *Veja* vegetais

I

Ictiocola, 349
Ikeda, Kikunae, 76
Impressão 3D, 340
Impressão digital do DNA, 178
Impressora CNC, 340
Ingrediente culinário misterioso, 103
Ingredientes
  coocorrência de, 125–126, 129
  dicas de cozinha do Potter, 440
  em temperatura ambiente, 17
  escolhendo, 56
  ingrediente culinário misterioso, 103
  inspiração computacional, 125–128
  inspiração pela exploração, 103–11
  inspiração pela sazonalidade, 112–124
  isolando, 110
  peneirando a seco, 275
  pesando, 49–50
  por cultura, 11
  preparando, 11

sabor e, 56
  similaridade química dos, 126–128
  utilizando não familiares, 110
  Walshin sobre, 110
Inosinato, 76
Inovador (estilo culinário), 9, 21
Inspiração de sabor computacional, 125–128
Inspiração pela exploração, 103–11
Inspiração
  pela exploração, 103–11
  pela sazonalidade, 112–124
  sabor computacional, 125–128
Intoxicações alimentares. *Veja* segurança dos alimentos
Inversão da sacarose, 2211
Invertase, 81, 432
Iogurte Caseiro, 73
Iogurte e, 73
Íon de cloreto, 64
Íon de sódio, 64–65
Íons, definição, 383
IQF (congelamento rápido individual), 365
Iron Chef (programa de TV, Master Chef), 387
Irritação oral, 56, 61, 79
Isotopômeros, 243

J

Jackson, James, 12
Jantares, 30–33
Johnson, Samuel, 157
Jornal de Agricultura e Química de Alimentos, 390
Jornal de Ciência dos Alimentos, 390
Joy of Cooking, 18, 258
Jung, Carolyn, 387

K

Kamozawa, Aki, 315
Kayser, Eric, 261
Keller, Thomas, 16, 322
Kellogg, John, 12
Ketchup, 107
Khichdi, 311
Kirshenbaum, Kent, 403, 405
Krugman, Paul, 441
Kurti, Nicholas, 390

L

Laboratórios (experimentos)
  bicarbonato de sódio reagindo consigo mesmo, 276–277
  calibrando fornos, 35–36
  calibrando freezers, 244–245
  culinária sous vide, 321–322
  dicas de cozinha do Potter, 440
  diferenças entre paladar e aroma, 57
  diferenças genéticas de paladar, 82–83
  em busca do biscoito perfeito, 226–227
  experimentos A/B, 21
  fazendo fumaça líquida, 406–407
  fazendo pectina, 420
  fazendo seu glúten, 254–255
  fazendo sorvete com sal e gelo, 394–395

458   Índice

proteína colágeno, 204
segurança alimentar e, 358–359
sentindo sabores, 130–131
separação via cristalização,
356–357
This sobre, 302
Lactisol, 393
Lactobacillus, 73, 272, 328
Lahey, Jim, 260–261
Lâminas estampadas (facas), 37
Laminas forjadas (facas), 37
Lancaster, Bridget, 231–233
Laticínios
alergias a, 447
carragena em, 422
Crème Anglaise, 192
Creme Azedo, feito em casa, 155
Crème Brûlée do Quinn, 368
Creme de Baunilha, 192
gorduras nos, 300
intoxicações alimentares e, 171
Iogurte caseiro, 73
Leite com Carragena Iota e Kappa,
422
panelas de pressão e, 310
Panna Cotta de Chocolate, 424
Pudim de Pão, 192
Sorvete Goldschläger, 364
Sorvete S'more, 405
substituições para alergias, 447
Lauril sulfato de sódio, 60
Lava-louça, cozinhando na, 146, 326
Le Guide Culinaire (Escoffier), 104
Lebovitz, David, 302–303
Lecitina de soja, 377
Lecitina, 313, 430–431
Lei de Henri, 307
Lei de Stokes, 317, 318
Leidenfrost, efeito de, 365
Leite de amêndoas, 349
Lersch, Martin, 428
Leucippus, 58
Levedura do padeiro, 262
Levedura, 262–271
dicas para altitude, 238
dureza da água e, 241
em bebidas, 262
em pães, 264–268
etapas na culinária, 266
nível de pH da água e, 241–242
sobre, 262
umidade e, 237
verificação, 263
Waffles de Levedura, 267
Ligações covalentes, 196, 436
Ligações cruzadas
agitação mecânica e, 249
definição, 196–197, 247–248
envelhecimento animal e, 198
Lignina, 205
Limões e suco de limão
como realçadores de sabor, 56
Conserva de Limões, 387
equilibrando gostos com, 60
limpando tábuas de carne, 44
Quinoa com Limão e Aspargos com Frango Empanado, 53
Sopa de Lentilha com Limão, 19
Torta Merengue de Limão, 411

Limpadores de paladar, 60
Lindley, Michael, 393
Lindt, Rodolphe, 161
Lipídios, 398
Lisina, 309, 436
Listeria monocytogenes
contagem exigida, 171
letalidade de, 179
pH e, 385
técnica de enlatamento e, 389
temperatura de sobrevivência, 181
tempo entre ingestão e sintomas,
178
Listeriose, 171
Lítio, 64
Livro de Receitas da Escola de Culiná-
ria de Boston, 18
Lula
Bruschetta de Lula com Tomate e Ervas, 199
culinária sous vide e, 329

M

Mac'n'Cheese, 105
Maçaricos, 367–369, 403
Maçãs Cozidas na Lava-louça, 326
Maçãs
Maçãs Pochê na Lava-louça, 326
Torta Falsa de Maçã, 96–97
Madeira, ponto de autoignição, 153
Madison, Deborah, 29
Magnésio na água, 240–241, 250
Maillard, Louis Camille, 213
Maionese, 430–431
Maltodextrina, 223, 416–417
Manteiga
água batida com, 322
armazenamento, 153
clarificada, 153, 156
com ervas, 401–402
cozinhando com, 155
dourada, 156
fazendo, 154
ponto de fusão, 153
tipos de, 154–155
tolerância de erros em medidas,
258
sobre, 152, 154–156
Manteiga clarificada, 153, 156
Manteiga Dourada em Pó, 417
Manteiga dourada, 156
Manteiga/gordura de coco, 157, 158
Marinadas e molhos
Marmelada Cítrica, 396
Mars, Forrest, Sr., 157
Mars, Frank C., 157
Marshmallows Quentes, 415
Martinsite, 40
Maslow, Abraham, 14
Massa de Pizza sem Levedura, 286
Massa de Pizza sem Sova, 271–271
Massa de Torta, 259
Massa Filo
Baklava de Chocolate com Pistache,
256
sobre, 247
Massa Lêveda Inicial, 272
Massa Mãe, 272
Massas
Confit de Pato com, 202

Mac'n'Cheese, 105
panelas de pressão e, 311
Penne alla Vodca, 107
Sopa Minestrone, 106
Mastering the Art of French Cooking
(Child), 219
Maturando farinha, 252
McFarlin, Patrick, 29
McGee, Harold
Baldwin sobre, 327
sobre bater claras em neve, 291
sobre pão crescido com sal, 272
sobre resolver mistérios culinários,
438–439
website, 359
Mcmasters.com, 349
Medidas
"a gosto", 11
convertendo para métrico, 11
escala de Scoville, 80
pitada como, 11, 56, 65
tolerância de erros em, 258
volume versus peso, 50
Medo do fracasso, 14–15
Meio a meio (creme half-half), 192
Mel como conservante, 382
Mentol, 79
Merengues
Biscoitos de Merengue, 294
Bolo de Chocolate ao Porto, 295
Macarons de coco, 294
Merengue Francês, 293
Merengue Italiano, 293
Torta Merengue de Limão, 411
sobre, 293
Metamioglobina, 163,183
Metilcelulose, 414
Metódico (estilo culinário), 9
Método da similaridade química,
126–128
Método regional/tradicional (combi-
nação de sabores), 21
Métodos de calor úmido, 141–142
Métodos de desidratação pelo calor,
141–142, 236
amaciamento, 165
Bife Selado, 140
Bifes maturados, 164, 165
Bife Tártaro com Ovos Pochê, 174
Carne de Porco Desfiada na Pressão,
312
*Costela de Porco Recheada com,
Pimentão Poblano e Queijo Cheddar*,
66–67
Costelinhas Cozidas Lentamente, 203
*Costelinhas de Porco Assadas ao
Barbecue*, 405
cozimento a pressão, 309
culinária sous vide, 322, 327,
332–336
dicas de armazenagem, 186
Fraldinha Marinada no Leitelho, 167
marinando, 165, 232
Métodos de transferência de calor,
142
Molho de Carne de Panela, 413
rigor mortis e, 162–163
temperaturas de prontidão, 166
temperaturas importantes na
culinária, 162–169, 195–204

Índice **459**

Mexer versus bater, 292
Mexilhões Selados com Manteiga e Cebolinhas-brancas, 67
Milho, sensibilidades ao glúten e, 246
Mioglobina, 163, 183
Miosina
  culinária sous vide e, 321, 334
  desnaturação, 138, 164–165, 334
  sobre, 164
Miraculina, 71
Mirtilos, dicas de armazenamento, 119
Misturas, 379–381
Mixers de imersão, 48, 51
Mixers manuais, 48
Moendo farinha, 252
Mola do forno, 237
Moldes de gesso, 341
Moldes de silicone, 341, 344
Moldes
  segurança dos alimentos e, 170
  Wolfe sobre, 434–435
Moléculas, 383, 398, 401
Moléculas apolares, 398
Moléculas polares, 398, 401
Molhos
Caldas de Caramelo, Seca e Úmida, 228–229
  cozinha francesa e, 104
  Fraldinha Marinada com Leitelho, 167
  Ketchup, 107
  Marinada à moda Grega, 62
  marinando carnes, 165, 232
  Molho Albufera, 106
  Molho Aurora, 106
  Molho Bayou, 105
  Molho Béarnaise, 108
  Molho Béchamel, 105
  Molho Bercy, 106
  Molho Bordelaise, 109
  Molho Branco, 105
  Molho de Carne de Panela, 413
  Molho de Pimenta, 109
  Molho de Tomate, 107
  Molho de Vinho Branco e Queijo, 298
  Molho de Vodca, 107
  Molho Diable, 109
  Molho Dijon, 108
  Molho Dourado, 109
  Molho Espanhol, 109
  Molho Hollandaise, 108
  Mexilho Húngaro, 106
  Molho Maltaise, 108
  Molho Mornay, 105
  Molho de Mostarda, 105
  Molho Noisette, 108
  Molho Picante, 109
  Molho Poivadre, 109
  Molho Poulette, 106
  Molho Robert, 109
  Molho Velouté, 106
  Molho Venezino, 106
Molho Albufera, 109
Molho Aurora, 106
Molho Bayou, 105
Molho Béarnaise, 108
Molho Béchamel, 105

Molho Bercy, 106
Molho Bordelaise, 109
Molho Branco, 105
Molho de Carne Rápido, 413
Molho de Mostarda, 105
Molho de Pimenta, 109
Molho de Vodca, 107
Molho Diable, 109
Molho Dijon, 108
Molho dourado, 109
Molho Espanhol, 109
Molho Hollandaise, 108
Molho Húngaro, 106
Molho Maltaise, 108
Molho Mornay, 105
Molho Noisette, 108
Molho Paulette, 106
Molho Picante, 109
Molho Poivrade, 109
Molho Velouté, 106
Molho Veneziano, 106
Molhos. *Veja* marinadas e molhos
Monelina (proteína), 69
Monossacarídeos, 283
Monster Kitchen (Programa de TV), 344
Morangos
  Dicas de armazenamento, 120
  Picles e Chutney de Morango, 129
Mousse de Chocolate, 301, 313, 315
MSG (glutamato monossódico), 76–78, 383, 395, 397
Munroe, Randall, 50
Myhrvold, Nathan, 372–373

N
Nações Unidas, 378
Nebulina, 164
Nerd (diagrama de Venn), 1
Nestle, Marion, 376
Neutralização ácida, 51
Neutralização de odores
  componentes amino sem cheiro, 56
  tábuas de corte, 44
NewComplete Téchniques, de Jacques Pepin, 24
Nitrito, 384
Nitrogênio líquido, 361–364
  fazendo poeiras, 363
  fazendo sorvete, 305, 361–364
  oxigênio e, 361
  parasitas e, 183
  perigos do, 361
  sobre, 361–363
Nootkatone, 97
NOP (Programa Orgânico Nacional), 122
Norovírus, 175

O
O problema da Vela de Duncker, 6–7
O'Reilly, Tim, 288
Odor almiscarado, 93
Odor ardido, 93
Odor de cânfora, 93
Odor de menta, 93
Odor de podre, 93
Odor etéreo, 93
Odor Floral, 93
Odorantes, 89, 92, 95

Óleo de Açafrão, 152, 153
Óleo de Canola, 152–153, 377
Óleo de Coco, 150, 152
Óleos infundidos, 401–402
Óleos
  bactérias e, 175
  claras de ovos e, 290
  culinária sous vide e, 322
  fritura na pressão e, 310–311
  infundidos, 401–402
  principais temperaturas em culinária, 148–161
  taxa de transferência de calor, 142
Olfato (sentido olfativo), 89–97
  Civille sobre, 132–133
  crossover, 92
  definição, 56, 89
  descrição, 93–95
  diferenças entre gosto e, 57
  diferenças genéticas e, 91
  diferenças relacionadas à idade, 92
  fadiga olfativa, 92
  fazendo experimentos com sabores, 130–131
  fisiologia do olfato e do paladar, 92
  impacto da pressão atmosférica, 95
  paladar e, 86–87, 101
  química dos aromas comuns, 97
  sobre, 89–91
Olfato ortonasal, 98
Olfato retronasal, 98
Ordem de preparação nas receitas, 11
Organização da cozinha, 34–52
  calibrando o forno, 35–36
  Child sobre, 26
  equipamentos de cozinha, 34–52
  layout da bancada, 27
  Ried sobre, 52–52
Organização Mundial de Saúde, 69, 378
Oskay, Windell, 341
Osmazome, 76
Osmose em alimentos, 384, 386, 392
Ovalbumina, 189, 190
Ovomucina, 193
Ovos Cozidos Fáceis de Descascar, 193
Ovos Mexidos
  Ovos Mexidos Cozidos Lentamente, 194
  Ovos Mexidos Espumantes, 315
Ovos
  alergia a, 448
  Bife Tártaro com Ovos Pochê, 174
  cozinhando, 17, 142, 189–191, 358
  Crème Anglaise, 192
  Creme de baunilha, 192
  culinária sous vide, 320–322, 329
  Ovos Cozidos Fáceis de Descascar, 193
  Ovos de Forno, 194
  Ovos Mexidos Espumantes, 315
  Ovos Mexidos Lentamente, 194
  Ovos Pochê, 193
  partes do, 187–188
  pasteurização, 329
  pesagens de amostra, 194
  Pudim de Pão, 192
  quebrando, 188

460   Índice

Salada de Chicória com Ovos Pochê e Lardons, 75
Salada Lyonnaise, 75
segurança de alimentos e, 174,191, 293, 329
sobre, 187
substitutos para alergias, 448
temperaturas de prontidão, 166
temperaturas importantes para, 166, 187–194
Vaporização, 193
Ovotransferrina, 189
Óxido nitroso, 313
Oxiemoglobina, 163, 183
Oxigênio
crescimento bacteriano e, 175
levedura e, 266
nitrogênio líquido e, 361
sobre, 243

P

Padeiros (tipo culinário)
autoteste, 9
características do, 8
Pães
Bolo de Milho Dourado, 18
Crackers com Sementes, 253
crescimento do sal, 272
congelamento, 265
Lahey sobre, 260–261
Levedura em, 264–268
Massa de Pizza sem Sova, 271
Massa Lêveda Inicial, 272
Pão da amizade, 262–263
Pão sem Sova, 261
Pão Simples, 264–265
Pitas, 253
Popovers, 239
Pudim de Pão, 192
Scones (bolinho sem fermento) 288
sova, 249, 261
Pãezinhos com sementes de papoula, 16
Paladar (sentido gustativo), 58–88
adaptação de paladar, 60
ajustando os temperos, 60
alimentos orgânicos, locais e convencionais, 122–123
amargo
apimentado/picante (gosto)
azedo (gosto)
Bartoshuk sobre, 86–87
cheiro e, 86–87, 101
Civille sobre, 132–133
definição, 56
diferença entre cheiro e, 57
diferenças genéticas e, 61, 82–83
doce (gosto)
Educação cultural e,60, 74
equilíbrio, 59–60
experimentos com sabores, 130–131
fatores ambientais e, 60–61
fisiologia do paladar e do olfato, 61–62
impacto da pressão atmosférica no, 95
misturando gostos, 87
perversão de paladar, 60, 71
prazer e, 86–87

preferências de sabor, 60
saboroso. *Veja* umami (gosto)
salgado
sensibilidade do paladar, 59
temperatura e, 60–61, 68
umami (gosto)
Panelas de aço inox, 169
Panelas de cozimento lento, 324, 333
Panelas de ferro fundido
como pedras de pizza, 265, 371
condutividade térmica das, 46–47
lavagem, 45, 52
reações químicas em, 45, 47
Reid sobre 52
selagem e, 169
temperagem, 45
Panelas e caçarolas com revestimento, 47
Panelas e Caçarolas, 45–47
acidez em alimentos e, 45–47
bolsões de calor, 46–47
condutividade térmica de, 46–47, 142
organização, 26
selagem e, 169
tempo de recuperação para, 140
tipos de , 45
Panelas não aderentes, 45
Panelas para refogar, 51
Panificação, 235–303
acidez das frutas vermelhas, 17
bolsões de calor, 144
chefs de confeitaria e, 221–223, 302–303
com manteiga, 155
Dicas de Cozinha do Potter, 440
dicas para altitude, 238
fermentação mecânica, 17, 289–301
fermentos biológicos, 262–272
fermentos químicos, 17, 51–52, 207, 273–288
glúten e, 246–250
ingredientes em temperatura ambiente, 17
Lahey sobre, 260–261
Massa de Torta, 258–259
método da convecção e, 143, 145
pesando ingredientes, 50
poder do vapor em, 236–238
química da água, 240–242
temperaturas das reações, 138,223
tolerância de erros em, 258
umidade afeta, 144
Panqueca Média da Internet, 10
Panquecas de Leitelho, 278
Panquecas
Crepes, 251
garrafas para chantili e, 313
Panquecas Comuns da Internet, 10
Panquecas de Leitelho, 278
Pão da Amizade, 262
Pão sem Sova, 261
Papaína (enzima), 165, 198
Papila fungiforme, 86
Papilas gustativas, 58
Papin, Denis, 309
Parasitas
congelamento, 175, 183, 328
intoxicações alimentares e, 183–184

temperaturas de sobrevivência, 170
Parkerson, Stephen, 95
Pasteur, Louis, 262
Pasteurização
bactérias e, 186
culinária sous vide e, 325, 329–330, 332
definição, 173
ovos e, 329
peixe e, 183, 328
segurança de alimentos e, 173, 183
selamento a vácuo e, 320
Tempos de espera e, 180
Pectina
culinária sous vide e, 321
fazendo, 420
fazendo geleia, 419
melhorando a sensação, 418
sobre, 206, 419
vegetais com amido e, 206
Pedras de amolar, 43
Pedras de assar, 35, 144, 265
Pedras de pizza, 35, 144, 265
Peixes e Frutos do Mar
alergias a, 448
ambientalmente saudável, 115
Assados no sal, 147
Ceviche de Vieiras, 176
colágeno em, 197
concentração de sal em, 386
congelamento, 183, 184, 331
culinária sous vide, 322, 329–331
cura, 386
dicas de armazenamento, 186
Gravilax de Salmão, 385
Mexilhões Selados com Manteiga e Cebolinhas-brancas, 67
pasteurização, 183, 328
Peixe no Sal com Limão e Ervas, 147
pré-embalados, 331
proteínas no, 162–169
Quinoa com Limão e Aspargos com Camarão Empanado, 53
Salmão Escaldado em Azeite de Oliva, 168
Segurança de alimentos e, 177, 180, 183–184, 330–331
substituições por alergias, 448
Tacos de Peixe com Picles e Chutney de Morango, 129
temperaturas importantes em culinária, 162–169
Vieiras com Bacon, 437
Vieiras Seladas, 220
Pele prateada, 195
Penicillium camemberti, 435
Penicillium nalgiovense, 435
Penne alla Vodca, 107
Pensamento geek
aprendendo a cozinhar e, 15
definição, 6
fixação funcional e, 6–7
inteligente, 440–442
na cozinha, 7
O problema da Vela de Duncker, 6–7
reestruturação mental, 7
Pépin, Jacques, 24–25
Pepino, dicas de armazenamento, 120

Índice **461**

Peras, Pochê, 210
Perversão de paladar, 60, 71
Pesando ingredientes, 49–50
Peshardt, William, 426
Pêssegos; dicas de armazenamento, 119
PFOA (ácido perfluoro-octanoico), 45
Picles
Picles Instantâneos Pão com Manteiga, 388, 389
Picles Instantâneos, 317, 319–320
Pinças, 48
Pirocerâmica, 371
Pirólise, 404
Pitada com medida, 11, 56, 65
Pitas, 253
Pizza pré-cozida, 268–269
Pizza, 267–271
  fornos de alta temperatura e, 305, 370–371
  Massa de Pizza sem Fermento, 286
  Massa de Pizza sem Sova, 271
  Pré-cozimento, 268
  Varasano sobre, 269–270
Planejamento do menu para jantares, 30
Plasmólise, 386
Plasticidade da gordura, 154
Plumas, 41
p-meteno-8-tiol, 97
Polissacarídeos sem amido, 254
Polissacarídeos, 205, 416, 423
Política de alimentos (Nestlé), 376
Ponta de Alcatra Bovina 335
Ponto de autocombustão (gorduras), 153
Ponto de congelamento da água, 244–245, 306
Ponto de ebulição da água
  altitude e, 238
  cozimento na pressão e, 306, 308–309
  sal e, 238, 242, 306
Ponto de escorrimento (gorduras), 153
Ponto de fogo (gorduras), 153
Ponto de fulgor (gorduras), 153
Ponto de fumaça (gorduras), 153
Ponto de fusão
  das gorduras, 148–161
  técnicas para identificar, 222
Ponto de nuvem (gorduras), 153
Ponto de orvalho, 236
Pontos quentes (panelas e caçarolas), 46–47
Popovers, 239
Pornografia alimentar, 179
Powell, Doug, 178–179
Pralus, George, 320
Práticas Ayurvédicas, 80
Pratos com feijões e lentilhas
  cozinhando com pressão, 309
  Frango com Páprica, Grão-de-bico e Coentro, 28
  Khichdi, 311
  Sopa de Inverno de Feijão-branco com Alho, 116
  Sopa de Lentilha com Limão, 19
Pratos principais vegetarianos. Veja

também saladas
  Khichdi, 311
  Lancaster sobre, 232
  Mac'n'Cheese, 105
  Penne alla Vodca, 107
  Seitan, Assado com Favas Picantes, 257
Pratos principais. Veja peixe e frutos do mar; carnes; saladas; vegetarianos
Preferências alimentares, 30
Prêmio Darwin, 362
Preocupação com odores, 87
Preparando ingredientes, 11
Processo de conchagem, 157, 161
Processo de destilação, 347, 360
Processo de homogenização, 433
Programa Orgânico Nacional (NOP), 122
Projeto Gutemberg, 20
Promotores de adesão, 45
Prontidão
  temperaturas exigidas para, 166
  teste para, 138, 140
  transferência de calor e, 13–141
PROP (propiltiouracil), 61
Propiltiouracil (PROP), 61
Proteínas conectivas, 163, 195
Proteínas do estroma, 164–165
Proteínas estruturais, 164–165, 195
Proteínas hidrofóbicas, 189, 289
Proteínas miofibrilares, 164–166
Proteínas sarcoplásmicas, 163
Proteínas
  adicionando gosto doce, 69, 71
  alergias alimentares e, 445
  controle da formação de glúten, 248
  em peixes e carnes, 162–169
  em farinha de trigo, 254
  hidrofóbico, 189 sobre, 138
Proteólise post-mortem, 162
Prova, definição, 263
Pseudoplasticidade, 409
PTC (feniltiocarbamida), 61
Pudim de Pão, 192
Pungente/apimentado (gosto), 58–59
Purê de Batatas com Alecrim, 212

Q
Quadrado ou Tiras de Massa Folhada, 31
Queijo de Cabra Assado com Amêndoas e Mel, 31
Queijo Muçarela
  Esferas de Muçarela, 427
  fazendo, 433
  Salada de Tomate, Muçarela e Manjericão, 114
Queijo parmesão
  Salada de Erva-doce, Cogumelos Portobello e Parmesão, 114
Queijo
  Costelinhas de Porco Recheadas com Pimentão Poblano e Queijo Cheddar, 66–67
  Esferas de Muçarela, 427
  Mac'n'Cheese, 105
  Molho de Vinho Branco e Queijo, 298

  Queijo de Cabra Assado com Amêndoas e Mel, 31
  Queijo Muçarela, fazendo, 433
  Salada de Erva-doce, Cogumelos Portobello e Parmesão, 114
  Salada de Tomate, Muçarela e Manjericão, 114
  Salada de Verão de Melancia e Queijo Feta, 85
  Wolfe sobre, 434–435
Quemestésis, 59, 79
Química da água
  água como solvente, 398
  água na manteiga, 154
  ar, ar quente e poder do vapor, 236–238
  análise, 243
  assados e, 240–242
  calibrando freezers, 244, 245
  culinária sous vide.
  dicas para altitude, 238
  estabilidade das claras de ovos, 291
  formação do glúten e, 250
  minerais na água, 240–241
  ponto de ebulição da água, 238, 242, 306, 308–309
  ponto de fusão da água, 244–245, 306
  taxa de transferência de calor, 142
  tolerância de erros em panificação, 258–259
Química dos Alimentos (Belitz), 123, 390. Veja aditivos alimentares
Quinoa
  Quinoa com Limão e Aspargos e Camarão Empanado, 53
  sensibilidade ao glúten e, 246
Quiralidade, 91

R
Radiação (transferência de calor), 144, 145, 186
Radiação térmica, 35
Raízes, cozimento, 206
Raper, Buck, 40–42
Reações de Maillard água líquida e, 237
  cozimento a pressão e, 309
  temperatura para, 138, 213–220
  sobre, 136
Reação endotérmica, 395
Reação exotérmica, 395
Reações de douramento. Veja caramelização; reações de Maillard
Reações químicas
  acidez e, 17, 45, 47
  em função de tempo e temperatura, 136–138
  ingredientes em temperatura ambiente, 17
  rigor mortis, 162–163
  temperaturas comuns, 138
Realçadores de sabor
  dicas de cozinha do Potter, 440
  sal como, 16, 56, 65
  Savage sobre, 16
  sobre, 397
  temperando com, 56
Receitas de Sopas
  Caldo Branco Básico, 350

462   Índice

caldos, 31, 76, 349
consomes, 349, 351
Gaspacho, 117
Sopa de Abóbora com Nozes, 110
Sopa de Abóbora com Nozes, Outono, 118
Sopa Francesa de Cebola de Uma Hora, 38–39
Sopa de Inverno de Feijão-branco com Alho, 116
Sopa de Legumes de Primavera, 116
Sopa de Lentilha com Limão, 19
Sopa de Missô, 77
Sopa Minestrone, 106
Receitas do Twitter, 19
Receitas medievais, 20
Receitas
adaptação, 20–21
breve história das, 18–19
Civille sobre, 133
lendo cuidadosamente, 11
medievais, 20
no Twitter, 19
ordem de preparação nas, 11
Pépin sobre, 25
Recursividade
Reduções de log, 173
Reduzindo açúcares, 213
Refogados
cogumelos, 359
dicas de cozinha, 207
Vegetais Refogados com Sementes de Gergelim, 209
Regra da zona de perigo, 170–186, 325
Rennet, 432
Repolho, dicas de armazenamento, 120
Restrições alimentares, 30, 445–450
Rigor mortis, 162–163, 164
Riley, Addison, 17
Roca, Joan, 329
Romãs, retirando as sementes, 114
Rombauer, Irma, 18
Rotovaps, 358–360
Rozin, Paul, 98
Ruhlman, Michael, 303

S

Sabor e aromatizantes, 98–102, 397–399
Civille sobre, 132–133
comprando, 88
fumaça líquida, 403–407
gorduras e óleos, 148
inspiração computacional, 125–128
inspiração pela exploração, 103–111
inspiração pela sazonalidade, 112–124
inspiração por, 84
método regional/tradicional, 21
prazer e, 87
produção de gosto e sabor, 56, 58
sobre, 98–99
Wansink sobre, 101–102
Saboroso (gosto). *Veja* umami (gosto)
Sacarídeos, 254
Sacarose
calor latente da, 229
como aditivo alimentar, 376

hidrólise e, 221–223
invertase e, 81, 432
sobre, 68–69
Saccharomyces cerevisiae, 262
Saccharomyces pastorianus, 262
Sacos plásticos para armazenamento, 323
Sal de Epsom, 64, 383
Sal marinho, 65, 380
Sal
água salgada, calibrando freezers usando, 244–245
ajuste para a dureza da água, 241
Atum Selado com Sal e Cominho, 169
como aditivo alimentar, 376
como conservante, 382–385
como escudo de calor, 147
como realçador de sabor, 16, 56, 65
Conserva de Limões, 387
dose letal, 382
em salmouras, 232
equilibrando gostos com, 60
fazendo sorvete com, 394–395
formação de glúten e, 386
Gravilax de Salmão, 385
grelhando com sal, 147
Lancaster sobre, 232
neutralizando amargos, 56
osmose e, 386
ovos pochê e, 193
Pão crescido a sal, 272
Peixe no Sal com Limão e Ervas, 147
ponto de ebulição da água e, 238, 242, 306
Reações de Maillard e, 214
receptores de gosto e, 58–59
Toxicidade do, 64
Salada de Beterraba, 121
Salada de Chicória com Ovos Pochê e Lardons, 75
Salada de Erva-doce, Cogumelos Portobello e Parmesão, 75
Salada de Tomate, Muçarela e Manjericão, 114
Saladas
Salada de Chicória com Ovos Pochê e Lardons, 75
Salada de Erva-doce, Cogumelos Portobello e Parmesão, 114
Salada de Tomate, Muçarela e Manjericão, 114
Salada de Verão de Melancia e Queijo Feta, 85
Salgado (gosto)
ajustando os temperos, 65
ingredientes saborosos por cultura, 63
mascarando gosto amargo, 74
sobre, 58–59, 64–65
vontade de, 64
Salmão
Cozido na Lava-louça, 326
Gravilax de Salmão, 385
Salmão Escaldado em Azeite de Oliva, 168
Salmonela
concentrações de sal e, 386
contagem exigida, 179
em batatas, 178

em carnes, 186, 355
em ovos, 174, 191, 293, 329
Guia da USDA e, 171
sobre, 172, 180
tábuas de corte e, 44
taxas de reprodução, 171
temperatura de morte, 329
temperaturas de sobrevivência, 172–173
tempo entre ingestão e sintomas, 178
Salmouras
amaciando carnes, 165
Lancaster sobre, 232
picles instantâneos, 319
salmoura à moda japonesa, 62
sobre, 386
Sanders, Harland, 310
Saudável (estilo culinário), 9
Savage, Adam, 16–17
Savage, Riley, 17
Sazonalidade
entendendo, 88
inspiração pela, 112–124
tabela de estações de crescimento, 112–113
SC Johnson, 323
Scoville, Wilber, 80
Scully, Eleanor and Terence, 20
Sedimentação, 266, 351
segurança de alimentos e, 171–172, 182–183, 186, 200, 355
Segurança de alimentos
aditivos alimentares e, 376
bactéria e, 170–186
culinária sous vide e, 325–329
desidratando alimentos, 353
dicas de Cozinha do Potter, 440
em grupos de risco, 171, 184
experimentação e, 358–359
intoxicações alimentares e, 180
óleos infundidos, 402
parasitas e, 183–184
peixe e, 177, 180, 183–184
Powell sobre, 178–179
regra da zona de perigo, 170–186, 325
Seitan, Assado com Favas Condimentadas, 257
Selagem
Atum Selado com Cominho e Sal, 169
Bife Selado, 140
Costelinhas Cozidas Lentamente, 203
Mexilhões Selados com Manteiga e Cebolinhas-brancas, 67
Selagem
Atum Selado com Sal e Cominho, 169
Bife Selado, 140
iogurte e, 73
Mexilhões Selados com Manteiga e Cebolinhas, 67
Reações de Maillard e, 214
transferência de calor na, 145
Vieiras Seladas, 220
Selamento a vácuo e, 320
Sementes de Gergelim, Vegetais refogados com, 209
Sensibilidade a alimentos, 30
Sensibilidade do paladar, 59

Índice   **463**

Sentido gustativo. *Veja* paladar
Sentido olfativo. *Veja* olfato
Separação magnética, 348
Separações úmidas, 347–357
  centrífugas na cozinha, 351–351, 359
  cristalização, 356–357
  destilação, 360
  filtração mecânica, 347–351
  Palitinhos de Açúcar, 356, 357
  rotovapores, 360
  sobre, 347–348
Servindo a comida, 32–33
Síndrome do Molho Béarnaise, 100
Sistemas a vácuo. *Veja também*
  culinária sous vide
    embaladores a vácuo, 323
    seladoras a vácuo, 318–320, 323
    sobre, 317
    truques de baixa pressão, 317, 318
Sistemas de classificação, 93–94
Situações de alta pressão, 306–316
  batedores de chantili, 313–316
  cozinhando com pressão
  estourando pipoca, 307
  sobre, 306–307
Snickerddodles de Canela, 225
Sobremesas. *Veja também* bolos; biscoitos
  Baklava de Chocolate com Pistache, 256
  Barra de Chocolate Meio Amargo, 161
  Brownies na Laranja, 32
  Caldas de Caramelo, Seca e Úmida, 228–229
  Crème Anglaise, 192
  Crème Brûlée do Quinn, 368
  Creme de Baunilha, 192
  Donut de 250kg, 344–346
  Falsa Torta de Maçã, 96
  Maçãs Cozidas na Lava-louça, 326
  Massa de Torta, 258–259
  Merengue de Limão, 411
  Merengue Francês, 293
  Merengue Italiano, 293
  Mousse de Chocolate, 301, 313, 315
  Panna Cotta de Chocolate, 424
  Peras Cozidas, 210
  Pudim de Pão, 192
  Sorvete Goldschläger, 364
  Sorvete S´mores, 405
  Suflê de Frutas, 299
  Tigelinhas de Açúcar para Sorvete, 342–343
  Tiramisù, 19
  Zabaglione, 298
Sociedade Americana para Testes e Materiais, 93–94
Solventes, 360, 386, 397–398
Sopa de Abóbora com Leitelho, Vadouvan, 110
Sopa de Lentilha, Limão, 19
Sopa de Missô, 77
Sopa de Outono de Abóbora com Leitelho, 118
Sopa Minestrone, 106
Sorvete S'more, 405

Sorvete
  Crème Anglaise em, 192
  fazendo com nitrogênio líquido, 305, 361–364
  fazendo com sal e gelo, 394–395
  Sorvete Goldschläger, 364
  Sorvete S´more, 405
  Tigelinhas de Açúcar para Sorvete, 342–342
Sour cream (coalhada) caseiro, 155
Sova (agitação mecânica), 240, 261
Sovando massa, 264
SRDEC, 412
Staphylococcus, 386
Stewart, Martha, 258
Stewart, Jon, 179
Streptococcus thermophiles, 73
Streptomyces mobaraensis, 436
Sublimação, 318, 352
Substância P, 79
Sucesso, definição de, 15
Suco de limão
  bactérias e, 176
  Suco de Limão Clarificado, 425
Sulfato de magnésio, 64–383
Sulfato de sódio-alumínio, 286
Super Envision, 393
Superdegustação, 86
Supralimiar, 59
Suspensões, 380

T

Tábuas de corte, 44
Tacos (peixe) com Picles e Chutney de Morango, 129
Talbot, Alex, 315
Tautômeros, 68
Taxa de reação
  cozimento a pressão e, 309
  culinária sous vide e, 321
  encontre seu biscoito perfeito, 226–227
  evaporação e, 353
  temperatura e, 136–137, 148, 172
Técnica da esferificação, 418, 426–427
Técnica do *mise en place*, 11
Temperagem (aço), 41
Temperando chocolate, 157–160, 339
Temperatura(s). *Veja também* temperaturas importantes na culinária.
  caramelização, 138, 221–230
  cozinhando em extrema, 305, 367–371
  culinária sous vide e, 320–321, 327
  das reações comuns, 138
  dicas de cozinha do Potter, 440
  métodos de calor úmido, 143
  paladar e, 60–61, 68
  para as reações de Maillard, 138, 213–220
  para as reações no forno, 138
  para desnaturação de proteínas, 138, 162–169
  para fazer chocolate, 158
  ponto de ebulição da água, 238, 242, 302
  sentido familiarizado de, 34
  taxa de reação e, 136–137, 148, 172
  Temperaturas de prontidão, 166
  tempo e, 135–233

Temperaturas importantes na culinária, 148–233
  30°C, 148–161
  40°C, 138, 162–169
  50°C, 138, 162–169
  55°C, 138
  58°C, 138
  61°C, 187–194, 325
  65,5°C, 138
  68°C, 138, 195–204
  70°C, 138, 205–212
  77°C, 138, 333
  100°C, 138
  154°C, 138, 213–220
  163°C, 138
  175°C, 138
  180°C, 138, 221–230
  190°C, 138
  sobre, 148
Tempo de recuperação
  para fornos, 35
  para panelas, 140
Tempo e temperatura, 135–233. *Veja também* reações químicas
  Confit de Pato e, 200
  culinária sous vide e, 321, 327
  Dicas de Cozinha do Potter, 440
  Guia da FSIS, 180
  principais variáveis na culinária, 305
  sobre, 136–138
  transferência de calor, 139–141
Tempo térmico de morte, 172
Tempos de espera, 172–173, 180, 325
Tênia, 183
Tensão interfacial, 414, 429
Termogrelhamento, 414
Termopar, 324
Termômetros
  digital com sonda, 35, 49, 183,324
  temperando chocolate, 158
Termômetros digitais com sonda, 35, 49, 183, 324
Termorreversibilidade, 414
Tesouras de cozinha, 48
Teste UPSIT, 131
Testes organolépticos, 80
Texas A&M University, 362
Textura, alimentos, 165, 322, 412–413
Theobroma cacao, 157, 159
This, Hervé sobre 390–392
Tigelas para misturar, 48, 51
Tigelas de aço inox, 291–292
Tigelas de cobre, 291
Tigelas de servir, comida como, 32
Tiramisù, 19
Titin, 164
Tixotropia, 409
Tomates
  analisando o país de origem, 243
  Bruschetta de Lula com Tomate e Ervas, 199
  descascando, 117
  dicas de armazenamento, 119
  gosto agradável em, 76
  Molho de Tomate, 107
  Salada de Tomate, Muçarela e Manjericão, 114
Top Chef (programa de TV), 25
Torradas Francesas, 192

Torta parma, 20
Tortas
  Falsa Torta de Maçã, 96–97
  Massa de Torta, 258–259
  Torta Merengue de Limão, 411
Toxinas
  bactérias e, 173
  botox e, 175
  culinária sous vide e, 325
  produtores de alimentos e, 170
Transferência de calor
  calor latente e, 140
  condução, 142, 145
  convecção, 143, 145
  cozimento a pressão e, 308
  culinária sous vide e, 322
  experimentos com fontes, 145–146
  gradientes de temperatura, 139–141
  métodos combinados de, 145–146
  métodos de, 141–146
  óleo e água, 142
  ponto e, 139–141
  radiação, 144, 145, 186
  regra de tempo/temperatura, 136
Transglutaminase, 436–437
Transição de fases, 136, 152, 306
Tratamento de imersão em água quente, 174, 355
Trichomoniase, 183
Trifosfato de adenosina (ATP), 164
Triglicérides
  na manteiga de coco, 159
  sobre, 148
Trigo-sarraceno
  Crepes, 251
  sensibilidade ao glúten e, 246
Triquinose (cisticercose), 67

U

Umami (sabor)
  ajuste de temperos, 78
  diferenças genéticas de paladar, 61
  ingredientes saborosos por cultura, 63
  preferências de sabor, 60
  Seitan, Assado com Favas Apimentadas, 257
  sobre, 58–59, 76–78
Umidade
  chocolate agarrado e, 159
Umidade
  afetando a culinária, 17, 142, 250, 373
  levedura e, 237
  nos fornos, 144, 237–238
  sobre, 307
Underwriters Laboratories, 308
União Europeia, 122
Unidade de medida. *Veja* medidas
Unidades Brabender, 249
Unidades Haugh, 188
USDA (United States Department of Agriculture)
  recomendações de segurança de alimentos, 172, 180
  Serviço de Segurança de Alimentos e Inspeção, 172, 180, 325
  Testando a maciez da carne, 16

V

Vadouvan, 110
Valerato de citronelil, 95
Vanilina, como aditivo alimentar, 91, 92, 377
Vapor transferência de calor e, 142
  Aspargo Rápido Cozido no Vapor, 208
  como fermento mecânico, 236–238
  como transição de fase, 136
  cozinhando ovos, 193
  dicas para altitude, 238
  panelas de pressão e, 31
  Popovers, 239
Vaporizadores, 236, 237
Varasano, Jeff, 269–270
Vegemite, 77
Vegetais
  abordagens culinárias, 207
  alcachofras, cozinhando, 70
  ambientalmente seguros, 115
  Aspargo Rápido Cozido no Vapor, 208
  assados, 232
  Batata-doce Assada, 211
  Batatas de Frigideira, 216
  Chips de Couve, 353
  Cenouras Assadas com Cebolas Vermelhas, 230
  cozimento a pressão, 311
  culinária sous vide, 337–338
  dicas de armazenamento, 119–120, 186
  Ervilha à Francesa, 25
  Endívias Belgas, 75
  Gaspacho, Sopa de Verão, 117
  Legumes Refogados com Sementes de Gergelim, 209
  Manjericão, Salada de Tomate e Muçarela com, 114
  níveis de amido nos, 205–212
  Purê de Batatas com Alecrim, 212
  Quinoa com Limão e Aspargo com Camarão Empanado, 53
  Refogando cogumelos, 359
  Salada de Beterraba Grelhada, 121
  Salada de Erva-doce, Cogumelo Portobello e Parmesão, 114
  Sopa de Abóbora, Vadouvan, 110
  Sopa de Outono de Abóbora, 118
  Sopa de Verão de Alface, 116
  Sopa Minestrone, 106
  segurança de alimentos e, 179, 182, 200
  Tabela de estações de crescimento, 113
  temperaturas importantes na culinária, 205, 212
  tomates, descascando, 117
Vibrio colerae, 176, 177
Vibrio vulnificus, 180, 184
Vieiras
  Ceviche de Vieiras, 176
  Vieiras com Bacon, 437
  Vieiras Seladas, 220
Vinagre de arroz, 177
Vinagre. *Veja também* ácido acético
  água dura e, 240–241
  bicarbonato de sódio e, 274, 276

como conservante, 382
como realçador de sabor, 16
ovos pochê e, 193
Vinho Branco e Queijo, Molho, 298
Vinho
  cozinhando com, 99
  descrevendo aromas, 93
  dificuldade de combinação com alcachofras, 71
  filtração com ictiocola, 349
  Vinho Branco e Queijo, molho, 298–299
  Zabaglione, 298–299
Vírus, 170, 175
Viscosidade da massa, 249
Vitamina C, 72
Volume versus peso (medida), 50

W

Waffles, Levedura, 267
Walshin, Lydia, 110
Wansik, Brian,8, 101–102
Waters, Alice, 302
Wiechmann, Tim, 121
Winkel, Kristi, 446
Wolfe, Benjamin, 434–435
Wolfram|Alpha, 11

X

Xarope de milho, 69
Xarope, Gengibre

Z

Zabaglione, 298
Zimase (enzima), 267

Índice **465**

Agradecimentos

Quero agradecer aos meus grandes amigos Mark Lewis, Aaron Double e Paula Huston. Mark sofreu com as primeiras versões das comidas e dos capítulos e ofereceu opiniões inestimáveis sobre ambos. Aaron passou muito tempo transformando meus rascunhos rabiscados nas tabelas e diagramas que aparecem pelo livro, e Paula me emprestou os ouvidos e suas ideias culinárias em inumeráveis formas.

Quinn Norton me ajudou de muitas maneiras, desde colocar uma tigela de congee (veja a p. 22) debaixo do meu nariz enquanto eu escrevia até me mostrar como dar entrevistas. Barbara Vail e Matt Kiggins ajudaram a encontrar trabalhos de pesquisa sobre tudo, desde as proteínas de miosina até a média de ganho de peso durante as festas de final de ano (cerca de 225 gramas — não é muito, mas acontece que não temos tendência a perdê-los até a primavera seguinte). Na segunda edição, Grace Cheng e Steven O'Malley (L!) ajudaram a revisar o texto.

Não tenho como expressar minha gratidão a Marlowe Shaeffer, Laurel Ruma, Brian Sawyer, Edie Freedman, Ron Bilodeau e a toda a equipe da O'Reilly que acreditaram em mim e tornaram esse livro possível. (Marlowe: minhas desculpas por ter feito você quebrar todos aqueles ovos!)

E, é claro, obrigado aos meus pais por todo o apoio e encorajamento. Vou me esforçar para não espirrar gordura de pato no teto da próxima vez que visitar vocês.